L'ATHÉISME
DANS
LA VIE ET LA CULTURE
CONTEMPORAINES

des CHRETIENS interrogent l'ATHEISME

Tome I   Vol. 1

L. Beirnaert
J. Girardi
A. Godin
G. Hourdin
R. Johann
G. Milanesi
J. Potel
A. Vergote
E. D. Vog

DIRECTION :

L'ATHÉISME DANS LA VIE ET LA CULTURE CONTEMPORAINES

Pour l'édition internationale : Jules GIRARDI
Pour l'édition française : Jean-François SIX

DESCLÉE

Nihil obstat :

V. DESCAMPS,

can., libr. cens.

Imprimatur :

Tornaci, die 8 decembris, 1967

J. THOMAS, vic. gen.

Copyright © 1967 by Desclée & Cie, Paris

All rights reserved

Printed in Belgium

AVANT-PROPOS

Cet ouvrage, dont voici le premier volume, est simultanément publié en plusieurs langues : anglaise, allemande, italienne, française.

Le lecteur français voudra bien constamment avoir en mémoire que les auteurs des différentes parties qui composent cet ouvrage, appartiennent à des nationalités, sinon à des cultures différentes; qu'ils ont poursuivi leurs recherches dans le souci de l'objectivité la plus stricte mais qu'ils sont en même temps tributaires de leur pays avec sa situation et sa mentalité. Certaines pages, écrites par un auteur d'un autre pays, auraient eu une autre résonance, on n'en peut douter. Mais si nous avons voulu garder en français les apports de la plupart des collaborateurs, c'est que nous avons pensé que ces différences d'accent étaient, à leur tour, significatives.

Le lecteur remarquera aussi que les auteurs de ces pages sont tous des chrétiens. Même si des écrits, venant d'hommes athées ou agnostiques, sont souvent cités, cet ouvrage ne comporte pas la participation, en tant que telle, de ceux dont les auteurs de cet ouvrage interrogent les convictions. Et, pour la clarté, l'ouvrage est publié chez un éditeur dont le label catholique est manifeste.

Pourquoi cette perspective que certains pourront regretter en disant qu'il n'y a pas d'interlocuteurs et qu'on se fait à soi-même les demandes et les réponses? Elle est due en premier lieu — comme l'exprime plus loin le comité des rédacteurs — à l'exigence d'unité dans un ouvrage de ce genre, qui n'est pas un simple recueil mais qui aspire à donner une vue d'ensemble sur l'attitude chrétienne en face de l'athéisme. Elle est due aussi à des circonstances historiques : l'idée de cet ouvrage a été élaborée avant même le Concile et c'était déjà une étape importante que de mettre en mouvement une recherche sur ce sujet. Elle est due en même temps à un souci d'authenticité; il est facile de parler de dialogue, de rencontre et d'échanges; mais peut-être faut-il commencer par le commencement : exprimer aux non-croyants — et à nous-mêmes — comment nous comprenons leurs convictions. Eux à leur tour pourront nous dire dans quelle mesure ils se sentent compris. Leurs réactions pourraient être l'amorce d'une nouvelle étape et, on peut l'espérer, le pas décisif vers un autre ouvrage. Un ouvrage où, côte à côte, croyants ou non, athées ou non, présenteraient celui à qui ils ont foi ou ce à quoi ils sont attachés par conviction profonde. Un grand livre ouvert où les uns et les autres partageraient ce qu'ils sont au plus vrai d'eux-mêmes et s'interrogeraient mutuellement, en réciprocité d'accueil, d'écoute et de respect.

Ce qui s'appelle dialogue. Mais cette aurore, dont on souhaite que cet ouvrage soit l'annonce, n'est peut-être pas si loin!

Le responsable de l'édition française

JEAN-FRANÇOIS SIX

Docteur ès-Lettres
Docteur en Théologie
Docteur en Sciences des Religions
Diplômé de l'École des Hautes-Études

nous a été possible de lire. Plusieurs sont d'une grande technicité : c'est que le sujet l'exigeait. Mais une large place est également accordée à la description de situations concrètes, ainsi qu'aux analyses relevant de la psychologie, de la sociologie, de l'histoire littéraire, ou à l'étude historique des doctrines. Lorsque l'activité philosophique elle-même entre en jeu, la discussion ne vient jamais qu'à la suite d'un exposé dont le souci d'objectivité se double d'un parti pris méthodologique assurant toutes ses chances à la thèse examinée. Nous sommes loin de ce que l'on met aujourd'hui sous le mot conventionnellement péjoratif d'apologétique! Bien plus, même au meilleur sens de ce mot, l'apologétique n'est pas le but visé. Ce que cherche avant tout chaque auteur, c'est à procurer une connaissance aussi exacte et déjà aussi approfondie que possible du phénomène contemporain de l'athéisme sous l'un ou l'autre de ses aspects, en vue d'introduire à un dialogue réel.

Aussi ne doit-on point s'étonner de voir — je parle des articles dont j'ai pris connaissance — qu'il n'a pas été jugé nécessaire de s'étendre sur les ravages, trop aisément observables, produits par la diffusion des doctrines et des comportements athées dans l'humanité moyenne, tandis qu'au contraire rien n'est dissimulé des déformations de diverses sortes que nous montre l'histoire, ou notre âge même, à l'intérieur des milieux croyants. D'autre part, on n'a pas craint de reconnaître les leçons positives qu'un chrétien, demeuré ferme dans sa foi, peut recevoir de l'athéisme à divers titres. Il est bon qu'il en soit ainsi. En effet, le croyant n'a pas seulement besoin d'être informé : il doit être stimulé. L'athéisme est comme un défi lancé à sa foi, et comme il a été pour le concile, au dire du cardinal König, « un aiguillon », il faut qu'il le soit pour chacun de nous.

L'un des collaborateurs de cette encyclopédie termine un exposé très nourri en rappelant de la nécessité et la vertu du témoignage, sans lequel tous les débats d'idées, si indispensables qu'ils soient et si rigoureux qu'ils doivent être, seraient finalement vains. Il était bon que cela aussi fût dit. Non pour nous devenir un prétexte à reculer paresseusement devant l'effort de pensée préalable au dialogue, mais pour nous prémunir contre la pire des illusions, qui, aux yeux de notre partenaire, transformerait en spéculation sans portée, sinon pis, une foi que nous trahirions. C'était bon aussi pour nous rendre courage, si, comme il arrive inévitablement, nous devions nous sentir inférieurs à la tâche

PRÉFACE

L'ouvrage que je dois ici présenter au lecteur n'est pas et ne veut pas être un traité. Il n'a certes pas été conçu sans intentions nettes et réfléchies, et un plan directeur a présidé à son élaboration; mais ces intentions ne sont pas celles d'un système, et ce plan ne résulte pas d'une pensée qui ambitionnerait de se dérouler selon sa logique interne: il est plutôt le cadre choisi pour contenir en un certain ordre une abondance d'études d'origine et de nature diverses, rédigées chacune par leurs auteurs respectifs en toute indépendance. Non pas un traité, mais une encyclopédie.

Qu'une telle encyclopédie soit hautement opportune, à peine est-il besoin de le dire. Aucun sujet n'est à la fois plus grave et plus actuel, en même temps que plus multiforme. Aucun ne requiert davantage l'attention de quiconque, dans l'Église, détient une part de la responsabilité commune. Aucun ne s'impose avec plus de poids à la conscience chrétienne de notre temps.

L'idée en avait été lancée, et déjà la réalisation en avait été entreprise, bien avant que le récent concile eût insisté, avec la force que l'on sait, sur le fait de l'athéisme contemporain et la nécessité d'y faire face. Ainsi cette encyclopédie peut-elle, sans qu'on ait sacrifié à la hâte des improvisations, apporter dès maintenant une première réponse à la requête du concile. L'initiative en est due à l'Université salésienne de Rome, centre international d'une congrégation qui fut précisément fondée en vue de subvenir aux besoins du monde moderne. C'est là, nous semble-t-il, une garantie de l'esprit largement et allègrement ouvert, aussi bien que profondément apostolique, dans lequel ses directeurs ont envisagé leur tâche et l'ont menée jusqu'à son terme; et c'est en même temps une indication sur l'orientation, à la fois doctrinale et pratique, qu'ils ont imprimée à tout l'ouvrage.

Que les auteurs auxquels ils se sont adressés soient eux-mêmes entrés dans leur dessein, c'est ce dont nous persuadent les chapitres qu'il intellectuelle qui nous incombe. L'Évangile s'est répandu par la force de l'Esprit qui animait les fidèles du Christ. La même force du même Esprit peut aujourd'hui encore le répandre. C'est à nos infidélités, c'est tout au moins à nos manques de confiance, qu'il faut attribuer avant tout ses reculs. Mais à toute époque, et dans toutes les situations, Dieu suscite au milieu des hommes des témoins de sa Présence. Alors, contre toute attente, la merveille se renouvelle. La foi éclôt au fond d'un cœur. A travers un de ses témoins, l'homme, une fois de plus, a reconnu son Dieu.

Henri de Lubac, S. J.

AVERTISSEMENT

Deux préoccupations ont été constamment présentes à notre esprit lors de l'élaboration du projet de cet ouvrage : celle de comprendre l'athéisme et celle d'affronter les problèmes qu'il soulève en considérant à cette fin les solutions athées d'un point de vue chrétien.

Ces deux préoccupations sont présentes dans tout l'ouvrage car l'interprétation et l'appréciation vont de pair. Nous nous sommes efforcés de les séparer partout où cela était possible, afin que l'objectivité nécessaire au moment de l'exposition ne soit pas excessivement troublée par des interférences d'évaluation.

Dans la description de l'athéisme nous avons voulu, d'une part, mettre en lumière la complexité du phénomène qui dépasse la sphère philosophique et touche la vie et la culture dans leurs aspects les plus divers; d'autre part, nous avons cru nécessaire de rapprocher ses composantes doctrinales d'une façon aussi étendue que possible. Bien entendu il s'agit ici de distinctions de principe, car la pensée et la vie, la philosophie et les autres secteurs culturels se compénètrent largement.

Nous nous sommes aussi préoccupés de concilier les exigences de l'universalité et celles de l'actualité. Dans ce but nous avons concentré les exposés historiques sur des personnalités et des tendances contemporaines particulièrement significatives; mais surtout nous avons cherché à retrouver en ces dernières la documentation actuelle de problèmes universels de l'existence humaine. Les discussions doctrinales, bien qu'elles se réfèrent directement à des positions contemporaines, affrontent les problèmes plus généraux qu'elles ont soulevés.

Dans le *premier* tome est étudié *l'athéisme dans la vie et la culture contemporaine* : sociologie, psychologie, sciences physiques, mathématiques et biologiques, histoire des religions, littérature, cinéma, organisation, pédagogie. Le traité est alors surtout un exposé, bien que la présence de composantes doctrinales dans les divers secteurs impose fréquemment des prises de position théorétiques.

Le *second* tome a un caractère essentiellement philosophique. Il étudie d'abord l'athéisme dans sa genèse historique ainsi que dans certains des courants les plus marquants de la pensée, tels que l'idéalisme, le marxisme, le vitalisme, l'existentialisme, la phénoménologie, l'historicisme, le naturalisme, le néo-positivisme, la philosophie analytique, etc. Cela ne veut pas dire que tous ces courants sont considérés comme athées, mais dans leur sein il arrive de rencontrer des personnes ouvertement athées. Il nous a même semblé utile d'étudier aussi certains auteurs qui tout en n'étant pas athées n'en sont pas moins considérés souvent comme tels et dont les problèmes constituent un apport intéressant aux réflexions sur l'athéisme; c'est le cas de Heidegger, Jaspers, Unamuno, Ortega y Gasset, etc.

Dans ce même tome on étudie, toujours sur le terrain philosophique, certains grands problèmes que soulève l'athéisme par rapport à la connaissance et aux valeurs, aussi bien sur le plan général que particulier.

Dans ce second tome, l'exposé est d'ordinaire suivi d'un essai d'évaluation.

Le dialogue doctrinal avec l'athée doit nécessairement partir du terrain philosophique, car ce n'est que là que l'on peut trouver un langage commun. Toutefois la réponse chrétienne aux problèmes que pose l'athéisme serait mutilée si elle était bornée à ses composantes rationnelles. Il faut donc que le christianisme puisse se présenter dans la plénitude de ses valeurs, c'est-à-dire sur un plan tout à fait théologique. C'est la tâche remplie par le *troisième* tome : après une réflexion initiale sur l'athéisme en tant que problème théologique, le dialogue avec l'athéisme se poursuit par de nouvelles réflexions sur les grands problèmes théologiques; il s'achève par des indications méthodologiques sur le rapprochement entre le chrétien et le monde marqué par l'athéisme.

Les collaborateurs de cet ouvrage sont pour la plupart catholiques; cette formule a semblé opportune aux fins d'assurer une certaine unité à un traité qui, en raison de la multiplicité des auteurs, des spécialisations et des orientations courait le risque d'être trop dispersé. Il nous est apparu en outre qu'une prise de position globale de la part des penseurs catholiques sur un ensemble de problèmes aussi graves, était susceptible de prendre, dans le climat post-conciliaire, un intérêt tout particulier. Nous avons cependant estimé nécessaire de présenter le point de vue des chrétiens non catholiques ainsi que celui des religions non chrétiennes, en face de l'athéisme. Dans le troisième tome deux séries d'études sont consacrées à ces sujets.

Enfin, avant d'entamer notre dissertation sur l'athéisme qui doit engager au dialogue dans les secteurs les plus divers, nous avons jugé bon de faire deux genres de réflexions préliminaires concernant d'abord le concept d'athéisme et ensuite la possibilité de dialogue entre catholiques et athées. Bien entendu, et en particulier pour ce qui concerne

Avertissement

le dialogue, il s'agit surtout de questions auxquelles il ne pourra être donné qu'à la fin de l'ouvrage une réponse convenable. Il nous a paru opportun de rapprocher ces deux points dès le début afin d'éclaircir une terminologie et un ensemble de problèmes qui reviendront constamment.

Le dialogue avec les incroyants n'est d'ailleurs pas le seul but de cette œuvre : elle s'adresse dans une large mesure aux croyants eux-mêmes, comme une invitation à réfléchir et à se renouveler. Les exigences du dialogue permettent de poser aussi, et avec une vigueur particulière, les nouveaux problèmes internes de l'Église.

La conscience de la gravité et de la complexité des problèmes que pose l'athéisme nous a poussés à faire appel, pour les affronter, à une pléiade de spécialistes de premier plan. Le caractère collectif de cet ouvrage (international, interdisciplinaire, et d'une façon limitée interconfessionnel) comporte des inconvénients qu'il était difficile d'éviter, tels que interférences, contradictions, moins bonne organisation, etc. Dans le cadre de certaines directives générales, la Rédaction a en effet voulu respecter pleinement la liberté d'expression de ses collaborateurs : chaque article (introduction comprise) engage exclusivement la responsabilité de son auteur.

Il nous a semblé que ces inconvénients étaient largement compensés par l'enrichissement provenant de l'intégration et de la mutuelle fécondation des points de vue.

Pour faciliter en outre le travail de synthèse, qui en définitive ne peut être que personnel, nous présentons, en partant de l'ensemble des articles, deux essais de vues générales : l'un, sur la nature et les formes de l'athéisme, l'autre, sur les prospectives doctrinales et existentielles qui se présentent aux chrétiens à la suite de la confrontation avec l'athéisme. A la fin on trouvera aussi un index analytique étendu.

Il faut d'ailleurs tenir compte de ce qu'en raison de l'étendue des problèmes nous ne pouvions pas espérer les traiter complètement : chaque étude conserve, dans son secteur, un caractère synthétique. Malgré son volume le présent ouvrage ne veut être qu'un point de départ et un instrument de travail aidant à la réflexion et aux recherches sur l'athéisme.

Le Comité de Rédaction

LISTE DES COLLABORATEURS
DU Ier TOME

ANWANDER, Anton
  Professeur d'Histoire des Religions à l'Université de Munich.
AYFRE, Amédée (†)
  Professeur au séminaire de Saint-Sulpice à Issy.
BALDUCCI, Ernesto
  Directeur du «Centre de formation à la psychologie pastorale» de Florence.
BEIRNAERT, Louis
  Professeur de Psychopathologie à l'Institut Catholique de Paris.
CHAUCHARD, Paul
  Directeur à l'École des Hautes Études, Paris.
CORALLO, Gino
  Professeur de Pédagogie à l'Université de Bari.
ENGELEN, W.
  Assistant en Sociologie à l'Université de Nimègue.
FATRANSKY, C.S.
  Vienne.
GIRARDI, Jules
  Professeur de philosophie à l'Institut Pontifical Salésien de Rome.
GODIN, André
  Professeur de Psychologie au Centre International « Lumen Vitae » de Bruxelles.
GOLFIN, Christophe
  Professeur de Philosophie politique à Toulouse (France).
HOURDIN, Georges
  Directeur de la revue « Informations Catholiques Internationales », Paris.
JOHANN, Robert O.
  Professeur de Philosophie à Fordham University, New York.
LAZZAROTTO, Angelo
  de l'Institut Pontifical des Missions Étrangères, Rome.
MILANESI, Giancarlo
  Professeur de Psychologie à l'Institut Pontifical Salésien de Rome.
MODESTO, Pietro
  Professeur de Philosophie à l'Université Catholique de Milan.

Moeller, Charles
: *Professeur de Théologie à l'Université Catholique de Louvain.*

Nastainczyk, Wolfgang
: *Professeur à l'Université de Mayence.*

Potel, Julien
: *Équipe de Recherches Pastorales de la Mission de France.*

Ruffino, Giuseppe
: *Professeur de physique à l'École Polytechnique de Turin.*

Tentori, Tullio
: *Professeur d'Anthropologie culturelle à l'Université de Rome.*

Vergote, Antoine
: *Professeur de Philosophie et de Psychologie à l'Université Catholique de Louvain.*

Vogt, Edvard D.
: *Directeur du Centre de Recherches culturelles et religieuses de Bergen (Norvège).*

INTRODUCTION
par
JULES GIRARDI

I. *Le problème de l'athéisme contemporain.* II. *« Athéisme »* : *Précisions terminologiques* : *A.* — *Athéisme théorique* : 1. Que signifie « nier » Dieu ? 2. Que signifie Dieu ? *B.* — *Athéisme pratique. Conclusion.* III. *Le dialogue entre catholiques et athées* : *A.* — *Phénoménologie du dialogue* : 1. Thématique; 2. Interlocuteurs; 3. Intentionalité; 4. Originalité par rapport aux autres formes de rapport intersubjectif; 5. Situation de départ; 6. Conditions; *a.* Climat de liberté; *b.* Sincérité totale. *B.* — *Le problème de la possibilité du dialogue entre catholiques et athées* : 1. Fidélité et dialogue; 2. Dépendance et autonomie; 3. Objectivité et subjectivité; 4. Unité et multiplicité des systèmes de vérités et de valeurs; 5. Particularités et universalité. *Conclusion.* *Notices bibliographiques.*

I

LE PROBLÈME DE L'ATHÉISME CONTEMPORAIN

La présence massive de l'athéisme dans le monde contemporain, tel est le fait qui provoque notre réflexion. Présence significative à double titre : quant à son extension, l'athéisme cesse aujourd'hui d'être le fait d'une élite et devient un mouvement de masses, soulevé par un dynamisme ascendant que d'aucuns jugent irrésistible. Quant à son contenu, il ne se présente pas comme une simple négation de Dieu, mais comme la réponse au problème de l'homme, comme une attitude globale devant l'existence et l'histoire, et va jusqu'à joindre à l'intensité dramatique d'une véritable « foi », le dynamisme d'une action militante. Il ne se présente pas comme limité à un secteur, mais investit tous les niveaux de la culture et de la vie, personnelle et sociale : philosophie, morale, science, art, littérature, histoire, politique, économie, droit, etc....

A chacun de ces niveaux, il se présente comme une contestation radicale du christianisme et comme une alternative à celui-ci, personnelle et historique; par suite, le christianisme n'est plus un donné sans problèmes, mais la voie offerte à un choix personnel et engagé.

Face à un fait de telle ampleur, certaines questions, parmi d'autres, se font plus pressantes : l'athéisme est-il une manifestation contingente, une explosion passagère, une mode, ou, au contraire, un mouvement appelé à marquer en profondeur le présent et l'avenir ? Est-il limité à des milieux ou à des nations déterminées, ou, tout au plus, à la civilisation occidentale, ou bien revêt-il une certaine universalité ?

Telles sont les questions qui seront débattues de manière plus approfondie au cours de cet ouvrage, aussi bien dans les études sociologiques et psychologiques que dans les études philosophiques, et au terme desquelles nous pourrons fournir quelques conclusions générales. Dans les lignes qui suivent, nous nous bornerons à envisager quelques hypothèses de travail, en vue d'une première position globale du problème de l'athéisme.

L'importance historique de l'athéisme nous semble provenir tout d'abord du fait qu'il se présente comme solidaire de certains traits caractéristiques de la situation de notre époque : de celle-ci, nous considérerons soit l'évolution extérieure, telle que peut la voir un observateur impartial, soit l'impact que cette évolution a sur la conscience de l'homme. Pour ce qui est de l'aspect extérieur, par exemple, rappelons le progrès toujours plus rapide des sciences, celles de type physique et mathématique comme celles de type psychologique ou sociologique ; notons aussi le progrès de la technique et la transformation si profonde du rapport de l'homme avec la nature, et ces hommes entre eux, qui en découle ; les mouvements d'émancipation à tous les niveaux : politique (décolonisation, extension des régimes démocratiques), économique et social (émancipation de la classe ouvrière, des hommes de couleur, de la femme, des jeunes), intellectuel (revendication de la liberté de pensée et d'expression), religieux (rupture de l'unité religieuse, laïcisation de l'État et des institutions) ; parlons enfin du processus de socialisation, de l'explosion démographique et, résultant de l'ensemble de ces facteurs, du rythme accéléré des transformations à l'échelle mondiale. Solidaires de ces facteurs extérieurs sont certaines dimensions de la conscience contemporaine : tels, en particulier, l'affinement du sens critique, l'affirmation de la conscience personnaliste et de la sensibilité communautaire, le sens de l'historicité, etc.... Or l'athéisme, sous bien des aspects, est solidaire de cette civilisation et tend à s'imposer comme l'interprétation authentique des nouvelles aspirations et comme l'expression de valeurs nouvelles.

C'est ce qui ressort de manière plus évidente sur le plan théorique, où les formes variées de l'athéisme se présentent comme l'aboutissement logique de la pensée moderne. Cette thèse devra être jugée en fonction d'une interprétation de l'athéisme, d'une part, et de la pensée moderne de l'autre : toutefois, ceux même (et c'est notre cas) qui pensent devoir la contester sous sa forme absolue, refuseront difficilement de voir dans l'athéisme une des conclusions possibles de la pensée moderne et un des pôles d'attraction de notre époque.

La signification du phénomène athée est d'autant plus grande que les traits de la situation dont il est solidaire ne sont pas de simples faits, mais bien des lois historiques : nous voulons dire qu'ils sont animés d'un certain dynamisme et traversés par une poussée prophétique. Et, par suite, ils permettent à l'homme non seulement de pénétrer le sens de son époque mais encore de se projeter vers l'avenir.

Ces réflexions nous permettent d'esquisser une réponse aux questions que nous nous sommes posées. Il en ressort en premier lieu que l'athéisme n'est pas un fait superficiel, une mode : c'est l'expression d'une nouvelle situation objective et subjective de l'humanité, un signe des temps, donc un phénomène qui marque profondément le présent, et est destiné à marquer l'avenir.

Nous croyons devoir exclure un lien essentiel entre l'athéisme et

Introduction

le monde moderne, aussi bien dans le sens d'un déterminisme objectif, d'un mouvement irrésistible orienté dans cette direction, que dans le sens d'une logique implacable à partir de quelques prémisses théoriques. Une telle affirmation fonderait la théorie d'un divorce entre le christianisme et le monde moderne, et par suite serait, si un croyant l'énonçait, la condamnation du monde moderne; si, au contraire, un athée la faisait sienne, c'est le christianisme qui serait condamné. Toutefois, il nous semble clair que notre époque, en urgeant certaines exigences, pose le problème religieux en termes de choix personnel et radical, et, par là même, elle envisage aussi l'alternative athée. Or, là où le problème religieux se pose en termes personnels et radicaux, avec toutes ses difficultés objectives et subjectives, on peut prévoir avec une forte probabilité que tout le monde ne lui donnera pas une solution positive, mais que quelques-uns s'orienteront vers la solution négative; on peut, en d'autres termes, prévoir que l'athéisme aura encore à l'avenir une permanence significative (ce qui ne veut pas dire nécessairement une progression).

Les mêmes raisons orientent notre réponse à la seconde question, concernant l'universalité du phénomène athée. On peut prévoir avec une forte probabilité que l'athéisme naîtra là où affleureront à la conscience les problèmes et les exigences qui l'ont fait naître en Occident. Or, dans la mesure où les facteurs objectifs qui caractérisent la situation occidentale, telle l'industrialisation, expriment des lois historiques, il est fort probable que ces lois agiront aussi dans le reste du monde, même si les rythmes et les modalités en sont différents, et qu'elles auront sur la conscience des peuples des résonances analogues... Le mouvement d'unification du monde et le prestige culturel de l'Occident favoriseront amplement une telle affinité.

La signification de l'athéisme ne réside donc pas essentiellement dans la présence remarquable ou croissante d'athées, mais dans le fait que celle-ci est l'expression d'une nouvelle situation historique... Les athées proprement dits ne sont probablement qu'une petite partie de l'humanité; mais la situation qu'ils révèlent intéresse toujours plus la masse des croyants.

Ce point de vue permet de pénétrer l'amplitude et la profondeur des problèmes que l'athéisme soulève dans la conscience chrétienne, et qui peuvent être résumés en une question : comment vivre les exigences de la foi dans un monde marqué par la présence athée?

L'athéisme se présente en fait comme contestation de la religion. Même si, dans quelques cas particuliers, il peut être un phénomène primitif (pour des individus nés et ayant grandi en milieu athée), c'est dans son ensemble un phénomène post-religieux : il doit donc être compris dialectiquement, comme critique (explicite ou implicite) de la religion, comme affirmation de valeurs qui semblent en conflit avec celle-ci, ou, pour le moins, complètement étrangères à elle. On ne peut donc comprendre l'athéisme qu'en reconstruisant l'image de la religion à laquelle il se réfère, et qu'il juge inacceptable, ou au moins stérile et insignifiante. On doit donc ainsi revenir à la religion telle qu'elle se présente dans ses réalisations historiques, psychologiques et sociologiques; dans sa doctrine, ses institutions, son témoignage religieux et moral, ses incidences politiques, économiques et sociales, son attitude face à la culture et à la civilisation. C'est pour cela que l'athéisme occidental est à l'origine un phénomène post-chrétien, c'est-à-dire qu'il se pose comme une critique du christianisme. En se diffusant dans d'autres contextes culturels, il prendra différents aspects, selon les religions concrètes dont il instituera la critique (ainsi, on trouvera un athéisme post-islamique, post-bouddhiste, post-confucianiste, post-hindouiste, etc...).

Face au christianisme, l'athéisme est une contestation globale, radicale, existentielle. Globale, car il concerne tous ses aspects personnels et sociaux, religieux et profanes. Radical, parce qu'il attaque les bases mêmes de la religiosité. Existentiel, dans la mesure où il ne concerne pas seulement (et peut-être pas principalement) la vision objective du monde, mais l'attitude que celle-ci commande : il n'est pas tant une critique de Dieu, que de l'homme religieux, dans son existence personnelle et communautaire, du type de personnalité et de l'influence historique que cet homme religieux réalise.

Que vaut cette critique ? Le réflexe « apologétique » peut amener le croyant à la repousser en bloc. Mais une analyse plus objective impose le contrôle de cette réaction spontanée et nous fait un devoir d'aimer courageusement la vérité, où qu'elle se trouve. De cette loyauté, la Constitution *Gaudium et Spes* donne un exemple, lorsqu'elle relève la responsabilité des croyants dans la genèse de l'athéisme [19]. Car, dans la mesure où le christianisme est inauthentique, la contestation athée est valable. Or le christianisme historique est toujours quelque peu inauthentique, sur le plan de la vie comme sur celui de la doctrine (là où n'est pas engagée l'infaillibilité de la Parole de Dieu et du magistère ecclésiastique). La critique faite au christianisme devient ainsi un délicat processus autocritique, celui-ci étant compris non comme une réaction épisodique, mais comme une dimension dynamique de la conscience chrétienne, pour laquelle l'humilité est une vertu à la fois personnelle et communautaire.

L'inauthenticité chrétienne pourtant n'est pas la seule source de la contestation athée, ni même peut-être la principale. Il en existe une autre

Introduction 23

qui permet de saisir à un niveau plus profond la continuité entre la problématique athée et la chrétienne : c'est le caractère antinomique et dialectique du message chrétien, enraciné dans sa transcendance. La contestation athée peut dériver soit de ce qu'il y a d'inauthentique dans le christianisme, soit de ce qu'il y a en lui de plus authentique.

La pensée chrétienne, en effet, bute à tous les niveaux dans le mystère. Or mystère ne signifie pas seulement vérité obscure, mais aussi vérité chargée d'antinomies jamais pleinement résolues et humainement insolubles — vérité donc qui frôle constamment la contradiction, dans laquelle le moment positif et le moment négatif, bien que coessentiels, trouvent difficilement leur point d'accord.

Non contente de s'exprimer dans l'incompréhensibilité du mystère, la transcendance du christianisme se manifeste encore dans l'impossibilité de réaliser son idéal. Cet idéal, les croyants authentiques le poursuivent sans cesse avec la conscience que, dans cette vie, ils ne l'atteindront jamais. Ainsi, à l'impossibilité de résoudre les antinomies théoriques s'ajoute celle de résoudre les antinomies existentielles, dont l'harmonisation historique, personnelle et communautaire n'est jamais satisfaisante.

Ainsi, pour un regard pénétrant, les instances fondamentales de l'athéisme se révèlent être l'explosion de difficultés immanentes au christianisme depuis son antiquité, la rupture entre les moments positif et négatif de sa dialectique interne, et la dénonciation d'une synthèse recherchée avec peine et jamais pleinement atteinte.

A ce niveau, la réflexion permet donc, à travers la sollicitation athée, de redécouvrir, d'une part, l'actualité des problèmes classiques et de saisir, d'autre part, la profondeur des exigences modernes. Elle permet d'aborder les problèmes d'aujourd'hui avec l'apport extrêmement riche de la tradition et les problèmes anciens, avec la conscience des nouvelles dimensions sous lesquelles ils se présentent aujourd'hui et des approfondissements qu'ils demandent.

La signification historique du phénomène athée se montre, de ce point de vue, plus profonde que ne le laisserait penser sa solidarité même avec les exigences typiques de notre époque : en fait, il se révèle comme l'expression particulièrement aiguë d'une problématique éternelle.

Dans la mesure où l'athéisme est l'expression d'une situation de l'humanité, et présente sous une forme radicale les instances les plus typiques de notre époque, le problème de l'attitude chrétienne face à l'athéisme englobe tout le rapport entre christianisme et monde moderne. L'évolution de l'Église dans son attitude face à l'athéisme reflète l'évolution générale de son attitude face au monde, et, plus profondément, de sa façon de comprendre sa propre mission.

Le fait qu'il soit, face à l'athéisme, l'alternative suprême, ne pose donc pas seulement au christianisme des problèmes partiels, comme s'il s'agissait seulement de prendre en considération une nouvelle catégorie d'hommes à qui il faudrait s'adresser et de questions qu'il faudrait étudier. L'athéisme introduit dans tous les problèmes une dimension nouvelle, en renouvelle le sens et, par le fait même, exige des solutions en partie neuves. Une contestation globale appelle une réponse globale. Il devient urgent donc, devant la situation ainsi créée, de repenser la doctrine philosophique et théologique, ainsi que les méthodes pastorales, catéchistiques, pédagogiques, ascétiques. D'où un appel à de nouvelles synthèses de vérités et de valeurs. Il s'agit donc d'un ensemble de problèmes vaste et complexe, qui concerne toute l'Église, dans sa pensée et dans sa vie, et d'où se dégage un puissant appel à l'authenticité et au renouveau. C'est une tâche historique sans précédent, dans laquelle nous sommes tous engagés et dont le Concile a marqué le départ grandiose.

Il y a lieu de rappeler ici le texte par lequel *Gaudium et Spes* commence à tracer l'attitude chrétienne face à l'athéisme :

> L'Église — y dit-on — consciente de la gravité des problèmes que l'athéisme soulève, estime que ceux-ci doivent être soumis à un examen sérieux et plus approfondi.

Aujourd'hui donc, plus que jamais, l'Église ne se présente pas uniquement comme possédant la vérité, mais aussi comme la recherchant. La conscience qu'elle a d'apporter au monde des certitudes essentielles et définitives ne l'empêche pas de discerner les ombres qui les recouvrent, les problèmes que ces certitudes soulèvent, le travail sans fin de recherche qu'elles suscitent, non seulement pour les non-chrétiens, mais aussi pour elle-même.

D'ailleurs, ce n'est pas seulement l'Église qui s'interroge face aux problèmes posé par l'athéisme, mais chaque croyant d'aujourd'hui, appelé à vivre sa foi dans ces mêmes conditions objectives et subjectives qui sont à l'origine de l'incroyance. Pour un nombre toujours plus grand d'individus, l'athéisme se présente comme alternative possible de la foi, comme un style de vie et de civilisation ; et l'adhésion à la foi n'apparaît plus comme fidélité à un patrimoine culturel, mais comme engagement libre et personnel. Le chrétien contemporain, donc, « vit » l'athéisme non tellement comme un phénomène « objectif » qu'on pourrait étudier à froid, mais comme une inquiétude intérieure qui le tourmente et qui dramatise ses propres certitudes.

C'est dans le vif de cette option, par laquelle chaque homme choisit son destin et contribue à déterminer celui de son époque, que se place notre recherche.

II

« ATHÉISME » : PRÉCISIONS TERMINOLOGIQUES

L'intérêt des recherches sur l'athéisme, et, en particulier, le possible dialogue des diverses disciplines à son sujet, peuvent être plus ou moins largement compromis par une incertitude de base sur le sens du terme « athéisme ». En effet, faute d'une définition certaine, on se trouvera sans cesse dans l'embarras pour accepter ou refuser à tel penseur, tel mouvement, telle attitude, le qualificatif d'athée : c'est ainsi que, parlant d'athéisme, certains penseront à Descartes, Spinoza, Fichte, Hegel, Heidegger, Jaspers, Wittgenstein, alors que d'autres refuseront de classer ces auteurs sous cette étiquette [1].

On retrouve la même difficulté au plan de la recherche psychologique ou sociologique. Devra-t-on, par exemple, considérer comme athée celui qui admet l'existence d'un « Être Suprême », d'une « Force » qui serait à l'origine du monde, sans pourtant lui reconnaître les attributs d'une personne? Celui qui, sans nier l'existence de Dieu, en doute fortement? ou celui qui, tout en affirmant l'existence de Dieu, considère ce fait comme n'ayant aucune portée vitale? ou encore celui qui, tout en se déclarant athée, poursuit un idéal éthique? Des réponses possibles à ces questions naîtront des avis bien différents sur l'ampleur du phénomène athée dans son ensemble.

Cette équivoque pourrait priver d'objet précis tout discours général sur l'athéisme et rendre le débat stérile, parce que les interlocuteurs ne traitent pas du même sujet.

Lalande ressent intensément cette difficulté : après avoir défini l'athéisme comme « une doctrine qui consiste à nier l'existence de Dieu [2] », il ajoute en critique : « la définition de ce terme ne peut être que verbale, étant donné que le contenu de l'idée d'athéisme varie nécessairement en corrélation avec les diverses conceptions de Dieu et de son mode

---

[1] Sur cette épithète d'athée, attribuée à certains auteurs malgré les déclarations très nettes des intéressés, on trouvera une riche documentation dans l'ouvrage de C. FABRO, *Introduzione all'ateismo moderno*, Rome 1964; pour Descartes (pp. 100-126), Spinoza (pp. 127-167), Leibnitz et Wolff (pp. 473-484), Fichte (pp. 485-520), Shelling (pp. 522-533), Hegel (pp. 533-547).

[2] *Vocabulaire technique et critique de la philosophie*, 5ᵉ éd., Paris 1947, p. 87.

d'existence [3] ». « Ce terme, conclut-il, n'a donc à nos yeux qu'une valeur historique qui doit être déterminée dans chaque cas particulier, plutôt qu'un sens théorique défini ; ce qui, pour l'un, est affirmation de la divinité peut être athéisme pour l'autre. Ce terme est donc mieux adapté aux polémiques religieuses qu'à la discussion philosophique, d'où il tend d'ailleurs à disparaître [4]. »

Cette réflexion nous semble du plus haut intérêt : nous la discuterons par la suite. Remarquons pourtant dès à présent qu'elle n'est pas purement linguistique, mais touche à des problèmes plus importants. Si, en effet, la définition du terme « athéisme » est purement verbale, on devra en dire autant des termes « Dieu » et « religion » qui lui sont corrélatifs. D'une façon plus générale, la difficulté semble atteindre tout terme concernant des objets qui, en différents contextes systématiques, sont interprétés de manières diverses. C'est la possibilité même d'un dialogue entre hommes d'orientation doctrinale diverse, même s'ils sont croyants, qui est ici mise en cause.

On peut poser la question sous une autre forme. Le chrétien, par exemple, devra-t-il définir l'athéisme par rapport au vrai Dieu, celui de Jésus-Christ, et, par suite, considérer « athées » ceux qui le nient ? La négation de quelques-uns des attributs de Dieu, en faussant son visage, semble, logiquement, devoir mener à une négation totale. Les adorateurs d'un « faux Dieu » doivent-ils donc être considérés comme des athées, au moins virtuels ? De façon plus générale, devra-t-on, pour être cohérent, qualifier d'athées virtuels des penseurs dont les prémisses systématiques conduisent logiquement à l'athéisme, lors même que ces conclusions seraient par eux expressément repoussées ?

Encore une fois, la définition d'un terme comme celui-ci, avec toute sa résonance doctrinale, vitale et affective, nous semble dépasser largement le niveau des conventions, et atteindre des attitudes fondamentales concernant les rapports entre les hommes et les doctrines.

Les remarques même formulées dans le *Vocabulaire* de Lalande font déjà des réserves quant à la prise de position signalée plus haut. Pour J. Lachelier, par exemple, « ce qui varie est moins le contenu philosophique de cette idée que l'emploi plus ou moins malveillant que l'on fait du mot contre telle doctrine ou telle personne [5] ». De son côté, Louis Boisse déclare :

---

[3] C. FABRO, *op. cit.* Dans le même sens : « La réponse à la question *où* se trouve précisément l'athéisme dépend du concept précis de Dieu que l'on présuppose » (K. RAHNER, *Atheismus*, in *Lexicon für Theologie und Kirche*, I, 983).
[4] *Ibid.*, p. 88.
[5] *Ibid.*, p. 87.

Introduction

Nous ne sommes pas d'avis que ce terme doive disparaître du langage, ni même de la discussion philosophique, ni non plus qu'on ne puisse en donner qu'une définition strictement verbale. Il est impossible qu'à un mot qui a si longtemps occupé la pensée des hommes ne corresponde pas, même aujourd'hui, quelque sens [6].

Une chose est sûre : c'est que les choses ne vont pas dans le sens souhaité et prévu par Lalande, puisque le terme « athéisme » a, dans le langage actuel, philosophique ou non, une fortune croissante ; cela permet de supposer qu'il possède encore aujourd'hui une signification, ou plutôt un ensemble de significations.

Notre étude se propose justement de démêler celles-ci, avec autant de précision que faire se pourra. Elle n'a donc pas comme objet la nature de l'athéisme, mais sa définition. Le Problème de la nature de l'athéisme est bien plus large et important que celui de sa définition. Il implique en effet une analyse des raisons profondes, d'ordre philosophique, théologique, psychologique, sociologique, etc... qui expliquent ce phénomène et contribuent à le caractériser ; la recherche des intentions des athées eux-même et le sens que, pour eux, revêt leur prise de position face à Dieu.

Notre but ici est plus modeste : nous nous proposons d'étudier le concept d'athéisme et de parvenir à une définition suffisamment large, d'une part, pour pouvoir être appliquée à tous les courants que le langage philosophique actuel désigne habituellement comme athées, et suffisamment exacte, d'autre part, pour permettre de distinguer ces courants des autres et de circonscrire les problèmes qui les regardent. Dans le cadre de cette définition, quelques distinctions fondamentales trouveront leur place. Une conséquence fondamentale des limites que nous nous imposons est que l'athéisme sera décrit en termes négatifs et non en termes positifs, alors que sa nature ne peut être que fondamentalement positive. Nos considérations ne pourront donc être, dans le cadre d'une étude d'ensemble sur l'athéisme, qu'un moment préliminaire, et assez aride ; mais qui nous semble toutefois indispensable.

Une autre limite essentielle de notre propos dérive du fait qu'il devrait définir et classifier des attitudes vitales, concrètes et complexes. Toutes les distinctions que nous serons amenés à postposer sur ce terrain seront donc des abstractions. Bien que nous les estimions nécessaires au progrès de notre recherche, nous les formulerons avec le sentiment net de leur insuffisance.

Notre étude partira d'une analyse du langage philosophique tel

---

[6] *Ibid.*, p. 87.

qu'il est exprimé dans un des vocabulaires techniques les plus connus, celui de Lalande déjà cité, dûment complété du point de vue critique. Nous ne nous proposons pas de faire une revue complète des acceptions du terme que nous étudions, mais nous nous limiterons à celles qui sont les plus significatives dans le cadre de la situation contemporaine et des préoccupations de notre recherche.

Là où nous nous référerons à des auteurs particuliers, il ne nous sera naturellement pas possible de documenter l'interprétation adoptée, ce qui demanderait une étude sur chacun de ces auteurs. Le lecteur qui ne partagerait pas certaines de ces interprétations les considérera seulement comme des positions idéales, dont la seule fonction ici est d'illustrer la définition de l'athéisme.

On distingue habituellement l'athéisme théorique, négation doctrinale de Dieu, et l'athéisme pratique, attitude de celui qui vit comme si Dieu n'existait pas.

En acceptant provisoirement une telle distinction dont il nous faudra préciser la portée, nous grouperons nos considérations sous ces deux titres.

A. — *L'athéisme théorique*

En première approximation, on peut définir l'athéisme théorique comme « la doctrine qui nie l'existence de Dieu [7] ».

Avant de pousser plus loin l'analyse, remarquons que l'athéisme théorique est défini directement par rapport à l'affirmation de Dieu, et non par rapport à la reconnaissance de Dieu : par rapport donc à une doctrine, et non à une attitude religieuse. Mais il nous faut ajouter tout de suite que l'absence d'une affirmation de Dieu implique l'absence de sa reconnaissance vitale : aussi l'athéisme théorique désigne aussi une attitude existentielle. Et même si formellement, dans la définition du terme, cette attitude semble subordonnée à l'aspect doctrinal, il ne s'ensuit pas qu'elle soit secondaire dans la réalité : c'est là l'un des nombreux cas où apparaît la distinction entre le discours sur la nature de l'athéisme et le discours sur la définition des termes, ainsi que les limites de ce second discours. Malgré leur étroitesse, nous respecterons ces limites en évitant toute anticipation excessive.

Afin d'éclaircir le sens de la définition dont nous sommes partis, il est nécessaire de préciser ce que signifie « nier » et ce que signifie « Dieu ».

---

[7] LALANDE, p. 87. Cf. EISLER, *Worterbuch der Philosophischen Begriffe*, 4ᵉ éd., Berlin, 1927-1930, Vol. I, p. 129.

I. QUE SIGNIFIE « NIER » DIEU ?

Nier Dieu veut dire estimer qu'il n'existe pas. Ce qui implique deux choses : a) que l'homme ait une connaissance de Dieu ; b) que l'homme soit en mesure de se prononcer sur l'objet « Dieu », tout métempirique qu'il soit, et de conclure qu'il n'existe pas.

Dans cette perspective, ne seraient athées ni ceux qui nient que nous ayons une connaissance quelconque de Dieu, tels les néo-positivistes, ni ceux qui considèrent le problème comme insoluble, tels les agnostiques, ni enfin ceux qui ne se posent même pas le problème.

Cependant, un terme semble nécessaire qui rassemblerait toutes les positions doctrinales d'où est absente l'affirmation de Dieu. L'usage philosophique, d'ailleurs, impose cette extension : on parle, par exemple, d'« athéisme sceptique ». Nous appellerons donc athée non seulement celui qui nie l'existence de Dieu, mais encore celui qui simplement ne l'affirme pas, ou qui a organisé son monde mental sans cette présence.

Mais est-il athée celui qui, niant Dieu explicitement, l'affirme implicitement ? Cette distinction est des plus délicates et ambiguës, car elle est fonction de la nature du passage de l'implicite à l'explicite. Or ce passage peut être compris soit comme une véritable déduction — dans laquelle une seconde prémisse, conjuguée avec l'affirmation implicite, permet d'atteindre l'affirmation explicite — soit comme un simple éclaircissement, un passage de l'affirmation obscure et confuse à une affirmation plus claire et distincte, sans intervention de moyens termes. Dans le premier mouvement, l'objet de l'affirmation explicite est distinct de celui de l'affirmation implicite : il s'agit d'une implication virtuelle. Dans le second, les deux objets coïncident, et les propositions ne sont distinctes que dans le mode par lequel elles sont connues. Il nous semble que l'expression « affirmation implicite » devrait être réservée à ce dernier cas : on ne peut, en fait, dire qu'on affirme implicitement quelque chose, quand on affirme simplement une prémisse, dont il est possible, grâce à une autre prémisse, de tirer cette conséquence.

Les applications les plus intéressantes d'une telle distinction concernent l'affirmation telle qu'elle s'exerce dans le dynamisme spontané de l'existence consciente, et la même affirmation objectivée au niveau de la conscience réfléchie ; par exemple, l'affirmation « j'existe » comme vécue, exercée, se distingue du « j'existe » pensé conceptuellement : elle n'est pas la même, pensée subjectivement et pensée objectivement.

Peut-on distinguer au même titre une affirmation implicite et une affirmation explicite de l'existence de Dieu ? Faut-il admettre la présence nécessaire de cette affirmation dans notre dynamisme conscient [8] ?

Nous n'entendons pas affronter ici ce problème, mais nous chercherons seulement à esquisser la situation qui se produirait par rapport à l'athéisme si la réponse était affirmative. Dans cette hypothèse, la négation de Dieu, ou l'absence de son affirmation sur le plan explicite coexisterait toujours avec son affirmation implicite. L'athéisme intégral (sur le plan du vécu comme sur celui des concepts) deviendrait impossible, et seul existerait un athéisme « objectif ». Il s'agirait donc d'un dualisme psychologique entre un théisme implicite et un athéisme explicite.

Un problème inverse au précédent se pose pour les doctrines dont les prémisses semblent mener logiquement à un athéisme qui, pourtant, est expressément exclu par leurs propres auteurs. En tel cas, devra-t-on parler d'athéisme virtuel ? Une telle terminologie trouve sa justification la plus forte dans un besoin de cohérence, dans un rappel de la responsabilité doctrinale et de l'importance décisive des choix théoriques fondamentaux.

Pourtant, nous éviterons cette terminologie pour diverses raisons. D'abord parce que les virtualités d'une doctrine sont rarement univoques : elles sont souvent susceptibles de se développer en des directions diverses et parfois antithétiques. Ainsi, s'il est vrai que le déisme contient des prémisses qui logiquement mènent à l'athéisme (comme cela s'est produit de fait), il est tout aussi vrai qu'il en inclut d'autres qui pourraient mener à un théisme authentique ; et ce n'est pas sans arbitraire qu'on isolerait ces prémisses les unes des autres, ou qu'on détacherait des prémisses logiques de tout le contexte existentiel qui contribue à en déterminer le sens. De plus, le jugement sur les virtualités d'une doctrine pourra naturellement varier selon le point de vue de celui qui l'exprime, ce qui ferait dépendre la qualification d'athée de la position religieuse ou philosophique de qui la formule. A l'intérieur même de la pensée chrétienne et catholique, on verrait ainsi surgir nombre de terminologies, et l'on retomberait dans l'imprécision dont on voulait sortir. Il en résulterait, en particulier, un échange d'accusations d'athéisme entre croyants, chrétiens, catholiques, qui troublerait fortement leur dialogue et porterait l'accent bien plus sur les divergences que sur les convergences. Toutes ces raisons nous font préférer, en particulier pour le sujet qui nous intéresse, de qualifier un système d'après son contenu formel et non d'après ses virtualités.

---

[8] Voir à ce propos, par exemple : LAGNEAU J., *Célèbres leçons et fragments*, Paris 1950.

L'athée est donc celui qui n'affirme pas Dieu : et il est athée au niveau, implicite ou explicite, où il ne l'affirme pas.

Nous incluons ainsi au nombre des athées ceux qui estiment que le problème de Dieu a un sens, mais qu'il est insoluble, soit parce que l'homme est fondamentalement incapable de certitude absolue (scepticisme, relativisme, etc...) soit parce que, bien que capable de certitude, l'homme ne peut l'atteindre dans la sphère métaphysique ou religieuse, qui dépasse l'expérience humaine (agnosticisme).

Nous plaçons aussi parmi les athées ceux qui estiment que nous n'avons aucune connaissance qui corresponde au vocable « Dieu »; que, par conséquent, ce terme et ce problème, comme tous les termes et tous les problèmes « métaphysiques », sont dénués de sens : c'est la doctrine néo-positiviste. Il faut distinguer de cette doctrine la position (que certains attribuent à Wittgenstein), selon laquelle les problèmes métaphysiques seraient dénués de tout sens exprimable par le langage, sans que soit exclue par là la présence d'une zone de connaissance métaphysique ineffable, celle du « mystique ». Cette dernière position donc, ouverte à une expérience religieuse ineffable, ne pourrait être considérée comme athée.

Pour compléter l'énumération des attitudes devant l'affirmation de Dieu, il nous faut signaler l'importante catégorie des indifférents, c'est-à-dire de ceux qui, pour les raisons les plus variées, sont tellement accaparés par les valeurs profanes que, pour eux, le problème de Dieu ne se pose même pas; ou, au moins, ne paraît pas digne d'intérêt. Dieu, qu'il existe ou non, n'est pas une valeur, quelque chose qui compte. La question de son existence serait purement « objective », académique; elle ne changerait rien à l'existence réelle. « Dieu est mort » en ce sens qu'il a cessé d'être une valeur. L'indifférence religieuse est avant tout une attitude psychologique, une sensibilité, une mentalité, une expérience, à l'intérieur de laquelle la dimension religieuse ne trouve aucune place. Mais cette attitude inclut un jugement de valeur au moins implicite, vécu : une théorie de l'indifférence religieuse, dont l'affirmation essentielle est que, justement, la question de Dieu n'est pas intéressante [9]. L'élaboration

---

[9] Un tel athéisme est parfois dénommé *négatif*, par opposition à l'athéisme positif, qui est une prise de position face au problème de Dieu... Mais cette terminologie nous paraît trop ambiguë pour pouvoir être utilement adoptée. En effet, outre le sens indiqué, on parle d'athéisme négatif pour désigner l'agnosticisme, par opposition à la négation de Dieu, qui serait l'athéisme positif. En d'autres contextes, l'athéisme négatif inclut aussi les positions qui nient Dieu, et la qualification de « positif » est réservée aux formes d'athéisme constructif ou humaniste. Étant donné ces fluctuations de la terminologie, et la possibilité d'exprimer les distinctions en question avec plus de clarté, nous préférons nous abstenir de l'employer.

théorique la plus radicale d'une telle attitude est fournie par les psychologies réductionnistes qui proposent une interprétation laïque de la vie consciente : la religion ne correspond à nul besoin spécifique ; elle s'explique comme l'extrapolation d'aspirations profanes frustrées.

Nous pensons encore ici à l'homme marxiste qui, dans la civilisation idéale, ne sera plus un négateur de Dieu, mais seulement quelqu'un pour qui le problème de Dieu ne se pose plus, parce que les conditions économiques et sociales qui l'avaient fait surgir auront disparu. Cet athée aura donc organisé son monde intérieur, son système de valeurs, sans même éprouver le besoin de discuter le problème de Dieu. Son athéisme sera une structure psychologique, plus qu'une doctrine [10].

Il nous faut pourtant nous demander si l'indifférence doit être classée parmi les formes d'athéisme théorique ou pratique. D'une part, en effet, la dénomination d'athéisme pratique est réservée en général à ceux qui, tout en affirmant l'existence de Dieu, vivent comme s'il n'existait pas. D'autre part, pourtant, il semble difficile de placer parmi les formes de l'athéisme théorique une position qui, fondamentalement, est une attitude, et non une doctrine; et qui de plus, nous le verrons, est fortement apparentée avec ce qu'on appelle l'athéisme pratique. Il nous semble donc opportun de limiter l'extension du terme « athéisme théorique » à toute prise de position doctrinale face au problème de l'existence de Dieu, quitte à introduire une nouvelle distinction, dont nous parlerons plus loin, à l'intérieur de l'athéisme pratique.

Parmi ceux qui n'affirment pas Dieu avec certitude, il faut, semble-t-il, réserver une place à part à ceux qui cherchent à résoudre le problème de Dieu, et qui n'excluent pas la possibilité d'aboutir à une solution positive. A notre avis, il est moins opportun de classer cette

---

[10] « L'athéisme, comme négation de cette non-essentialité, n'a plus de sens, parce qu'il est négation de Dieu et qu'il fonde l'existence de l'homme par la médiation de cette négation. Mais le socialisme comme tel n'a plus besoin de cette médiation : il part de la conscience sensible théorique et pratique de l'homme et de la nature comme de l'essence. Il est l'autoconscience positive de l'homme non plus médiatisée par la suppression de la religion, comme la vie effective n'est plus médiatisée par la suppression de la propriété privée, par le communisme. Le communisme est la position correspondant à la négation de la négation, et par suite il représente le moment réel nécessaire au prochain développement historique de l'émancipation et de la restauration de l'homme. » (K. MARX, *Zur Kritik der Nationalökonomie*, M.E.G.A., Abt. I, Bd. 3, p. 126).

C'est encore cette forme d'athéisme qui, selon J. LUBBOCK, (*The Origin of Civilization and the Primitive Condition of Man*, Londres 1870) aurait existé au début de l'humanité. Il faudra donc distinguer à l'intérieur de ce type d'athéisme une forme initiale et une forme terminale : la première consiste à ne pas avoir encore atteint le problème de Dieu, l'autre à l'avoir dépassé.

Introduction

catégorie de gens parmi les athées, car l'athéisme désigne communément une attitude conçue comme stable, définitive.

Notons encore ceci : la position affirmative suffisante pour qu'on puisse exclure l'athéisme n'est pas nécessairement rationnelle. Un itinéraire menant à Dieu comme celui de Pascal ou celui de Kant ne serait évidemment pas athée (quelque avis que l'on ait sur sa valeur effective). On peut, en outre, envisager une position qui déclare le problème de Dieu philosophiquement insoluble, et qui laisse pourtant ouvert l'accès à Dieu par des voies extra-philosophiques. Nous pensons, par exemple, à Heidegger ou à certaines interprétations de Wittgenstein [11].

Certaines de ces attitudes peuvent se présenter sous des formes masquées, presque inconscientes, dont il est toutefois nécessaire de tenir compte. Pensons, en particulier, aux états de doute et de relativisme, tels qu'on les rencontre même chez les « croyants ». L'état de doute auquel nous faisons allusion ici ne concerne pas un point particulier de doctrine, mais la doctrine chrétienne dans son ensemble : origine divine de l'Église, historicité et divinité du Christ, existence de Dieu et de l'au-delà. On n'exclut pas que les choses soient ainsi, peut-être même l'espère-t-on, mais on n'en est pas sûr : « Ce sont des problèmes qui nous dépassent, des problèmes insolubles. » D'autres fois, le doute est considéré comme une situation personnelle, comme l'incapacité dans laquelle on se trouve, pour des raisons diverses, d'y voir clair. Situation qui peut être considérée comme provisoire ou définitive. Après la mort, « nous verrons » où en sont réellement les choses.

L'état de doute ne doit pas être confondu avec une conscience aiguë, ou même angoissée, des difficultés de la foi, et de l'impuissance où l'on se trouve de les résoudre. Mille difficultés ne font pas un doute, disait Newman. De plus, nous parlons ici d'un « état » de doute, non d'un acte, d'un moment, que tout croyant peut traverser. Il s'agit, en outre, d'un doute positif, fondé sur la présence de raisons insuffisantes en faveur des deux termes de l'alternative, et non d'un doute négatif provenant de l'absence de raisons, ou de l'absence même du problème. Il s'agit donc d'un doute qui implique l'affirmation d'une certaine probabilité de l'une ou l'autre réponse, ce qui n'exclut pas que la probabilité de l'affirmation religieuse soit considérée comme la plus forte.

Pour cette position, la conception religieuse demeure réaliste : on doute, mais dans une perspective réaliste. L'autre attitude que nous

---

[11] RAHNER, (l.c.), définit l'athéisme « la négation de l'existence, ou de toute connaissance (non purement rationnelle) de Dieu ».

croyons devoir signaler atteint la religion elle-même, qu'elle transpose en un sens subjectif. La religion ainsi comprise exprime bien plus un sentiment, si noble soit-il, du sujet, qu'une structure objective de la réalité. Elle correspond à un besoin, à une exigence de l'homme que des tempéraments déterminés, dits « religieux », éprouvent, tandis que d'autres y sont insensibles. La religion est donc conçue comme ayant une fonction essentiellement psychologique, comme un sédatif dont certains esprits ne peuvent se passer. Parlant de vérités religieuses, on pense à la « religion », et non à la réalité. La Trinité, la grâce, le corps mystique, ne sont pas des réalités, mais seulement des « doctrines religieuses »; elles ne sont pas vraies en soi, mais « vraies pour les chrétiens ». On arrive ainsi à une juxtaposition du « monde religieux » et du monde réel. Tout cela peut arriver sans que le langage religieux ne s'en ressente : on continue à utiliser toutes les expressions religieuses traditionnelles, mais on leur donne un sens nouveau, en les transposant sur le plan subjectif.

Il est important de remarquer que, dans les deux cas précédents, la personne en question se croit « religieuse », « croyante », et n'a aucune inquiétude à ce propos; alors qu'en réalité elle ne l'est pas, car la foi implique aussi une certitude objective. Il s'agit de formes inconscientes d'incroyance, provoquées par le peu d'importance que ces personnes attribuent en matière religieuse à l'élément doctrinal. Le centre de gravité de la religion se déplace vers la vie morale (moralisme), vers les rites extérieurs (ritualisme), l'appartenance sociale (religion sociologique).

Une telle situation ne serait donc pas dévoilée par une enquête superficielle qui poserait des questions de ce genre : Êtes-vous croyant? chrétien? croyez-vous que la religion chrétienne soit vraie? Notre « croyant » répondrait affirmativement sans la moindre hésitation. Mais si on poussait l'enquête plus loin en demandant : Croyez-vous que la religion chrétienne soit la seule vraie, et que les autres sont, au moins partiellement, fausses? en êtes-vous absolument sûr? Est-il absolument certain qu'il existe un au-delà? la réponse serait moins catégorique. Il y a là une difficulté radicale dont il faut tenir compte dans les recherches psychologiques et sociologiques. Les termes dont nous nous servons pour questionner peuvent avoir un sens profondément différent pour nous et ceux auxquels nous nous adressons.

Nous voudrions à présent situer, par rapport à l'athéisme, les attitudes religieuses que nous avons analysées. Tout d'abord, les états de doute ou de relativisme sont-ils, sur le plan objectif, réductibles à l'athéisme? Il est nécessaire de distinguer entre les formes radicales et les formes partielles de doute et de subjectivisme religieux. Ces dernières concernent des secteurs déterminés de la vérité religieuse, ou même les religions positives dans leur ensemble, sans pour autant miner la religion en elle-même.

L'agnosticisme ou le relativisme à propos des religions positives ne comportent pas forcément une mise en question du théisme. Il arrive en effet qu'on considère les religions positives comme des manières diverses d'adorer le même Dieu, comme différentes routes vers un même lieu. Tout ce que ces religions ont de spécifique est réduit à une « manière » d'adorer, à une « route » vers Dieu. Dans l'histoire de la philosophie, une telle position est défendue par Schleiermacher. De nos jours, le déisme n'est pratiquement plus représenté dans le monde philosophique : mais il est encore largement diffus au niveau de la pensée vécue (par exemple, dans certaines formes d'« anticléricalisme », qui s'opposent non seulement au cléricalisme, mais à l'Église elle-même et parfois à toute religion positive). De telles attitudes religieuses ne sont donc pas athées. Aussi certaines personnes, bien que n'appartenant à aucune religion, ne sont pas athées.

Vice versa, là où l'agnosticisme et le relativisme sont radicaux, l'existence de Dieu elle-même n'est plus affirmée avec certitude sur le plan objectif. S'agit-il donc d'athéisme? Non, si par athéisme on entend exclusivement la négation de Dieu. Oui, si par athéisme on entend toute position où Dieu n'est pas affirmé avec certitude sur le plan objectif.

Quand donc nous parlons de l'athéisme des « croyants », nous ne faisons pas allusion, comme on le fait souvent, à l'athéisme « pratique », qui se situe sur le plan de l'action, mais à un athéisme théorique, qui se situe sur le plan de la pensée. L'originalité de cet athéisme tient en ce qu'il s'insère dans la pensée d'un « croyant », c'est-à-dire quelqu'un qui se considère membre d'une religion, avec son culte et sa « foi », à laquelle il fait subir une transposition dubitative, ou subjective.

Nous pouvons encore nous demander quel rapport entre « athéisme » et « incroyance », entre athée et incroyant. Au sens le plus étroit, la « croyance » dépend d'un rapport à une révélation positive, et, donc, le non-croyant serait celui qui refuse la religion positive, soit en son entier, soit partiellement. Mais dans un sens plus large et plus courant, on parle aussi de croyance en Dieu : en ce sens, « incroyance » et athéisme coïncident.

Il nous est maintenant possible, pour conclure, de distinguer des attitudes multiples face à la proposition « Dieu existe ». Essayons d'en faire une synthèse. Cette proposition peut être prise en considération, ou non. L'attitude négative, de manière plus précise, peut consister soit à ignorer Dieu, soit à en faire abstraction : nous dirons qu'on en fait abstraction si on se meut dans un domaine particulier de la connaissance humaine, par exemple, la science, la technique ou même la philosophie ; en revanche, nous dirons qu'on ignore Dieu si on considère le sujet dans sa totalité.

Si la proposition « Dieu existe » est prise en considération, elle peut se révéler ou non significative. L'absence de signification peut se situer sur le seul plan du langage, ou elle peut être absolue. Si, au contraire, il s'avère que cette proposition a un sens, on peut se prononcer, ou refuser de se prononcer, au sujet de sa vérité. Dans le second cas, nous sommes dans le doute. Or le doute peut être vécu soit comme une position théorique et définitive (le problème est insoluble pour l'homme en tant qu'homme, ou pour moi, étant donné ma position particulière), soit comme une situation de fait, provisoire (je n'ai pas encore résolu cette question). Si, enfin, on se prononce, on le fera par l'affirmation ou par la négation.

Si on se réfère à ce que nous avons dit, il n'y a pas athéisme là où Dieu est affirmé, par voie philosophique ou autrement, là où on doute de son existence sans pour autant considérer ce doute comme insurmontable, ni enfin là où l'on déclare que la proposition « Dieu existe » est dépourvue de sens sur le seul plan du langage.

L'athéisme théorique est donc une *doctrine selon laquelle l'existence de Dieu ne peut être affirmée avec certitude :* soit qu'on la nie (athéisme *assertif*) [12], soit que l'on déclare le problème insoluble (athéisme *agnostique*), soit qu'on déclare ce problème dénué de sens (athéisme *sémantique*).

2. CE QUE SIGNIFIE « DIEU »

L'athéisme se définit par rapport à Dieu. Nous devons donc affronter la question complexe de la description de Dieu, question essentielle de toute évidence, si l'on veut donner au terme athéisme un sens suffisamment précis.

Pour arriver à cette description, on peut suivre deux chemins : l'un indirect, ou phénoménologique, l'autre direct ou eidétique. La voie indirecte ou phénoménologique consiste à considérer Dieu comme objet de l'expérience « religieuse », et à tâcher de le décrire à partir de la nature

---

[12] La doctrine qui nie l'existence de Dieu est parfois dénommée *athéisme dogmatique*. Mais comme cet adjectif a généralement aujourd'hui une connotation négative (il désigne une absence de sens critique), nous proposons le terme moins compromis d'*assertif*.

de cette intention. Il s'agirait d'arriver à Dieu comme au seul objet susceptible de remplir l'intention religieuse [13].

Or ce chemin risque de tourner en rond : en effet, comment définir une « intention », si ce n'est à partir de son objet ? Nous ne prétendons pas que l'objet suffise à définir une intention, mais qu'il est essentiel à cette définition. Il est vrai que l'on peut penser à une définition de la religion qui fasse abstraction de Dieu, puisque de nos jours on parle fréquemment de religion sans Dieu [14]. Mais en ce cas, la « religion », puisqu'elle ne se rapporte pas nécessairement à Dieu, ne peut constituer un point de départ pour arriver à la description de Dieu lui-même. Donc, ou bien on définit l'intention religieuse en fonction de Dieu, et alors la définition présuppose la connaissance de Dieu, ou bien on définit l'intention religieuse indépendamment de Dieu, et en ce cas elle ne peut constituer le point de départ pour une description de Dieu.

Il nous reste donc à parcourir la voie directe, eidétique, ou de l'analyse notionnelle. Mais sur quelle base devra-t-on décrire Dieu ? On pourrait dire en général que l'athée nie (ou n'affirme pas) ce que le théiste affirme, quand il dit que « Dieu existe ». Mais cela ne ferait guère avancer la question, puisque pour décrire un système comme théiste, il faut être en possession d'une certaine description de Dieu.

Pour un philosophe chrétien, le problème paraît simplifié, puisque la Révélation lui fournit les traits essentiels de Dieu. Les athées seront donc ceux qui nieront, ou n'affirmeront pas, le vrai Dieu, le Dieu d'Abraham, d'Isaac et de Jacob, le Dieu de Jésus-Christ, c'est-à-dire ceux

[13] Tel est le chemin choisi par Ranzoli, dans ses remarques sur le *Vocabulaire* de Lalande, pour illustrer la notion de panthéisme : « La question, dit-il, se ramène à ceci : peut-on conserver à l'absolu le nom de Dieu, quand on lui refuse la personnalité ? Je réponds que l'absolu du panthéiste est un principe d'unité vivant et actif qui, sans être doué d'« auto-conscience », fait sentir son souffle majestueux dans les esprits, sa présence bienfaisante dans les choses et qui suscite ainsi ces sentiments d'admiration, d'émotion, d'enthousiasme, d'amour, dont l'ensemble constitue le sentiment religieux. *Or ce qui suscite dans le cœur de l'homme un sentiment religieux est digne d'être appelé Dieu, quelle qu'en soit la nature.* » (Vocab. de Lalande, p. 715, italique de l'auteur). Mais nous pensons surtout aux brillantes tentatives de R. OTTO, *Das Heilige*, 7e éd., Breslau 1922, et de M. SCHELER, *Vom Ewigen im Menschen*, 4e éd., Berne 1954).

[14] « Le communisme », par exemple, est une religion, et des plus impérieuses, et certaine d'être appelée à remplacer toutes les autres religions ; une religion athée dont le matérialisme dialectique constitue le dogme et dont le communisme en tant que règle de vie est l'expression éthique et sociale. (J. MARITAIN, *Humanisme intégral*, Paris 1936. « Après avoir reconnu que le sentiment religieux est le facteur d'intégration le plus compréhensif, Allport remarquait que d'autres « philosophies de la vie » remplissent la tâche de synthèse unificatrice sur le plan de la personnalité. Certains psychologues reconnaîtraient à ces valeurs (esthétiques, sociales, humanitaires, etc....) une signification para-religieuse.

qui refuseront l'un ou l'autre de ses attributs. On pourrait considérer comme athées tous ceux qui ne reconnaissent pas de manière ou d'autre la révélation judéo-chrétienne, et ceux qui, tout en la reconnaissant, ont plus ou moins déformé la notion de Dieu. L'histoire de la philosophie moderne et contemporaine serait presque entièrement athée.

Il y a dans cette terminologie une exigence très légitime, celle de conserver à l'affirmation de Dieu toute son authenticité et de la soustraire à toute déformation. Préoccupation d'autant plus légitime que, dans la mesure où une notion de Dieu est déformée, elle appelle naturellement la négation athée.

Ici doivent être rappelées les réflexions que nous avons proposées au sujet de l'athéisme virtuel. Si, en particulier, on accepte de définir l'athéisme en fonction du « vrai Dieu », étant donné que cette notion varie en fonction des orientations doctrinales, pour les uns seront athées ceux qui pour les autres sont théistes, et le terme athéisme serait privé de toute signification universellement acceptable [15].

Pour que le terme athéisme conserve sa portée universelle, il semble donc nécessaire de renoncer à le définir en fonction d'une notion intégrale de Dieu, et par conséquent en fonction d'un système doctrinal déterminé. Il faut, en d'autres termes, éviter la référence au « vrai » Dieu, le jugement de valeur implicite dans l'usage du terme. Il s'agit donc de formuler une définition de « Dieu » qui inclue seulement les éléments présents dans toutes les descriptions fournies par les différentes tendances philosophiques et religieuses. A cette fin, (faisant abstraction des controverses entre écoles philosophiques et théologiques), nous partirons de la description qu'en fournit le christianisme et nous examinerons lesquels des éléments de sa description peuvent être universellement repérés.

Or, pour caractériser le Dieu chrétien, il faut, nous semble-t-il, tenir compte des traits suivants : considéré en lui-même, Dieu est parfait, infini et personnel, c'est-à-dire, spirituel, intelligent et libre; considéré dans ses rapports avec les êtres finis, il en est suppôtalement [16] distinct et en est la cause totale.

---

[15] C'est d'ailleurs ce qui s'est passé au début de l'ère chrétienne : les polythéistes étaient athées pour les chrétiens parce qu'ils ne reconnaissaient pas le vrai Dieu; les chrétiens étaient athées pour les autres, parce qu'ils ne reconnaissaient pas les « vrais » dieux de la nation.

[16] « Suppôtalement » : nous voulons dire comme un suppôt d'un autre suppôt. Nous nous excusons d'introduire ce terme qui nous semble nécessaire pour traduire notre pensée. La distinction substantielle ne suffit pas à caractériser la transcendance du Dieu chrétien, car si les substances finies étaient *nécessairement* communiquées à Dieu (et non d'une façon purement contingente), comme la substance humaine du Christ à la personne divine du verbe, Dieu serait dépendant de natures différentes de la sienne. Dieu cesserait d'être l'Absolu Total, le Transcendant.

Examinons successivement ces quatre groupes de caractères pour voir s'il est possible de les retrouver dans les diverses conceptions de Dieu. Nous suivrons l'ordre suivant : causalité totale, transcendance « suppôtale » et personnalité (étant donné la liaison intime entre ces deux groupes d'attributs), infinité.

Il est certain que nombre de philosophies et de religions parlent de Dieu sans lui reconnaître une causalité totale vis-à-vis des autres êtres. C'est le cas de presque toutes les philosophies et religions étrangères à l'influence judéo-chrétienne : donnons pour exemples les dieux polythéistes de l'antiquité, l'Intelligence d'Anaxagore, le Moteur Immobile d'Aristote, le Démiurge de Platon. Dans la philosophie moderne, la dépendance du monde à l'égard de Dieu est fortement atténuée dans les courants « déistes », mais jamais ceux-ci ne nient totalement cette dépendance, au moins quant à l'origine du cosmos. Il est donc permis de conclure que si, d'une part, la causalité totale ou créatrice n'est pas considérée universellement comme appartenant à Dieu, pourtant on lui attribue universellement une certaine causalité sur le monde...

En ce qui concerne la transcendance suppôtale, deux questions étroitement liées se posent à son propos :
— le terme « Dieu » a-t-il été employé au cours de l'histoire en un sens immanentiste ?
— est-il possible de distinguer de l'athéisme une doctrine immanentiste, où toute réalité transcendante serait niée ?

La seconde question est posée par Lalande lui-même dans sa critique des définitions du panthéisme :

> On a presque toujours accusé les panthéistes, dit-il, d'être en réalité des athées déguisés, et les éclectiques ont même soutenu que le panthéisme était logiquement contraint d'osciller sans cesse entre ces deux thèses contradictoires : « Telle est l'inévitable loi imposée au panthéisme par la logique et la nature des choses. Il trouve en face de lui deux réalités que nul esprit raisonnable ne saurait nier, et il entreprend de les réduire à l'unité absolue d'une seule existence. Le voilà condamné s'il veut un Dieu réel et vivant, à y absorber les créatures et à tomber dans le mysticisme; ou s'il lui faut un univers réel et effectif, à faire de Dieu une pure abstraction, un pur nom, et à se rendre suspect d'athéisme » (E. Saisset, *Panthéisme*, in Franck, 1241 A) [17].

Ce n'est pas seulement l'*odium theologicum* qui a conduit à identifier le panthéisme à l'athéisme, car cette identification est faite aussi par des penseurs non suspects, tels que Renouvier et John Mac Teggart [18].

[17] LALANDE, p. 715.
[18] LALANDE, p. 715.

Les précisions que nous fournirons à propos de la première question nous permettront de répondre facilement à la seconde. La première réponse doit évidemment être affirmative. Dieu est conçu en un sens immanentiste, c'est-à-dire comme identique ou non-suppôtalement distinct de la réalité finie, dans les différents systèmes appelés précisément panthéistes.

Dans son acception philosophique, le panthéisme est défini comme suit par Lalande :

> Proprement, doctrine d'après laquelle tout est Dieu, Dieu et le monde ne font qu'un ; ce qui peut s'entendre en deux sens fondamentaux :
> 1º Dieu seul est réel, le monde n'est qu'un ensemble de manifestations ou d'émanations n'ayant ni réalité permanente, ni substance distincte. Tel est, par exemple, le panthéisme de Spinoza.
> 2º Le monde est seul réel, Dieu n'est que la somme de tout ce qui existe. Tel est, par exemple, le panthéisme de D'Holbach, de Diderot, de la gauche hégélienne. On l'appelle souvent panthéisme naturaliste, panthéiste matérialiste [19].

La question qui se pose à présent est donc de savoir si, dans la

---

[19] La première de ces deux formes de panthéisme est aussi appelée acomisme, la seconde pancosmisme :

Acosmisme : « Terme appliqué par Hegel au système de Spinoza (par opposition à *athéisme*), parce qu'il fait rentrer le monde en Dieu plutôt qu'il ne nie l'existence de celui-ci (*Encyclopédie*, § 50) » (Lalande, p. 14). On sait que le terme « acosmisme » s'applique particulièrement aujourd'hui au système de Berkeley, qui toutefois n'est pas une forme de panthéisme, car il reconnaît la distinction suppôtale entre les esprits finis et Dieu.

Pancosmisme : « Doctrine d'après laquelle le monde est tout ce qui existe ; il n'y a pas de réalité transcendante. Terme créé par Grote pour désigner le panthéisme matérialiste (Plato and the others companions of Socrates, I, 1, 18) » (Lalande, p. 713).

D'après Eisler, « le panthéisme est la doctrine selon laquelle Dieu et le monde ne sont pas deux natures différentes, existant l'une en dehors de l'autre, mais Dieu est lui-même l'unité de tout, le Tout est Dieu et toutes les choses ne sont que des modes, des participations de la Divinité ; celle-ci est immanente aux choses (en tant que leur essence substantielle), de sorte que tout n'est pas à proprement parler Dieu, mais (considéré *sub specie aeternitatis*) de nature divine » (II, p. 374). Eisler distingue trois formes de panthéisme, acosmique, réaliste et naturaliste, idéaliste : « Pour le panthéisme acosmique, Dieu est l'unité de tout, le seul être véritable, ce qui fait que la multiplicité des choses (le monde étant leur somme) n'a pas une réalité authentique, c'est un Néant (relatif) (Panthéisme hindou, Éléates, Spinoza, etc.). Le panthéisme réaliste ou naturaliste détermine l'unité de tout dynamiquement, énergétiquement, sur un mode naturaliste ; il lui attribue à la fois vie et mouvement. Il se rapproche de l'athéisme en ce qu'il identifie Dieu et nature (Hylozoïstes, Stoïciens, G. Bruno, Spinoza, Gœthe, D. F. Strauss, Harckel, etc....). Le panthéisme idéaliste considère le Tout-Un comme esprit, comme « idée » qui se déploie en une multiplicité de moments, comme raison ou volonté (Plotin, Lessing, Herder, Fichte, Schelling, Hegel, Schleiermacher, E. v. Hartmann, Rechner, Bergson) » *(Ibid.)*.

Introduction

perspective « panthéiste » ainsi définie, les termes « Dieu », « Monde » et donc le terme même de « panthéisme » conservent encore un sens quelconque. Si Dieu s'identifie au monde, a-t-il encore un sens ?

Remarquons tout d'abord que, quelque soit le sens attribué au terme « monde », on ne peut affirmer en même temps que « monde » et « Dieu » sont une seule et même chose, et que le monde n'existe pas : s'il n'existe pas, il ne s'identifie pas à Dieu. On dira peut-être qu'il n'existe pas comme réalité suppôtalement autonome, mais seulement comme réalité immanente : en ce cas, cependant, on passe d'un sens du terme à l'autre au sein du même discours, ce qui ne contribue pas à éclaircir la question.

D'autre part, quel que soit le sens attribué au terme « monde », cela n'a pas de sens de dire que le monde est Dieu, c'est-à-dire que Dieu est la somme de ce qui existe. Si, en effet, « Dieu » et le « monde » sont parfaitement synonymes, en disant que « le monde est Dieu », on énonce une tautologie, ou, ce qui revient au même, on ne dit rien du tout.

Certes, s'il n'existe que le monde, celui-ci ne dépend d'aucune autre réalité ; en ce sens, il est absolu : c'est pourquoi si par « Dieu » on entend l'Absolu, on pourra parler d'identité entre le monde et Dieu même dans une perspective naturaliste et pluraliste. Il nous paraît cependant que réduire le terme « Dieu » à signifier l'Absolu de manière aussi vague, applicable même à un ensemble d'êtres dont aucun n'est absolu, équivaut à dire qu'aucun système philosophique ne nie Dieu, et, plus généralement, équivaut à priver le problème de Dieu de tout contenu propre.

Même si, peut-être, il était possible de rencontrer dans l'histoire de la pensée une acception aussi appauvrie du terme « Dieu », il nous paraîtrait inopportun de la maintenir, ou au moins de définir le panthéiste et l'athéisme par rapport à elle [20]. Remarquons en passant que le caractère

---

(Il est superflu de remarquer que la qualification de panthéiste attribuée à Bergson est des plus discutables).

D'autres précisions intéressantes sur le concept et les formes de panthéisme se trouvent en Grégoire, *Études Hégéliennes*, Louvain-Paris 1958, pp. 140-220.

[20] Nos réserves coïncident avec celles que formulent des correspondants du *Vocabulaire* de Lalande à propos de la seconde forme de panthéisme :
« Je ne crois pas qu'il puisse être question de panthéisme s'il n'existe qu'une somme d'êtres physiques, ou même qu'un être purement matériel. Le panthéisme, ce me semble, suppose d'abord l'unité de l'être, et ensuite que cet être est au fond spirituel, raison, liberté même, quoique d'abord sans conscience, mais destiné à s'apparaître à la fin à lui-même sous la forme de la pensée » (J. Lachelier, p. 715).
« La question se ramène à ceci : peut-on conserver à l'absolu le nom de Dieu, quand on lui refuse la personnalité ? Je réponds que l'absolu du panthéisme est un principe d'unité vivant et actif, qui sans être doué d'« autoconscience » fait sentir son souffle majestueux dans les esprits, sa présence bienfaisante dans les choses et qui suscite ainsi ces sentiments d'admiration, d'émotion, d'enthousiasme, d'amour — par

d'absolu n'est pas lui non plus universellement associé au terme « Dieu » : les dieux du polythéisme sont en effet dépendants, dans leur être et dans leur agir.

Ainsi avons-nous déterminé une condition négative pour que l'on puisse parler de panthéisme : il faut que le monde ne soit pas seul à exister.

Il nous reste donc deux hypothèses à examiner, à savoir : le monde n'existe pas, mais seul Dieu existe ; le monde et Dieu existent, mais sont identiques, c'est-à-dire qu'ils constituent un seul suppôt. Dans ces deux cas il sera légitime d'affirmer que « tout est Dieu ».

Pour comprendre la portée de ces deux hypothèses, il nous faut préciser le sens du terme « monde ». Parmi les diverses acceptions de ce terme signalées par Lalande, la seule qui s'oppose à Dieu est la suivante : « *Monde sensible*, ensemble des choses qui sont ou peuvent être objet de perception, telles que l'individu se les représente avant toute critique scientifique ou philosophique [22]. » Le monde est donc l'ensemble des réalités sensibles, telles qu'elles sont conçues par le sens commun ou la connaissance spontanée. Or, pour notre problème, il est essentiel de faire remarquer que le sens commun n'attribue pas aux êtres dont il a l'expérience une distinction quelconque, mais une distinction suppôtale. La connaissance spontanée est pluraliste, au sens fort de ce terme. Le « monde » dont nous parlons est donc constitué d'une multiplicité de suppôts sensibles. Par conséquent, « l'ensemble des réalités sensibles, telles qu'elles sont conçues par le sens commun » ne coïncide pas formellement avec « l'ensemble des réalités sensibles, telles qu'elles apparaissent dans l'expérience ». Car il n'est pas évident que l'expérience sensible, ni même l'expérience totale de l'homme manifestent une multiplicité de suppôts. Il faut donc distinguer le monde de la connaissance sensible du monde de la connaissance spontanée, ou, plus simplement, le monde sensible du monde spontané [23].

exemple chez Goethe, ou encore chez Spinoza, qui se sentait ivre de Dieu — « ...dont l'ensemble constitue le sentiment religieux : or ce qui suscite dans le cœur de l'homme un sentiment religieux est digne d'être appelé Dieu, quelle qu'en soit la nature. Inversement, et pour la même raison, je crois illégitime d'appeler Dieu le monde des matérialistes, et par conséquent l'expression *panthéisme matérialiste* me paraît impropre » (C. RANZOLI, *Ibid.*).

[22] P. 630.

[23] Nous disons « monde sensible » et non « monde expérientiel », parce que, selon ceux qui, tels les ontologistes, admettent une intuition de Dieu, Dieu serait lui aussi objet d'expérience, et donc on ne pourrait le distinguer du monde « expérientiel ». D'autre part, la dénomination de « sensible » n'exclut pas du monde notre « je », qui est objet d'expérience intellectuelle : le je, en effet, fait partie d'un être, l'homme, qui est aussi objet de l'expérience sensible ; en outre l'expérience de soi n'est pas, elle non plus, purement intellectuelle.

Introduction

Si maintenant le terme « monde » était utilisé au sens de « monde spontané », la division du panthéisme proposée par Lalande n'aurait plus de sens : car si un tel monde existe, il a une existence autonome, et il ne peut constituer une seule chose avec Dieu. Le panthéisme impliquerait donc la négation du monde (spontané).

Par conséquent la division du panthéisme doit être considérée par rapport au *monde sensible*. Nous distinguerons donc un panthéisme qui nie le monde et un panthéisme qui l'admet, mais comme immanent à Dieu. Le panthéisme qui nie le monde est un système qui nie la réalité sensible, qui la considère, en d'autres termes, comme purement illusoire, et qui admet au contraire exclusivement une réalité ultra-sensible qu'il nomme Dieu et qui est de nature différente et supérieure à celle que nous fournit l'expérience sensible. Dieu est donc doté, à l'égard du monde, d'une double transcendance : une transcendance noétique, en tant qu'il est au-delà de l'expérience, et une transcendance ontologique, au sens de diversité et de supériorité. Ce panthéisme n'affirme pas l'identité entre le monde et Dieu, car il nie nettement l'existence du monde. Pour que l'on puisse parler de négation du monde, il ne suffit pas de nier la réalité matérielle; il faut aussi nier toutes les réalités que l'expérience nous révèle comme étant suppôtalement unies aux réalités matérielles, avec lesquelles elles constituent le monde : en particulier, il faut nier les esprits dans leur réalité empirique.

Ce type de panthéisme est plus un système possible — que nous prenons en considération pour compléter notre cadre — qu'un système identifiable dans l'histoire de la pensée occidentale. Il est en effet extrêmement rare que des systèmes soient parvenus à nier radicalement la réalité sensible. Le panthéisme de Spinoza, par exemple, cité par Lalande comme type de panthéisme acosmique, n'implique pas la négation du monde, mais seulement son union substantielle avec Dieu. L'idéalisme lui-même est essentiellement l'affirmation que le monde dépend de la pensée, et l'affirmation de l'immanence (substantielle) du monde à la pensée, mais n'est pas nécessairement la négation de la réalité sensible comme telle. Peut-être est-ce en quelque système védique, qui réduit le monde à une illusion, à un produit de l'ignorance, que l'on trouvera la forme achevée du panthéisme acosmique.

L'expression historique fondamentale du panthéisme est, de toute façon, celle qui affirme l'existence du monde sensible, mais comme immanente à la réalité de Dieu. Le panthéisme est donc en premier lieu un monisme cosmique [24].

---

[24] Peut-on affirmer d'une manière générale que le panthéisme est une forme

Mais tout monisme cosmique n'est pas panthéiste. Une première ligne de démarcation entre monismes panthéistes et monismes naturalistes peut être tracée en trouvant le principe de l'unité ontologique affirmée par tout monisme. L'unité du monde peut en effet résulter simplement de l'organisation des parties qui le constituent (Spencer, Ardigò, Büchner, Haeckel); ou bien de la présence d'un Principe d'unité, de nature différente et supérieure à celle des parties.

Dans le premier cas, comme l'on entend par monde l'ensemble des réalités sensibles, nous devrons dire que ce monisme n'admet rien d'autre que le monde et donc que cela n'a pas de sens de l'appeler panthéiste. Dans le second cas, au contraire, le monisme implique une réalité de nature différente et supérieure par rapport aux parties, réalité qui peut être appelée Dieu : dire que le monde et Dieu sont suppôtalement unis aura donc un sens, et, par conséquent, nous nous trouvons devant une forme de panthéisme [25].

En d'autres termes : pour que l'affirmation d'une identité entre le monde et Dieu ait un sens, il faut admettre quelque chose d'irréductible au monde sensible, bien que suppôtalement uni à lui. Pour que l'on puisse parler de panthéisme, il faut que l'identité entre le monde et Dieu ne soit pas absolue. Il est essentiel pour le panthéisme d'admettre une réalité qui, bien qu'étant unie suppôtalement au monde, soit en un certain sens transcendante à lui, noétiquement et ontologiquement : noétiquement parce que, pour se distinguer du monde sensible, cette réalité ne doit pas être sensible elle-même, ontologiquement, parce qu'elle doit être de nature différente et supérieure à l'égard des réalités sensibles particulières [26].

---

de monisme? Le monisme est certainement l'expression la plus spontanée du panthéisme : il serait difficile d'indiquer des formes historiques de panthéisme pluraliste. Mais, sur le plan spéculatif, on ne peut exclure la possibilité d'un système acosmique qui, ayant réduit la réalité au monde ultra-sensible et divin, admettrait cependant une pluralité de dieux. Le panthéisme n'est donc pas essentiellement moniste.

[25] Il est vrai que tous les systèmes philosophiques (en particulier tous les monismes), exception faite des empirismes, admettent que les êtres sensibles ont des aspects métempiriques : mais ceux-ci ne sont pas toujours compris comme étant de nature différente et supérieure aux aspects sensibles.

[26] On peut se demander s'il est de l'essence du panthéisme d'être rationaliste, c'est-à-dire de procéder, par principe, indépendamment de l'expérience, ou en conflit avec celle-ci. En réalité, la négation du monde et de la multiplicité des suppôts semblent être certes un défi à l'expérience. Cependant, à notre jugement, s'il est hors de doute que le panthéisme puisse être rationaliste, et même que la méthode rationaliste se prête plus aisément à des constructions de type panthéiste ou moniste, on ne saurait affirmer sur un plan général que le rationalisme soit la méthode du panthéisme. Il est certes la méthode du panthéisme acosmique. Vice-versa, le panthéisme cosmique ne nie pas nécessairement les données de l'expérience, car, ainsi que nous l'avons noté, il n'est pas évident pour tout le monde que la pluralité des suppôts soit donnée dans l'expérience. La divergence entre monisme et pluralisme

Introduction

Nos conclusions rejoignent ici celles du Père Valensin [27] :

> Quelque forme qu'il affecte, lorsqu'il cherche à se produire comme doctrine, le panthéisme philosophique consiste toujours en l'affirmation de deux thèses essentielles dont l'explication même varie à peine d'un système à l'autre : Dieu et le monde sont réellement distincts comme nature, ils ne sont pas réellement distincts comme êtres.

Pour préciser la portée de cette différence (au sein de l'unité) entre Dieu et le monde, demandons-nous si Dieu doit être conçu comme être personnel ou comme être spirituel. Nous sommes ainsi conduits à l'examen du troisième trait du Dieu chrétien, la personnalité, dont, pour les philosophes chrétiens, la spiritualité découle.

La question : « Dieu est-il personnel ? » peut avoir deux sens, correspondant à deux acceptions du terme « personnel » :

« A. Qui est une personne au sens A [28].

« C. Individuel, propre, qui concerne exclusivement telle personne, ou qui appartient à elle seule [29]. »

En demandant si Dieu est personnel, on peut donc chercher à savoir s'il est doté d'intelligence et de volonté ; ou bien s'il est une réalité individuelle, c'est-à-dire qui transcende le monde. Ces deux questions ne coïncident pas : car on pourrait attribuer à Dieu intelligence et volonté sans le situer au-delà du monde ; et, d'autre part, on pourrait faire de Dieu une réalité transcendant le monde, mais qui ne serait pas une personne. Il existe pourtant un lien objectif entre les deux questions, car la transcendance de Dieu, bien comprise, exige qu'il soit personne ; et, d'autre part, la thèse qui fait de Dieu une personne est en conflit au moins avec l'immanentisme matérialiste. Lalande écrit : « L'opposition entre le

---

se situe donc au-delà de l'expérience, car les positions respectives, dans les deux cas, sont des intégrations de l'expérience. Pour que l'on puisse parler de rationalisme, il faut que ces intégrations ne soient pas conçues comme des explications que l'expérience exige, mais comme des données purement a priori.

[27] A. VALENSIN, *A travers la métaphysique*, Paris 1925, p. 111. Le second livre de cette étude est consacré à l'examen historique et critique du panthéisme.

[28] « Être individuel, en tant qu'il possède les caractères qui lui permettent de participer à la société intellectuelle et morale des esprits : conscience de soi, raison, c'est-à-dire capacité de distinguer le vrai du faux, le bien et le mal ; capacité de se déterminer par des motifs dont il puisse justifier la valeur devant d'autres êtres raisonnables. Voir LEIBNIZ, *Théodicée*, I, 89 ; KANT, *Grundlegung zur Met. der Sitten*, 2e sect., § 84 et 96-99 » (LALANDE, p. 740). Cette définition, pourtant, associe elle-même deux aspects de la personne formellement distincts, l'individualité et les caractères qui lui permettent de participer à la société intellectuelle et morale des esprits.

[29] LALANDE, pp. 741-742.

panthéisme et le *théisme* a fréquemment pris au XIXᵉ siècle la forme d'une controverse sur la question : « Dieu est-il personnel ? » Cette forme du problème remonte à Jacobi [30]. En réalité, les problèmes coïncident si personnel signifie individuel, donc (dans le cas de Dieu) transcendant ; ils ne coïncident pas si personnel veut dire doté d'intelligence et de volonté. C'est ce dernier problème qui nous préoccupe ici.

En ce qui concerne la personnalité, il ne semble pas que, du point de vue historique, on puisse attribuer la même importance à la faculté intellectuelle et à la liberté. De nombreux penseurs antiques et modernes, qui admettent l'intelligence de Dieu, ignorent ou nient expressément sa liberté (entendue au sens de capacité de choix) : ainsi Platon et Aristote, Avicenne et Averroès, Spinoza et Leibnitz. Reste donc l'intelligence. Mais celle-ci non plus ne semble pas attribuée universellement à Dieu : l'Un néo-platonicien se situe au-delà de la pensée. Quant à la spiritualité, il est difficile de la trouver dans le Dieu d'Anaxagore par exemple, ou dans celui des stoïciens, dans ceux du polythéisme, dans celui de Hobbes, bien que ces dieux soient constitués d'un type de matière plus noble et subtile que celle donnée dans l'expérience. Il nous semble donc devoir conclure que ni la liberté ni l'intelligence ni la spiritualité ne puissent être considérés comme des traits universellement inclus dans l'idée de Dieu.

Ainsi sommes-nous renvoyés aux termes plus vagues de la formule précédente : « Dieu » doit être essentiellement différent des êtres tels qu'ils apparaissent dans l'expérience sensible, et supérieur à eux : il doit donc être spirituel, ou au moins d'un type de matière différent de celle qui apparaît dans l'expérience, et essentiellement supérieur à elle.

Nous pouvons à présent répondre à l'une des questions que nous nous étions posées au début de cette étude. Celui qui reconnaît uniquement l'existence d'une « Force », ou d'un « Être Suprême » à l'origine du monde, est-il athée ? Cela dépend du mode sur lequel cette « Force » ou cet « Être suprême » sont conçus. Si on leur attribue la même nature qu'aux réalités sensibles, rien n'autorise à les appeler « Dieu ». Si, au contraire, on leur attribue une supériorité essentielle sur les réalités sensibles, même si on ne sort pas de l'ordre matériel, il s'agit d'une affirmation de la divinité, pour rudimentaire qu'elle soit.

Cette réalité supérieure pouvant être conçue comme spirituelle ou matérielle, le panthéisme pourra être spiritualiste ou matérialiste. Nous pensons donc (contrairement à Lachelier et à Ranzoli) qu'il est légitime

---

[30] LALANDE, p. 740.

Introduction

de parler avec Lalande d'un panthéisme matérialiste, à condition qu'on en précise la nature dans le sens indiqué : on ne pourra donc nommer « panthéiste » ni un matérialisme pluraliste, ni un matérialisme moniste, qui réduit toute la réalité à un suppôt matériel de la même nature que la matière donnée dans l'expérience. Le panthéisme n'est jamais un pancosmisme.

Il faudra encore distinguer le panthéisme panlogiste du panthéisme hylozoïste, selon que Dieu est conçu comme intelligence ou simplement comme principe vital, âme du monde.

En conclusion, on peut appeler *panthéisme un système pour lequel tout est Dieu*, c'est-à-dire où rien n'est suppôtalement distinct de Dieu, compris comme une réalité (spirituelle ou matérielle) de nature différente et supérieure à la réalité sensible.

Il est certain qu'un Principe ainsi compris est frappé d'une grave ambiguïté ontologique : s'il peut être appelé Dieu, il peut aussi ne pas être appelé ainsi. Si l'on met en évidence sa différence et sa supériorité par rapport au monde de l'expérience, et la dépendance du monde à son égard, on aura tendance à l'appeler Dieu. Si au contraire on met l'accent sur son immanence, on tendra à l'appeler nature.

Cette variété d'accents trouve son fondement, plus qu'en des divergences proprement métaphysiques, dans des attitudes différentes face à la réalité, ou, si on préfère, en un degré différent de sensibilité religieuse. C'est pourquoi, étant donnée l'ambiguïté fondamentale du monisme sur le plan ontologique, un tempérament religieux en développera les implications religieuses et en fera un panthéisme, voire un mysticisme ; alors qu'un tempérament laïque en développera les implications naturalistes, et en fera une forme de naturalisme. Le monisme idéaliste sera, par exemple, panthéiste chez Lavelle ou Gentile ; il sera au contraire naturaliste, donc athée, chez Brunschvicg ou Croce.

Nous pouvons ainsi répondre assez facilement à la seconde question que nous nous étions posée. Les précisions, nombreuses et parfois quelque peu subtiles que nous avons dû introduire, prouvent qu'une telle distinction n'est pas facile à établir, et expliquent comment elle a pu être niée, parfois même à juste titre. Si en effet toute négation d'une réalité transcendante était appelée panthéisme (selon la définition de Lalande), il serait impossible de maintenir une distinction entre panthéisme et athéisme ; de même il serait impossible de distinguer les concepts de Dieu et monde. Si, au contraire, les termes « monde » et « Dieu » sont compris dans le sens que nous avons précisé, il sera possible d'une part de les distinguer, d'autre part de distinguer le panthéisme de l'athéisme [31].

Étant donnée sa subtilité, une telle distinction pourra sembler insignifiante sur le plan métaphysique et sur le plan psychologique : la ligne de démarcation proposée paraîtra trop vague pour caractériser un mouvement de pensée et un ensemble de problèmes spécifiques.

Rappelons avant tout qu'il ne s'agit pas ici de déterminer la nature de l'athéisme, mais simplement d'en tenter une définition : cette tâche, malgré sa complexité (qu'on a pu constater), n'est que préliminaire. Quant à la ligne de démarcation proposée, il nous semble qu'elle sépare assez nettement deux attitudes intellectuelles et vitales à l'égard du « monde ». Sur le plan intellectuel, l'attitude de ceux qui ne croient pas à la possibilité de dépasser ontologiquement le monde (de l'expérience sensible) s'oppose à la perspective qui admet cette possibilité. En d'autres termes, la position qui voit dans le « monde » la réalité suprême est en conflit avec celle qui affirme la nécessité de dépasser l'homme et la nature, pour leur trouver un fondement absolu. Sur le plan vital, d'autre part, l'horizon restreint aux valeurs « mondaines » s'oppose nettement à l'horizon ouvert au-delà du monde. Le problème de Dieu et de l'athéisme est réellement d'une part le problème de la transcendance, de la réalité « métaphysique », d'autre part celui de l'autonomie ontologique et axiologique de l'homme et du monde.

Encore un mot, avant de conclure, sur la *perfection infinie* de Dieu. Il est aisé de constater qu'elle n'est pas incluse de manière universelle dans le concept de Dieu : le Dieu d'Aristote et celui de Platon, les dieux du polythéisme, le Dieu de Locke et de Hobbes, les dieux de la dernière philosophie de Renouvier, ne sont certainement pas conçus comme infiniment parfaits. Si donc « Dieu » peut être pensé en termes de finitude, comment le caractériser par rapport à l'ensemble des autres êtres qui forment le « monde » ? Nous avons déjà répondu à cette question en examinant le problème de la transcendance de Dieu : celui-ci doit être de nature différente et supérieure aux autres êtres de l'expérience, supériorité qui n'implique pas nécessairement la spiritualité. Par conséquent, le « monde » qui s'oppose en un certain sens à Dieu ne pourra être défini ni comme l'ensemble des êtres finis (puisque Dieu lui-même peut être

---

[31] Il nous semble que nos conclusions rejoignent substantiellement la position de Rahner *(loc. cit.)* : « si une forme déterminée de panthéisme (spécialement dans l'idéalisme allemand) doit être qualifiée d'athéisme (comme le système de Spinoza), cela dépend de la capacité qu'elle a de ne pas réduire simplement à une seule chose l'homme et le monde d'un côté, et l'Absolu de l'autre ». Nous formulerions pour notre part quelques réserves sur le choix de Spinoza comme exemple de panthéisme athée.

Introduction 49

fini), ni comme l'ensemble des êtres matériels (car Dieu peut être lui aussi matériel), mais comme l'ensemble des êtres qui sont donnés dans l'expérience, ou qui peuvent l'être.

En conclusion, des quatres groupes de caractères du Dieu chrétien, aucun ne peut être repéré universellement, sans précisions ultérieures, dans les diverses notions de Dieu. Toutefois, la causalité totale, la transcendance et la perfection infinie, si elles ne sont pas toujours présentes dans leur pleine acception, le sont toutefois en un sens atténué : en particulier, la causalité est prise en un sens plus général (et non total), et la transcendance est comprise, sur le plan ontologique, comme différence et supériorité par rapport aux êtres sensibles, et, sur le plan noétique, comme transcendant l'expérience sensible ; la perfection infinie enfin est réduite aux dimensions d'une perfection essentiellement supérieure, dans le sens que nous avons précisé.

Bref, le concept de Dieu implique pour tous une certaine « transcendance » : Dieu est le Transcendant qui agit sur le monde. *L'athéisme théorique est donc une doctrine selon laquelle l'existence d'un Transcendant qui agit sur le monde ne peut être affirmée avec certitude* [32].

---

[32] Nous voulons, avant de conclure ces réflexions, ajouter un mot sur les « pseudo-athées », dans le sens qu'a proposé Maritain. Il s'agit de ceux « qui croient qu'ils ne croient pas en Dieu, mais qui en réalité croient inconsciemment en lui, parce que le Dieu dont ils nient l'existence n'est pas Dieu mais quelque chose d'autre ». (*La signification de l'athéisme contemporain*, Paris 1949, p. 9). Nous n'avons pas à discuter ici la question de fait : le soi-disant athéisme n'est-il pas souvent, si ce n'est toujours, la négation d'un Dieu faussement conçu ? Notre tâche étant pour le moment de définir l'athéisme, nous nous demanderons simplement si une position de ce genre doit être qualifiée d'athéisme ou de pseudoathéisme. A notre avis, ceux qui nient un Dieu faussement conçu ne cessent pas pour autant d'être athées. Il est vrai qu'ils nient la réalité transcendante parce qu'ils la voient proposée d'une manière qu'ils considèrent à juste titre inadmissible ; mais, d'autre part, comme ils considèrent cette manière de la comprendre comme la seule possible, ils nient cette réalité sans recours, ou contestent la possibilité de la connaître. Ces hommes ne nieraient peut-être pas Dieu, ou la possibilité de le connaître, s'ils en avaient une notion plus exacte : cette considération est de la plus grande importance soit pour ouvrir le dialogue avec eux, soit pour porter un jugement sur leur attitude. Il demeure pourtant que cette notion leur manque, et donc qu'ils nient Dieu en termes généraux. Le fait que, si certaines conditions étaient remplies, ils croiraient, n'empêche pas que, ces conditions faisant défaut, ils ne croient pas. D'autant plus que les prévisions sur ce qu'un homme croirait si certaines conditions étaient remplies dépassent difficilement le niveau de simples hypothèses.

B. — *Athéisme pratique*

On donne plusieurs définitions de l'athéisme pratique, qui, toutes, se ramènent à celle donnée par Louis Boisse dans les observations sous la rubrique *athéisme* de Lalande : « Attitude de ceux qui vivent comme si Dieu n'existait pas. Cf. le texte de Bossuet : « *Il y a un athéisme caché dans tous les cœurs, qui se répand dans toutes les actions : on compte Dieu pour rien.* » (*Pensées détachées*, II). L'athéisme ici ne consiste pas à nier l'existence de Dieu, mais la valeur de son efficace sur la conduite humaine [33]. » D'après cette description — et c'est la plus courante — la qualification d'athée pratique est attribuée à des personnes qui affirment l'existence de Dieu.

A l'intérieur de cette définition trouve sa place une distinction entre la pratique et la théorie. Il y a lieu, en effet, de distinguer l'attitude pratique athée qui consiste à vivre comme si Dieu n'existait pas, de la doctrine qui exclut toute influence divine sur la conduite humaine et qui peut être la mise en théorie de cette attitude. Cette doctrine ne peut être ramenée à l'athéisme théorique, car elle n'est pas incompatible avec l'affirmation de Dieu, mais reflète, sur le plan opératif, un déisme métaphysique, conçu comme relâchement du lien ontologique de l'homme et du monde vis-à-vis du Transcendant. Dieu est une réalité en soi, un « Être Suprême », une « Cause première », mais il n'intervient pas dans l'existence réelle ; il est reconnu comme Être, mais non comme Valeur ; il explique la réalité, mais ne change rien à la vie. C'est cet Être, que l'on nomme parfois le « Dieu des philosophes », par opposition au « Dieu de la religion », mais c'est plutôt le Dieu d'une certaine philosophie, purement objectiviste.

Ajoutons, pour être plus précis, que si l'athéisme purement pratique est une conduite qui contraste avec la doctrine professée par la même personne, il est lié toutefois, sur le plan intellectuel, à la « mentalité » de cette personne. C'est là l'attitude fondamentale qui commande ses appréciations et ses décisions, l'horizon de ses préoccupations, le système de valeurs sur lequel habituellement se porte son attention. La mentalité se distingue ainsi de la théorie ; elle peut même être en conflit avec elle. Une mentalité athée peut coexister avec une doctrine théiste. L'athéisme pratique se situe donc avant tout sur le plan de la mentalité et, par là même, sur celui des orientations existentielles fondamentales.

Mais que signifie « vivre comme si Dieu n'existait pas » ? Cela

---

[33] Pp. 87-88.

signifie : vivre habituellement en fonction d'un système de valeurs dont Dieu est absent. Pour qu'on puisse parler d'athéisme pratique, l'absence de Dieu doit être habituelle : une conduite médiocre ou inconstante ne saurait être dite athée, même si elle n'est pas tout à fait conséquente avec sa propre existence, tant qu'elle n'ignore pas habituellement Dieu. D'autre part, une personne habituellement religieuse peut agir en un cas particulier comme si Dieu n'existait pas, ce qui n'autorise pas à considérer sa conduite, dans son ensemble, comme athée : sinon, tous les hommes seraient athées, à l'exception, peut-être, des saints. N'est-ce pas l'équivoque que recèle le mot de Bossuet cité par L. Boisse dans le Dictionnaire de Lalande : « Il y a un athéisme caché dans tous les cœurs, qui se répand dans toutes les actions. » Inversement, une personne habituellement indifférente quant aux conséquences pratiques de sa croyance religieuse peut, en certaines circonstances, se comporter comme un croyant (par exemple en contractant un mariage religieux ou en faisant ses Pâques).

Cependant, même avec ces éclaircissements, il ne sera pas facile, dans le concret, d'identifier les cas d'athéisme pratique. Quelle est, en effet, la ligne de démarcation entre la présence de certains gestes religieux dans une vie fondamentalement athée, et une vie religieusement et moralement superficielle, inconstante, dans laquelle de longues périodes vides de Dieu alternent avec des reprises religieuses éphémères ?

De plus, pour identifier l'athéisme pratique, il faut établir que Dieu est absent d'un certain système de valeurs. Or cela ne doit pas être décidé sur des bases objectives, mais sur des bases subjectives. En effet, une évaluation qui, pour tel individu, est en conflit avec la foi en Dieu, sera, pour d'autres, postulée par cette même foi. Un système de valeurs que certains considéreront absolument étranger à l'horizon théologique, pourra être, pour d'autres, fondé sur la volonté de Dieu. Inversement, un système de valeurs que certains croient ne pouvoir fonder qu'en Dieu sera autonome pour d'autres. Ainsi certains gestes religieux, qui, objectivement, sont des actes de reconnaissance de Dieu, peuvent, pour certains sujets, n'être que des attitudes extérieures adoptées pour des raisons sociales.

On ne peut non plus établir une équivalence entre athéisme pratique et immoralité, pour diverses raisons. Tout d'abord, nombre d'auteurs pensent pouvoir fonder une morale en faisant abstraction de Dieu : par exemple Bayle, Kant, Max Scheler, et aussi de nombreux thomistes. Tous ne sont pas d'accord pour penser que « si Dieu n'existe pas, tout est permis » (Dostoïevski). Il est donc possible de se comporter honnêtement et généreusement, sans mettre sa propre conduite en rapport avec Dieu. Il peut advenir, en second lieu, que certaines personnes demeurent fidèles, par habitude ou par tempérament à des principes, bien qu'elles reconnaissent qu'ils ne peuvent être justifiés sur le plan théorique. En troisième lieu, il est difficile d'établir, dans la sphère subjective (celle qui est en cause ici), une ligne de démarcation entre conduite morale et conduite immorale, d'autant plus qu'il ne s'agit pas de juger des actes particuliers, mais une attitude dans son ensemble. Enfin une conduite gravement immorale ne peut suffire pour dénoncer l'absence de Dieu d'une vie : car si cette immoralité est vécue consciemment comme révolte contre Dieu, comme incohérence grave, si elle est d'autre part accompagnée de remords, il n'est pas permis d'affirmer que Dieu en est absent. Le contexte psychologique de l'action fait partie de l'action même. L'athéisme pratique implique donc aussi l'absence du sens du péché et, par conséquent, du remords qui est inspiré par des raisons d'ordre religieux (et qui se distingue du remords basé sur des raisons purement profanes).

Athéisme pratique et indifférence religieuse sont donc deux attitudes assez voisines : elles ont en commun le sentiment que Dieu n'est pas une valeur, et que, par conséquent, son affirmation ou sa négation importent peu, ne changent pas grand-chose. Elles se distinguent en ce que l'indifférent ne prend pas position sur le plan théorique, alors que l'athée pratique (au sens le plus courant de cette expression) affirme théoriquement l'existence de Dieu. Mais cette différence théorique n'a pas de portée « religieuse », et, en poussant plus loin l'analyse, on pourrait peut-être la contester sur le plan théorique lui-même. On saisit donc, une fois de plus, que la ligne de démarcation entre théisme et athéisme est, dans le concret, bien moins nette que sur le plan abstrait, et que les problèmes soulevés par l'indifférence religieuse peuvent concerner, en une large mesure, les théistes eux-mêmes.

Pour ces raisons, il nous paraît plus opportun, ainsi que nous l'avons relevé plus haut, de limiter la dénomination d'athéisme théorique aux prises de position doctrinales face au problème de l'existence de Dieu, et d'inclure l'indifférence religieuse parmi les formes d'athéisme pratique. Le terme même d'« indifférence » semble d'ailleurs refléter l'attitude de nombreux « théistes » sur le plan théorique. L'athéisme pratique serait donc l'attitude de ceux qui vivent habituellement comme si Dieu n'existait pas, ou, en d'autres termes, qui ne reconnaissent pas une portée existentielle au problème de Dieu, soit qu'ils en affirment l'existence, soit qu'ils s'abstiennent de poser le problème. L'athéisme spéculativo-pratique théoriserait cette attitude : il serait donc une prise de position doctrinale, non directement sur l'affirmation de l'existence de Dieu (comme l'athéisme théorique), mais sur la valeur existentielle de Dieu et de son affirmation.

L'athéisme pratique peut se référer soit à la vie humaine en général,

Introduction 53

soit en particulier à la vie publique. Cette dernière soulève des problèmes spéciaux : on peut en effet reconnaître que l'affirmation de Dieu implique des conséquences qui engagent la vie individuelle, et faire de la religion une question purement personnelle, privée, en lui interdisant, en droit et en fait, de s'exprimer sur le plan de la vie publique.

Il nous est maintenant possible de définir avec une certaine précision les rapports entre l'athéisme et le *laïcisme*. Le laïcisme au sens large comprend toute conception du monde et de la vie qui se préoccupe d'exclure la religion de la vie publique. Il peut être théoriquement athée ou non. Dans la négative, il se présente comme un phénomène spécifique, comme une théorie de la pratique, selon laquelle la religion ne concerne que la vie privée de l'homme et doit être ignorée dans la vie publique. Comme phénomène spécifique, le laïcisme est donc un athéisme pratique (spéculativo-pratique ou purement pratique) au niveau de la vie publique [34].

---

[34] Il ne faut pas confondre le laïcisme avec la doctrine de la laïcité de l'État, selon laquelle il n'est pas de la compétence d'un État de porter un jugement philosophique ou théologique sur le problème religieux. Rien n'empêche en effet qu'un État ainsi conçu formule sur le phénomène religieux un jugement de nature sociologique et agisse sur la base d'un tel jugement ; il pourrait ainsi reconnaître officiellement aux institutions religieuses des droits déterminés et en favoriser l'activité, alors qu'une perspective laïque l'amènerait à les ignorer seulement.

De plus, peut-on parler d'un « théisme pratique » qui serait le correspondant de l'athéisme pratique et qui consisterai à vivre comme si Dieu existait, bien que l'on soit convaincu de sa non-existence? Eisler envisage une position de ce genre : « Selon Forberg, on peut avoir, comme athée, une foi pratique en un ordre moral du monde ; il faut agir en tous les cas comme si l'on croyait en Dieu ; l'idéal moral hypostasié en « Dieu » ne peut perdre sa force (« *Philos. Journal* », VIII, 1798, pp. 21 et sq. ; de même Vaihinger, *Die Philos. des Als ob*, 1911) » *(Atheismus*, in Eisler, I, p. 130).

Mais il nous semble que ces positions peuvent se ramener à l'affirmation d'un ordre moral indépendant de Dieu, donc à un cas particulier d'athéisme. La qualification de « théisme pratique » n'a de sens ici que du point de vue de celui qui considère l'existence de Dieu comme le seul fondement valide de l'ordre moral : dans cette perspective en effet celui qui pense et agit moralement pense et agit « comme si Dieu existait ». Mais du point de vue subjectif de cet homme, le plus important pour définir sa position, l'ordre moral se fonde indépendamment de l'existence de Dieu : il s'agit donc d'une morale athée.

Conclusion

Nous sommes partis de la distinction classique d'un athéisme théorique et d'un athéisme pratique : nous avons défini le premier par rapport à Dieu en tant qu'être, le second par rapport à Dieu comme valeur. Nous avons cependant mis en lumière par la suite la présence de la composante axiologique même dans l'athéisme théorique, car l'absence de l'affirmation de Dieu entraîne l'absence d'une expérience religieuse proprement dite. Ainsi dans son acception la plus générale, l'athéisme est-il *une attitude existentielle dans laquelle la valeur de Dieu n'est pas reconnue;* où Dieu signifie *un Transcendant qui agit sur le monde.* Est donc athée en ce sens plus général toute personne qui n'est pas croyante ; c'est-à-dire quiconque ne marque pas sa vie d'un sens religieux.

La *transcendance* revêt ici un double sens, noétique et ontologique. Au sens *noétique*, le Transcendant est au-delà de l'expérience sensible ; au sens *ontologique*, il est de nature différente et supérieure au monde. Le *monde* est l'ensemble des réalités sensibles, telles qu'elles sont données dans l'expérience sensible. L'*action sur le monde* doit être entendue au sens large, d'une influence pouvant s'exercer sur le plan de la causalité efficiente, ou finale ou formelle ; elle peut être totale ou partielle. A ces significations, se rattache étroitement le sens *axiologique* qui désigne la supériorité de la valeur de Dieu, sa grandeur ; de ce fait, il désigne le type d'existence humaine qui est pénétré de cette conviction.

En ce qui concerne les diverses formes d'athéisme, la terminologie à laquelle, de notre côté, nous aurions abouti est la suivante. L'athéisme *théorique* ou *spéculatif* est une doctrine selon laquelle l'existence d'une Transcendance agissant sur le monde ne peut être affirmée avec certitude, soit qu'on la nie (athéisme *assertorique*), soit qu'on déclare le problème insoluble (athéisme *agnostique*), soit que l'on juge le problème dénué de sens (athéisme *sémantique*). L'athéisme *pratique*, ou *indifférence religieuse*, est l'attitude de ceux qui vivent comme si Dieu n'existait pas, ou qui, en d'autres termes, ne reconnaissent pas au problème de Dieu une portée vitale, soit qu'ils affirment l'existence de Dieu, soit qu'ils s'abstiennent de poser le problème. L'athéisme *spéculativo-pratique* est une doctrine selon laquelle Dieu ne doit pas avoir d'influence sur la vie humaine, ou sur la vie en général, ou au moins sur la vie publique *(laïcisme).*

Athéisme théorique ou spéculatif et athéisme spéculativo-pratique concordent donc par le fait qu'ils sont des doctrines ; mais ils se différencient en ce que l'un se situe directement sur le plan de l'existence de Dieu, l'autre sur le plan de sa valeur pour l'existence humaine. L'athéisme

Introduction

pratique et l'athéisme spéculativo-pratique se définissent par rapport à la valeur existentielle de Dieu; mais le premier est une attitude, le second une doctrine.

Les analyses précédentes ont sans doute confirmé la difficulté qu'il y a à déceler et à classer les significations d'un terme qui ne désigne pas seulement des systèmes abstraits, mais des orientations concrètes de pensée et de vie. C'est pour cela que les différentes significations se réalisent rarement à l'état pur : elles offrent les nuances les plus variées et interfèrent entre elles de façon très complexe. Il nous a semblé toutefois qu'un essai de classification sémantique conscient de ses limites pouvait avoir quelque utilité pour éclaircir les problèmes.

III

LE DIALOGUE ENTRE CATHOLIQUES ET ATHÉES

L'esprit de dialogue est un des aspects les plus frappants du nouveau style de l'Église. Il pénètre les secteurs les plus variés de sa vie : rapports avec les chrétiens non catholiques, avec les religions non chrétiennes, avec les athées; rapports avec le monde; rapports, à l'intérieur de l'Église, entre le clergé et les laïques, entre l'autorité et les subordonnés aux différents niveaux, etc... Plus qu'un secteur particulier de l'activité de l'Église, ce dialogue apparaît comme une nouvelle dimension de sa vie et de la conscience chrétienne.

La Constitution sur l'*Église dans le monde contemporain* affirme à plusieurs reprises la nécessité du dialogue avec tous les hommes, sans exception aucune [35], et donne une telle importance à ce programme qu'elle en fait la conclusion de tout son message :

> En ce qui nous concerne, le désir d'un tel dialogue, conduit par le seul amour de la vérité et aussi avec la prudence requise, n'exclut personne : ni ceux qui honorent de hautes valeurs humaines, sans en reconnaître encore l'Auteur, ni ceux qui s'opposent à l'Église et la persécutent de différentes façons. Puisque Dieu le Père est le Principe et la fin de tous les hommes, nous sommes tous appelés à être frères. Et puisque nous sommes destinés à une seule et même vocation divine, nous pouvons aussi et nous devons coopérer, sans violence et sans arrière-pensée, à la construction du monde dans une paix véritable [36].

Déjà le pape Paul VI, interprétant les aspirations de notre époque, avait exprimé sa conviction que le dialogue devait caractériser sa mission apostolique [37]. En outre le Concile fait de l'esprit de dialogue une des composantes de la nouvelle personnalité des laïcs [38] et une des lignes directrices de la formation des prêtres de demain [39]. Les trois nouveaux

---

[35] Nos 21, 28, 43, 62.
[36] 92. *Doc. Cath.*, n° 1431, 1080.
[37] *Ecclesiam suam*, AAS.
[38] Cf. *Apostolicam Actuositatem*, nos 14, 27, 29; *Ad Gentes*, 11.
[39] *Optatam totius*, 19; dans l'enseignement de la philosophie, *ibid.*, 15; de la théologie, 16; dans les rapports œcuméniques, 16; cf. *Unitatis redintegratio*, 10; avec les religions non chrétiennes : *Optatam totius*, 16, *Ad Gentes* 34.

secrétariats institués dans le climat conciliaire (pour l'Unité, pour les religions non chrétiennes, pour les non-croyants) traduisent dans les institutions cette volonté de dialogue...

Il ne s'agit pas d'un renouveau superficiel : ce renouveau est fondamental, entraîne des prises de position méthodologiques et doctrinales et exprime une conception de la communauté humaine, de la civilisation, de la chrétienté. On ne peut considérer ce mouvement comme une mode passagère : un ensemble de tendances, d'orientations, de préoccupations, qui ont mûri au cours de toute l'ère moderne et qui ont comme explosé, sous la pression de grands événements, ces vingt dernières années, ont surgi d'une façon explicite et solennelle dans la conscience de l'Église. Elles donnent, nous semble-t-il, à l'actuel renouveau la profondeur et l'irréversibilité d'un tournant historique.

L'esprit de dialogue est donc un « signe des temps » et exprime les aspirations profondes de notre époque; mais, comme tout signe des temps, il est lourd d'ambiguïtés. Aussi ne faut-il pas s'étonner s'il devient aussi un « signe de contradiction », et si chaque homme, dans l'évaluation qu'il en donne, fait peser toute sa personnalité.

Certes, devant des déclarations aussi autorisées et explicites que celles que nous avons rapportées, il sera difficile à un catholique de refuser le dialogue avec une quelconque catégorie de personnes. Pourtant, nombre de difficultés surgissent dès qu'il s'agit de passer du plan des déclarations de principes à celui des précisions de contenu et de méthodes, et dès qu'on commence à s'interroger sur le sens précis de l'esprit de dialogue et sur ses possibilités de réalisation.

Que signifie « dialogue »? Ce terme a connu, au cours de ces dernières années, une fortune extraordinaire. L'usage très large qu'on en fait l'amène à prendre les sens les plus divers et l'expose à ne plus rien signifier de précis. Certes, en première approximation, il exprime un rapport inspiré par la sympathie, la compréhension. Il marque un climat de dégel, de détente, dans lequel les « fronts » deviennent frontières, et frontières ouvertes. Il se définit par opposition à l'esprit de croisade. Mais en quoi consiste, plus précisément, la nouveauté de cette attitude, l'originalité de ce type de rapport?

Allons plus loin : le catholique, constitutionnellement, est-il disponible au dialogue? Le dialogue n'implique-t-il pas une attitude de recherche, la possibilité au moins de mettre en question ses propres positions? Or, que peut rechercher un catholique qui croit être déjà en possession sûre et définitive des solutions aux grands problèmes de l'existence? Peut-il s'asseoir à une table ronde, se mettre sincèrement sur un plan d'égalité avec un autre, alors qu'il est convaincu de la supériorité et de l'exclusivité de sa vérité, de son message de salut? Les difficultés s'accroissent si l'enquête se déplace du niveau des individus à celui de l'Église comme telle : peut-elle dialoguer et abandonner sa position de magistère?

Difficultés et ambiguïtés se manifestent avec une acuité plus grande encore par rapport aux athées. De fait, quel terrain d'entente un catholique peut-il trouver avec un athée, un matérialiste avec un spiritualiste? Quelles valeurs échanger entre deux univers aussi distants, aussi incommensurables? Quel rapprochement opérer, qui ne soit ni une convers ion ni un abandon?

Le projet de dialogue avec les athées se révèle des plus particulièrement complexes quand il assume une portée politique, comme cela se vérifie tout particulièrement avec les marxistes. En proclamant l'esprit de dialogue, le concile a-t-il voulu lancer aussi une nouvelle formule politique? Dans l'affirmative, comment concilier une telle formule avec l'orientation politique effective des catholiques? et dans la négative, quel sens peut avoir le dialogue que les catholiques entendent instaurer aujourd'hui avec les marxistes?

Enfin, pourquoi le chrétien doit-il aujourd'hui adopter une attitude qui jusqu'à hier n'avait jamais été la sienne, qu'il avait même repoussée au nom de sa foi? Comment une telle attitude peut-elle être vraiment chrétienne et vraiment neuve? Si elle est vraiment neuve, ne représente-t-elle pas une rupture de la tradition chrétienne, une concession à notre temps? Et si au contraire on la considère comme un prolongement de la tradition, n'en évacue-t-on pas toute la portée innovatrice, en la réduisant à une simple tactique? et ne dément-on pas ainsi le sentiment, largement répandu, qu'une ère nouvelle s'est ouverte dans l'histoire de l'Église?

Telles sont quelques-unes des nombreuses questions que soulève la perspective du dialogue entre catholiques et athées. Certaines d'entre elles renvoient au problème du dialogue en général; d'autres mettent sur le tapis la question de la disponibilité du catholicisme au dialogue; d'autres concernent plus spécifiquement le dialogue entre catholiques et athées; d'autres, enfin, le dialogue entre catholiques et marxistes.

Une réponse directe à ces questions ne sera possible qu'au terme de cet ouvrage. Ici, nous nous proposons uniquement de développer les bases d'une problématique qui nous met en contact avec les questions les plus graves suscitées par l'athéisme. Toutefois, le sens de cette problématique ne peut se saisir qu'à partir d'une phénoménologie du dialogue. Notre étude introductive se composera donc de deux parties consacrées l'une à la phénoménologie, l'autre à la problématique du dialogue.

A. — *Phénoménologie du dialogue*

Les limites que nous donnerons au sens d'un terme aussi vague auront certainement quelque chose de conventionnel. Ce terme est utilisé en bien des sens différents de celui que nous proposons, et nous ne voulons pas contester leur légitimité. Notre but est de rendre possible une formulation plus précise du problème, en indiquant l'acception que nous donnerons nous-mêmes à ce terme, — acception qui nous semble exprimer un type de rapport humain bien défini et particulièrement adapté à la sensibilité moderne. Ce choix, pourtant, n'est pas arbitraire : il veut expliciter la signification philosophique, ou plus généralement humaine, du rapport nouveau que l'Église entend instaurer avec les représentants des autres confessions, religions et idéologies. La légitimité du choix fait de ce point de vue devrait ressortir dans la suite du présent ouvrage.

Ajoutons que le dialogue, qui est un phénomène vital extrêmement complexe, ne peut être facilement enserré dans les mailles d'une définition. Il faudra donc fournir des indications qui aident à trouver et à réaliser ce genre d'expérience, mais qui prendront leur sens à la lumière de l'expérience d'elle-même. Pour qui ne l'aurait vécu de quelque manière, le concept de dialogue demeurerait nécessairement formel.

Nous pensons pouvoir proposer comme définition générale du dialogue la suivante : *le dialogue est un colloque tenu dans un climat de liberté, et en toute sincérité, sur des problèmes qui intéressent en quelque manière les mêmes personnes, entre sujets d'orientations diverses, mais qui s'accordent sur l'affirmation de valeurs déterminées, et tendant à une compréhension mutuelle, à un rapprochement et à un enrichissement des positions et des hommes.*

Avant d'examiner cette description de manière plus analytique, nous voudrions la situer par rapport à certaines acceptions du terme. Nous constatons d'abord son caractère *global*, en ce sens qu'elle se place simultanément sur le plan intellectuel et existentiel : c'est-à-dire qu'elle comprend la recherche doctrinale, les relations humaines et la collaboration. Afin de conserver les caractères de cette description, nous avons employé des termes polyvalents tels que « valeurs », « orientations », « positions », « compréhension », « rapprochement », « enrichissement »; et nous avons parlé de rapport « entre les positions et les hommes ».

Dans les limites de cette attitude globale, l'une ou l'autre dimension pourra être mise en évidence : ainsi pourra-t-on distinguer différentes formes et différents niveaux du dialogue. Arrêtons-nous en particulier ici sur le dialogue doctrinal et sur le dialogue opératif.

Dans le dialogue *doctrinal* ou *culturel*, la recherche commune de la vérité acquiert une importance exceptionnelle : cependant, le dialogue (entendu dans le sens que nous proposons) ne se limite jamais à une telle recherche, mais implique un rapport vital plus vaste, dont la recherche est une composante essentielle. Au contraire, le dialogue *opératif* est fait de négociations tendant à stipuler les conditions d'une collaboration en vue d'objectifs déterminés (par ex. politiques, économiques, etc.), malgré d'éventuelles divergences doctrinales quant au fond. Il recherche des accords pratiques, sur les choses; il peut arriver jusqu'à l'élaboration d'une commune « déclaration des droits de l'homme », comme celle de la Révolution française ou des Nations Unies; toutefois, ici non plus la recherche d'un pur accord objectif ne correspond pas pleinement au concept que nous avons défini, si ce n'est dans la mesure où cet accord s'insère dans l'horizon plus vaste des rapports humains.

Bien que l'idéal du dialogue soit de pouvoir être réalisé sous toutes ses formes, chacune de celles-ci pourtant a une physionomie et une valeur propre : l'authenticité du dialogue oblige à tenir compte de l'originalité et de l'autonomie de la sphère dans laquelle il se déroule. Dans l'analyse qui va suivre, nous nous référerons non seulement au dialogue en général, mais aussi à ses exigences particulières sur le terrain doctrinal.

Le dialogue que nous avons décrit, parce qu'il est basé sur un rapport de réciprocité, se distingue du dialogue entendu comme style d'enseignement ou de communication, caractérisé par sa volonté de respect et de compréhension. C'est en ce sens, par exemple, que S.S. Paul VI parle, dans l'Encyclique *Ecclesiam Suam*, de « dialogue du salut », d'une mission dialogale essentielle pour l'Église, et voit, dans la parole que Dieu adresse à l'humanité, le type du dialogue.

Enfin, comme mouvement de recherche, ce dialogue se distingue de celui qui tend essentiellement à la diffusion de la vérité et qui a lieu quand deux interlocuteurs d'orientations diverses discutent entre eux publiquement, dans un esprit de compréhension mutuelle, dans le but de permettre aux assistants (ou aux lecteurs) de se former une opinion.

Ces diverses acceptions du terme « dialogue » (et d'autres que nous ne croyons pas nécessaire de rappeler ici) sont toutes légitimes et importantes; chacune d'entre elles contribue à caractériser le nouveau style de rapports qui tend à s'établir aujourd'hui entre hommes d'orientations diverses.

Nous n'essaierons pas de classifier toutes les acceptions en les ramenant à une signification plus universelle : il nous semble en effet que « dialogue » est un terme « analogue », c'est-à-dire qu'il est chargé de sens essentiellement différents, mais qui ont entre eux des rapports de ressemblance.

Il est pour nous fondamental de remarquer dès à présent que ce terme ne désigne pas seulement un acte ou un ensemble d'actes, mais aussi et surtout peut-être l'attitude globale et le climat d'où ces actes émanent, et qu'ils contribuent à entretenir. C'est donc un acte qui doit être situé en perspective, un acte qui exprime un état. C'est ce que nous nous efforcerons de mettre en lumière dans l'analyse qui va suivre.

Le dialogue est avant tout une forme particulière de *colloque*. Il se différencie de la *conversation*, en raison de l'importance toute spéciale qu'il revêt et qui exclut la banalité : cela découle, nous le verrons, du contenu et les finalités de la relation établie. De plus, le colloque ici assume le sens plus large de communication d'idées et d'attitudes, qui peut se produire non seulement en paroles, mais aussi à travers toutes les formes d'expression : la présence des interlocuteurs les uns aux autres ne doit donc pas être comprise nécessairement en un sens spatial.

Dans la description que nous avons proposée, nous indiquons la thématique, les interlocuteurs, l'intentionalité, la situation de départ et les conditions du dialogue. Nous aborderons l'un après l'autre ces divers aspects. Puis, en marge de l'analyse de l'intentionalité dialogale, nous illustrerons l'originalité de celle-ci par rapport aux autres formes de rapport intersubjectif.

I. THÉMATIQUE

La thématique du dialogue est indiquée par l'expression : *problèmes qui intéressent en quelque manière les mêmes personnes.*

Le dialogue porte, avant tout, sur des *problèmes :* c'est-à-dire qu'il implique une attitude de recherche. Il nous faudra préciser ensuite qu'il n'exclut pas une zone de certitude. Mais nous voulons d'abord relever qu'il implique une zone plus ou moins large de problématicité, c'est-à-dire de doute. Il ne s'agit pas de doutes académiques, ou méthodiques, ou fictifs. Les questions rhétoriques n'engendrent que des dialogues rhétoriques. Une recherche ne pourra être réelle si les questions auxquelles elle entend répondre ne sont pas réelles et vécues, c'est-à-dire si elle ne comporte pas une zone de doute. Celui qui n'aurait pas de problèmes pendants et qui serait pleinement « satisfait » par toutes ses solutions, pourrait (peut-être) enseigner, mais non dialoguer. Nous ne prétendons pas que seul ce qui est objet de doute puisse devenir matière à dialogue ; mais que, sans une attitude de recherche et, donc, une certaine zone de doute, on ne peut imaginer de dialogue.

D'autre part, ce n'est pas un problème quelconque qui peut faire l'objet du dialogue. Il existe en effet des problèmes réels, mais purement

Introduction 63

« objectifs », c'est-à-dire devant lesquels le sujet tient une attitude de spectateur, de « curieux » (même au sens le plus noble de ce terme). Ces problèmes se posent en face de lui, mais non en lui. Tels sont les problèmes logiques et mathématiques, d'une part, et les problèmes scientifiques d'autre part. Sur de tels problèmes, les hommes finissent toujours par tomber d'accord. Il y a en revanche des problèmes « subjectifs », c'est-à-dire qu'ils mettent en question, pour employer l'expression de Heidegger, le questionnant lui-même; et ils peuvent avoir de multiples solutions personnelles. C'est sur eux que porte le dialogue. Celui-ci certes n'exclut pas les structures objectives, par exemple politiques et économiques; mais, comme nous l'avons noté, elles sont matière de dialogue dans la mesure où elles conditionnent l'existence subjective.

Dans le problème subjectif sont mis directement en jeu des valeurs et, en premier lieu, des idéaux. Ce n'est pas une vérité quelconque qui est en jeu, mais une vérité qui engage la vie, même si cet engagement est plus ou moins profond. La question posée ne l'est pas par simple curiosité intellectuelle, mais à cause d'aspirations vitales. La perspective du dialogue cependant ne se réduit pas à la problématique axiologique : en effet, la nécessité de fonder les valeurs renverra forcément à des thèmes plus vastes et plus complexes, qui mettent en cause les conceptions sur la réalité et la connaissance. Mais celles-ci reviendront dans le dialogue à cause de leurs implications axiologiques.

D'autre part, le discours sur les valeurs renvoie nécessairement à l'incarnation de celles-ci dans les personnes des interlocuteurs. Bien que la clarté méthodologique oblige à distinguer constamment le niveau des idéaux de celui de leurs réalisations historiques, il ne sera jamais possible de séparer entièrement ces deux discours. Dans le dialogue, donc, la personne n'est pas seulement sujet et thème : il joue aussi le rôle de témoignage vivant des valeurs. La personne ne s'exprime pas seulement avec les paroles qu'elle dit, mais aussi par la parole qu'elle est. C'est donc par sa nature même et non en raison d'une simple concomitance matérielle que le dialogue de la vérité s'insère dans un contexte existentiel plus vaste.

2. INTERLOCUTEURS

Le dialogue est un rapport *entre sujets* et non entre doctrines ou systèmes. Cela en précise encore la thématique; la subjectivité devient intersubjectivité. Mais, surtout, cela forme la prémisse qui permet d'affirmer le caractère dynamique du dialogue, auquel nous avons déjà fait allusion en incluant parmi ses composantes l'attitude de recherche; nous devrons y revenir lorsque nous en définirons l'intentionalité.

Un tel dynamisme serait en effet exclu si le dialogue était conçu en termes purement objectifs, comme rapport entre doctrines ou systèmes. En pareil cas, il n'irait pas au-delà d'une confrontation, d'un échange de vues. En réalité, il n'y a pas dialogue sans évolution des deux côtés. D'autre part, nous avons noté comment ce rapport entre hommes se situe au niveau des idées, et, donc, ne peut être défini de manière adéquate en termes purement subjectifs.

En parlant de sujets, nous ne nous référons pas seulement aux individus, mais aussi aux communautés et aux institutions. En effet, les hommes qui vivent et pensent à l'intérieur d'une communauté ou d'une institution donnée (par exemple : une confession religieuse ou un parti politique) sont fortement influencés par elles dans leur dialogue interpersonnel. Bien plus : le rapport entre individus acquiert un relief nouveau dans la mesure où il favorise un mouvement plus vaste. Enfin il existe des dialogues, officiels ou non, au niveau des communautés et des institutions, qui prennent une importance toujours plus grande dans le monde contemporain. Tels sont, assez souvent, les dialogues qui opposent des hommes de « foi » différente : la foi alors n'est pas entendue en un sens spécifiquement religieux, mais, en un sens plus général, comme l'adhésion à un ensemble déterminé de valeurs idéales. Cette adhésion, en fait, implique fréquemment l'appartenance à une communauté de compagnons de « foi ».

Ceci nous amène à une nouvelle précision portant à la fois sur le sujet du dialogue et sur sa thématique : les valeurs « personnelles » en cause ne sont pas simplement individuelles mais aussi communautaires. La communauté devient, elle aussi, le questionnant qui est mis en question. Ainsi l'incarnation des valeurs dont nous avons parlé, et qui remplit dans le dialogue une fonction de signe, met en cause les communautés et les institutions.

3. INTENTIONALITÉ

La caractéristique fondamentale du dialogue est donnée par son but premier, immanent, par son « *intentio intenta* ». Celle-ci en exprime à la fois la nature et la motivation fondamentale.

Or une telle caractéristique paraît assez complexe. Dans la définition que nous avons proposée, il est dit que le dialogue vise une « *compréhension mutuelle, un rapprochement et un enrichissement des positions et des hommes* ». Il ne s'agit pas ici d'attribuer au dialogue trois finalités différentes, mais une finalité complexe résultant de l'implication réciproque de ces trois aspects.

Introduction 65

Avant d'examiner un à un les aspects de l'intentionalité dialogale, nous voudrions faire une remarque de caractère général : ce qui caractérise le dialogue, c'est la *réciprocité*. De celle-ci nous parlerons à nouveau lorsque nous décrirons la situation de départ, qui implique une certaine identité de problèmes, de solutions, de méthodes. Mais l'exigence de réciprocité est présente avant tout dans l'intentionalité dialogale : ce qui signifie, en première approximation, que les interlocuteurs se placent sur un plan d'égalité. Le dialogue se déroule autour d'une table ronde.

Mais comment peut-on se mettre sur un plan d'égalité avec un interlocuteur, quand on est fermement persuadé de la supériorité de sa propre doctrine, de sa propre « foi »? Il faut préciser qu'il ne s'agit pas d'égalité objective, mais d'une égalité subjective, peut-être mieux exprimée par le terme « réciprocité » : le dialogue n'est pas un rapport entre des doctrines, mais entre des hommes. Sur le plan objectif, chacun des deux interlocuteurs part avec la conviction de la supériorité de sa doctrine (c'est en ce sens, si on veut, qu'il y a égalité : chacun des deux interlocuteurs est convaincu de sa supériorité, et reconnaît la légitimité subjective de cette conviction de supériorité). Au contraire, l'égalité concerne les personnes : c'est-à-dire qu'elle signifie une égalité de droits, mais plus encore de rôles à l'intérieur du rapport dialogal. Les interlocuteurs sont appelés l'un et l'autre à donner et à accueillir, à apprendre et à enseigner. L'un et l'autre sont en position d'initiative et d'écoute.

Mais le concept de réciprocité est plus riche que celui d'égalité : en effet il connote en outre une diversité et une originalité des sujets; et il ajoute au rapport dialogal une charge dynamique.

Abordons maintenant chacun des aspects de l'intentionalité dialogale : compréhension, enrichissement, rapprochement. L'effort de *compréhension*, c'est-à-dire de pénétration à l'intérieur de la position de l'interlocuteur, à partir de ses intuitions de fond, à travers un mouvement de « sympathie », un processus d'« identification », est capital dans la qualification du dialogue. Mais comment est-il possible de s'« identifier » avec une position profondément différente de la sienne propre, avec une autre « foi », avec une erreur? Comment est-il possible de s'identifier avec la négation de soi-même? La réponse à ces questions implique un approfondissement de la nature de la compréhension à partir de ses bases les plus proches, qui sont la confiance en l'interlocuteur et le sens de nos propres limites.

La compréhension naît avant tout de la *confiance :* confiance en l'homme en général, et, plus précisément, en ces hommes concrets avec lesquels le dialogue se déroule. Confiance signifie reconnaissance de leurs valeurs intellectuelles et existentielles, de leur possibilités d'amour, de vérité, de progrès. Certes cette confiance semblera ingénue à ceux qui ont de l'homme en général, et particulièrement de ceux qui sont différents d'eux-même, une vision essentiellement pessimiste. En réalité, croire en celui qui diffère de nous, c'est en quelque sorte une évasion hors de nous-mêmes, c'est découvrir une dimension nouvelle : celle de la subjectivité. La confiance se fonde sur la reconnaissance à chaque homme d'une certaine initiative créatrice, en vertu de laquelle il est un noyau vivant de vérité et de valeurs, et le porteur, dans le monde, d'un message unique. Cela confère un sens plus précis à la « réciprocité » dont nous avons parlé plus haut.

Sur le plan intellectuel ensuite, la confiance consiste à estimer que l'homme poursuit toujours, au moins en quelque mesure, la vérité, qui est objet de son intelligence. Chaque homme n'affirme que ce qui, à son avis, est vrai. Or comment un mouvement structurellement orienté vers la vérité peut-il la saisir là où elle n'est pas? Ceci est possible par la part de vérité présente en toute erreur, grâce au fait donc qu'il n'y a pas d'erreur d'absolue. L'homme est faillible, mais ne l'est jamais totalement : ce qui revient à dire qu'il existe en chaque homme une certaine infaillibilité. Non seulement l'erreur n'est pas absolue donc, mais elle n'est pas un fait originaire : elle n'est que dérivée, c'est-à-dire qu'elle n'a pas son explication en elle-même, mais dans une vérité plus profonde qu'elle a faussée. En particulier, la négation n'a pas un caractère primitif : elle renvoie toujours à une affirmation. Il faudrait en conclure que l'inspiration originaire de toute position doit être recherchée dans une vérité. Il ne s'agit donc pas seulement de distinguer l'erreur de celui qui la commet, l'« errant », mais de reconnaître que la qualification d'« errant » n'est pas la caractéristique fondamentale de notre interlocuteur. Comprendre l'autre, c'est réussir à découvrir comment une position qui à mon avis est erronée peut lui sembler vraie : c'est pénétrer sa subjectivité.

Or le « signifié » d'une proposition n'est pas fourni de manière satisfaisante par son analyse interne, mais n'apparaît que lorsqu'elle est située dans la totalité; lorsque le thème est projeté sur son horizon; lorsque la proposition est ramenée à ses fondements. Certes, les propositions soumises à l'examen sont importantes, mais leurs motivations le sont plus encore; il est important de savoir ce qui est affirmé ou nié, mais plus encore pourquoi on l'affirme ou on le nie. Il arrivera que certaines choses sont niées par les uns pour les raisons même qui feront que d'autres les affirment; ou vice versa que les mêmes choses seront affirmées par les uns et les autres pour des raisons opposées. Un thème identique matériellement revêtira en différents contextes des sens assez divers. D'où la complexité des « signifiés » et des comparaisons entre positions.

Introduction

La compréhension tend précisément à saisir les signifiés. Or, s'il est vrai que les intuitions fondamentales sont toujours porteuses de vérité, c'est en fonction de la vérité que devront être recherchés les signifiés et interprétées les erreurs elles-mêmes.

Mais la portée du signifié et de la compréhension doit être précisée davantage. L'inspiration centrale d'un système est souvent comprise au sens logique, comme le point de départ, le principe, l'idée-mère, à partir de laquelle l'organisme se développe : tel serait par exemple le concept de réalité. Certes, ce choix est très important : mais ce n'est pas le seul, et peut-être pas le principal. Sur le plan existentiel, en effet, il est commandé par un choix axiologique, par une certaine intuition des valeurs. Le « signifié » d'une doctrine est constitué en premier lieu par l'horizon des valeurs qu'elle a pour rôle d'affirmer; c'est à partir de cette précompréhension axiologique, à laquelle il fournit des assises logiques, que le système est élaboré, et, donc, qu'il devra être compris. Cela est particulièrement évident lorsque, dans le système en question, on exprime une « foi ».

Dans la pensée moderne, nombreux sont les systèmes dans lesquels la perspective axiologique est placée même logiquement comme fondement de la construction doctrinale, c'est-à-dire dans lesquels la conception ontologique et la conception gnoséologique semblent appelées par l'affirmation de valeurs déterminées. Le processus dans lequel ils s'expriment est appelé (de manière discutable) « postulatoire ». Il nous faudra examiner dans cet ouvrage diverses formes d'athéisme ainsi fondées. Mais même là où les valeurs n'apparaissent pas comme la base logique du système (parce qu'elles en sont plutôt le couronnement, ou bien parce qu'elles n'y sont pas affirmées expressément), elles en sont le moteur caché qui, comme celui d'Aristote, fait mouvoir en attirant; elles sont l'*ultimum in executione*, qui est pourtant le *primum in intentione*.

L'importance déterminante de la perspective axiologique pour caractériser une position dérive, nous l'avons vu, du caractère existentiel, historique, de la connaissance humaine : celle-ci n'est pas seulement pensée constituée, organisation d'idées, mais pensée constituante, mouvement concret de toute la personne.

L'horizon donc sur lequel il faut situer une position pour la comprendre n'est pas seulement celui du système, mais aussi celui de l'existence, de la personnalité, avec ses facteurs conscients et inconscients, innés et acquis, les conditions politiques, économiques et sociales, l'ambiance socio-culturelle, etc... L'horizon est constitué en particulier par la mentalité, c'est-à-dire l'ensemble des réalités et des valeurs qui sont objet de l'attention habituelle d'un homme, et auxquelles il se réfère habituellement dans ses évaluations et ses décisions. L'attention prêtée par le sujet à telle ou telle partie du système, l'importance qu'il lui attribue, interviennent de manière décisive dans la détermination du signifié.

Le signifié de la connaissance a donc une structure dialectique, objective et subjective; et l'intentionalité subjective *(intentio intendens)*, par rapport à laquelle il se définit, investit tout le dynamisme de la personnalité.

On ne peut donc comprendre une pensée sans comprendre un homme et un milieu, sans explorer un « monde » nouveau. D'où la dimension profondément « personnelle » de la compréhension, vu que la situation est en fin de compte une réalité incommunicable. D'où, aussi, l'importance de l'intuition dans l'herméneutique, et, par suite, dans la méthode historiographique : les préoccupations fondamentales d'un auteur se révèlent, en effet, par une intuition que l'exégèse des textes prépare, mais ne remplace pas.

La compréhension de l'autre passe aussi par *la conscience de nos propres limites*. Celle-ci met en valeur non seulement les vérités présentes dans les erreurs des autres, mais encore les obscurités dans lesquelles nos propres vérités s'enveloppent et les erreurs qui peuvent en dériver. En effet, tandis que celui qui trouve sa position parfaitement claire et évidente comprendra difficilement ceux qui la nient, celui qui est conscient de ses apories ne trouvera pas extraordinaire que celles-ci aient pu amener quelqu'un à une négation : les raisons des négations d'autrui sont souvent pour lui sources de difficultés sérieuses et senties. Là même donc où il dénoncera des « contradictions internes » au système considéré, il ne le fera pas avec le simplisme triomphateur de celui qui aurait découvert l'absurdité d'une position; il le fera avec la conscience que les vérités les plus profondes frôlent généralement la contradiction et que, par suite, la contradiction frôle souvent la vérité. Il pourra même découvrir dans telle ou telle erreur une vision des choses plus pénétrante que celle que manifestent certaines formulations ingénues de la vérité. Il est d'autre part assez improbable qu'une personne ou une communauté soient totalement dans la vérité, même quand les articulations fondamentales de leur position sont vraies. Si la critique qui nous est faite n'atteint pas toujours le centre de notre position, elle en atteint cependant les déformations théoriques et pratiques : il est donc naturel qu'elle devienne autocritique. Il arrive aussi que la conscience de nos propres limites engendre la possibilité de les dépasser si nous nous ouvrons aux autres.

Le sens de ses propres limites pourtant ne signifie pas blessure infligée à soi-même ni abdication. En effet le dialogue suppose aussi la

Introduction

confiance en soi-même et dans les valeurs dont on est porteur : il suppose donc la conscience d'avoir quelque chose à donner. Notre ouverture envers les autres se fait par l'entremise de la conscience de nos propres valeurs.

Animée par la confiance en l'interlocuteur et le sens de nos propres limites, la compréhension de la position d'autrui est fonction de notre propre position; elle se définit par rapport à une précompréhension. Le signifié d'une pensée est toujours en quelque mesure *signifié pour* un interprète déterminé : l'interprétation n'est jamais un fait purement objectif, mais s'insère dans un rapport intersubjectif.

Ainsi sommes-nous en mesure de répondre à la question que nous nous posions au début, sur la possibilité de nous « identifier » avec une position différente de la nôtre. Il ne s'agit certes pas de surmonter la multiplicité par une affirmation relativiste de l'équivalence des vérités, c'est-à-dire par l'absorption totale de ces vérités dans la subjectivité. Au lieu de supprimer la diversité, cette solution ne ferait que l'exacerber : chaque sujet serait muré en lui-même, et n'aurait nulle possibilité de rencontrer autrui.

Il s'agit donc d'une « identification » à l'autre en son altérité. La compréhension de l'interlocuteur, de fait, passe par la découverte des valeurs qui nous sont communes; et les thèses même sur lesquelles il s'éloigne de nous doivent être comprises à la lumière de celles sur lesquelles nous convergeons; c'est seulement à partir de ce qui nous unit que nous pouvons comprendre ce qui nous divise. Cette « identification » intellectuelle suppose certes une « identification » existentielle : c'est-à-dire une reconnaissance de la subjectivité d'autrui, de notre commune dignité humaine et de notre commune exigence d'originalité.

La compréhension demande donc une *ouverture mentale*, c'est-à-dire la capacité d'écouter, de se mettre à la place de l'autre, d'adopter son point de vue. Mais avant tout elle demande une *ouverture existentielle*, c'est-à-dire une sensibilité particulière à la dimension subjective de la vérité et des valeurs : en somme une grande âme, capable d'être non seulement *quodammodo omnia*, mais aussi *quodammodo omnes*.

Il nous est désormais facile de comprendre comment la compréhension mutuelle comporte nécessairement un *rapprochement* des positions et des hommes, ce qui est un autre aspect de l'intentionalité dialogale. Ce rapprochement est avant tout une prise de conscience de la communauté déjà existante, mais non encore clairement consciente d'être telle. C'est un effort qui vise à tracer avec toute la précision possible la ligne de démarcation entre les positions, qui amène à réviser les idées toutes faites, à dissiper les malentendus, fussent-ils séculaires, et, par suite, les divergences fictives dues à une ignorance réciproque.

De plus, dans cet effort pour comprendre et valoriser la position d'autrui, chacun est amené à repenser sa propre position, à faire une autocritique loyale et à assumer autant qu'il est possible les valeurs qu'il a découvertes.

Le rapprochement des positions devrait être tellement poussé sur le plan idéal qu'il permettrait le dépassement des antithèses en une vision synthétique qui assumerait les vérités des positions de départ. Le dialogue peut se proposer expressément un tel objectif idéal, fût-ce à très longue échéance (c'est ainsi que le dialogue œcuménique aspire à l'unité de la foi entre tous les chrétiens). Ce but idéal peut apparaître historiquement impossible à atteindre entre des interlocuteurs déterminés : logiquement possible, il ne l'est pas psychologiquement. Les interlocuteurs peuvent prévoir au départ qu'il ne sera pas atteint par leur débat. Ceci se produit surtout dans le dialogue entre communautés. Doit-on dire qu'en ce cas le dialogue est impossible? Cela équivaut à se demander si l'aspiration à l'unité totale est essentielle au dialogue.

Il nous faut, pour répondre, préciser la portée de cette aspiration. Si celle-ci marque seulement une volonté de rapprochement indéfini vers l'unité totale, par la réalisation de convergences toujours plus étendues, elle est essentielle au dialogue, car elle est présente implicitement dans la recherche de la communion dans la vérité. Si, au contraire, elle marque la volonté d'atteindre cette unité totale, nous serons moins affirmatifs. En effet, quand on juge qu'un objectif déterminé est historiquement impossible à atteindre, on peut être amené par réalisme à y renoncer : ce serait une action velléitaire que d'aspirer à un but que l'on ne peut atteindre. Il faut donc distinguer en pareil cas la volonté de se rapprocher indéfiniment d'un objectif, et celle de l'atteindre, car le premier mouvement est orienté vers une fin possible, et le second ne l'est pas. Cependant, bien qu'ayant été déclarée impossible, l'unité demeurera constamment sur l'horizon du dialogue comme idée-limite.

Cette situation se produira souvent chez ceux qui, à l'âge mûr, professent des fois différentes. Elle permet un mouvement indéfini de rapprochement, qui mérite d'être poursuivi même s'il ne doit jamais aboutir à un dépassement total de l'antithèse, et qui réalise largement l'essence et les valeurs du dialogue.

Nous avons remarqué que l'effort pour pénétrer dans la position de l'interlocuteur exerce une influence dynamique sur notre propre position, en provoquant un rapprochement. Cela veut dire que le dialogue suscite dans les positions en présence un mutuel *enrichissement*.

La confrontation est évidemment une des grandes sources du progrès intellectuel, en raison de la structure relationnelle, dialectique, de la

Introduction

connaissance humaine. Cette structure révèle des dimensions nouvelles lorsqu'elle est traduite sur le plan intersubjectif. La rencontre entre deux positions devient une fécondation mutuelle ; et cela d'autant plus intensément que l'effort de compréhension permet à chacun d'entrer dans un monde nouveau. L'homme sera d'autant plus ouvert à la réalité qu'il sera davantage ouvert sur les autres. L'entendement se réalisera d'autant plus comme faculté de l'être qu'il se réalisera comme faculté de l'homme ; il sera d'autant plus objectif qu'il sera davantage intersubjectif.

La compréhension et le rapprochement qui sont constitutifs du dialogue ne peuvent donc pas consister uniquement à découvrir chez l'interlocuteur des fragments de notre propre vérité, en contestant l'originalité de son apport et en revendiquant pour nous tout le mérite historique. Un tel annexionisme est en contraste avec la réciprocité du rapport : celle-ci n'impose pas seulement de découvrir chez autrui les valeurs que nous-mêmes possédons, mais aussi de lui reconnaître le pouvoir de nous enrichir et d'enrichir l'humanité.

Le progrès qu'engendre ensuite le dialogue concerne soit l'adoption de nouvelles valeurs, soit une prise de conscience plus profonde et plus critique de celles que nous possédons déjà. Chacun des dialogueurs devient pour l'autre une incitation à démythifier, à purifier, à rénover.

Mais ce qui caractérise le dynamisme du dialogue par rapport à la simple confrontation, c'est que l'enrichissement est atteint grâce au rapprochement des positions, et ce rapprochement grâce à l'enrichissement. Il s'agit donc d'un enrichissement qui rapproche, ou d'un rapprochement qui enrichit. J'ai confiance en mon interlocuteur quand je crois qu'en me rapprochant de lui, je me rapprocherai de la vérité ; et que, me rapprochant de la vérité, je me rapprocherai de lui.

Une autre caractéristique essentielle de l'enrichissement dialogal est qu'il ne se produit pas par l'adoption passive de valeurs importées, mais grâce à un actif processus d'évolution à partir de l'intérieur ; il ne constitue donc pas un simple abandon aux instances de l'autre, mais une fidélité plus profonde, stimulée par elles, à notre propre inspiration originaire. En résumé, dialoguer signifie se rapprocher d'autrui par une fidélité plus pleine à soi-même : le dialogue commence là où la fidélité créatrice à soi-même et la fidélité à autrui se révèlent convergentes.

L'enrichissement dialogal n'est donc pas tant la réciproque « communication » de valeurs qu'une réciproque fécondation : une action qui appelle, stimule et active en l'autre un processus créatif vital.

Ainsi pouvons-nous mesurer l'importance de la confiance réciproque. Ma confiance en autrui n'est pas essentielle seulement afin que je puisse m'ouvrir à ce qu'il me donne. Mais elle est elle-même un apport décisif à sa propre vie. La confiance ne reconnaît pas seulement les valeurs, mais elle les engendre, elle n'est pas seulement une réponse, mais un appel. Un des plus grands dons que nous puissions faire à un homme est d'accueillir le don qu'il nous fait.

Cette analyse, nous semble-t-il, montre comment la compréhension, le rapprochement et l'enrichissement mutuel sont unis si intimement entre eux qu'ils constituent une unité complexe. Nous voudrions marquer encore, au sein de cette unité, la connexion du moment intellectuel et du moment existentiel dont nous avons parlé au début de cette description.

La fin et la raison du dialogue, c'est le progrès dans la vérité. Toutefois, en ce qui concerne la recherche, l'intersubjectivité n'est pas seulement un moyen : elle caractérise la nature même de la vérité qu'on poursuit. Dans la vérité en effet le dialogue recherche une rencontre, une convergence toujours plus ample, dans la conviction qu'à des niveaux déterminés une vérité commune peut et doit devenir un lien existentiel plus étroit. Le progrès ainsi devient mouvement aussi bien vers la vérité que vers autrui : le progrès dans la vérité devient acte d'amour. L'enrichissement et le rapprochement opérés par le dialogue ne sont pas simplement doctrinaux ou idéaux : ils correspondent à une évolution des personnes, des communautés, des institutions dans lesquelles les valeurs s'incarnent. La communication tend à devenir communion.

L'amour fait donc partie essentielle de la motivation profonde du dialogue. Mais il s'agit d'un amour conscient de ses composantes intellectuelles, conscient de l'apport que la compréhension et le rapprochement dans la visée des valeurs peuvent ajouter à son approfondissement et à son efficacité transformatrice.

L'amour qu'engendre le dialogue est déterminé par un sens de la dimension subjective de l'homme. Conçu, en effet, en termes purement objectifs, l'amour recherche le « bien » d'autrui, tel qu'il est en soi, sans se préoccuper de se plier à la manière dont cet autre sujet entend ce bien. Le dialogue, au contraire, comme on l'a dit, est un rapport entre « sujets » : en lui l'amour est médiatisé par la conscience de l'autre, s'exprime dans un effort pour se mettre à sa place, pour s'« identifier » à lui.

L'amour tend, ici comme ailleurs, à une efficacité transformatrice. Le dialogue tendra donc à s'exprimer sous forme de collaboration, partout où les circonstances le permettront ; et il tendra à surmonter à tous les niveaux les obstacles qui s'opposent à une telle collaboration. Quoique se distinguant essentiellement du dialogue opératif, le dialogue de la vérité gravite vers lui, aussi bien parce que la dynamique intérieure du dialogue le pousse à se réaliser totalement, que parce que le dialogue doctrinal n'est entièrement possible qu'à des conditions objectives déter-

Introduction 73

minées. On ne peut donc exclure du dialogue doctrinal la présence d'une « seconde fin », par exemple politique, à condition que celle-ci conserve le second rang et ne prévale pas sur les exigences de la fin première.

Il n'est cependant pas permis, comme nous l'avons relevé au début, de définir le dialogue en fonction de résultats « vérifiables » et, par suite, de juger de sa réussite en fonction de ces résultats. Il est même décisif, pour sa réussite, que les interlocuteurs poursuivent son objectif spécifique et ne l'instrumentalisent pas. La création de rapports plus fraternels entre les hommes et le progrès dans la vérité sont des fins qui méritent d'être poursuivies pour elles-mêmes. Il y a donc, dans le dialogue, une certaine gratuité. A la demande, souvent répétée : « Mais alors, à quoi sert le dialogue, s'il n'aboutit pas à des résultats *objectifs* »? une première réponse pourrait être : « à rien », c'est-à-dire à rien d'autre qu'à ses fins immanentes qui sont précisément le progrès dans la vérité et dans l'amour.

Le climat de dialogue est encore plus riche lorsqu'il est recherché au niveau des grandes communautés et non seulement sur le plan individuel. C'est alors qu'il manifeste sa signification mondiale en tant qu'expression du style de rapports qui devra être instauré par la nouvelle humanité. Il donne une signification plus précise et plus dynamique au concept de paix : celle-ci s'entend alors non seulement au sens négatif, comme exclusion de la guerre, mais au sens positif, comme vie en commun féconde, s'inspirant du respect, de la volonté de collaboration, de l'amour.

4. ORIGINALITÉ DU DIALOGUE
  PAR RAPPORT AUX AUTRES FORMES DE RAPPORTS INTERSUBJECTIFS

Pour caractériser davantage le dialogue, nous allons le comparer avec certains types analogues de relations. Jusqu'à présent nous l'avons différencié du colloque, de la conversation, de la comparaison, des pourparlers et de la recherche en commun. Nous allons maintenant le comparer à la discussion, la polémique, l'enseignement, le prosélytisme et l'apostolat.

Le dialogue peut être considéré comme une forme particulière de *discussion*. Il est caractérisé avant tout par sa thématique *subjective*, tandis que la discussion peut toucher des questions purement *objectives*; en second lieu, par ses traits existentiels, tandis que la discussion peut rester à un niveau purement théorétique; en troisième lieu, par le fait qu'il est conçu pour l'enrichissement et le rapprochement mutuel, tandis que la discussion peut tendre uniquement à la réfutation de l'interlocuteur : en ce cas c'est une polémique.

La *polémique* est une lutte idéologique. L'*apologétique* est souvent prise dans ce même sens. Le but de celle-ci est de défendre notre propre position, c'est-à-dire « la vérité », en réfutant celle de l'adversaire, c'est-à-dire « l'erreur ». L'attention des interlocuteurs se porte sur les éléments de divergence; elle ignore et sous-évalue les convergences éventuelles. L'interlocuteur est un adversaire qu'il faut confondre pour faire triompher la vérité.

La polémique suppose naturellement une connaissance précise des positions qu'elle discute, de même qu'en guerre on doit connaître avec précision les forces ennemies afin de pouvoir les frapper plus sûrement. Comme l'homme voit de préférence ce qu'il désire voir, celui qui se préoccupe surtout de dénoncer les erreurs risque de ne voir que celles-là, et même d'en voir là où il n'y en a pas et de fausser la pensée qu'il entend réfuter. C'est ainsi que l'esprit de polémique favorise la multiplication des préjugés, l'incompréhension mutuelle. La polémique, de ce fait, est elle-même rendue stérile pour la recherche de la vérité, car chaque interlocuteur, au lieu de discuter la position de l'autre, finit par en discuter une caricature dont il triomphe facilement.

Ces attitudes ont un caractère héréditaire à l'intérieur des différents groupes culturels et des communautés ou institutions entre lesquelles a lieu la polémique. Avec ces attitudes se transmettent généralement dans les différents groupes des idées stéréotypées, qui correspondent à une image plus ou moins déformée de l'interlocuteur, image qui toutefois a une influence décisive sur les appréciations réciproques et sur les rapports.

Alors que la polémique creuse le fossé entre les interlocuteurs considérés soit comme individus soit comme communautés, le dialogue tend à les rapprocher. Le but premier qui était de réfuter l'adversaire, et d'en dénoncer les erreurs, est remplacé par celui de comprendre l'adversaire, de découvrir ses vérités et ses valeurs et de les assumer dans notre propre synthèse. La préoccupation de mettre en lumière l'originalité et la supériorité de notre position est remplacée par le désir de révéler les convergences. L'attention se déplace de ce qui sépare à ce qui unit. Tandis que dans la polémique celui qui dénonce avec plus de clarté les erreurs de l'interlocuteur est celui qui réussit le mieux, dans le dialogue au contraire réussit mieux celui qui en découvre les vérités. Là où la polémique cherchait en premier lieu les « points faibles », le dialogue, dirons-nous, cherche les « points forts ».

Cependant le dialogue tout comme la polémique comporte des risques constitutionnels. De même que la volonté de réfuter peut induire à découvrir des erreurs même là où il n'y en a pas, de même le désir de valoriser l'interlocuteur peut induire à lui attribuer des vérités qu'il ne peut, en réalité, reconnaître comme siennes. Et de même que l'esprit de polémique pouvait amener à exaspérer les divergences, de même l'esprit de dialogue peut amener à affirmer d'une façon simpliste des convergences, ce qui donne lieu à l'irénisme.

Ce risque pourra être conjuré par une pénétration plus profonde des exigences du dialogue. En effet la compréhension qui est le but de ce dernier doit être mutuelle. Chacun tend à la fois à comprendre et à être compris, à se révéler dans sa vraie lumière et dans son originalité. D'ailleurs ces deux aspects sont corrélatifs ; la polémique engendre la polémique, la compréhension engendre la compréhension. Cela est vrai tout particulièrement pour le climat qui est créé par le dialogue. Or cela est vrai également pour un motif spécifiquement doctrinal : qui a pénétré dans la position d'un autre est en mesure de présenter la sienne dans le langage d'autrui et par suite de se faire mieux comprendre. La compréhension permet aux interlocuteurs de trouver un langage commun.

Mais la compréhension mutuelle implique la reconnaissance d'autrui et par suite une prise de conscience sincère des divergences, quelque profondes qu'elles soient. Or mettre en lumière les divergences veut dire aussi, pour chacun des interlocuteurs, attirer l'attention sur les positions de l'autre qu'il juge erronées et défendre les siennes. Dans le dialogue il y a donc une composante *apologétique :* les positions ne s'y opposent pas comme deux simples options; elles tendent à se justifier, à se défendre et à persuader l'interlocuteur de sa propre validité. C'est pour cela qu'il y a dans le dialogue une composante *polémique*, c'est-à-dire une réflexion critique au sujet de la position de l'adversaire. Bien entendu la méthode et l'esprit de cette réflexion seront solidaires du contexte dans lequel cette dernière s'insère et que nous avons illustré précédemment.

A ce point on peut juger comment le dialogue peut être qualifié de *provocation* pacifique. La provocation, en effet, existe en fonction d'un combat, d'une compétition. Le dialogue implique donc une provocation dans la mesure où il inclut ce rapport compétitif.

C'est surtout grâce à sa réciprocité constitutionnelle que le dialogue diffère de l'*enseignement*. Celui-ci est essentiellement créé pour l'enrichissement des élèves; ce n'est qu'accidentellement qu'il constitue un enrichissement pour le maître. Ce dernier a d'ailleurs un rôle de supériorité reconnu. Dans le dialogue au contraire, chaque interlocuteur est appelé à apprendre comme à enseigner; mais tous les deux devant accomplir simultanément ces deux tâches, aucun des deux n'est reconnu comme maître de l'autre.

Peut-on considérer le dialogue comme une forme d'*apostolat*, en donnant à ce terme le sens général (et non spécifiquement religieux) d'action tendant à la diffusion de valeurs idéales déterminées? A première vue il faudrait répondre négativement, car, encore une fois, l'apostolat est considéré habituellement comme un mouvement à sens unique, tandis que le dialogue implique la réciprocité. Il nous semble cependant que la notion d'apostolat, bien que n'incluant pas la réciprocité, ne l'exclut pas non plus; de sorte qu'en tant qu'échange de valeurs idéales, le dialogue pourrait être une forme d'apostolat.

Le dialogue se différencie aussi du *prosélytisme*. Nous ne considérons pas seulement le sens péjoratif de ce terme (qui implique le recours à des moyens coercitifs ou malhonnêtes pour faire des adeptes), ni le sens spécifiquement religieux, mais sa signification plus générale qui est celle d'action tendant à faire des prosélytes, c'est-à-dire à convertir. La différence entre dialogue et prosélytisme ainsi conçu est peut-être celle qui est la plus difficile à éclaircir; nombreux sont ceux qui la contestent, car ils voient dans le dialogue une méthodologie plus évoluée de conversion. Cette différence semble à première vue contradictoire. Comment concilier la volonté — essentielle à toute discussion — de persuader l'interlocuteur de la vérité de notre position avec l'exclusion de notre intention de lui faire accepter complètement cette position et par suite de le « convertir »?

Nous retrouvons ici, en quelque sorte, les problèmes déjà soulevés précédemment sur les rapports entre le dialogue et l'idéal d'unité; nous croyons devoir répondre dans le même sens. L'intention de convertir, loyalement conçue, n'est pas nécessairement exclue du dialogue; cependant elle n'en représente pas la fin première et constitutive. En effet si chacun tend à persuader l'adversaire aussi largement que possible de la vérité de sa propre position, comment peut-on exclure l'hypothèse que pareille tentative, en un cas déterminé, puisse réussir entièrement?

Nous avons toutefois parlé de conversion loyalement conçue. Nous voulons dire qu'une certaine conception de la conversion est incompatible avec le rapport dialogal : c'est celle qui aurait l'intention de provoquer le passage de l'erreur à la vérité, du mal au bien. Une telle intention suppose en effet une appréciation radicalement négative de la situation présente, intellectuelle et humaine, de l'interlocuteur, appréciation qui ne peut coexister avec un rapport dialogal fondé sur l'estime réciproque. Une intention de convertir l'adversaire, intention qui serait une tentative de provoquer une rupture totale avec son passé, une abdication de ses convictions précédentes et un renversement total des points de vue, ne serait pas compatible avec le dialogue. Nous n'avons pas l'intention de contester ici la légitimité d'une telle intention, pour le moins en des circonstances déterminées; nous disons seulement que cette intention institue entre les interlocuteurs un rapport qui n'est pas celui du dialogue.

Introduction 77

De plus, pour un adulte une telle intention sera souvent choquante et produira l'effet contraire. Quand au contraire la conversion — même si elle implique un saut qualitatif — est comprise comme l'expression d'une fidélité plus intime de l'interlocuteur à ses intuitions profondes, comme un renforcement de vérités et de valeurs déjà opérantes dans sa position, l'intention de favoriser la conversion n'est pas en contradiction avec l'esprit du dialogue.

Même ainsi conçue la conversion n'est pas le but essentiel et constitutif du dialogue. En effet, tout en prenant en considération l'hypothèse que la tentative de persuader l'interlocuteur puisse réussir entièrement, chacun sait qu'ordinairement il n'en est pas ainsi, ni dans les rapports avec l'individu, ni surtout dans les rapports avec la communauté. Devra-t-on dire en ce cas (qui est le cas le plus courant) que le dialogue a fait faillite et qu'il a manqué son but essentiel? Pas du tout. Car le but principal du dialogue n'est pas la conversion de l'interlocuteur, mais la compréhension, le rapprochement, l'enrichissement des positions et des hommes [40]. Il y a donc entre le dialogue et l'apostolat de conversion une différence essentielle.

Il est bien vrai que le dialogue ne demande à aucun des interlocuteurs de se convertir à la position de l'autre; mais il demande à tous les deux de se convertir à l'esprit de dialogue en en acceptant loyalement toutes les exigences.

5. SITUATION DE DÉPART

L'analyse de l'intentionalité dialogale nous a souvent renvoyés à la situation de départ. Reprenons et développons les indications qui se sont déjà présentées à ce propos. Notre analyse antérieure affirme que le dialogue se déroule entre des *sujets d'orientation différente mais qui convergent dans l'affirmation de valeurs déterminées*.

Dans le dialogue on entre comme on est. Le mimétisme n'est pas exigé par la dynamique du dialogue; bien au contraire, il en est exclu. Le dialogue doit faire confronter et rapprocher deux personnalités, ou deux communautés réelles et non fictives ou casuelles : c'est un rapport entre personnes et non entre personnages. De plus, ayant pour fin un enrichissement réciproque, il exige de la part des deux interlocuteurs un apport original.

---

[40] En disant que la conversion peut être une fin « secondaire » du dialogue, nous ne voulons pas dire qu'elle est moins importante ou moins souhaitable, mais simplement qu'elle n'est pas essentielle pour le dialogue.

La différente orientation des sujets par laquelle s'exprime leur originalité structurelle et culturelle n'est donc pas un obstacle au dialogue ; mais un de ses éléments constitutifs essentiels, une de ses conditions de possibilité. Le dialogue naît dans un univers polycentrique : dans celui-ci une multitude d'individus agissent avec une originalité et une autonomie qui constituent la source, la fin et la règle de leur action ; dans cet univers chacun intervient avec l'unicité de son message.

Chacun entre donc dans le dialogue avec ses convictions et ses certitudes. Or l'attitude de recherche concerne justement ce sur quoi une personne est encore incertaine. Comment ces deux composantes du dialogue peuvent-elles se concilier ? Ne porte-t-on pas préjudice ainsi à la possibilité d'une rencontre sur les problèmes, ce qui pourtant est essentiel ?

L'histoircité de la connaissance humaine et l'imperfection constitutionnelle qui en découle nous permettent de comprendre intuitivement que la certitude et le doute puissent coexister dans la même expérience ; ils s'excluent quand on les attribue formellement à une même proposition, mais non quand on les attribue à une même réalité concrète. Celle-ci est à l'origine de sollicitations problématiques infinies, ce qui fait qu'à un esprit qui réfléchit les questions se présentent toujours en plus grand nombre que les réponses. Cela est d'autant plus vrai que la réalité en question est plus complexe et mystérieuse.

Ajoutons que nous parlons ici des vraies certitudes et non des habitudes mentales stéréotypées, puisées souvent passivement dans le milieu et qui n'ont jamais fait l'objet de réflexions personnelles ni d'une vraie prise de position. L'attitude dialogale imposera forcément la mise en discussion de ces opinions.

Mais quant aux certitudes, l'esprit dialogal n'implique-t-il pas au moins que l'on est disposé à les mettre en discussion, dans le cas où, en cours de débat, elles se montreraient insuffisamment fondées ? Et éventuellement, comment concilier cette disposition avec la fidélité due à nos propres convictions ?

Le principe qui préside au dialogue, comme à toute recherche, est celui de poursuivre la vérité et d'y adhérer lorsqu'on la découvre. C'est pour cela qu'au départ aucun des interlocuteurs ne devra mettre de côté ses certitudes, vu que celles-ci expriment, à son avis, la vérité. Aucun des interlocuteurs ne prévoit de devoir y renoncer dans le cours de la discussion, puisque sa certitude, dans la mesure où elle est vraiment telle, exclut la crainte de se tromper. Toutefois, sachant par notre expérience et celle des autres, que la recherche peut amener à douter de ce que l'on croyait définitivement établi, chacun des interlocuteurs aura la possibilité de remettre sur le tapis ses certitudes précédentes, le jour où il jugera que les faits l'exigent et que les certitudes de naguère ont cessé d'être telles. La fidélité à la vérité qui aujourd'hui lui impose d'adhérer à ces certitudes lui imposerait en ce cas de les mettre de côté ou de les abandonner. D'ordinaire, ou pour le moins chez les hommes mûrs, une telle évolution ne met pas en cause le noyau central des convictions du départ.

Les interlocuteurs partiront donc de positions plus ou moins différentes. Or on exclut parfois la possibilité de dialogue entre deux interlocuteurs déterminés parce que l'on dit que leurs positions sont incompatibles et que donc la « plate-forme commune » que le dialogue suppose leur manque.

Remarquons tout d'abord l'ambiguïté du terme *incompatible* appliqué à deux systèmes de pensée. L'incompatibilité peut en effet être soit logique, soit existentielle : elle est logique lorsque les positions en présence ne peuvent être considérées comme complémentaires, mais sont au moins en une certaine mesure contradictoires; elle est au contraire existentielle quand une position conteste à l'autre le droit à l'existence et en poursuit concrètement l'élimination ou la répression.

Certes l'incompatibilité existentielle exclut la possibilité d'un dialogue qui implique, comme nous le verrons, la reconnaissance mutuelle de la liberté. Quant à l'incompatibilité logique, elle peut concerner des positions particulières, ou même des propositions (vu que la contradiction est un rapport entre jugements), et non les systèmes dans leur ensemble; le passage de l'incompatibilité logique entre quelques-unes ou de nombreuses propositions et l'incompatibilité totale suppose une conception monolithique de la cohésion de la vérité et des valeurs qui sera discutée en son temps. Qu'il nous suffise de rappeler pour le moment que la différence et l'incompatibilité logique (partielles ou même profondes) entre les positions en présence ne contrastent aucunement avec la nature du dialogue : différence et incompatibilité sont des éléments constitutifs de la tension dialectique d'où se dégage le dynamisme du dialogue et qui rend possible l'enrichissement réciproque et l'intégration des perspectives.

Or une certaine communion d'idées entre interlocuteurs est, elle aussi, essentielle au dialogue. Pour parler il faut une langue commune. Cette communion doit aller plus loin qu'une mutuelle intelligibilité terminologique et passer par l'orientation problématique résolutive; sans cela il n'est possible ni d'écouter ni d'être écouté, ni de comprendre ni d'être compris.

Les deux interlocuteurs doivent avant tout se rencontrer dans le problème, dans leurs intérêts et par suite dans la recherche. Il ne suffit pas qu'ils aient des problèmes, mais il faut que ces problèmes soient dans une certaine mesure communs et puissent donner lieu à une recherche commune. L'absence de problèmes communs éloigne encore davantage que l'absence de solutions communes ; la première engendre une incommunicabilité radicale entre deux « mondes ». La présence de problèmes effectivement importants par eux-mêmes ne suffit pas s'ils ne sont pas perçus comme tels par les interlocuteurs ou par l'un d'eux et s'ils les laissent indifférents : les problèmes doivent être de vrais problèmes, même subjectivement.

La communauté de langage n'est pas seulement celle de la recherche, c'est aussi celle des solutions, même partielles. Si la divergence était totale, si les systèmes en présence étaient totalement imperméables l'un à l'autre, une confrontation entre eux serait peut-être possible, mais non pas un dialogue. Comme nous l'avons relevé précédemment à propos de la finalité essentielle du dialogue, cela se déduit de chacune de ses composantes : la compréhension d'autrui ne peut se faire qu'à partir d'instances communes et à travers une certaine identification ; le rapprochement et l'enrichissement se réalisent par la fidélité aux aspirations fondamentales, ce qui fait qu'une convergence terminale ne devient possible qu'à partir d'une convergence initiale.

Pour ce qui concerne en particulier les rencontres entre hommes de « fois » différentes, on pourra dire qu'ils dialoguent *en qualité* de défenseurs de ces fois si les solutions qu'ils proposent procèdent à la lumière de ces fois, c'est-à-dire si elles représentent pour chacun l'expression de la totalité de sa vision globale.

Or le dialogue, sur le plan doctrinal, suppose quelque chose de plus : un accord sur la méthode, même s'il est conclu en termes généraux. Une rencontre sur le seul plan des valeurs permettra de conclure des accords pratiques (et donc un « dialogue opératif »), mais non de tenir un dialogue doctrinal pour lequel la recherche commune de la vérité est essentielle. Il n'est en effet pas possible de chercher ensemble sans un dénominateur méthodologique commun, une commune mesure logique, ce qui implique une certaine reconnaissance de la valeur et de l'autonomie de la raison.

D'où, en particulier, l'incompatibilité d'un dialogue authentique avec des prémisses relativistes ; ou avec un irrationalisme qui voudrait, par exemple, réduire toutes les doctrines à des options personnelles ; ou encore avec toute interférence extrinsèque qui violenterait le dynamisme naturel de la pensée.

Une recherche axiologique commune exige en outre qu'aucun des deux interlocuteurs ne pose lui-même ou son institution comme critères de valeur, mais elle exige qu'ils acceptent une commune mesure : que donc

Introduction

aucun n'exige de l'autre ce qu'il n'exige pas de lui-même, ni ne critique en l'autre ce qu'il ne critique pas en lui-même. Mais plus précisément, accepter sur le plan théorique une commune mesure veut dire accepter un fondement des valeurs partiellement commun.

Or une commune mesure entre les hommes ne peut en définitive être admise que par celui qui leur reconnaît une commune nature et dignité : la mesure commune à tous les hommes ne peut être autre que l'homme. Mais celui-ci ne devient vraiment mesure, et fondement (même seulement partiel) des valeurs que si on lui reconnaît une valeur relativement autonome, c'est-à-dire si on lui attribue le caractère de fin. Pour ce motif également, il n'y a pas dialogue sans l'affirmation d'un certain caractère absolu de l'homme, et sans une reconnaissance de sa condition de « sujet »[41].

Ouvrir le dialogue, c'est donc déjà reconnaître une certaine convergence entre les interlocuteurs, perçue au moins confusément, et dont le dialogue lui-même devra expliciter le contenu et tracer les limites ; c'est déjà reconnaître certaines valeurs à la position de l'autre, valeurs telles qu'elles suscitent la confiance et permettent de croire à la fécondité du dialogue. Cette convergence, même si elle est partielle, ne peut être superficielle, mais doit concerner certaines intuitions fondamentales.

Quel que soit l'ordre logique interne d'un système, il y a aussi un ordre *dialogal* qui ne peut être ignoré et pour lequel le point de départ est la découverte de certaines préoccupations communes fondamentales.

Ces convergences doivent être progressivement thématisées ; au début elles ne peuvent être que vécues. Parmi les tâches fondamentales du dialogue, il y a donc celle qui consiste à rechercher les conditions de possibilité de ce dialogue.

La communauté de nature entre les hommes comporte nécessairement une certaine convergence sur le plan central d'affirmations fondamentales et vécues : de ce point de vue il y a donc une possibilité certaine de dialogue entre tous les hommes. La communion dans la volonté de dialoguer et par suite dans les affirmations que le dialogue implique, constitue un pas ultérieur dans cette voie. Nous dirons cependant qu'existe une possibilité prochaine de dialogue lorsque les convergences cessent d'être simplement vécues pour être thématisées de manière ou d'autre.

---

[41] En parlant de « caractère absolu », nous voulons dire que l'on doit reconnaître à l'homme le caractère de fin, et, en ce sens, d'absolu dans l'ordre des valeur. En parlant d'un « certain » caractère absolu, nous entendons préciser qu'il n'exclut pas forcément la relativité, même totale. Mais ces précisions apparaîtront dans la suite de notre discussion.

Peut-être est-ce là le fait capital qui fournit le point de départ le plus sûr et le plus universel du dialogue : au-delà des divergences les plus profondes il existe déjà un accord entre les interlocuteurs dans leur volonté commune de dialoguer. On ne peut certes pas s'arrêter aux bonnes intentions ; mais il s'agit ici d'une intention qui renferme implicitement — dans la mesure où elle est sincère — l'affirmation des conditions de sa réalisation ainsi que des conditions de sa possibilité. L'*intention* au sens propre n'est pas une velléité : c'est l'orientation profonde d'une existence. Il nous semble donc que cette acceptation sincère, bien qu'implicite, de toutes les conditions du dialogue, permet déjà de l'entamer. Le débat sur de telles conditions n'est pas un préliminaire ; il mène au cœur même du dialogue de la même façon que la recherche des conditions de possibilité de la pensée n'est pas un préliminaire de la pensée ou de la philosophie, mais se place au cœur de celles-ci.

Le dialogue engage les interlocuteurs à accepter jusqu'au bout les règles du jeu. Plus que de céder aux requêtes des autres, leur évolution éventuelle consistera, nous l'avons vu, à demeurer fidèles à eux-mêmes et en particulier aux intentions profondes exprimées dans la volonté de dialogue : fidélité logique à des principes établis, mais surtout fidélité morale à un impératif dont on reconnaît la valeur dès le départ. La recherche des conditions de possibilité du dialogue ressemble au mouvement de Kant qui cherche dans le réel les conditions de possibilité de l'impératif catégorique et les postulats de la raison pratique.

Si les systèmes des interlocuteurs ne correspondaient pas aux exigences du dialogue, il se produirait une tension entre les affirmations vécues et les affirmations représentées, entre l'intuition et le système, — tension qui devrait engendrer le mouvement de la pensée. Si chacun des interlocuteurs surmonte la tension intérieure entre ce qu'il vit et ce qu'il pense, il surmontera aussi la tension qui l'oppose à l'autre. Si chacun réalise son unité intérieure, il s'ouvrira à l'unité communautaire.

Pour se comprendre et pour comprendre l'évolution à laquelle leurs positions respectives sont appelées, les interlocuteurs doivent se placer au cœur de cette intuition qui dès le début leur est commune. Cette intuition est déjà une promesse et un mutuel engagement.

6. CONDITIONS

A la base de l'esprit de dialogue il y a un rapport entre sujets différents, un certain idéal de maturité et d'authenticité humaine où la personnalité est dirigée de l'intérieur et à l'initiative de sa vie, et où

Introduction 83

les convictions sont personnelles, acquises dans un esprit de libre critique et loyalement manifestées.

La poursuite d'un tel idéal est possible sous deux conditions : la première, de caractère objectif, c'est le climat de liberté; la seconde, de caractère subjectif, c'est la sincérité.

a. *Le climat de liberté*

L'évolution que le dialogue entend favoriser engage la personne en elle-même; elle doit donc suivre des voies qui atteignent la personne même : celles de la vérité et de la persuasion. Cela n'est possible que s'il est permis de penser librement, de professer et de divulguer ses propres opinions, et enfin que si toute pression administrative et toute discrimination sont exclues.

Une telle liberté doit être à la fois réelle et juridique; elle ne doit pas être un simple fait, mais doit être reconnue par les parties comme un droit. La liberté juridique est une garantie de la liberté effective; elle traduit sur le plan des institutions une certaine conception de la vie en commun des hommes. Il ne suffit pas que la liberté soit tolérée comme un moindre mal : elle doit être reconnue comme un bien. La tolérance et l'intolérance ne se distinguent pas dans les principes mais seulement par l'adaptation aux situations : c'est le principe lui-même que le dialogue impose de revoir. La liberté est aussi une exigence de la réciprocité : le dialogue ne peut avoir lieu si un des interlocuteurs sent qu'il est simplement toléré. La reconnaissance de la liberté exclut les conceptions du confessionnalisme qui autorisent des mesures discriminantes entre citoyens selon leur orientation idéologique.

D'autre part la liberté juridique demeurerait purement formelle si les structures de la société n'étaient pas en mesure de la garantir. La possibilité de dialoguer est donc aussi conditionnée par les rapports économiques et sociaux.

Une fois de plus nous sommes renvoyés à une conception de la personne comme sujet et de la communauté comme lieu de rencontre des sujets, reconnue comme telle sur le plan juridique et rendue possible par les conditions objectives.

L'acceptation loyale de la méthode de la liberté exige du courage car elle comporte un certain risque : privée d'appuis extérieurs, la vérité et les valeurs s'imposeront avec peine et plus lentement; bien plus, certaines convictions entreront en crise; peut-être seront-elles sapées. Celui qui croit fermement en la vérité dont il est porteur et dans le pouvoir de rayonnement de celle-ci, peut courir ce risque sans inquiétude.

b. *Sincérité totale*

Par sincérité nous entendons avant tout non pas le fait de dire la vérité, mais de la vouloir; non un rapport avec les autres mais avec soi-même. L'homme rencontrera réellement l'autre en rencontrant la partie la plus vraie de lui-même. Le dialogue est rendu possible par le silence.

Dans le sujet qui nous occupe, la sincérité s'exprime essentiellement dans une volonté de dialogue qui en accepte toutes les conséquences et en poursuit les objectifs authentiques sans en faire des instruments.

Il nous faut préciser qu'un tel engagement doit être fait avec courage, et prend donc une dimension éthique. En effet les vérités nouvelles que le dialogue mettra en lumière seront souvent en contraste avec nos propres habitudes mentales ou avec celles de notre groupe. La confrontation amènera forcément une révision des schémas, des argumentations et des évaluations que l'on admet facilement et que l'on défend avec chaleur. Parfois elle pourra imposer de nouvelles orientations pour l'action. Or, suivre cette route suppose du courage vis-à-vis de soi-même et des autres : il faut avoir la force de regarder jusqu'au fond, il faut la lucidité d'esprit, la loyauté intellectuelle; il faut la force de secouer notre propre paresse mentale qui nous pousserait à penser comme nous avons toujours pensé et à faire comme nous avons toujours fait; enfin il nous faut la force de remettre en question des vérités qui ne nous paraissent plus justifiées, et aussi de reconnaître nos erreurs précédentes et celles de notre groupe.

Dans l'esprit de dialogue il y a une certaine dose d'anticonformisme intérieur et d'anticonformisme social conçus non pas comme tendance à penser et à agir d'une façon *différente*, mais comme attitude de sincérité totale en face de soi-même et des autres; de cette attitude naît un comportement critique face à notre passé et aux schèmes de notre groupe culturel.

La sincérité n'apprend pas seulement à penser mais aussi à dire la vérité, avec prudence s'il le faut, même si cette vérité peut troubler une certaine version de l'« orthodoxie » ou provoquer une rupture. Elle implique en outre le refus de masquer les divergences réelles sous des convergences formelles, de confondre un accord avec un compromis et de cacher sous des silences complaisants les vérités choquantes de notre propre position.

* * *

Introduction

Il nous semble que de l'analyse que nous avons faite ressort clairement la direction dans laquelle devrait s'orienter une réflexion de philosophie de l'histoire tendant à prouver que l'esprit de dialogue est un « signe des temps » c'est-à-dire qu'il est une des marques fondamentales de notre époque et qui a le caractère d'une nécessité historique. Il est en effet solidaire de certaines des grandes lignes directrices de notre temps telles que : 1) un sens critique toujours plus aigu grâce à quoi chacun tend toujours davantage à évaluer personnellement et par suite comparativement les prises de position que sa culture lui a transmises; 2) l'affirmation de la conscience personnaliste qui correspond à une sensibilité croissante en ce qui concerne la dignité et l'autonomie de la personne et qui est exprimée par exemple dans les nombreux processus d'émancipation des individus et des peuples et de la laïcisation de la civilisation, qui entraînent une poussée vers le pluralisme; 3) l'affirmation à une échelle mondiale de la conscience communautaire qui resserre les liens entre tous les hommes et les rend plus sensibles aux valeurs et aux droits des autres; 4) le sens de l'historicité de l'homme, de la vérité et des valeurs, — sens qui, favorisé par l'évolution vertigineuse du monde, rend l'homme, à tous les niveaux, plus conscient de ses limites, mieux préparé au progrès et par suite plus ouvert à la contribution des autres. Fruit d'un long enfantement du passé, l'esprit de dialogue porte déjà en germe la civilisation de demain.

B. — *Le problème de la possibilité du dialogue entre catholiques et athées*

Le dialogue, nous l'avons vu, est chargé d'implications axiologiques, ontologiques et gnoséologiques, subjectives et objectives, personnelles et sociales. Il est possible pour une personne, pour une société et pour un système de valeurs, dans la mesure où des conditions déterminées sont réalisées. La prise de position face au dialogue révèle donc toute une orientation de base et c'est un choix considérable de vie et de civilisation.

Le problème envisagé au début de notre étude se manifeste, sur cet horizon, dans toute sa gravité : *un catholique peut-il dialoguer?* Et d'une façon plus générale : *est-il possible de dialoguer en partant d'une « foi »*, que celle-ci soit religieuse ou laïque? Nous voulons parler ici de possibilité non seulement au sens ontologique mais aussi au sens éthique de légitimité.

Les hommes d'aujourd'hui sont-ils appelés à choisir entre l'adhésion à une « foi » et l'esprit de dialogue ? Une telle alternative serait d'autant plus dramatique que, comme nous l'avons fait remarquer précédemment, la marche de l'histoire semble être orientée vers un développement de l'esprit de dialogue : allons-nous donc vers une crise universelle de « foi » de l'humanité ?

L'antagonisme originaire entre le dialogue et la « foi » se présente, à notre avis, comme suit : l'esprit de dialogue, comme il ressort de la phénoménologie que nous avons tracée émane d'un sens de l'homme considéré dans sa valeur et dans ses limites. L'adhésion à une « foi » met en cause un autre facteur, le « sacré ». Le « sacré », comme la « foi », est ici pris dans un sens général, religieux ou laïque ; il est attribué aux valeurs idéales qui, d'un certain point de vue, sont considérées comme suprêmes, indispensables et donc « absolues » (par exemple la Religion, la Patrie, la Race, le Parti, l'Humanité, la Liberté, etc.). Le conflit entre la foi et le dialogue éclate là où le *sens de l'homme et le sens du sacré* ne parviennent pas à s'accorder.

C'est dans le contexte religieux et en particulier dans le contexte chrétien que se pose le problème de l'harmonisation de l'homme et de Dieu, de la nature et du surnaturel, du temps et de l'éternité, du profane et du religieux. Il se présente sous sa forme la plus radicale à propos du dialogue avec l'athée.

L'antagonisme se précise par certaines antinomies que nous allons étudier. A titre d'introduction nous allons examiner l'antinomie *dialogue-fidélité* qui ressort d'une façon plus immédiate de notre problème. Les implications fondamentales de cette antinomie nous renvoient à l'antinomie *de la dépendance et de l'autonomie ;* de là nous verrons naître le conflit entre *la subjectivité et l'objectivité*, entre *l'unité et la multiplicité*, entre *le particulier et l'universel*. En réalité, sous ces formes diverses, quelques difficultés de base reviennent constamment. Nous allons les illustrer, aussi bien sur un plan général qu'en détail, à propos du dialogue entre catholiques et athées.

I. FIDÉLITÉ ET DIALOGUE

Est-il possible d'être à la fois fidèle à son propre idéal et ouvert à des idéaux extrêmement différents ou opposés au nôtre ? Ce problème n'est pas seulement théorique mais aussi psychologique : il s'agit de voir si les attitudes impliquées respectivement par la fidélité et par le dialogue sont compatibles entre elles et si elles sont susceptibles d'être assumées dans une expérience unitaire et authentique.

Introduction

De nombreuses difficultés s'opposent à un telle synthèse. La fidélité à notre idéal semble imposer d'en mettre en lumière la grandeur et la supériorité sur tous les autres; mais comment le faire sans accentuer les erreurs et les fausses valeurs des autres positions et sans polémiser avec ces dernières? L'esprit de dialogue au contraire oblige à mettre en lumière les valeurs et les vérités présentes dans les autres positions. Or une telle préoccupation ne finit-elle pas par ternir la grandeur de notre idéal? La fidélité à l'idéal nous pousse à en exalter l'originalité par rapport à tous les autres et donc à mettre en valeur ce qui nous sépare des autres. Le dialogue au contraire place au centre ce qui nous unit, une zone de valeurs communes. Mettre en valeur toutes les positions est-ce que cela ne signifie pas ne croire en définitive à aucune? En d'autres termes, est-il possible de vouloir l'affirmation d'un idéal sans vouloir en même temps son affirmation au-dessus de tous les autres? Et est-il possible qu'il s'affirme au-dessus des autres sans s'affirmer contre les autres?

De plus, celui qui pense être porteur d'un message de salut, du seul message vraiment valable, ne devra-t-il pas forcément tendre à le répandre et, par suite, assumer l'attitude d'un maître? Comment pourrait-il se mettre sincèrement sur un pied d'égalité avec un interlocuteur qu'il considère comme porteur d'un système de valeurs fondamentalement erronées? Celui qui possède la vérité intégrale, que pourrait-il apprendre de celui qui n'en possède que des fragments? Comment peut-on réunir dans la même expérience spirituelle le désir d'enseigner et celui d'apprendre?

Le dialogue peut accroître la compréhension entre les hommes, qu'on le considère comme rapport intersubjectif particulier, ou comme climat général; mais il représente à n'en pas douter un risque pour la « foi » de chacun de ces hommes, car elle est exposée à des contestations souvent fondamentales et devrait, par suite, prendre une attitude d'ouverture. Ces difficultés augmentent lorsque le dialogue sort du cercle des spécialistes et devient un phénomène de masse. On peut demander à une « foi » adulte de s'exposer à un tel risque, mais comment en exiger autant de la « foi » des masses?

Tous ces problèmes se font particulièrement graves lorsque les valeurs sacrées se présentent avec le caractère absolu et totalitaire de la sphère religieuse, où le message acquiert l'autorité et la transcendance d'une Parole divine et la nouveauté bouleversante de l'Évangile. L'esprit religieux est tellement pénétré de la grandeur incommensurable de Dieu — et par suite de son peuple, de son Église, du salut et de la vie surnaturelle — qu'il considère comme insignifiantes les convergences éventuelles entre le message divin et les messages humains. Comment l'Église, porteuse infaillible des vérités divines, pourrait-elle abandonner sa position d'enseignement pour prendre une attitude de recherche et suspendre son action missionnaire? Que deviendrait alors le commandement du Christ : allez et enseignez?

Tout cela paraît évident quand l'interlocuteur à qui l'on se réfère est athée. Comment en effet mettre en lumière les valeurs présentes dans une position qui nie Dieu, sans manquer de fidélité à Dieu? D'ailleurs quelles valeurs authentiques sera-t-il possible de trouver là où la base de toute valeur est absente? Comment le croyant pourrait-il avoir une estime sincère pour l'athéisme et penser avoir quelque chose à apprendre de lui? Et même si en une telle vision il y a quelques vérités, ne s'agit-il pas de ces « vérités chrétiennes devenues folles » que le croyant ne doit pas apprendre par les autres, mais par un retour de l'Évangile? Enfin un croyant pourrait-il renoncer à convertir un homme dont il sait qu'il est privé de la valeur la plus grande, la foi en Dieu?

Lors même qu'un rapprochement serait possible, l'Église n'affirme-t-elle pas d'une façon plus efficace l'originalité de sa mission en demeurant, comme elle l'a fait jusqu'à présent, en position de rupture avec ceux qui la refusent? Une vie en commun pacifique, un accord entre des mondes qui divergent sur l'essentiel, ne risquent-ils pas d'adoucir la force même du problème?

2. DÉPENDANCE ET AUTONOMIE

Pour qu'une rencontre soit possible entre hommes de fois différentes il est nécessaire que dans la sphère de chacune d'elles soit réservée à l'homme une autonomie telle qu'il puisse être pris comme mesure commune de valeurs; il faut aussi que les différentes sphères aient envers les valeurs fondamentales une autonomie suffisante pour permettre la rencontre partielle malgré la divergence au niveau de la « foi ». Mais d'autre part pour que la rencontre se produise entre deux interlocuteurs *en tant* que défenseurs de « fois » différentes, il faut que celles-ci ne soient pas indifférentes aux problèmes particuliers examinés, mais aient quelque chose à dire sur un tel sujet, au nom des propres instances spécifiques.

En particulier pour qu'un chrétien puisse dialoguer avec un incroyant, il est nécessaire que le christianisme reconnaisse à l'homme et aux valeurs profanes une autonomie suffisante et que d'autre part il ne soit pas étranger au problème de l'homme et de son existence terrestre, mais qu'il ait sur ce sujet un apport spécifique à faire.

De telles exigences sont-elles compatibles? Ici se trouve, à notre avis, un des problèmes cruciaux du dialogue. La réponse n'est certes pas

Introduction

facile, du moins si l'on ne se contente pas de conciliations simplistes. La difficulté naît d'abord du fait que la transcendance de Dieu et de la religiosité semble impliquer une dévaluation de l'homme et de la sphère profane, ou pour le moins une indifférence à ce qui touche cette sphère; ensuite de ce que la dépendance de l'homme vis-à-vis de Dieu, et du profane vis-à-vis du sacré, semble ne pas laisser de place à l'autonomie. Dieu semble être devenu un obstacle au dialogue sur les problèmes humains, que ce soit par son absence ou par sa présence envahissante. Examinons successivement ces deux genres de difficultés.

La religion, qui est consciente de la grandeur infinie et de la supériorité de Dieu, peut-elle reconnaître à l'homme une valeur quelconque? Ne sera-t-elle pas amenée, en face de Dieu qui est tout, à considérer l'homme comme un néant, et à exalter la grandeur de Dieu en dénonçant la misère de l'homme? N'est-ce pas là le langage des mystiques, si ce n'est même celui des panthéistes, celui qui exprime jusqu'au bout la logique immanente de l'expérience religieuse?

Une rencontre entre croyants et non-croyants suppose que soit reconnue la solidité ontologique de la nature et sa capacité d'engagement moral. Et, pour affirmer la grandeur de l'élévation surnaturelle, le chrétien ne sera-t-il pas poussé à proclamer la corruption profonde et l'insuffisance de la nature?

Une telle rencontre suppose enfin la reconnaissance de la valeur positive du temps. Or n'est-il pas vrai que, pour le croyant, « ce qui n'est pas éternel n'est rien »?

Nous arrivons ainsi au rapport qui intéresse de plus près notre sujet : le rapport entre le sacré et le profane, dans le domaine de la vie terrestre [42]. La convergence axiologique, toujours sur le plan doctrina, entre croyants et non-croyants, suppose la reconnaissance de la valeur positive de l'ordre profane, c'est-à-dire du *monde*. Nous entendons ici par *monde* l'ensemble des valeurs profanes, des institutions par lesquelles elles s'expriment et des hommes qui les poursuivent.

Le dialogue suppose donc une attitude positive du croyant face au monde. Or le détachement du monde, le mépris des valeurs terrestres, la reconnaissance de leur vanité, tout cela n'est-ce pas essentiel pour le croyant? Le croyant n'est-il pas essentiellement celui qui, ayant choisi

---

[42] Le problème des rapports entre le temps et l'éternité et celui des rapports entre le sacré et le profane ne coïncident pas exactement : en effet le profane n'est qu'une des sphères de l'action temporelle, qui comprend aussi la vie religieuse. On pourrait donc se demander si la valeur de la vie religieuse est essentiellement subordonnée à son incidence éternelle, ou si elle est indépendante de celle-ci. Mais cette question est d'importance mineure dans le cadre de notre discussion.

Dieu, la valeur totale, a renoncé à toutes les autres valeurs? Ayant choisi l'éternel, ne se désintéresse-t-il pas du temps? L'amour du monde et des choses de ce monde n'est-ce pas l'antithèse de l'amour de Dieu? Alors comment peut-on penser servir deux maîtres? Ne faut-il pas choisir entre l'ascétisme chrétien et l'engagement profane? Suffit-il de chercher le règne de Dieu dans la seule confiance que le reste nous sera donné en surplus? Comment un chrétien pourrait-il apprécier le progrès alors qu'il sait que la multiplication des biens terrestres donne au péché des instruments toujours plus raffinés? et que le progrès rend l'homme toujours plus satisfait des biens de la terre et moins soucieux du ciel, — plus absorbé par l'immédiat et moins sensible à l'appel de son destin?

L'homme nouveau, l'humanité nouvelle que le christianisme entend construire, ne doivent-ils pas être compris dans un sens spirituel et eschatologique? Ne serait-ce pas fausser le sens de la vocation chrétienne que de lui donner comme tâche la construction de la cité terrestre et l'humanisation du monde? Le christianisme n'a-t-il pas toujours fait profession d'indifférence à l'égard des régimes politiques, sociaux et économiques les plus divers? Certes le croyant doit, dans le monde, aimer ses frères; mais le vrai amour n'est-il pas celui qui veut le bien authentique c'est-à-dire éternel?

Dans le même ordre d'idées se pose le problème des valeurs corporelles. Le corps n'est-il pas, pour le chrétien, l'ennemi de l'âme, sa prison? Comment peut-on donc penser à augmenter sa puissance au lieu de le mortifier? Une certaine méfiance pour la matière et en particulier pour les rapports sexuels, n'est-ce pas chose connaturelle du spiritualisme chrétien?

Cela devient encore plus évident quand au lieu de parler seulement de l'homme croyant le discours s'étend à l'Église. La mission spécifique de celle-ci est de communiquer la vie divine et non d'exalter la vie humaine; elle doit évangéliser et non humaniser. Doit-elle donc pousser les hommes à construire la cité terrestre, ou prêcher la vacuité de toute construction qui ne serait pas éternelle?

Et continuant sur ce terrain nous pouvons ajouter : celui qui se considère comme dépositaire de la vérité divine, quelle valeur peut-il attribuer à la culture humaine? Celui qui a reçu la réponse de Dieu aux questions les plus graves, quel intérêt pourra-t-il trouver dans une recherche humaine? Quelle valeur la foi pourra-t-elle attribuer aux approximations laborieuses d'une raison blessée? La foi peut-elle avoir une base rationnelle et accepter les exigences de l'esprit critique, ou bien doit-elle représenter un saut, une rupture, un scandale?

Nous sommes ainsi renvoyés à un autre aspect du problème : la communauté de langage suppose une certaine convergence méthodologique. Or comment celle-ci pourrait-elle se réaliser entre athées et croyants si le croyant ne reconnaît pas l'efficience de la raison?

La difficulté de la rencontre méthodologique se fait encore plus sérieuse pour celui qui met à la base soit de la foi religieuse, soit de l'athéisme, une option libre et personnelle dont le discours théorique ne serait qu'un reflet et une justification postérieure. Si cela était vrai, la divergence entre le croyant et l'athée prendrait sa racine dans la région la plus subjective et incommunicable de leur existence, ce qui semblerait devoir exclure toute possibilité de rencontre.

Mais pour une rencontre entre croyants et incroyants, la reconnaissance d'une valeur quelconque du profane, du temporel et de l'homme, n'est pas suffisante : il faut que soit affirmée leur valeur autonome. Dans un milieu chrétien naissent ici de nouvelles difficultés provenant non plus de la transcendance de Dieu et de la religion, mais du pouvoir absolu que, de par leur nature, ces derniers semblent devoir exercer.

Une convergence axiologique quelconque, de caractère doctrinal et non purement pratique, doit reporter en définitive à la reconnaissance commune d'une valeur « absolue » de l'homme, c'est-à-dire à la possibilité de fonder sur lui les valeurs, aussi bien sur le plan des fins que sur celui des règles et que sur le plan opératif. L'homme doit donc, en une certaine mesure, être la fin, la règle et l'auteur de son activité. Or est-il possible, dans un contexte religieux, de réaliser de telles reconnaissances et de poursuivre un idéal de liberté? Même si l'on reconnaissait à l'homme une valeur, ne sera-ce pas forcément celle d'un moyen conçu pour la seule fin qui est Dieu? Est-il possible d'affirmer que même en face de Dieu l'homme demeure une valeur « absolue », et que le caractère de fin lui revient de droit? Une telle affirmation n'est-elle pas incompatible avec la primauté absolue de Dieu en vertu de laquelle toutes les valeurs lui sont totalement subordonnées? Doit-on parler d'une pluralité des fins dernières de l'univers, ou d'une seule, qui est Dieu? Est-il possible au chrétien d'aimer l'homme pour lui-même ou bien doit-il l'aimer uniquement pour l'« amour de Dieu »? N'est-on pas dans l'obligation de choisir entre la primauté de Dieu et l'autonomie de l'homme, entre le théocentrisme et l'anthropocentrisme?

Venons-en à la vie morale : quelle autre règle peut-on imaginer, dans un contexte religieux, si ce n'est celle de la volonté de Dieu? Est-il possible de reconnaître à l'homme et à la dignité de la personne humaine le caractère de règle autonome de la moralité et de fonder sur l'homme un ordre moral, ou bien est-on nécessairement renvoyé à Dieu? Sur le plan moral qui devrait être le terrain fondamental de la rencontre entre croyants et incroyants, la possibilité de convergences semble justement dépendre de l'autonomie de la morale, c'est-à-dire de la possibilité de construire cette morale en faisant abstraction de Dieu. Un croyant peut-il reconnaître une telle possibilité? Peut-il attribuer une force normative à la conscience humaine dans sa subjectivité?

Est-il possible enfin, dans le contexte religieux, de reconnaître à l'initiative humaine une véritable efficacité et une véritable influence sur son destin et sur celui du monde? Ne doit-on pas dire au contraire que Dieu est le véritable Auteur de l'histoire, et que l'homme n'est qu'une occasion ou à la rigueur un instrument de son action?

Une rencontre entre croyants et incroyants suppose aussi une certaine autonomie de la nature, même si elle a été blessée par le péché originel et si elle a été élevée à l'égard du surnaturel sur le plan de la valeur, sur le plan normatif et sur le plan opératif. Or est-il possible à un chrétien de reconnaître cela, ou bien, en affirmant la subordination totale, dans l'ordre historique, de la nature au surnaturel, exclut-il par là même toute autonomie?

Une telle rencontre suppose aussi une certaine valeur autonome du temps et par suite la possibilité d'établir un ordre de valeurs en faisant abstraction d'une perspective eschatologique. Mais le croyant ne doit-il pas défendre la subordination totale du temps à l'éternel?

Ainsi la rencontre sur le domaine profane suppose-t-elle qu'on en reconnaisse non seulement la valeur positive, mais aussi une certaine autonomie. Cela implique la reconnaissance des lois immanentes à l'ordre profane, comme la reconnaissance de la valeur autonome des diverses sphères. Mais cela implique surtout l'émergence d'une finalité profane globale de l'humanité et d'un sens profane de l'histoire, et par suite la validité d'une existence qui est consacrée à la réalisation d'un tel projet historique, à l'édification d'un monde plus humain et à la libération de l'homme.

Or un croyant peut-il accepter le principe de l'autonomie de l'ordre profane à l'égard de la religion? Peut-il reconnaître aux événements humains un sens global en faisant abstraction de l'histoire sainte? Peut-il reconnaître la possibilité de construire l'ordre profane en prenant comme base l'homme, fin, auteur et règle de l'action? Peut-il édifier la cité terrestre à partir du principe de la liberté de l'homme? Cela n'est-il pas en opposition avec la primauté de Dieu et avec la nécessité que toutes choses et toutes valeurs soient en fin de compte fondées sur lui?

Le problème que nous avons posé ici d'une façon globale revient dans les différents domaines de la vie profane. Un chrétien peut-il renoncer au projet d'une civilisation chrétienne, d'un modèle de cité terrestre

Introduction

conçu selon l'idéal chrétien et construit sur le principe de la primauté de Dieu? Ce problème se pose surtout à propos de la laïcité de l'État, laïcité qui est en partie solidaire de la reconnaissance de la liberté religieuse. Le chrétien peut-il renoncer à l'idéal d'un État qui défende la vraie religion et qui soit fondé sur elle?

En ce qui concerne la culture, le croyant peut-il admettre une vérité qui ne serait pas fondée sur la Vérité, une affirmation absolue qui ne serait pas fondée sur l'affirmation de l'absolu? Peut-il reconnaître la légitimité et la validité d'une explication des phénomènes qui ne se réfère pas à Dieu? Comment pourrait-il donc défendre l'autonomie du savoir vis-à-vis de la religion? Comment défendre la possibilité d'un savoir autonome, philosophique par exemple, chez celui qui a adhéré inconditionnellement à la certitude de la foi? Toutes les autres sciences ne doivent-elles pas devenir les « servantes » de la théologie? Les interférences d'un facteur étranger à la science ne seraient-elles pas, de ce fait, autorisées dans le domaine scientifique?

Encore une fois nous sommes renvoyés à la question de la convergence méthodologique. Comment pourrait-elle se réaliser entre celui qui considère comme fondamentale l'affirmation de Dieu et celui qui conteste une telle affirmation? Et nous ajoutons : Comment pourrait-elle se réaliser entre celui qui pense de l'intérieur d'une foi et celui qui au contraire ne reconnaît d'autre critère que celui de la raison? Le problème de la possibilité d'une philosophie chrétienne se transforme ici en celui de la possibilité du dialogue pour le chrétien. Un croyant peut-il accepter loyalement et sans réserves la méthode de la raison? Le lien de la foi ne porte-t-il pas préjudice à la sincérité radicale qui est nécessaire pour une recherche rationnelle? L'Église peut-elle, en tant qu'Église, s'engager dans un discours purement rationnel? La recherche d'un langage commun ne risque-t-elle pas de compromettre l'originalité du message chrétien qui est précisément exprimé en une langue différente : celle de Dieu?

Nous nous trouvons, semble-t-il, devant cette alternative : ou bien le chrétien parle en tant que chrétien, et dans ce cas il ne trouve pas de langage commun à l'athée et à lui-même, ou bien il trouve un langage commun et dans ce cas il ne parle pas en tant que chrétien; en d'autres termes, s'il dialogue, il ne le fait pas comme chrétien.

Enfin une rencontre entre croyant et athée semble difficile à réaliser également sur les problèmes à discuter. En effet ils ne se rencontrent pas sur les problèmes religieux : pour le croyant, ceux-ci ne sont plus des problèmes, car, en substance, il les a déjà résolus dans un sens positif; pour l'athée non plus, car il leur a déjà donné une solution négative et a donc orienté son intérêt vers des objectifs profanes. La difficulté devient particulièrement aiguë en présence d'un athéisme d'indifférence qui n'a résolu le problème ni dans un sens ni dans l'autre, parce qu'il ne se l'est pas posé et qu'il n'a aucun intérêt à se le poser : le problème est étranger à sa sensibilité. Ainsi sur ce terrain la base première du dialogue, qui est l'intérêt pour le problème, risque-t-elle de faire défaut. La proposition d'un dialogue religieux peut être repoussée ou ignorée par l'athée, non pas qu'il ne soit prêt pour un dialogue, mais parce que ce dialogue-ci ne l'intéresse pas.

On en revient alors tout naturellement à un dialogue sur un terrain profane où les intérêts et les problèmes pourront plus aisément être communs. Mais si les thèmes profanes sont isolés de leur contexte idéologique, ne se trouve-t-on pas devant la nécessité d'abandonner le terrain du dialogue doctrinal pour s'engager sur le plan purement opératif et de la simple rencontre « sur les choses »? En outre dans ce dialogue profane, ni les croyants ni les athées ne seraient engagés *comme tels;* et alors s'agirait-il encore d'un dialogue entre croyants et athées? On court ainsi le risque de se trouver une fois encore en face d'une double barrière : le dialogue sur le terrain religieux n'intéresse pas l'athée; et sur le terrain profane il n'intéresse pas le croyant en tant que croyant.

Ce problème se pose en termes particulièrement aigus au plan même de l'Église. L'invitation au dialogue adressée par l'Église — et qui se concrétise dans des structures officielles — peut-elle se limiter, au moins avec des interlocuteurs déterminés, à la sphère du profane? L'Église peut-elle, serait-ce même provisoirement et en se restreignant à certaines catégories, renoncer à sa mission d'évangélisation et limiter son intérêt au terrain de l'humanisation? Ne serait-ce pas là une abdication de sa mission spécifique, un alignement au rang des institutions philanthropiques? Cela n'équivaudrait-il pas, pour l'Église, à se mondaniser afin d'être acceptée par le monde et à se rendre semblable au monde au lieu de rendre le monde semblable à elle-même?

Le dilemme posé de cette façon peut devenir angoissant pour la conscience chrétienne : ou bien s'engager dans un dialogue profane et manquer à sa mission spécifique, ou bien remplir sa mission mais en perdant le contact avec des masses qui ne semblent pas accessibles au message religieux.

Les difficultés de cet ordre ne sont pas seulement le fait des croyants. L'autonomie de la sphère profane peut en effet être compromise également dans un système athée. Alors que le croyant peut estimer que certaines valeurs profanes ne sont réalisables qu'à partir de l'affirmation de Dieu, l'athée peut estimer que ces valeurs ne sont réalisables que si on nie Dieu; cela peut se produire pour les valeurs de l'homme en général, pour le

Introduction

temps, la liberté, l'histoire, la civilisation, la politique, l'économie, la morale et la culture. Ainsi tous les problèmes que nous avons rencontrés précédemment se représentent-ils en sens inverse.

La difficulté de respecter l'autonomie des différentes sphères et, par là, de permettre des convergences est particulièrement accentuée dans le marxisme. En effet, non seulement ces sphères sont en relation étroite avec la négation athée, mais il semble aussi qu'entre en jeu la subordination de toutes les valeurs — et même de la vérité — à la praxis économico-sociale du prolétariat et, donc, aux succès du parti et à celui des états socialistes. Ces valeurs sont ainsi sacralisées. De là naissent des difficultés analogues à celles que soulevait, pour le croyant, la subordination de toutes les valeurs aux valeurs religieuses. Dans ces conditions est-il possible à un marxiste d'accepter une commune mesure de valeurs avec un non-marxiste? De plus lui est-il possible d'accepter un critère de vérité qui soit valable aussi pour un non-marxiste? Peut-il arriver à une communauté méthodologique avec d'autres? Cela n'implique-t-il pas une révision du rapport entre vérité et praxis? Ces questions renvoient en fin de compte à la reconnaissance de la valeur relativement autonome de la personne : seule la personne en effet (dans le contexte bien compris de ses relations sociales) peut devenir une commune mesure de valeur. Ainsi le rapport de l'individu avec la nature, l'histoire, la société, engendre-t-il, pour le dialogue, des difficultés analogues à celles que, pour le croyant, soulève le rapport avec Dieu.

3. OBJECTIVITÉ ET SUBJECTIVITÉ

Cette antinomie est, dans une certaine mesure, le reflet de la précédente. En effet l'affirmation de l'autonomie et de la transcendance du « sacré » peut déboucher soit dans l'objectivisme — en projetant les valeurs « sacrées » dans une sphère objective soustraite aux vicissitudes de la subjectivité —, soit dans le subjectivisme — en soustrayant les valeurs « sacrées » aux conditionnements et aux engagements de nature objective.

L'affirmation de l'objectivité du « sacré » engendre quelques nouvelles tensions particulièrement significatives à l'égard du dialogue : elles opposent l'historicité et la métahistoricité, la conscience et les règles objectives, la personne et l'institution.

La vérité de « foi » et les impératifs moraux tendent à se présenter comme « sacrés » et par suite comme métahistoriques, étrangers au devenir, éternels et comme la solution de tous les problèmes. Si, dans une telle perspective on parle d'évolution, cela ne concerne pas la vérité, mais les situations qui pourront exiger de nouvelles « applications » des mêmes vérités : c'est-à-dire une nouveauté purement matérielle et non formelle. Il s'ensuit que la vérité est une, dans la multiplicité des cultures et des situations. Le dialogue, au contraire, se place dans une attitude de recherche, il envisage une évolution de la vérité, et soumet celle-ci à son jugement critique; il sollicite donc une certaine pluralité d'orientations, même dans le cadre d'une même « foi ».

La tension sera particulièrement forte pour la conscience religieuse qui semble être portée spontanément à accentuer et à élargir la sphère de l'immuable et du sacralisé et à se méfier des thèses évolutives. Il en est ainsi pour la vérité divine et révélée, pour le « dépôt » que l'Église a le devoir de conserver et de transmettre; et de même dans la sphère morale, pour les « commandements de Dieu » ou la « loi éternelle ». Comment rendre historiques ces vérités sans les rendre relatives ? Comment imaginer une évolution des vérités éternelles, des formules dogmatiques, des commandements de Dieu ou de la loi éternelle ?

Est-ce que la conscience religieuse peut, en outre, reconnaître le caractère évolutif du cosmos et de la société, la mutabilité radicale des régimes politiques, économiques et sociaux? ou n'est-elle pas spontanément portée à voir dans la forme actuelle l'expression de la volonté divine, le châtiment du péché, qu'il faut accepter en esprit de pénitence? La conscience religieuse est-elle compatible avec les aspirations révolutionnaires ?

Même si l'on reconnaissait que le croyant et l'Église elle-même peuvent adopter une attitude de recherche et provoquer un renouveau des idées et de la société, on pourrait se demander si l'évolution s'effectuerait dans le sens d'un rapprochement vers l'athéisme : l'étude plus attentive des problèmes ne devrait-elle pas normalement rendre les distances plus évidentes et plus infranchissables ? Les doctrines auxquelles l'athéisme s'oppose n'appartiennent-elles pas au patrimoine auquel l'Église ne pourra jamais renoncer sans se trahir elle-même ?

Le problème des rapports entre continuité et devenir de l'Église se posera en particulier à propos de la méthode même du dialogue; et aura une fonction déterminante pour en définir la portée. Pourquoi, en effet, l'Église doit-elle dialoguer aujourd'hui alors qu'elle a polémisé jusqu'à hier ? Comment aujourd'hui peut-on prescrire ce qui hier était interdit ? S'agit-il simplement de l'application de principes anciens à une situation nouvelle, ou d'une refonte de ces mêmes principes ? Dans le premier cas la signification de cette innovation et par suite de tout l'esprit du Concile n'en est-elle pas appauvrie ? Sa portée historique n'en est-elle pas minimisée ? Ne se réduit-elle pas à un changement superficiel, purement tactique, si ce n'est même opportuniste ? Ne pourrait-on être amené

Introduction

à penser que l'Église se résigne aux temps nouveaux tout en regrettant les temps anciens et qu'elle se laisse entraîner par le courant parce qu'elle ne se sent pas assez forte pour l'arrêter?

Si au contraire on met l'accent sur le caractère innovateur du dialogue et sur ses implications doctrinales, n'est-on pas amené à désavouer le passé et à constater une rupture dans la tradition chrétienne? Comment l'Évangile peut-il aujourd'hui motiver une attitude qui dans le passé avait été exclue au nom de l'Évangile? Comment peut-il justifier des orientations en apparence aussi différentes, que le *Syllabus* et *Gaudium et Spes*?

La confiance en nos propres valeurs semble nous autoriser à juger la grandeur morale des hommes en fonction de la fidélité à ces valeurs. Mais alors comment avoir une estime sincère pour des hommes qui repoussent ces valeurs, qui vivent en contradiction avec elles et qui les combattent? L'esprit de dialogue n'oblige-t-il pas à reconnaître dans la conscience subjective la règle de la moralité?

Ce problème semble particulièrement difficile à résoudre pour un catholique qui est habitué à qualifier les autres du point de vue de sa foi, comme hérétiques, infidèles, impies. En outre, l'appréciation morale va ici de pair avec le problème du salut. Est-il nécessaire d'appartenir à l'institution ecclésiale pour opérer son salut? Dans l'affirmative comment peut-on avoir une estime sincère, sur le plan éthique, pour celui qui ne se trouve pas en situation de pouvoir se sauver? Et dans la négative, en quoi l'institution ecclésiale reste-t-elle utile pour le salut? Quel sens conserve l'apostolat missionnaire?

Et même si l'on veut adopter un instant le point de vue du sujet, pourra-t-on arriver à une appréciation positive de l'athée? Le croyant peut-il penser que l'athée peut être tel sans que ce soit de sa faute? Et de toute façon le croyant peut-il aimer l'athée sans vouloir sa conversion et sans œuvrer dans ce but? Enfin, même en voulant réduire au minimum la nécessité des éléments objectifs, juridiques, institutionnels pour appartenir à l'Église, c'est-à-dire à la communauté de salut, est-il possible d'aller jusqu'à inclure dans cette communauté même celui qui nie l'existence de Dieu? A quoi alors se réduit cette foi, sans laquelle il est impossible de plaire à Dieu?

L'esprit de dialogue impose la reconnaissance du droit à la liberté en matière doctrinale et religieuse; en d'autres termes, du droit à agir selon sa propre conscience. Mais comment reconnaître la liberté pour l'erreur et pour le mal, en y exposant un nombre croissant de personnes, sans trahir la vérité et le bien? sans trahir, en définitive le propre bien des personnes ainsi exposées? Comment l'État pourrait-il rechercher le bien commun sans défendre la vérité et les valeurs objectives et sans limiter, en conséquence, la liberté des citoyens? Pour les mêmes raisons comment la vraie Église de Jésus Christ pourrait-elle reconnaître l'égalité de droits aux autres confessions, ou religions, ou idéologies, sans trahir sa mission? Comment pourrait-elle soutenir le droit qu'ont les autres de la combattre? Et après avoir reconnu la liberté religieuse doit-on estimer qu'est ainsi proclamée la liberté d'être athées? La liberté de pratiquer et de répandre n'importe quelle religion implique-t-elle aussi le droit de nier toute religion? La religion devrait-elle donc, au nom de Dieu, soutenir le droit des hommes à combattre Dieu?

4. UNITÉ ET MULTIPLICITÉ DES SYSTÈMES DE VÉRITÉS ET DE VALEURS

Le dialogue n'est pas possible sans un langage commun, c'est-à-dire sans une convergence, fût-elle partielle, dans les problèmes, la méthode, les solutions. Or est-il possible de trouver ce langage en partant de « fois » différentes? Que pourraient avoir de commun deux conceptions de la vie dont les inspirations centrales sont fondamentalement opposées? Les valeurs idéales affirment leur primauté en polarisant autour d'elles toutes les autres et par-là toute la personnalité du sujet qui les poursuit et la société qui s'inspire d'elles.

Dans ces conditions, ne doit-on pas parler d'une sorte d'incommunicabilité entre les systèmes? Les convergences éventuelles ne risquent-elles pas d'être purement formelles, ou pour le moins insignifiantes et susceptibles de cacher les divergences réelles? Ne risque-t-on pas en négligeant la dynamique interne des systèmes, de tomber dans des positions de compromis, dans de fragiles et précaires éclectismes? S'ouvrir au dialogue signifie-t-il donc renoncer au système, à une synthèse de vérités et de valeurs et par suite à l'unité de la personnalité et de la civilisation? Doit-on donc renoncer à projeter la lumière de l'idéal dans les différentes sphères de l'activité humaine? Doit-on les appauvrir pour leur permettre de se rencontrer? Mais surtout, l'affirmation ou la négation de Dieu ne change-t-elle pas radicalement le sens de toutes les exigences, surtout sur le plan des valeurs?

5. PARTICULARITÉ ET UNIVERSALITÉ

Les rapports entre les différentes « fois » se répercutent forcément sur les rapports entre les communautés dans lesquelles elles s'expriment et qui tendent à assumer elles aussi un caractère sacré.

En effet, celui qui est membre d'une communauté de « foi » s'attri-

Introduction

buant une mission universelle, estime que le salut de l'humanité réside dans l'affirmation et la victoire de sa propre communauté sur les autres. Au contraire, l'esprit de dialogue semble exiger que chaque communauté accepte d'être une parmi les autres, sur un plan d'égalité, et de travailler avec celles-ci à la création d'une humanité dans laquelle toutes les communautés puissent librement se développer. Paradoxalement, une communauté qui se considère comme un groupe particulier peut avoir une ouverture universelle, en reconnaissant à tous le droit et les valeurs qu'elle veut que les autres reconnaissent à elle-même; elle peut donc se mettre avec les autres sur un plan de réciprocité et accepter un univers polycentrique. En revanche une communauté qui s'attribue une mission universelle et qui se considère un « peuple élu », centre du monde et de l'histoire, est tentée de tomber dans le particularisme c'est-à-dire d'évaluer les problèmes de l'humanité en fonction de son propre succès : elle se refusera alors à reconnaître la valeur autonome des autres communautés, leurs droits, et à se placer avec elles sur un plan de réciprocité; elle refusera un univers polycentrique.

Les communautés qui s'attribuent une mission universelle semblent donc en difficulté face aux exigences de l'esprit de dialogue. Pour elles, en effet, la fidélité à l'homme et à l'humanité doit être mesurée d'après la fidélité à son propre groupe. Or une telle fidélité à son propre groupe n'oblige-t-elle pas à en affirmer la supériorité et l'originalité par rapport aux autres? Ne faut-il pas faire en sorte que son propre groupe ait la primauté sur les autres? Mais cela ne mène-t-il pas nécessairement à une solidarité de groupe et à une critique des autres groupes, à une lutte au moins idéologique? Celui, au contraire, qui veut s'ouvrir au dialogue avec tout le monde et reconnaître les valeurs et les droits de tous, ne renonce-t-il pas, par-là même, à sa mission exclusive et universelle? Celui qui cesse de combattre et proclame la démobilisation ne renonce-t-il pas à la victoire?

Un des secteurs où se manifeste typiquement le conflit entre les exigences du groupe et celles de l'humanité, entre le particulier et l'universel, est celui de la liberté de pensée et de religion sur le plan civil, car les intérêts du groupe tendent à se défendre en limitant la liberté des autres.

Le même problème peut se présenter sous une autre forme. Le sens d'appartenance à un groupe, l'esprit de corps, tendra à mettre l'accent sur le privilège que cela constitue; par suite, il réservera la possession des valeurs suprêmes à une portion de l'humanité. Inversement l'esprit de dialogue met en valeur l'égalité fondamentale des hommes et par conséquent la possibilité que chacun a d'accéder aux valeurs suprêmes.

Un tel problème se présente sous une forme particulièrement aiguë pour l'Église. La primauté de Dieu semble en effet devoir se traduire par la primauté de l'Église, le théocentrisme devient ecclésiocentrisme. Mais alors comment concilier l'ecclésiocentrisme et l'anthropocentrisme, caractéristique de l'attitude du dialogue?

L'Église catholique, peuple de Dieu, nouvel Israël, ne peut pas ne pas se considérer comme centre de l'histoire et critère de valeur de celle-ci : ce n'est que grâce à l'Église catholique et autour d'elle que se réalisera le salut, la liberté, la paix et l'unité du monde. Cela ne signifie-t-il pas se mettre en quelque sorte au-dessus des autres et contre eux ? Comment concilier de telles exigences constitutives avec la volonté de dialoguer qui met l'Église aux côtés de tant d'autres communautés et qui tend à édifier un monde dans lequel elle n'est qu'une des composantes, — monde dans lequel les valeurs et les droits des autres seraient reconnus?

L'antinomie que nous avons rencontrée précédemment entre la mission d'évangélisation et la mission d'humanisation de l'Église se présente à nouveau ici : en défendant les droits de l'homme, l'Église ne doit-elle pas lui reconnaître le droit de la refuser elle-même et de la combattre sur le plan idéologique? Comment alors peut-elle être en même temps fidèle à elle-même et à l'homme? En d'autres termes, comment peut-elle être fidèle à l'homme et fidèle à Dieu? De plus, le fait de collaborer loyalement, sur un plan d'égalité avec les autres communautés, à l'humanisation du monde ne signifie-t-il pas, pour l'Église, abandonner sa volonté de conquête et par conséquent son action missionnaire? L'Église peut-elle considérer le dialogue, et par suite le polycentrisme, comme un idéal, ou plutôt ne doit-elle pas, en raison de sa vocation universelle, monocentrique, le considérer comme un moindre mal et comme un état inéluctable?

L'Église ne se trouve-t-elle pas dans l'obligation de choisir entre une position de rupture qui affirmerait énergiquement la transcendance et l'exclusivité de sa mission et une attitude de dialogue qui lui ouvrirait les portes du monde, mais en faisant d'elle une des nombreuses institutions philanthropiques? Ne doit-elle pas choisir entre une position qui, pour affirmer la nécessité de l'Église, mettrait en évidence les insuffisances naturelles et surnaturelles de toutes les autres communautés, et une autre position qui, pour reconnaître les valeurs présentes partout, risquerait de rendre inutile l'Église même?

Être chrétien, c'est-à-dire membre du peuple de Dieu, c'est militer pour Dieu et contre ses ennemis. Or où peut-on trouver une expression plus claire de la lutte contre Dieu si ce n'est dans l'athéisme et en particulier dans les institutions d'athéisme militant, dans celles qui combattent

Introduction 101

ouvertement l'Église et toutes les religions? La lutte fondamentale qui secoue l'humanité n'oppose-t-elle pas franchement ceux qui sont pour Dieu et ceux qui sont contre lui? Mais alors comment les « ennemis de Dieu » pourraient-ils être nos amis? Comment pourrions-nous défendre les « droits de Dieu » sans combattre ceux qui les réfutent?

Des difficultés non moins graves pour le dialogue peuvent aussi naître dans un contexte laïque et même athée, c'est-à-dire partout où une communauté de « foi » est amenée à se considérer comme le centre de l'histoire et le critère de la valeur. N'est-ce pas le cas du marxisme, ou pour le moins de certaines versions de celui-ci, en ce qui concerne le prolétariat, le parti et les États socialistes?

Conclusion

Cette étude, malgré son étendue, n'offre qu'un panorama général et approximatif des problèmes impliqués dans le projet de dialogue entre catholiques et athées. Elle aura cependant permis de mesurer la complexité et la profondeur de ces questions qui reportent sur le terrain de la coexistence humaine certaines des difficultés foncières de la pensée philosophique et théologique. Ces questions sont traitées sous différents aspects dans le présent ouvrage; à la fin nous proposons nous-même un essai de réponse synthétique.

Si nous avons voulu pousser à l'extrême les difficultés du dialogue, ce n'est certes pas pour mettre des obstacles à celui-ci, car nous sommes persuadé qu'il constitue une des tâches principales de notre temps, mais pour mettre en évidence la gravité de l'engagement théorique et existentiel qu'il exige.

Une fois encore la pensée chrétienne est appelée à une nouvelle prise de position globale face au monde moderne. C'est à cette tâche historique que cet ouvrage voudrait apporter une modeste contribution.

NOTICE BIBLIOGRAPHIQUE

La difficulté à fournir une bibliographie sur le dialogue vient de ce que d'une part elle est trop riche et de l'autre trop pauvre. Trop riche, car ce sujet, lorsqu'on l'aborde en profondeur, met en cause les problèmes philosophiques et théologiques les plus divers, et en ce qui nous concerne toute la problématique de l'athéisme; trop pauvre, car les publications consacrées au dialogue en général, quoique nombreuses, dépassent rarement le niveau de la simple divulgation.

Nous sommes donc obligé de renvoyer le lecteur aux bibliographies qui feront suite aux divers articles et surtout à la bibliographie générale sur l'athéisme qui se trouve à la fin de la seconde partie. Nous nous bornerons donc ici à donner quelques indications sur la nature du dialogue et sur ses problèmes généraux.

Les sources principales sur ce sujet nous semblent être les auteurs qui ont approfondi la thématique de l'intersubjectivité. Nous pensons par exemple à W. Dilthey, G. Simmel, E. Rickert, M. Weber, M. Scheler, M. Buber, G. Marcel, E. Mounier, M. Nedoncelle. Sur le thème du dialogue (interprété sur le plan du relativisme) se fonde toute la philosophie de G. Calogero.

Nous rappelons en outre :

Delesalle, J., *Essai sur le dialogue*, Paris 1953.
   L'homme et son prochain. Actes du VIIIe Congrès des Sociétés de Philosophies de langue française, Paris 1956.

Zeppi, S., *Il problema del dialogo nel pensiero italiano contemporaneo*, Florence 1960.

Lacroix, J., *Le sens du dialogue*, Neuchâtel 1962, 3e éd.

Retif, L., *Vivre, c'est dialoguer*, Paris 1964.

Congar, Y. M.-J., *Le dialogue, loi du travail œcuménique, structure de l'intelligence humaine*, dans *Chrétiens en dialogue*, Paris 1964, pp. 1-17.

Fagone, V., *I presupposti filosofici del dialogo*, dans « La Civiltà cattolica »· 1964 (115), pp. 317-329. *Dialogo e persona*, ibid., 1965 (116), p. 129· *Dialogo e testimonianza*, ibid., 1965 (116), pp. 215-228.

Schlette, H. R., *Colloquium salutis. Christen und Nicht-Christen Heute*, Cologne 1965.

Lelong, M., *Pour un dialogue avec les athées*, Paris 1965.

De Rosa, G., *Il dialogo con gli atei*, Rome 1965.

Javierre, A. M., *Promozione conciliare del dialogo ecumenico*, Turin 1965.

PREMIÈRE PARTIE

L'ATHÉISME DANS LA VIE ET LA CULTURE CONTEMPORAINE

PREMIÈRE SECTION

LA SOCIOLOGIE FACE AU PROBLÈME DE L'ATHÉISME

CHAPITRE I

PEUT-ON PARLER AUJOURD'HUI EN FRANCE D'INCROYANTS ET D'ATHÉES ?

par

JULIEN POTEL

de la Mission de France

INTRODUCTION — I. *Repères sociologiques :* 1. Des observations extérieures qui posent des questions : *a.* Les « sans Religion » et ceux qui affirment ne pas croire en Dieu; *b.* Absence et abandon des actes religieux. 2. Incroyance et représentations religieuses : *a.* « Le problème de Dieu »; *b.* La mort; *c.* L'au-delà. 3. Conduite, attitudes et athéisme. Conclusion. II. *Genèse de l'athéisme et de l'incroyance en France :* 1. Brèves perspectives historiques. 2. Hypothèses explicatives. III. *Pour une réflexion théorique :* 1. Frontières entre incroyance et athéisme; 2. Indifférence religieuse et athéisme; 3. Rapports entre athéisme et systèmes éthiques; 4. Conceptions sociologiques et humanisme contemporain. — *Ouvertures.* — *Notice bibliographique.*

INTRODUCTION

A juste titre, certains s'étonneront de constater qu'il sera surtout question de la France. Ce n'est pas parce que notre nation, appelée naguère « la Fille aînée de l'Église », aurait davantage engendré d'athées ou d'incroyants et serait plus représentative que d'autres pays. Ce genre de diagnostic global est bien risqué et très difficile à porter... Seules des raisons de méthodes, des conditions de travail et de documentation, ont poussé à restreindre à ce point le champ d'observation. Il paraît en effet impossible à l'heure actuelle, de vouloir établir en si peu de place, un bilan complet et approfondi de l'athéisme et de l'incroyance, ne serait-ce que pour les pays occidentaux, à plus forte raison pour le monde entier. Des études font défaut, celles qui existent seraient à comparer; est-ce possible d'ailleurs ? Enfin comment tenir compte des diverses sociétés globales où s'inscrivent l'incroyance et l'athéisme ? Aussi, partir d'un seul pays c'est sans doute aujourd'hui permettre une analyse plus en profondeur, ce qui n'empêche pas d'ouvrir des aperçus vers d'autres nations.

Notre façon de procéder sera d'inviter le lecteur à suivre le sociologue dans son approche du fait social de l'incroyance et de l'athéisme, pour signaler en terminant les problèmes qu'ils lui posent. Aux premiers pas de son itinéraire le sociologue, avant même de faire des enquêtes, enregistre un ensemble d'affirmations émanant en particulier de membres des Églises, sur l'existence de l'athéisme et de l'incroyance. L'on songe évidemment au texte de Paul VI dans son encyclique *Ecclesiam Suam* qui devrait nous faire terriblement réfléchir :

> Il se trouve beaucoup d'hommes, beaucoup trop malheureusement, qui ne professent aucune religion, et même, Nous le savons encore, quelques-uns font profession ouverte d'impiété et s'en font les protagonistes comme d'un programme d'éducation humaine et de conduite politique, dans la persuasion ingénue, mais fatale, de libérer l'homme d'idées fausses et dépassées touchant la vie et le monde, pour y substituer, disent-ils, une conception scientifique conforme aux exigences du progrès moderne. Ce phénomène est le plus grave de notre époque [1].

---

[1] Paul VI, Encyclique *Ecclesiam Suam*, Informations Catholiques Internationales, n° 223, 1er septembre 1964, p. 16.

Puis ses paroles adressées aux Jésuites avant l'élection de leur Supérieur Général reviennent sur ce thème :

Il y a ceux qui repoussent tout culte religieux parce qu'ils considèrent comme superstitieux, inutile ou fastidieux d'aborder et de servir le Créateur et d'obéir à ses lois. Ils vivent sans foi dans le Christ, privés de tout espoir et sans Dieu. Tel est l'athéisme qui serpente à notre époque dans la culture, dans l'économie, dans le domaine social, parfois ouvertement, d'autres fois caché, déguisé la plupart du temps sous le visage ou le manteau du progrès [2].

Plus récemment encore, la Constitution pastorale *Gaudium et Spes* développe les formes, les racines de l'athéisme et son aspect systématique

Beaucoup de nos contemporains ne perçoivent pas du tout ou rejettent explicitement le rapport intime et vital qui unit l'homme à Dieu : à tel point que l'athéisme compte parmi les faits les plus graves de ce temps et doit être soumis à un examen très attentif... Souvent l'athéisme moderne présente aussi une forme systématique qui, abstraction faite des autres causes, pousse le désir d'autonomie humaine à un tel point qu'il fait obstacle à toute dépendance à l'égard de Dieu [3].

Le sociologue prend acte aussi des affirmations de l'Épiscopat ou de prêtres catholiques, enfin de ministres d'autres confessions. Pour en rester à des exemples français, il y a une vingtaine d'années, le Cardinal Suhard déclarait :

L'absence de Dieu n'est pas géographique, comme s'il y avait seulement certaines zones qui lui échappaient. C'est une absence congénitale, universelle, à la fois un fait et une intention systématique : Dieu est absent, banni, expulsé du cœur même de la vie. La société s'est refermée sur cette exclusion et c'est un vide dont elle meurt, un désert de Dieu. Autrefois, les attaques portaient sur un dogme... mais on tolérait encore un certain déisme. Actuellement, la négation est la plus radicale qui soit [4].

Récemment, l'ensemble des Évêques français rappelait solennellement l'existence d'une ambiance athée :

Des difficultés doctrinales sont suscitées par des penseurs non catholiques ou a fortiori par le climat de relativisme et d'athéisme. De telles influences peuvent directement ébranler les fondements de la foi [5].

---

[2] PAUL VI, Réception des Jésuites avant l'élection de leur Supérieur général, cf. *Le Monde* du 9 et 10 mai 1965, p. 18.
[3] Constitution *Gaudium et Spes*, articles nos 19 et 20.
[4] Cardinal SUHARD, *Lettre pastorale de 1948* sur le sens de Dieu, pp. 5 et 13.
[5] Épiscopat Français, 17 décembre 1966 — *Réponse collective à la circulaire de la Congrégation pour la doctrine de la Foi*, I.C.I. 282, 15.2.67, p. 36.

A leur tour, collectivement ou individuellement, des prêtres font état de l'athéisme qu'ils rencontrent dans l'exercice quotidien de leur sacerdoce. Des prêtres de la région de Paris s'en expliquaient en ces termes :

> L'athéisme, beaucoup plus étendu qu'on ne le croit, revêt des formes multiples et atteint tous les milieux : il se présente comme une incontestable réalité de milieu et, en même temps, passe à travers le cœur de presque tous les hommes, même croyants. L'athéisme est positif dans son dessein : nombres d'athées ont le sentiment de pouvoir refaire le monde, et pourtant il exprime une souffrance massive, celle d'une multitude qui s'éprouve frustrée dans son humanité et se heurte au fait du péché, du mal et de la mort [6].

Enfin lors d'une prédication de Carême en l'église réformée de Passy un pasteur protestant dénonçait ainsi l'irréligion :

> Dans son orgueil aveugle, l'homme a voulu capter pour lui la gloire de Dieu. Il a inventé ses religions et il a transféré la gloire divine et l'adoration qui lui étaient dues sur toutes sortes d'animaux ou d'êtres mystiques avant d'en venir à notre période d'athéisme triomphant, à adorer l'homme lui-même et à le glorifier très haut [7].

Ces quelques exemples et bien d'autres déclarations rejoignent l'intuition et l'observation du sociologue lui-même et d'autres personnes. Cet ensemble vient alimenter les hypothèses de travail à vérifier. Car d'un point de vue sociologique — et c'est très important — les formes diverses de l'incroyance et de l'athéisme affirmées ici ou là restent des hypothèses de départ qui demandent vérification par des recherches empiriques. Grâce à elles, le sociologue va décrire, analyser ces formes actuelles mais il veut aussi expliquer cette situation d'aujourd'hui, tenter d'élaborer des lois sociologiques et dégager des types d'athées et d'incroyants.

C'est pourquoi, ces pages voudraient tenir compte de points de vues complémentaires. D'abord en rester à l'état actuel des recherches sociologiques sur l'athéisme et l'incroyance, et distinguer ainsi les observations vérifiées par des enquêtes, des hypothèses qui mériteraient vérification.

---

[6] Rapport de synthèse du G.E.R.P.A.C., cf. *Le Monde*, 21 et 22 août, p. 6. Comment ne pas rapprocher de ce rapport ce qu'exprimait le Père Loew. « Cette absence de Dieu nous la rencontrons partout : dans le train, dans l'autobus, dans l'atelier bruyant, comme dans l'ambiance feutrée des cadres supérieurs. Mais en certains lieux et devant certains contrastes nous en sommes plus meurtris encore... »

[7] Pasteur GREINER, *Prédication sur l'esprit de gloire*, avril 1965, cf. *Le Monde* du 13 avril 1965, p. 9.

En second lieu, aborder l'athéisme et l'incroyance dans toute leur profondeur en descendant les divers « paliers » de leur réalité.
Aussi le plan de l'article en découle. Une première partie descriptive tiendra compte des « paliers en profondeur » de l'incroyance et de l'athéisme en examinant les pratiques religieuses, puis le niveau des croyances et des incroyances, enfin les comportements et attitudes. La deuxième partie évoquera seulement la genèse de l'athéisme et de l'incroyance en France : c'est la dimension historique qui intervient. L'histoire et les différentes sociétés globales apportent leur part d'explication à l'incroyance moderne. L'état embryonnaire des recherches sociologiques sur ces questions, en France, invite à poursuivre une réflexion théorique, à élaborer des concepts et préciser des hypothèses de travail. C'est l'objet de la dernière partie.

I

REPÈRES SOCIOLOGIQUES SUR L'INCROYANCE ET L'ATHÉISME EN FRANCE

La description de l'incroyance et de l'athéisme d'aujourd'hui commencera par l'aspect morphologique, c'est-à-dire le plus facilement observable, comme les actes religieux et l'appartenance extérieure aux Églises. Puis nous aborderons un palier plus intérieur, déjà plus difficile à observer, celui des croyances, notamment celles qui concernent Dieu, l'Au-Delà. Enfin nous tenterons un éclairage sur le domaine le plus délicat pour l'observation, celui des attitudes et des valeurs sociales qui commandent les conduites extérieures : certaines sont-elles signe d'athéisme et d'incroyance?

I. DES OBSERVATIONS EXTÉRIEURES QUI POSENT DES QUESTIONS

Les observations initiales sont de deux sortes. D'abord le fait que des personnes affirment dans les enquêtes ne pas croire en Dieu et être « sans religion ». Nous sommes ici dans le domaine des opinions exprimées et des affirmations individuelles. Le second aspect consiste en un ensemble d'observations actuelles; dans les faits on constate une absence et parfois un abandon de certains actes religieux. Passons successivement en revue ces deux aspects complémentaires.

a. Les « sans religion » et ceux qui affirment ne pas croire en Dieu

Au cours d'enquêtes, si l'on interroge les gens sur leur position religieuse certains affirment être « sans religion », d'autres ne pas croire en Dieu.

Voyons d'abord *des résultats pour la France entière*. En 1952, l'Institut Français d'Opinion Publique effectuait un sondage, où 17 % dans l'échantillon représentatif de la population française étaient considérés « sans religion [8] ». Puis, en 1961, un autre sondage permettait de classer les Français en cinq groupes; celui des « non-croyants » comprenait

---

[8] *La France est-elle encore catholique?*, Sondages, 1952, n° 4, p. 17.

les personnes qui déclarent n'appartenir à aucune religion (4 %) et les baptisés qui ne vont jamais à la Messe et ne font pas baptiser leurs enfants (6 %). Dans les 10 % de non-croyants il y avait pratiquement deux hommes sur trois. L'âge fait apparaître que les 18 — 34 ans représentaient 37 %, les 35 — 49 ans 23 %, les 50 — 64 ans 27 %, enfin les 65 ans et plus atteignaient 13 %. Selon les milieux professionnels, les ouvriers représentaient 41 % des « non-croyants », les agriculteurs 20 %, les employés 14 %, les commerçants et artisans 10 % ainsi que les retraités et sans profession. Les cadres supérieurs et professions libérales représentaient 4 %[9]. Plus récemment, en 1966, un troisième sondage indiquait 10 % des Français « sans religion » et 7 % qui ne savaient pas[10]. Dernièrement une enquête lancée par la revue *Planète* présentait 86 réponses d'incroyants sur 646 réponses reçues. Cette « classe d'opinion religieuse » atteignait donc 13 % des réponses[11]. Enfin un sondage présenté en avril dernier par *Le Pèlerin*, enregistrait 6,5 % de « sans religion[12] ».

D'autres résultats concernent des populations déterminées, surtout les jeunes. En 1959 un sondage de l'I.F.O.P. auprès de ceux-ci donne un chiffre global de 18 % de « sans religion » avec les sous-catégories suivantes apportant des précisions intéressantes[13] : 4 % affirment n'avoir « aucune religion mais déclarent croire en Dieu », 5 % disent n'avoir actuellement « aucune religion et déclarent ne pas croire en Dieu, mais hésitent à être formels à ce sujet », 9 % disent n'avoir actuellement aucune religion et déclarent ne pas croire en Dieu et en être sûrs. Les deux dernières catégories étaient qualifiées par l'I.F.O.P. « d'athées non convaincus » et « d'athées convaincus ».

Une enquête psycho-sociologique portant sur 1646 couples d'un échantillon représentatif a étudié le « choix du conjoint en France[14] ». Or 5,2 % des femmes se déclaraient « sans religion » et 8,1 % des hommes.

---

[9] *L'Église dans un miroir*, Informations Catholiques Internationales, n° 154, 15.10.1961, p. 16.
[10] J. P. CAUDRON, *Comment la Foi est-elle transmise aux Français ?*, La Vie Catholique illustrée, n° 1116, 28 décembre 1966, 3 janvier 1967, pp. 12 ss. Les « Sans religion » comprenaient 65 % d'hommes : c'est la même proportion de « non-croyants » du précédent sondage 1961. Les ouvriers venaient toujours en tête avec 35 %, puis employés et cadres moyens 24 %.
[11] *Catholiques d'aujourd'hui, Croyants et incroyants s'expriment*, Paris, éd. Planète, 1966, p. 331.
[12] G. MAURATILLE et J. GALLET, *Nos prêtres : Comment vivent-ils ?*, Sondage exécuté par la Société Française d'enquêtes par sondages (S.O.F.R.E.S.), Le Pèlerin, n° 4404, 9 avril 1967, pp. 19 ss.
[13] *Les attitudes religieuses de la jeunesse*, Sondages, n° 3, 1959, p. 65.
[14] A. GIRARD, *Le choix du conjoint*, Travaux et documents de l'Institut National d'études démographiques, n° 44, P.U.F., 1964, p. 83.

Parmi ceux-ci, 3,9 % avaient une femme de religion catholique et 3,8 % une épouse également « sans religion ».

Deux études sur la région parisienne apportent des échos semblables. Voici trois ans, 479 interviews furent effectués près de « non-pratiquants ». Parmi eux 8 % affirment : « je ne crois plus en Dieu et c'est pour cela que je ne pratique pas ». Puis 6 % déclarent : « Je ne sais pas si j'ai la foi et je cherche. »

En 1965 une étude portait sur environ 3 700 étudiants parisiens [15]. Or 7 % affirmaient ne pas avoir été autrefois incorporés une famille religieuse. Un coup d'œil sur leur origine sociale fait ressortir des différences : 12 % parmi les étudiants d'origine ouvrière déclaraient ne pas avoir été incorporés à une religion, 9 % parmi les originaires des cadres moyens, 7 % parmi les enfants des patrons de l'industrie et du commerce, le minimum 2 % se retrouvant parmi les étudiants d'origine rurale. Au moment de l'enquête, 34,7 % (un étudiant sur trois et cinq fois plus que la proportion globale de non incorporés à une famille religieuse) n'avaient pas conscience d'avoir une religion. Ils se répartissaient en 59 % de garçons et 41 % de filles. Parmi les étudiants d'origine ouvrière, 61 % étaient dans ce cas, 42 % parmi les cadres moyens, 40 % parmi les enfants d'employés et toujours les chiffres les plus faibles avec le milieu agricole, 19 %.

b. *Absence et abandon des actes religieux*

La sociologie enregistre donc le fait que certains se déclarent « sans religion » ou « ne pas croire en Dieu ». Mais elle poursuit son inventaire en constatant que des personnes ne posent plus les actes de pratique religieuse demandés aux adeptes. Pour la France entière, si globalement 91,5 % des enfants sont sans doute baptisés à l'Église catholique, « la mise en œuvre des données recueillies conduit à estimer à 32,5 % les adultes faisant leurs Pâques et à 26 % les habitués de la Messe dominicale. Le pourcentage de non-baptisés ne semble pas en augmentation sensible mais l'impression générale est que le nombre des non-catéchisés est en augmentation, spécialement dans les grandes villes [16]. » L'étude sur les baptisés dans la ville de Marseille le confirme :

> Au terme de cette recherche sur le taux des enfants élevés hors de toute religion, une constatation s'impose nettement : l'accroissement des retardataires va de pair avec celui des enfants

---

[15] *L'étudiant et la religion*, Revue Montalembert, Paris 1966.
[16] Ch. BOULARD, *La situation en 1960*, dossier sur *La France en état de mission*, Informations Catholiques Internationales, n° 119, 1er mai 1960, pp. 9 ss.

qui ne sont pas baptisés du tout... Dans l'ensemble nous nous trouvons devant un accroissement lent du nombre des enfants non baptisés [17].

Il faudrait évidemment descendre dans le détail des régions françaises.

On constate que l'éventail de la pratique religieuse (dominicale) des adultes pour les trois mille cantons ruraux de France va de presque 0 % à presque 100 % tandis que l'éventail de la pratique religieuse des quelque quatre-vingt-dix villes ou agglomérations de plus de dix mille habitants reconnues va de 5,5 à 42,8 % d'adultes messalisants... Si, pour l'ensemble de la France le taux de 85 % de catéchisés est probable, l'on se trouve dans des quartiers populaires de grosses agglomérations devant des taux souvent très forts de non-catéchisés (35 % et jusqu'à 50 %). Les mariages civils sont certainement en augmentation mais surtout à cause de l'accroissement numérique des situations irrégulières et des divorces.

Demandons-nous aussi combien de catholiques reçoivent l'Extrême-Onction et surtout dans quelles conditions. Nous sommes donc globalement, en France, devant une multitude de baptisés en perte de pratique sacramentelle au cours de leur existence mais aussi face à des régions et des milieux socio-professionnels accusant de grosses différences dans leur accomplissement des divers actes religieux. « Ainsi les enquêtes font apparaître la classe ouvrière aux échelons inférieurs de la pratique religieuse [18]. » Dans l'ensemble, une proportion plus ou moins élevée de personnes posent certaines pratiques religieuses au sens strict, c'est-à-dire des « gestes accomplis isolément ou dans un cadre familial » (Baptême, Communion Solennelle, Mariage religieux), mais beaucoup moins font des actes de participation aux assemblées qui supposent la possibilité de s'identifier en quelque façon avec elles.

Par ailleurs des études démographiques prouvent en France une diminution des ordinations de prêtres séculiers et des entrées dans les grands séminaires alors que la population française augmente. Rappelons la baisse des moyennes annuelles d'ordinations pour la France entière :

---

[17] F. L. CHARPIN, *Pratique religieuse et formation d'une grande ville. Le geste du Baptême et sa signification en sociologie religieuse*, éd. du Centurion, Paris 1964, p. 94.
[18] Pour la situation religieuse des ouvriers, cf. F. A. ISAMBERT, *Christianisme et classe ouvrière*. De plus R. MEHL affirme aussi : « Bien que nous n'ayons pas pour le protestantisme de données statistiques comparables, les pourcentages de pratiquants ouvriers paraissent dans l'ensemble extrêmement faibles... la conversion d'un ouvrier est chose difficile parce qu'il n'arrive pas à s'intégrer dans les paroisses en majorité bourgeoise. » *Sociologie du Protestantisme*, éd. Delachaux et Niestlé, 1965, p. 115.

pour la période 1950-1954 la moyenne annuelle était de 946, elle passe à 701 pour les années 1955 à 1959 et tombe à 570 pour la période 1960 à 1964.

Malgré tout, les affirmations des « sans religion » ou des « sans Dieu » conjuguées avec les observations sur l'absence ou la baisse des actes religieux, sont insuffisantes pour porter un diagnostic précis et complet sur l'incroyance et l'athéisme. Ces faits sont une alerte dont la signification est ambiguë. Un non-pratiquant n'est pas forcément un athée ou un incroyant et quelle est la signification exacte de l'affirmation des « sans religion »? Un athée est certainement non-pratiquant mais tous les non baptisés sont-ils des incroyants et des athées? Il faut donc progresser dans notre observation en pénétrant avec tout le respect voulu à l'intérieur des hommes, au niveau de leurs croyances, leurs motivations et leurs représentations religieuses [19].

2. INCROYANCE ET REPRÉSENTATIONS RELIGIEUSES

Nous abordons maintenant un niveau d'analyse plus profond. Après l'observation des gestes et des pratiques extérieurs, passons aux motivations, images et représentations mentales concernant le domaine religieux : l'incroyance et l'athéisme les atteignent aussi.

Un premier domaine peu exploré est celui des motivations et des représentations religieuses lors de la demande des sacrements ou de cérémonies, les enterrements par exemple. Au sujet du Baptême, après une minutieuse étude sur Marseille remontant jusqu'en 1806, Mr l'Abbé Charpin conclut à un « obscurcissement » de la valeur religieuse du Baptême. L'état d'âme maintes fois signalé par de bons observateurs, de gens qui voient dans le Baptême, avant tout, l'agrégation de l'enfant à sa famille charnelle au cours d'une fête joyeuse où il reçoit des cadeaux de bienvenue, semble être de plus en plus fréquent. Ce qui prime alors dans le champ de la conscience des parents, c'est le rite de passage,

[19] Voici un texte parmi d'autres qui confirme la difficulté d'interprétation des pratiques et des actes religieux : « Une attitude religieuse peut demeurer latente sous les motivations de l'athéisme. L'expérience pastorale met quotidiennement en présence de sujets ayant abandonné (disent-ils) les croyances et, en tout cas, les pratiques chrétiennes, alors qu'ils n'en ont rejeté qu'une caricature plus ou moins infantile. Ce fut peut-être le cas de Freud lui-même. Le Père Liégé parlerait ici d'un athéisme de maturité. »

A. Godin, S. J., *Aspects psychologiques de l'appartenance à l'Église* dans *L'appartenance religieuse*, Congrès de Königstein, 1962, Bruxelles, éd. du Cep, p. 72.

l'accueil dans la vie profane au sens où l'on « baptise un bateau [20] ». Une pré-enquête que nous avons menée dans une commune industrielle du Bassin Parisien montrait aussi la diversité et l'ambiguïté des motivations et des représentations religieuses chez les parents au moment du Baptême de leurs enfants [21].

Des enquêtes qui restent à faire en France sur la Communion solennelle, la Confirmation ou le Mariage religieux iraient certainement dans le même sens. Dans la mesure où les premières observations seraient confirmées on se trouverait face à des signes de non-assimilation, de détérioration ou de refus des croyances proposées sur les sacrements par l'Église Catholique si l'on envisage, bien sûr, la situation française.

En plus des motivations et représentations des actes religieux, afin de poursuivre l'exploration méthodique de l'athéisme et de l'incroyance au niveau intérieur étudié dans cette section, il serait utile de détecter les points doctrinaux proposés par les confessions religieuses mais remis en cause où même abandonnés par nos contemporains. Quelles sont les objections faites actuellement sur la religion et les dogmes des confessions religieuses? Les arguments contre sont-ils spécifiques par rapport à ceux d'autrefois?

Les études psycho-sociologiques sur ces points névralgiques d'incroyance sont peu nombreuses en France, avouons-le. Des sujets importants comme les représentations sur la religion et la liberté des hommes, le « problème du mal », les croyances concernant les notions de création, de salut, de péché — particulièrement le péché originel — ont été peu étudiées [22]. Nous nous proposons seulement de communiquer certaines recherches sur les croyances en Dieu, la mort, et l'au-delà.

a. *« Le problème de Dieu »*

Contrairement à ce qu'on pourrait croire, les études sociologiques valables en langue française sur ce domaine ne sont pas légion, de plus elles portent principalement sur les croyants. Or il faudrait pouvoir distinguer ceux qui affirment reconnaître l'existence de Dieu et ceux

---

[20] F. L. CHARPIN, *Pratique religieuse et formation d'une grande ville. Le geste du Baptême et sa signification en sociologie religieuse* (Marseille, 1806-1950), éd. du Centurion, Paris 1964, p. 304.
[21] Ouvrage collectif, *Ils demandent le Baptême pour leur enfant*, éd. du Cerf, Paris 1966.
[22] Dans l'enquête *Planète*, les questions suivantes étaient posées : Quel sens donnez-vous à la notion de péché? Estimez-vous qu'un péché puisse être mortel? La morale catholique vous paraît-elle correspondre à votre épanouissement ou l'entraver? Avez-vous le sentiment que l'Église, d'une façon générale, limite votre liberté?

qui la nient, étant bien entendu que les derniers peuvent avoir des représentations religieuses sur Dieu [23].

Une thèse récente de psychologie religieuse aborde « la structure génétique de l'idée de Dieu chez des catholiques français [24] ». Cet énorme travail, très rigoureux et intéressant porte sur l'application d'un test à des jeunes de 8 à 16 ans de la région lilloise composés de 2 316 garçons, et 2 319 filles catéchisés. Bien que le sujet ne touche pas directement le nôtre puisqu'il s'agit de psychologie religieuse et non pas de sociologie et que les enfants interrogés sont catéchisés, il paraît toutefois intéressant de communiquer certains éléments de l'essai de synthèse. Ils peuvent en effet aider à la progression des recherches psycho-sociologiques. L'auteur dégage trois accents dans l'idée de Dieu qui peuvent être considérés comme trois phases de son développement. D'abord « une phase d'attributivité » où l'enfant retient surtout les attributs de Dieu. Plus tard, les garçons de 11 et 13 ans et les filles de 11 — 14 ans découvrent une série de thèmes nouveaux, ceux de « Seigneurie », de « Paternité » et de « Christ Rédempteur » : c'est la phase de personnalisation. Puis succède l'étape d'intériorisation : les thèmes personnalistes vont eux-mêmes reculer et l'enfant va « injecter dans la structure de Dieu une série de thèmes à résonance affective et subjective intense ». Devant une telle recherche, l'on peut se demander ce qu'il en serait pour des adultes. Existe-t-il des phases nouvelles? Les adultes qui croient en Dieu, où en sont-ils par rapport à ces trois phases? Certains ont-ils dépassé la phase « d'attributivité »?

Mais revenons aux études sociologiques. Une partie d'un « sondage sur la mentalité religieuse d'ouvriers industriels en Wallonie » portait sur l'existence de Dieu [25]. La distinction a été faite entre croyants et incroyants. Pour les 23 personnes de cette dernière catégorie, on a observé le caractère plus ou moins marqué de la négation de Dieu ainsi que les motifs de ce refus. Or 9 réponses seulement sont motivées et les motifs d'objection à la croyance sont un « scepticisme universel, une absence de preuve dans un sens ou dans l'autre, mais surtout l'existence du mal dans le monde qui contredit l'existence d'un « Bon Dieu ». Un autre motif fait appel au caractère gratuit et donné de la Foi ». Signalons

---

[23] Signalons un ouvrage collectif hollandais publié par le groupe *Pasco* sous le titre de « *Tussen Atheïst en gelovige, religieuze typologie van een stedelijke arbeidersgroep* », Lannoo-Tielt, Den Haag, 1965. Traduction du titre : Entre athées et croyants : typologie religieuse d'un groupe ouvrier urbain.

[24] J. P. DECONCHY, éd. Lumen Vitae, Bruxelles 1967. — Prix Quinquennal de la Commission internationale (Lumen Vitæ) de psychologie religieuse.

[25] J. DUMONT, *Vocation de la sociologie religieuse et sociologie des vocations*, Casterman, 1958, pp. 91 ss.

simplement les motifs de croire en Dieu relevés chez les croyants : la création du monde, l'éducation reçue, le sentiment de puissance supérieure, les miracles actuels, le raisonnement, la foi et les prières exaucées.

En France le sondage de l'I.F.O.P. en 1959 sur les attitudes religieuses de la jeunesse donnait ces résultats d'après l'attitude religieuse :

Le Christ est le Fils de Dieu		Croient en la Trinité
Cath. pratiquants	97 %	90 %
Cath. non pratiquants	59 %	43 %
Autres religions	55 %	31 %
Déistes	54 %	40 %
Athées non convaincus	3 %	0 %
Athées convaincus	0 %	0 %

S'il est normal de trouver des pourcentages inexistants pour les athées, l'on s'aperçoit que même chez les catholiques pratiquants, certains n'ont pas la croyance au Christ et à la Trinité [26].

En 1964, l'I.F.O.P. abordait le même problème avec des méthodes différentes qui consistaient à « interroger en profondeur quelques dizaines de personnes par des psychologues qualifiés selon les méthodes de l'enquête de motivation ». Malheureusement un texte de quatre pages seulement d'un magazine nous restitue des échos de cette enquête [27]. L'interprétation en est difficile car nous ne savons presque rien des méthodes employées (questions posées, domaine exploré, critères de choix des interviewés... etc.) et les extraits de réponses mis à la suite permettent difficilement de situer l'importance des éléments les uns par rapport aux autres. Malgré tout voici certaines données.

Quelques notations fragmentaires sur les « incroyants » sont à relever : « Paradoxalement ce sont en général les incroyants qui se détachent le moins de l'imagerie traditionnelle dans la mesure où le mot

---

[26] Dans le commentaire voici des motivations qui sont données sur la non-croyance en Dieu : « Ils ne croient plus du tout en Dieu, et cela pour différentes raisons. Il faut d'abord indiquer les raisons vieilles comme le monde, celles contre lesquelles l'esprit humain a toujours buté. Il y a des êtres qui, sans chercher en aucune façon dans la négation du surnaturel une facilité morale, ne peuvent accepter l'idée de Dieu. Ils ont la tête ainsi faite que la vision du monde social, ou même de la création, ne les incline pas à concevoir l'existence de Dieu cause première de tout, ordonnateur suprême et permanent de l'univers. Il est évident que c'est la constatation du mal et du malheur répandu partout autour de nous qui nous détourne de la religion chrétienne. »
G. HOURDIN, La nouvelle vague croit-elle en Dieu ?, éd. du Cerf, p. 44.
[27] TANNEGUY DE QUÉNÉTAIN, Comment les Français voient Dieu, Réalités, n° 219, avril 1964, p. 76.

« Dieu » ne provoque chez eux aucune association d'idées personnelles... Du côté des incroyants, il n'y a évidemment pas de sentiments envers Dieu, mais des réactions affectives souvent violentes à l'évocation des cérémonies religieuses. » Nous restons sur notre faim.

D'après le compte rendu, « les croyants affirment qu'aucune image trop précise ne peut évoquer Dieu et beaucoup de réponses révèlent une conception très abstraite et dépersonnalisée de Dieu ». L'omniprésence de Dieu est conçue parfois comme un panthéisme : « Ce n'est pas que Dieu ait créé chaque chose mais que chaque chose est comme englobée en Dieu qui est tout... Dieu, pour moi est un tout dans la nature... Il s'est intégré dans tout ce qu'il y a de beau et surtout dans la nature. » Le problème du mal semble tenir une place importante et deux catégories de réponses se dégagent : « ceux qui tendent à limiter les pouvoirs de Dieu pour dégager sa responsabilité, et d'autres qui mettront en doute sa bonté ou qui situent Dieu au-delà de ce que nous considérons comme le Bien et le Mal. Ceux qui exaltent la bonté de Dieu sont minoritaires ». Malgré tout « un mot résume les sentiments envers Dieu : confiance ». Notons qu'il est très peu question du Christ et de la Trinité, mais on ne peut rien conclure ne sachant pas si les entretiens portaient aussi sur ces aspects.

Bref la sociologie des religions doit progresser dans l'étude des représentations et des idées sur Dieu, en particulier découvrir les degrés de refus de Dieu et leurs raisons.

b. *La mort*

Selon l'I.F.O.P., voici comment les jeunes Français réagissaient devant un aspect de cette situation humaine [28] :

Après la mort quelque chose survit		*Après la mort tout est fini*
Catholiques pratiquants	90 %	3 %
Autres religions	69 %	7 %
Déistes	61 %	26 %
Cath. non pratiquants	43 %	25 %
Athées non convaincus	8 %	35 %
Athées convaincus	4 %	84 %

Malgré seulement la valeur indicative des chiffres et le contenu assez vague des questions, les athées (convaincus ou non) tranchent néanmoins par leurs réponses surtout dans la première question.

[28] Sondages, 1959, n° 3, p. 60.

D'après l'enquête Planète[29], « la mort est dépourvue de signification spirituelle » pour 4,7 % des catholiques pratiquants, 16,7 % des protestants, 23,6 % des personnes appartenant à d'autres religions, 33,7 % des non pratiquants et 71,5 % des incroyants.

Ces résultats ne permettent pas d'avoir une idée complète des opinions concernant la mort. Ils indiquent pourtant des différences selon le degré de pratique religieuse et de croyance. Il faudrait analyser davantage la signification de la mort dans notre société actuelle, sans l'isoler de la conception du bonheur qui lui semble intimement liée. Ce que l'on a appelé les « techniques du bonheur », et le contenu de certaines « philosophies de la vie » peuvent elles-mêmes constituer des signes d'incroyance[30].

c. L'au-delà

Une des façons d'étudier ce domaine fut de demander aux jeunes s'ils croyaient au « paradis », « au purgatoire » et à l'« enfer » (Enquête I.F.O.P. 1959). Or 78 % des catholiques pratiquants l'affirment, de même 27 % des déistes, 25 % des participants aux autres religions, 24 % des catholiques non pratiquants mais aucun chez les athées convaincus ou non. Sans pouvoir les comparer réellement rapprochons ces résultats de l'enquête Planète (page 73) :

	L'enfer paraît concevable par la foi	inconcevable
Cath. pratiquants	59 ½ %	24 %
Cath. non pratiquants	33 %	57 %
Protestants	25 ½ %	70 %
Autres religions	12 %	83 %
Incroyants	2 %	90 %

Plusieurs choses apparaissent : les catholiques pratiquants ont

---

[29] Op. cit., pp. 222-225.
[30] « Toute culture cherche à exorciser la mort. La culture de masse qui valorise l'individu privé, qui ignore l'au-delà, ne peut que refouler, camoufler, euphoriser le fond tragique ou délirant de l'existence et bien entendu la mort.
La mort toujours absurde au regard de l'individu acquiert une absurdité supplémentaire dans les temps présents. « Pour l'homme civilisé, la mort ne peut avoir de sens parce que la vie individuelle du civilisé est plongée dans le progrès et l'infini, et que selon son sens immanent, une telle vie ne devrait pas avoir de fin. » (Max Weber, Vocation du Savant). C'est bien parce que la mort n'a pas de sens qu'elle est aussi puissamment refoulée par la mythologie du bonheur. » E. MORIN, L'esprit du Temps, Grasset, 1962, p. 173.

certes des pourcentages plus élevés que les autres mais il n'en reste pas moins vrai qu'un sur cinq hésite quant à la trilogie « paradis, purgatoire, enfer ».

Selon l'enquête *Planète*, un pratiquant sur quatre parmi ceux qui ont répondu estime l'enfer inconcevable. On a l'impression de toucher ici un point névralgique d'incroyance. Des résultats sur la résurrection des corps le confirment. Deux jeunes catholiques pratiquants sur trois l'estiment possible ou certaine, un adepte des autres religions sur trois fait de même, mais aucun des athées ne l'accepte.

3. CONDUITES, ATTITUDES ET ATHÉISME

Notre analyse doit franchir une étape encore plus intérieure aux hommes : aborder les *conduites* et les *attitudes* qui impliquent des systèmes de *valeurs sociales*. L'observation devient toujours plus difficile et touche à la « dimension conséquentielle » de la religion [31], c'est-à-dire à ce que font les gens, les attitudes adoptées par suite de leurs croyances. Nous regardons les modes de relations des hommes entre eux plutôt que ceux des hommes à Dieu.

L'hypothèse globale est la suivante : si le fait d'appartenir à un groupe religieux suscite des attitudes déterminées sur le plan familial, social, etc... à l'inverse le degré de marginalité voire de rupture avec un groupe religieux suscite aussi des attitudes et des conduites. Peut-on vérifier une « dimension conséquentielle » de l'irréligion comme on l'a fait pour la religion ? Si l'absence ou le rejet de pratiques religieuses deviennent, moyennant certaines conditions, signes d'incroyance et d'athéisme, des conduites et des attitudes ne le sont-elles pas à leur tour ? Ainsi la sociologie vérifierait l'existence d'un *athéisme* et d'une *incroyance vécus* où pratiquement Dieu et des valeurs religieuses sont évacués et rejetés [32].

Cette hypothèse d'un athéisme et d'une incroyance pratiqués pose indirectement le problème de leurs rapports avec les systèmes de morale. L'irréligion a-t-elle pour fruit des conduites immorales ou amorales ?

---

[31] Sur les « dimensions » de l'objet religieux, cf. C. Y. GLOCK, *Y a-t-il un réveil religieux aux États-Unis ?*, dans *Le Vocabulaire des Sciences Sociales*, éd. Mouton, Paris 1965, pp. 49 ss.

[32] Certaines réflexions de philosophes apportent des arguments à cette hypothèse : l'athéisme est « vécu par la foule comme un espoir et un effort avant d'être pensé par les philosophes comme un système ». Père JOLIF, *Signification de l'athéisme*, *Économie et Humanisme*, mai, juin 1956. — « Traiter de l'athéisme ne peut donc plus être évoqué comme une conception abstraite dont on se contenterait d'établir qu'elle reste incohérente ou manque de fondement : c'est revenir à la situation actuelle de l'homme. L'athéisme est un système de valeurs vécues. » J. LACROIX, *Le sens de l'athéisme moderne*, p. 15.

Avant de revenir plus tard sur cette question, voyons le rôle du sociologue. Il analyse les conduites humaines, les « mœurs », sans porter, en tant que sociologue, un jugement moral sur les comportements observés. D'autre part, il pourra diagnostiquer si des conduites humaines sont signes d'athéisme ou d'incroyance quand des liens explicites ou implicites auront été établis avec elles au niveau des motivations des actes posés. Avouons que ce n'est pas facile. L'état actuel des recherches en France porte un jugement sociologique sur certains comportements sans pouvoir vérifier s'ils découlent ou non de l'incroyance et de l'athéisme.

Par exemple, certaines *conduites dans la vie quotidienne* sont contradictoires avec le système de valeur de la morale chrétienne. Une enquête sur les 16-24 ans conclut :

> Parmi les valeurs qui comptent pour eux, l'argent vient immédiatement après la santé. Tous deux expriment un besoin de sécurité et de confort. L'argent procure à la fois la sécurité — un jeune sur quatre épargne par précaution — et les moyens du confort. L'importance attachée à l'argent augmente à mesure que la pratique religieuse diminue. Ainsi 9 % des pratiquants réguliers mettent la foi au premier rang des valeurs. Ce qui est très faible, surtout si on considère que ce groupe accorde la majorité de ses suffrages aux valeurs matérielles (santé et argent) : 58 % [33].

Donc une co-variation est indiquée entre l'importance attachée à l'argent et la pratique religieuse mais celle-ci ne mesure pas le degré d'incroyance. Aussi ne peut-on pas conclure dans le cas présent que l'attachement à « la valeur-argent » est signe d'incroyance vécue. De même dans plusieurs domaines de la vie quotidienne des recherches seraient à faire pour discerner ou non l'athéisme et l'incroyance vécus. Ont-ils une influence sur les comportements humains, familiaux, la transmission et le respect de la vie, les activités professionnelles ? Par exemple on observe « une proportion relativement stable depuis 1950 des premières naissances ayant lieu dans les sept premiers mois du mariage, 21 % environ, c'est-à-dire une première naissance sur cinq parmi les naissances légitimes ». En y ajoutant les 13 à 14 % des premières naissances illégitimes « on constate qu'actuellement parmi l'ensemble des premières naissances une sur trois correspond à une conception hors mariage [34] ». Qui nous prouve que cette situation contradictoire avec la morale chrétienne est un signe d'incroyance vécue par les foyers ?

---

[33] J. DUQUESNE, « Les 16 - 24 ans », éd. du Centurion, Paris, pp. 229 et 237.
[34] Françoise GUELUND-LERIDON, *Recherches sur la condition féminine dans la société d'aujourd'hui*, Travaux et documents de l'Institut national d'études démographiques, Cahier n° 48, P.U.F., 1967, pp. 54 et 55.

En plus de l'existence de chaque jour, des situations humaines exceptionnelles mériteraient aussi des observations. Prenons la célébration des fêtes chrétiennes comme Noël, Épiphanie, Pâques, Pentecôte. Comment sont-elles pratiquement vécues par les gens ? Quelles répercussions réelles dans leur existence exerce le message religieux de chacune ? Un sondage déjà ancien exécuté par l'I.F.O.P. [35] a permis de constater que les fêtes de fin d'année, Noël et Jour de l'An, sont les plus importantes dans l'esprit des gens et qu'elles sont préparées de longue date.

Il faudrait revenir aussi sur cette situation humaine exceptionnelle de *la mort*. Il ne s'agit plus ici comme au paragraphe précédent des croyances sur « le problème de la mort » mais des réactions et attitudes pratiques devant elle. A défaut encore de recherches sociologiques valables sur cette question en France, l'appel lancé voici plus de vingt ans dans un livre retentissant peut servir d'hypothèse pour vérifier sociologiquement si l'incroyance et l'athéisme ont des conséquences là aussi.

Même la réaction devant la mort souligne le paganisme qui s'est installé ; la mort ne provoque plus un acte de foi dans l'au-delà. Peut-être chez certaines femmes, certaines jeunes filles, subsiste une vague inquiétude, mais elle est ordinairement rejetée et dans la détresse de tels moments c'est le désespoir sans phrase [36].

Pourtant certains incroyants abordent aussi la mort avec des attitudes courageuses et dans un esprit de sacrifice. Là encore des recherches sont à entreprendre pour établir, non seulement une sociologie des rites funéraires, mais surtout des comportements et attitudes devant la mort.

CONCLUSION : NON-APPARTENANCE RELIGIEUSE
ET « RUPTURE D'APPARTENANCE »

L'incroyance et l'athéisme peuvent être analysés en termes de degré d'appartenance ou non aux groupes religieux. Certaines personnes n'ont jamais été incorporées à des confessions religieuses — l'enquête

---

[35] *Les Fêtes*, Sondages, 1er janvier 1949, pp. 1-12.
[36] H. GODIN et Y. DANIEL, *La France pays de mission ?*, 1943, p. 31. Une autre affirmation mériterait vérification : « La mort, c'est la fin. D'où les enterrements civils nombreux. Cela ne vient pas uniquement du marxisme, mais de l'ambiance générale matérialisée. On exploite pourtant les morts : on fait des discours aux enterrements des victimes du travail comme d'autres font des discours sur les tombes ouvertes des morts au champ d'honneur. On meurt, c'est fini, mais on s'est sacrifié pour les générations futures : c'est la survie dans le souvenir et la gratitude de ceux qui restent, rien d'autre. » M. J. MOSSAND et G. QUINET, *Ambiance Marxiste*, dans *Cote d'alerte de la Pastorale*, pp. 29 et 30.

sur les étudiants parisiens le montrait bien — d'autres après l'avoir été en arrivent à une rupture avec la communauté des croyants. Dans son ouvrage [37], le Père Carrier signale que « les années de formation semblent exercer sur l'attitude de l'incroyant une influence significative, en particulier l'ambiance familiale. D'autre part une enquête constate que le parallélisme n'est pas parfait entre l'athéisme et la rupture d'affiliation religieuse. Le détachement de l'Église et le développement de l'incroyance ne paraissent pas simultanés mais le fait de quitter l'Église n'aura pas le même retentissement chez le fidèle de toutes les dénominations. Le Père Carrier cite les réflexions de Jung [38] : « Le catholique qui a tourné le dos à l'Église développe le plus souvent un penchant secret ou avoué pour l'athéisme, tandis que le protestant, si possible, adhérera à quelque secte. L'absolutisme de l'Église Catholique paraît exiger une négation tout aussi absolue, alors que le relativisme protestant autorise des variations. »

Il reste donc à établir toute une typologie des non-appartenances et des divers degrés de rupture d'appartenance. Si des recherches sur la conversion au christianisme sont capitales, elles devraient se compléter aussi par l'inverse, c'est-à-dire le cheminement qui part de l'affiliation à un groupe religieux pour aboutir à une situation de rupture plus ou moins ferme. Il ne s'agirait pas seulement de décrire mais surtout d'expliquer les raisons d'une non-appartenance aux confessions religieuses et les motifs d'un éloignement par rapport à elles. Des hypothèses relatives à l'incroyance se révèlent dès lors nécessaires.

---

[37] H. CARRIER, S. J., *Psycho-sociologie de l'appartenance religieuse*, Université Grégorienne, Rome, 1960, pp. 238 ss. sur *Incroyance et rupture d'appartenance*.
[38] C. G. JUNG, *Psychologie et religion*, Paris, éd. Buchet, Chastel-Corréa, 1958, p. 41.

II

GENÈSE DE L'ATHÉISME ET DE L'INCROYANCE EN FRANCE

Jusqu'ici notre intention a été de décrire l'irréligion actuelle en empruntant successivement les divers « paliers en profondeur » nécessaires. Mais cette analyse du présent reste insuffisante : il faut tenter de l'expliquer, de savoir comment et pourquoi nous en sommes venus là, savoir ce qui explique l'indifférence religieuse et le refus moderne de Dieu ou du christianisme. Interviennent alors la dimension historique et l'étude des rapports du christianisme avec les sociétés globales. Aussi la deuxième partie débutera par un rappel historique, pour se terminer par une présentation des hypothèses explicatives.

1. BRÈVES PERSPECTIVES HISTORIQUES

En 1960, le Chanoine Boulard faisait ainsi le point sur les actes de pratique religieuse pour l'ensemble de la France [39].

> Il n'y aurait pas au niveau global de la France une augmentation notable de la proportion des non-baptisés. Cela ne veut pas dire qu'il ne puisse y avoir des augmentations sensibles en certains quartiers ou en certaines banlieues de gros agglomérats urbains... Nous serions donc plutôt devant certaines fractions de la population étrangères à l'Église depuis longtemps, fractions soit proportionnellement stables, soit en augmentation très lente, mais de toute façon non entamées par l'Église.

D'après l'auteur, des recherches ont permis quelque connaissance de la pratique religieuse de la France il y a cent ans. Après avoir constaté quelques baisses de pratique affectant de petites régions et enregistré quelques remontées « lentes » il conclut :

> On peut donc l'affirmer sans imprudence, la situation actuelle est très ancienne et remonte au moins à la Révolution française. L'impression courante d'une descente générale encore accélérée par les brassages de population est donc fort suspecte : vraie en

---

[39] Dossier : *La France en état de mission*, **Informations Catholiques Internationales**, n° 119, 1er mai 1960, pp. 9-14.

certains cas, elle demande toujours à être prouvée. Le facteur régional reste considérable et il n'évolue que lentement pour la remontée comme pour la descente.

A titre d'exemple, citons la recherche sur la « pratique religieuse du diocèse de Versailles au XIXe siècle [40] ». D'après un registre épiscopal, et une enquête décanale, la situation religieuse de 1830 a pu être reconstituée. « Si l'on compare avec la carte religieuse récente, on notera une certaine stabilité : les faibles pourcentages des messalisants se rencontrent encore autour de Bonnières et de Mantes d'une part, de la Ferté Alais et d'Arpajon de l'autre. On a donc affaire à un état de choses dont l'origine doit remonter assez haut avant la Révolution. »

Les réflexions que les curés ajoutent ici ou là permettent de constater un autre fait : il y a discordance entre l'assistance à la Messe, qui paraît dans l'ensemble assez nombreuse, et la fréquentation des sacrements. Encore est-il des paroisses où l'église est déserte le dimanche. Après 1830, d'autres sondages historiques ont été exécutés pour 1880, puis la période 1890-1908 où « dans l'ensemble les curés soulignent les difficultés accrues de leur ministère qui semblent avoir surtout pour origine la situation politique... Les municipalités radicales multiplient les tracasseries. Francs-maçons et libres penseurs sont actifs dans les petites villes et rayonnent alentour ».

Pour saisir les racines lointaines de l'athéisme et de l'incroyance actuelle, des études historiques générales réalisées sur l'ensemble de la situation française apportent des éléments. Rappelons au lecteur certaines d'entre elles : *L'Histoire religieuse de la France contemporaine* [41], *l'Histoire du Catholicisme en France* [42], *Les forces religieuses dans la société française* [43], enfin *Force religieuse et attitude politique dans la France contemporaine* [44], sans compter, bien sûr, les renseignements historiques contenus dans « les Études de sociologie religieuse » par Gabriel Le Bras.

D'autres recherches ont été effectuées sur des diocèses ou des

---

[40] C'est le chapitre II de la monographie diocésaine où des sondages historiques accompagnent le recensement de pratique religieuse de 1954, (Dépôt : Évêché de Versailles), pp. 7 à 21.
[41] A. DANSETTE, Flammarion, Paris 1948-1950, 2 volumes.
[42] A. LATREILLE, Spes, Paris 1962, particulièrement le tome III sur la période contemporaine.
[43] A. COUTROT et F. G. DREYFUS, Armand Colin, Paris 1965, 342 p. surtout le chapitre I où il est question « de l'ordre moral à l'anticléricalisme » et de « la montée de l'anticléricalisme ».
[44] R. RÉMOND, éd. A. Colin, Paris 1965, 397 p. C'est le compte rendu du colloque de Strasbourg en mai 1963. Une communication a été faite sur l'anticléricalisme, mais « les courants non confessionnels ou athées ont été délibérément écartés ».

villes. En voici quelques exemples. Les données historiques sur « le diocèse d'Orléans au milieu du XIXe siècle » sont significatives [45]. Les principes du voltairianisme sont monnayés dans la population surtout par les médecins, pharmaciens, notaires et avocats. Le clergé, d'instruction très médiocre, « enseigne une religion de crainte et de scrupuleuse vertu et aspire à la domination. La pratique religieuse est faible ». Dans l'arrondissement de Pithiviers, par exemple, en 1852, le pourcentage des pascalisants varie, selon les cantons, de 10,5 à 14 % et les hommes y comptent pour 1,3 à 3,3 %. L'appréciation de Gabriel Le Bras invite à la réflexion :

> S'il est vrai que le diocèse d'Orléans ne représente pas toute la France, du moins semble-t-il que son état religieux ne diffère pas de celui d'un grand nombre d'autres diocèses de la région parisienne, des plaines du centre et des bords méditerranéens. Quant aux dispositions des classes dirigeantes, clergé, noblesse, bourgeoisie, elles devaient être à peu près pareilles dans toute la nation, et nous avons sous les yeux un échantillon de haute qualité [46].

Mr Pierre Pierrard nous invite à pénétrer *la vie ouvrière à Lille sous le Second Empire* [47]. Si les enfants étaient à l'époque presque tous baptisés dans des délais très brefs et faisaient leur première Communion, la pratique ouvrière adulte était très faible. Un curé de Lille déclarait en 1840 : « On pourrait les croire de quelque secte dissidente tant ils sont étrangers à nos sacrements. » D'après l'auteur, une formation spirituelle superficielle, une vie quotidienne inhumaine, une vie paroissiale traditionnelle et l'effort des laïques catholiques n'endiguèrent pas « un puissant contre-courant : l'anticléricalisme des libéraux ». « Deux courants avaient tenté de canaliser la masse grandissante du prolétariat lillois : le paternalisme catholique et le socialisme anticlérical. Le paternalisme échoua, malgré les efforts sincères de catholiques fervents. »

Passons à l'autre extrémité de la France, à Marseille où F. Charpin cherche à « déceler l'influence que les idéologies politiques ou athées ont pu exercer sur la discipline au fur et à mesure qu'elles se développaient dans la population », en particulier à partir d'une interprétation prudente des corrélations observées entre les cartes électorales et religieuses. Il procède en trois périodes : 1800-1848, puis 1848-1914, enfin 1914-1938 [48].

---

[45] C. MARCILHACY, Sirey, Paris 1964, 501 p. Collection Histoire et Sociologie de l'Église.
[46] Archives de sociologie des religions, n° 18, 1964, p. 202.
[47] Paris, éd. Bloud et Gay, 1965, 506 p., spécialement le chapitre IX, l'attitude religieuse des ouvriers.
[48] *Op. cit.*, chapitre III, sur les influences des idéologies politiques ou athées, dans la Deuxième Partie.

2. HYPOTHÈSES EXPLICATIVES DE L'ANTI-THÉISME ET DE L'ATHÉISME

Ce paragraphe permettra de passer en revue des hypothèses relatives à la genèse de l'athéisme et de l'incroyance. Ce n'est pas notre rôle ici de prendre position vis-à-vis d'elles ; il s'agit de les présenter en souhaitant que des recherches empiriques ultérieures les vérifient ou non.

Une seule hypothèse ne peut rendre compte de l'athéisme et de l'incroyance modernes. Et la première difficulté consiste à formuler des hypothèses qui soient réellement des explications. En effet à première vue certaines affirmations, véridiques par ailleurs, paraissent explicatives mais en réalité ne font que repousser le problème. Citons par exemple l'affirmation que les structures sociales nées au XIXe siècle avec l'industrie n'ont jamais été christianisées. En définitive cela explique peu de chose, car *pourquoi* les structures du monde industriel n'ont-elles pas été évangélisées ? Nous sommes en présence d'une constatation mais pas d'une explication.

Le domaine des hypothèses est celui de la théorie et il faut éviter de croire que dans la réalité elles jouent automatiquement dans toutes les situations. Les enquêtes empiriques éviteraient cette attitude mécaniciste et simpliste en montrant comment telle hypothèse est vérifiée dans certaines conditions et pas dans d'autres.

Toutes les remarques précédentes font saisir que nous abordons un domaine difficile, peu exploré encore aujourd'hui. La prudence objective et la rigueur sont de règle pour éviter des généralisations hâtives.

Une présentation des *hypothèses relatives à la désaffection religieuse dans les classes inférieures* a été tentée par le Père Pin [49]. Quatre types généraux d'hypothèses sont proposées suivant les facteurs auxquels on attribue la responsabilité de la désaffection religieuse :
— une certaine disposition ou structure du *psychisme individuel* des prolétaires urbains,
— *l'influence sociale ou socio-culturelle des groupes*, notamment de la classe ouvrière,
— les *causes historiques* c'est-à-dire des *événements* qui ont marqué la naissance de l'industrie et *dont les effets se prolongent*,
— enfin la dysfonctionnalité de l'Église vis-à-vis de la population qui s'abstient, une *non-adaptation des institutions ecclésiastiques*, telles qu'elles se sont fixées en un temps et en un lieu donnés.

---

[49] *Social Compass*, 1962, IX, 5-6, pp. 515-537. Signalons par ailleurs que le Père Steemann distingue les sources intellectuelles de l'athéisme, ses sources morales et ses sources religieuses, c'est-à-dire un rejet des formes traditionnelles du théisme.

L'auteur détaille ensuite les hypothèses classées dans chacun des quatre types généraux.

Évidemment nous allons bénéficier de cette tentative dont le but, malgré tout, est légèrement différent du nôtre. L'article vise la désaffection religieuse et pas seulement l'athéisme, de plus il s'agit des « classes inférieures ». Aussi essayons de distinguer les hypothèses relatives à la baisse de pratique, l'indifférence et l'ignorance religieuses, pour retenir uniquement celles qui expliqueraient les diverses formes de l'athéisme moderne. Il est bien entendu que cette distinction n'est pas toujours aussi nette que ces pages le laisseraient supposer.

La première hypothèse [50] serait, pour reprendre l'expression de l'auteur, un *immédiatisme psychique*. Certaines personnes sont tellement prises par les soucis de la vie présente que le temps fait défaut pour pratiquer, et les questions religieuses apparaissent comme en dehors de leurs préoccupations : avant tout il faut vivre ou simplement survivre. « Au sens strict du terme il ne s'agit pas d'une négation de Dieu, d'athéisme; mais Dieu, s'il n'a pas complètement disparu de l'horizon, est devenu lointain. » Certes les conditions économiques et le niveau de vie se sont transformés globalement en France depuis le début de l'époque industrielle. Toutefois les conditions de vie pour certains restent difficiles et des non pratiquants seraient les « descendants culturels » des prolétaires d'autrefois. Même si des conditions de vie sont meilleures on se réfère psychologiquement aux « damnés de la terre » d'autrefois. Le poids de l'histoire se fait particulièrement sentir sur ce point.

De même des *courants idéologiques*, érigés en systèmes ou non, ont contribué certainement à la formation de l'athéisme. Contentons-nous seulement de les énumérer. Un courant de *laïcisme rationaliste* avec toute une conception souvent implicite de l'homme s'est épanoui au siècle précédent et au début du nôtre. Il eut ses répercussions dans le domaine religieux. Selon certains c'est la « position de ceux pour qui la religion est affaire purement privée et subjective, pour qui toute croyance est dépassée, mauvaise pour les individus et pour la société, contraire au progrès social; en un mot c'est un humanisme délibérément athée et combatif [51] ». On le décrit aussi comme le *milieu privilégié d'un athéisme progressif*. Il professe la neutralité sous couleur de respecter l'homme : c'est, en effet, par respect de la liberté des consciences qu'il défend la neutralité scolaire; il fait déchoir les valeurs transcendantes en les

---

[50] « Première » ne veut pas dire la plus importante, l'ordre est simplement énumératif sans aucune progression qualitative.

[51] J. M. MOSSAND et G. QUINET, *Cotes d'alerte de la Pastorale*, t. I. Ambiances. Chapitre « Ambiance laïciste », p. 86.

ramenant au rang des lieux communs : « Toutes les religions sont bonnes, pourvu que l'on soit sincère »; il légifère pour donner à certaines de ses théories force de loi; ainsi du divorce considéré comme un droit jusqu'à faire paraître inhumaine la défense de la permanence de l'amour humain par l'Église. Il profanise Pâques, Noël, la Toussaint et en général les fêtes dites religieuses du calendrier et les coutumes traditionnelles.

Le laïcisme s'accommode pourtant des persistances religieuses encore à l'honneur et à ce titre fait bonne figure aux traditions comme devant un folklore respectable. S'il relègue dans le domaine privé toute expression extérieure de foi, c'est toujours au nom du droit des consciences. Il empoisonne l'air des églises jusqu'auprès du sanctuaire, et nombreux sont les chrétiens qui, en fait, sacrifient au goût de l'époque l'expression de leur foi : respect humain généralisé, réserve excessive pour parler de Dieu, tolérance absolue pour toute forme de religion prolifèrent à côté des superstitions et d'une ignorance crasse à l'égard des dogmes essentiels de la religion catholique [52].

Rappeler brièvement deux autres courants n'est pas préjuger, loin de là, de leur importance. La philosophie athée contenue dans le marxisme et plus récemment l'existentialisme ont contribué, en France, au rejet de Dieu. « Parmi les facteurs qui ont le plus efficacement contribué à modeler le visage de l'athéisme moderne, le marxisme joue incontestablement un rôle de premier plan », affirme H. Niel [53].

Une autre série d'hypothèses nous renvoit à la *psychologie de l'appartenance à des groupes sociaux*, à des *systèmes socio-culturels*. Les membres d'un groupe social de grande dimension y puiseraient leurs opinions, leurs attitudes, leurs normes de comportement. Le Père Pin présente ainsi comment « la conscience de classe prolétarienne exclut le recours à Dieu. Compter sur Lui serait se condamner à rester dans l'impuissance et le mépris. On ne peut espérer que sur l'effort collectif des prolétaires. » Une opposition initiale à l'Église conduirait à un « anti-théisme », à un rejet du Dieu vu à travers l'Église et ses membres. Puis l'athéisme suivrait.

La misère, les invitations bourgeoises à la résignation, la charité chrétienne, les longues réticences sur les droits de la personne humaine ont exaspéré la passion des adultes ouvriers pour la justice et ont alimenté leur colère contre les chrétiens, l'Église et même contre Dieu [54].

[52] L. Retif, *Où sont les incroyants ?*, l'Union, avril 1955, IV, 20.
[53] *Athéisme et Marxisme*, Lumière et Vie, n° 13, p. 67.
[54] S. Ligier, *L'Adulte des milieux ouvriers*, t. II, Essai de psychologie pastorale, Paris, éd. Ouvrières, 1950, Chapitre : *Causes psychologiques de la déchristianisation*, p. 64.

L'influence des groupes — qu'ils soient d'appartenance ou de référence — joue-t-elle seulement pour la classe ouvrière ? C'est peut-être là que l'influence a été importante à cause de la conscience de classe qu'on y rencontre. Mais par exemple n'est-ce pas valable aussi pour les milieux de l'enseignement (particulièrement les instituteurs) et pour les techniciens ? Peut-être aussi certains divorcés mariés religieusement auparavant, sans former un groupe social, ont-ils des réactions psychologiques communes contre l'Église catholique et bientôt contre Dieu, qui viennent d'une situation semblable par rapport à l'Église.

L'hypothèse suivante est sans aucun doute plus caractéristique puisqu'il s'agit des rapports de l'athéisme moderne avec *le progrès scientifique* et *les techniques*. L'affirmation d'un « athéisme technique » se relève ici ou là. A l'occasion du sondage d'opinion près des jeunes Français G. Hourdin déclare :

> Il n'y a qu'un malheur : beaucoup de nos jeunes correspondants, comme la plupart des jeunes Français, sont des techniciens. Ils sont devenus imperméables, même lorsque le problème du mal et du malheur les préoccupe, à ce qui dans l'homme dépasse l'explication purement rationaliste. La réussite de la technique ne les incline-t-elle pas, en outre, à penser qu'on peut venir à bout d'un désordre [55] ?

Pensant plus particulièrement aux adultes le Père Mousse S. J. affirmait à son tour :

> Pour beaucoup de techniciens, il n'y a plus de raison de croire à quelque chose qui dépasse la matière. Ce qui les caractérise le plus, je crois, c'est un matérialisme à double aspect : un aspect positif, qui est de croire à la réalité de l'expérience et de penser qu'il faut prendre le monde au sérieux, et un aspect négatif, qui est de considérer le monde comme vide de tout mystère. S'ils sont athées ce n'est pas par opposition à la religion ; ils ne lui en veulent pas ; ce n'est pas l'effet d'un choix, ce n'est pas l'effet d'une foi, la conclusion d'un raisonnement ; c'est un fait, tout simplement... Athéisme de fait [56].

Il ne faudrait pas conclure que l'influence possible des techniques dans la formation de l'athéisme moderne se cantonne à la catégorie

---

[55] G. HOURDIN, *La nouvelle vague croit-elle en Dieu ?*, éd. du Cerf, pp. 45 et 46. Plus loin, à la page 57, on trouve aussi ce texte : « L'athéisme contemporain aboutit à cette certitude que la science explique tout, à ce refus de la religion, à cette volonté de justice sociale pour tous et dès maintenant, à cet engagement personnel pour tenter de travailler à son avènement. »

[56] Père MOUSSE, S. J., *L'athéisme, tentation du monde...*, p. 127.

professionnelle des techniciens. D'autres milieux sociaux seraient atteints, à cause de la culture technique diffusée de plus en plus. A ce sujet le Père Pin parle d'un athéisme technique « né sur fond de providentialisme rural ». La religion traditionnelle de certains ruraux « rangeait Dieu au niveau des causes secondes dont il faut s'assurer le concours pour maintenir la vie, la production, le temps favorable etc... ». Dans l'univers technique, le « Dieu des agriculteurs » est inutile. Sans disparaître forcément, il devient lointain.

Évidemment dans cette hypothèse « l'athéisme n'est pas un produit nécessaire de la technique ». La conclusion d'un article éclaire bien le problème en constatant « l'ambivalence foncière de l'intention technicienne [57] ». L'auteur passe en revue les dispositions défavorables en affirmant qu'actuellement on cherche moins à contempler le cosmos qu'à l'expliquer, le transformer et le dominer. De l'« univers-spectacle » on passe à « l'univers-chantier ». Par ailleurs, « l'intention technicienne comporte un vouloir positif anti-théiste. Dieu semblait dérober à l'homme technique son pouvoir créateur et donc sa raison de vivre et sa dignité indépendante ». L'activité technique, centrée sur la transformation de cette terre, a un caractère anthropocentrique qui peut se résumer dans la formule « le salut par l'homme seul ». C'est le contraire de l'attitude religieuse d'accueil [58].

Dans le prolongement de l'hypothèse précédente, *l'athéisme* contemporain serait en dépendance avec ce que certains appellent la *civilisation de l'abondance* ou la *société de consommation* dans lesquelles pénètre la France après d'autres pays. Les facilités et le confort, la multiplication de nouveaux besoins créés par la société technique, la recherche perpétuelle du mieux-être avec la course à l'argent ne détournent-ils pas certains contemporains des problèmes fondamentaux, donc de la religion et de Dieu? L'athéisme dont il est question ici ne serait pas professé explicitement ou réfléchi, mais vécu quotidiennement dans divers domaines de l'existence, très difficiles à analyser d'ailleurs. Cet athéisme au jour le jour serait facilité par un aspect des techniques de communication sociale, notamment la publicité. Cette hypothèse pose dans le fond la question des *rapports entre l'athéisme* et la *vie économique*

---

[57] Frère V. AYEL, *Athéisme et technique*, Lumière et Vie, n° 13, janvier 1954, sur les causes de l'athéisme.

[58] V. AYEL signale ensuite les « heureuses contreparties » de la technique : possibilité de sacralisation du cosmos et du monde beaucoup plus intime, climat de solidarité et de communication, purification de l'idée de Dieu et de la représentation du mystère.

moderne qu'il s'agisse des producteurs ou des consommateurs [59]. Comme pour la technique il faut affirmer au départ une ambivalence foncière de ce domaine. Mais l'hypothèse semble plausible de constater comment une ambiance d'abondance économique risque progressivement d'étouffer les croyances en Dieu quand de toute part les individus et les groupes sont sollicités à porter uniquement leurs intentions sur les biens terrestres et l'argent.

---

[59] « Le problème de Dieu s'est démocratisé en ce sens qu'il ne relève plus de la science des idées, l'aristocratique Métaphysique, mais de la science des besoins humains, de la science du travail, la démocratique Économie Politique. C'est désormais en fonction de sa vie matérielle et sociale que l'homme décide de ses choix ultimes et proprement religieux. » J. LACROIX, *Le sens de l'athéisms moderne*, p. 30.

III

POUR UNE RÉFLEXION THÉORIQUE PLUS POUSSÉE

Le lecteur a sans doute remarqué la fréquente juxtaposition des termes « incroyance » et « athéisme ». D'autre part, le sociologue est frappé par l'imprécision des mots employés couramment quand on aborde le domaine de l'irréligion : les termes « incroyants », « non-chrétiens », « athées », « indifférents », « irréligieux », paraissent souvent interchangeables. Le besoin se fait sentir d'une réflexion théorique qui devrait poursuivre un double but : arriver à une élaboration plus rigoureuse de concepts sociologiques adéquats et rechercher une formulation plus précise des hypothèses de travail. Des outils d'analyse sociologique adaptés à la situation irréligieuse spécifique du monde moderne semblent actuellement faire défaut.

Il faudrait voir, affirme F. A. Isambert, ce qui revient aux divers modes de la non-religion depuis le simple repli dans l'immédiat, jusqu'à l'anti-théisme prométhéen, en passant par l'athéisme scientiste. Tout cela supposerait un ensemble complexe d'enquêtes... Mais ces investigations ne peuvent être menées à bien que si une préparation conceptuelle suffisante nous permet de percevoir les principales dimensions de cette irréligion.

C'est le même souci de réflexion conceptuelle que l'on retrouve tout au long de l'étude du Père Th. M. Steemann, ofm, qui replace en particulier l'athéisme dans le cadre général d'une théorie sur la religion.

Voici quelques points où une réflexion théorique serait à poursuivre; en les indiquant nous sommes conscient de l'énorme travail qui restera par la suite.

1. DÉLIMITER LES FRONTIÈRES ENTRE L'INCROYANCE ET L'ATHÉISME

Supposons acquise — ce n'est malheureusement pas toujours le cas — la distinction entre l'athéisme et des processus sociaux qui veulent expliquer l'état religieux de la société actuelle. Ainsi l'athéisme n'est pas la déchristianisation — « mot fallacieux [60] » — ni la désacralisation ou la sécularisation. Celle-ci est incontestable mais si certaines manifestations anciennes du sacré disparaissent, n'assistons-nous pas à la création de nouvelles formes du sacré [61]? Un mouvement de resacralisation et de désacralisation ne coexistent-ils pas? Quoiqu'il en soit, un recul du sacré ne serait pas forcément abandon de la croyance en Dieu : celui-ci ne peut se réduire au sacré.

Mais il reste à tracer les limites entre l'incroyance et l'athéisme [62]. Le premier concept semble beaucoup plus vague et plus vaste que le dernier. L'« incroyance religieuse » est un terme global mais l'important est de savoir sur quels points et à quels degrés elle se vérifie. En quoi les hommes d'aujourd'hui sont-ils incroyants et aux yeux de qui le paraissent-ils? Parler d'un incroyant est-ce dire que cet homme est radicalement non croyant, donc sans aucune croyance religieuse, ou bien existe-t-il en lui certaines croyances? Tout athée au sens strict du terme est incroyant, c'est-à-dire qu'il rejette Dieu ou ses représentations, mais comment ne croirait-il pas en des valeurs sociales? Par contre celui que d'habitude l'on qualifie d'incroyant n'est pas forcément athée.

---

[60] G. LE BRAS, *Déchristianisation mot fallacieux*, « *Social Compass* », 1963, X, 6. L'Éditorial de *Lumière et Vie*, n° 12, novembre 1953, page 9, signalait déjà la confusion : « L'athéisme est difficile à cerner. Est-il important ou non en son extension, les appréciations diffèrent d'un enquêteur à l'autre. On met d'ailleurs tant de choses sous ce mot. Dans notre monde occidental la confusion est très fréquente entre déchristianisation et athéisme. »

[61] Cf. A. VERGOTE, *Psychologie religieuse*, Dessart Éditeur, Bruxelles 1966, en particulier à partir de la p. 74, § Un nouveau sacré?

[62] Si nous glissons (dans le texte de l'encyclique *Ecclesiam Suam*) de l'incroyance à l'athéisme c'est sans doute à cause de l'imprécision et de la confusion du vocabulaire actuel, mais aussi parce que les frontières de l'une et de l'autre sont délicates à établir. » Mgr ETCHEGARAY, Préface de *Visages et approches de l'incroyance*, éd. du Chalet, Paris 1965, p. 8.

« Dieu est très au-delà de nos conceptions de Dieu. La théologie est en déficience constante par rapport à son propre thème. Mais foi et théologie ne sont pas un, et athéisme et incroyance ne sont pas un non plus. » Dr METZ, cité dans les I.C.I., *Un dialogue avec les Marxistes?*, n° 240, p. 19.

« Le langage courant ou une observation rapide nous donneraient peut-être à penser que l'incroyance, l'athéisme, ou le fait d'être agnostique, ou sans religion recouvrent un sentiment toujours identique et pratiquement indifférencié. » H. CARRIER, *Psycho-sociologie de l'appartenance religieuse*, Université Grégorienne, Rome 1960, p. 238.

C. MOELLER propose la distinction suivante : « Il est utile de signaler la différence de sens qui distingue l'incroyance de l'athéisme. Le terme « athéisme » implique, de lui-même, une sorte de mise en système; il a quelque chose d'abstrait. Le mot « incroyance » signifie sans doute la même attitude centrale, nier Dieu, mais selon une approche concrète, où la personne est impliquée bien plus que le système. L'étude, d'un côté, est plus systématique; elle est plus phénoménologique, de l'autre. » Concilium, 23, p. 31.

Un progrès serait déjà de parler *des* incroyants et *des* athées, car en définitive ces termes recouvrent une gamme de positions religieuses. Elles peuvent s'analyser dans leur état actuel ou dans leur genèse en décrivant le cheminement vers le présent. Par exemple après l'étude sur les étudiants de la région parisienne, l'on a pu écrire :

> Sous ce terme générique (de l'incroyance) nous désignons des réalités fort diverses et même opposées. Il y a celui qui a laissé tout bonnement mourir sa foi, sans jamais accomplir un acte de liberté vrai. D'une croyance infantile et non assumée, il est passé sans trop de douleur à une incroyance aussi infantile et aussi peu assumée. Il y a celui qui a traversé une « crise » : l'affrontement intérieur d'une foi qui se voulait loyale et vigoureuse, et d'une critique qui, au nom de la même exigence de vérité, se voulait radicale. Il y a celui qui est passé d'une religion jamais vécue à une incroyance, ou plutôt à un athéisme positif, jouant dans son inexpérience le rôle intégrateur et unificateur qu'aurait dû jouer la foi. Il y a enfin celui qui est né et qui a vécu dans l'incroyance; multiples visages que trahit l'appellation trop commode « les incroyants » [63].

D'ailleurs proposez aux personnes interrogées cette catégorie pour qu'ils se classent, vous découvrez bien vite qu'elle n'est pas homogène. Une récente enquête le prouve :

> Parmi les incroyants, se sont eux-mêmes rangés indistinctement des agnostiques, des athées, des rationalistes, des hommes qui cherchent encore, même des catholiques non pratiquants, etc... Il s'est révélé très difficile de distinguer concrètement les positions intérieures de ceux qui se disent non pratiquants et de certains qui se déclarent incroyants [64].

Nous retrouvons dans les faits la distinction minima nécessaire entre les athées et les incroyants. Ce dernier terme, à cause de son imprécision, semble en définitive un concept vraiment peu opératoire.

L'on s'aperçoit aussi que les agnostiques se sont eux-mêmes rangés dans l'enquête *Planète* parmi les incroyants. Mais que recouvre en définitive l'agnosticisme religieux? Quelques traits intéressants nous sont proposés pour les milieux scientifiques :

[63] *L'Étudiant et la religion*, Revue Montalembert, 1er trimestre 1966, p. 188. Le Père Steemann rappelle à partir de la distinction entre la vraie foi et la participation à la vie religieuse organisée, quatre types : le vrai croyant qui exprime sa foi dans les formes établies des confessions et des rites, le véritable incroyant qui ne croit pas et ne pratique pas, le pseudo-croyant, enfin le pseudo-incroyant dont la vie ne peut être comprise sans quelque forme religieuse mais qui rejette les formes établies de l'expression religieuse.
[64] *Catholiques d'aujourd'hui*, éd. Planète, Paris 1966, p. 22.

Plusieurs d'entre eux (les agnostiques) ont l'intuition plus ou moins avouée que les phénomènes de la nature ont un envers métaphysique, mais ils se disent inaptes à le scruter. Ils se réfèrent pratiquement au monisme matérialiste, mais ils n'ont pas l'agressivité des athées véritables. Un scepticisme aimable ou ironique les écarte à la fois de ceux qui nient et de ceux qui affirment l'existence de Dieu et ils se dérobent aux questions embarrassantes, de quelque côté de l'horizon philosophique qu'elles surgissent. Ils nous paraissent former le gros de la troupe des hommes de science incroyants. A un certain point de vue, ces tièdes sont plus dangereux que les extrémistes parce que, à l'opinion du dehors, ils semblent donner l'exemple d'une sécurité intellectuelle totale.

Entre les athées intégraux et les agnostiques on peut placer les panthéistes dont l'espèce n'a pas disparu. Si nous ne craignions pas les formules trop sommaires, nous dirions que le panthéiste actuel est un athée qui a conservé un certain sens du mystère et du divin [65].

Si nous examinons maintenant les définitions sociologiques concernant les athées, nous constatons qu'elles s'orientent vers deux directions. La première vise un athéisme « théorique ». L'athée ne croit pas à l'existence de Dieu, mais c'est « une attitude de l'esprit, qui pour être qualifiée comme telle doit être le fruit d'un raisonnement logique, clairement formulé dans l'esprit de l'individu, librement et nettement exprimé à l'observateur. On distinguera soigneusement l'athée de l'areligieux social chez qui les conditions de vie du milieu ont empêché l'épanouissement de tout besoin religieux comme de toute curiosité spirituelle [66]. » Dans une « typologie des baptisés infidèles », le Père Pin distingue les « athées pratiques » des « athées théoriques » et les situe par rapport à l'Église catholique.

Ceux-ci, même s'ils sont baptisés, n'ont pas la foi et ne reconnaissent même pas l'existence de Dieu. Cela ne les empêche pas toujours de participer activement ou passivement à quelques cérémonies de l'Église, à l'occasion d'événements familiaux. Ils

---

[65] R. COLLIN, *Athéisme et sciences*, Lumière et Vie, n° 13, janvier 1954, p. 17.
D'un point de vue philosophique, la définition suivante en a été donnée :
AGNOSTICISME — Terme créé par HUXLEY en 1869. Il désigne actuellement, soit l'habitude d'esprit qui consiste à considérer toute métaphysique (ontologique) comme futile, soit l'ensemble des doctrines philosophiques, d'ailleurs très différentes entre elles à d'autres égards, qui admettent l'existence d'un ordre de réalité inconnaissable par nature (notamment le positivisme d'Auguste Comte) ; l'évolutionnisme de H. Spencer ; le relativisme de HAMILTON, quelquefois aussi. sous réserves le criticisme de Kant. A. LALANDE, *Vocabulaire technique et critique de la Philosophie*, t. I, Félix Alcan, 1938, p. 28.

[66] J. CHELINI, « Esquisse de définitions de Sociologie religieuse », Texte polycopié.

peuvent apprécier les services que l'Église rend ainsi à la famille et à la société : ils sacralisent c'est-à-dire solennisent et consacrent des événements qui, par eux-mêmes, n'attireraient pas toute l'attention socialement souhaitable. Dans ce cas, ils considèrent que les prêtres remplissent une fonction utile. Il se peut aussi qu'ils jugent tout à fait inutiles de telles solennisations et ne voient dans les prêtres que d'astucieux parasites [67].

Cette définition (notons-le au passage) montre comment certains baptisés catholiques peuvent être marqués actuellement par l'athéisme.

La seconde série de définitions insiste sur les conduites et les comportements.

Les « athées pratiques » sans nier la possibilité de l'existence de Dieu ne s'en souviennent guère dans la vie courante. Ils sont totalement indifférents à ce que peut bien faire l'Église, reléguée parmi les fanfreluches du grenier. Dieu, s'il existe, ne saurait exiger de ses créatures tout le falbala de pratiques, simagrées, mises en scène, charabia que l'on trouve dans les églises catholiques. L'on pourra rencontrer, vis-à-vis de l'Église et des prêtres, les mêmes attitudes que dans le cas précédent, avec une légère agressivité parfois qui vient de l'hésitation au sujet de l'existence de Dieu. (Père Pin, article déjà cité.)

Cet aspect vécu de l'athéisme semble avoir été repéré davantage par des prêtres et des laïcs œuvrant « sur le terrain ». Cela s'explique parfaitement. Voici deux témoignages :

Si le mot athéisme veut dire adhésion voulue, réfléchie, lucide, à un système philosophique qui nie l'existence et l'intervention divines, je pense qu'il n'y a pas beaucoup d'athées dans la classe ouvrière française, du moins à Paris. Si le mot « athéisme » veut dire se passer de Dieu, ne plus vouloir avoir rien à faire avec Dieu, ne pas s'intéresser à Dieu : alors il y a beaucoup d'athées autour de nous. La plupart des familles ouvrières sont incroyantes : pas seulement par indifférence mais beaucoup plus par refus; non par refus profond de Dieu, mais refus du Dieu que nous représentons, du Dieu de ces *gens-là* ou de cette *société-là* [68].

L'athéisme peut être défini comme la non-croyance en l'existence d'un Dieu personnel. Cet athéisme est moins une attitude positive qu'une manière de vivre : il est plus pratique que théorique. Les déclarations de tels athées sont rares. Mais l'ambiance que chacun respire est une prédisposition latente. « Chacun a ses idées là-dessus et toutes les opinions sont bonnes. » Sous la forme la plus

---

[67] E. PIN, *Typologie des Baptisés infidèles*, Paroisse et Mission, n° 23, Mission et Sociologie VII, p. 58.

[68] Abbé DEPIERRE, *L'athéisme, tentation du monde, réveil des chrétiens*, p. 134.

populaire, c'est une manière de taire Dieu ou de n'en parler qu'en passant, à propos d'autre chose, comme d'une opinion libre. « Dieu, après tout pourquoi faire ? » pense l'athée dans un temps où tout conspire contre Dieu par le silence autour de son nom, par son absence dans tout ce qui est officiel, comme aussi par la dégradation qu'apportent à cette réalité transcendante ceux qui se prétendent croyants. Devant les formes concrètes de cette absence de Dieu, cette démonstration par les faits que Dieu est inutile, l'homme de la rue finira par se dire : si c'est ça l'athéisme, j'en suis [69].

Deux remarques pour terminer sur ces concepts d'athées et d'athéisme. Les définitions sociologiques rejoignent une définition philosophique : ensemble elles distinguent l'aspect théorique et pratique [70]. Seconde remarque : à nos deux mots plusieurs qualificatifs ont été adjoints, sans compter *théorique* et *pratique* dont il a été question. Les suivants, sans être exhaustifs, montrent déjà les diverses manifestations de ce fait social et, semble-t-il, un certain embarras tout à fait compréhensible de la part des observateurs. L'on a parlé ainsi d'athéisme *populaire, de fait, constructif, positif* et *négatif, militant, conscient, religieux, post-chrétien, athéisme scientifique, politique, moral* [71], d'*athéisme sociologique*, puis de *pseudo-athéisme* c'est-à-dire d'une « réaction contre une forme dégradée de la croyance, à savoir, contre le pseudo-christianisme ». A leur tour les athées sont *doctrinaux, athées par principe* et *dogmatiques, athées sincères en recherche, athées confortables, tranquilles, athées pratiques, athées absolus*.

Un récent ouvrage de sociologie religieuse propose divers aspects de « l'athéisme spéculatif » :

> Tandis que le matérialisme pratique se situe en quelque sorte dans la même ligne que le christianisme sociologique, l'athéisme spéculatif, dans son genre, fait pendant au christianisme renouvelé.

[69] L. Rétif, *Où sont les incroyants ?*, l'Union, avril 1955, p. iv, 6.

[70] Dans A. Lalande, *Vocabulaire technique et critique de la philosophie*, Alcan I, 1938, pp. 72-73, on trouve en note : « En fait le mot athéisme a deux significations : 1º Une signification théorique : l'athéisme est la doctrine de ceux qui n'éprouvent pas le besoin de remonter dans la voie de la causalité et qui sont peu familiers avec les explications régressives. C'est peut-être en songeant à ceux-là que Pascal écrivait : « Athéisme, marque de force d'esprit, mais jusqu'à un certain degré seulement » ou encore « les athées doivent dire les choses parfaitement claires. » 2º Une signification pratique : c'est l'attitude de ceux qui vivent comme si Dieu n'existait pas. Bossuet : « Il y a un athéisme caché dans tous les cœurs, qui se répand dans toutes les actions. On compte Dieu pour rien. » L'athéisme ici ne consiste pas à nier l'existence de Dieu mais la valeur de son efficace sur la conduite humaine. Ces deux significations sont, en un sens, indépendantes des diverses conceptions qu'on peut se faire de la divinité et la définition de ce terme ne varie pas nécessairement suivant le contenu. »

[71] Ces trois derniers adjectifs sont employés par Charles Moeller dans Concilium, nº 23, p. 32. Le terme « d'athéisme sociologique » est étudié par le Père Steemann.

Partant de l'affirmation que toute religion est une forme d'aliénation de l'homme, cet athéisme spéculatif se présente sous des aspects divers. Positivisme scientiste qui pose en thèse que seule la science positive a valeur de vérité. Athéisme marxiste expliquant toute croyance religieuse comme un simple phénomène historique. Athéisme existentialiste prétendant que toute religion tend à aliéner la liberté humaine incarnée et située, en donnant un caractère absolu et providentiel à ce qui n'est qu'événement et situation. Athéisme psychanalytique prétendant que Dieu n'est que la projection idéalisante des besoins de protection et du sentiment de crainte.

Cet athéisme spéculatif est un phénomène culturel absolument neuf dans l'histoire de l'humanité. Il se présente comme une volonté de récupération plénière de l'homme par l'homme, par le rejet de toute divinité et religion, comme un abandon du ciel des idées pour la terre des hommes. S'il ne s'oppose pas plus à la religion catholique qu'aux autres religions, il a autant de raisons de rejeter celle-ci que les autres dans la mesure où le catholicisme se présente sous les formes structurelles et culturelles héritées du régime de chrétienté [72].

2. NE PAS CONFONDRE INDIFFÉRENCE RELIGIEUSE ET ATHÉISME

A la première distinction entre athées et incroyants, une autre devrait succéder : celle des athées et des indifférents. D'après une définition le catholique « indifférent » est un type socio-religieux qui ne « manifeste aucun signe d'appartenance à sa religion, n'observe même pas les actes du conformisme, n'a aucun contact, sauf accidentel, avec l'Église ou la Communauté chrétienne, pense et se conduit comme un non-catholique sauf dans la mesure où il subit l'imprégnation religieuse de la civilisation elle-même [73] ». En transposant au domaine religieux la pensée de David Riesmann [74], qui analyse des attitudes d'indifférence par rapport à la politique, quelques traits de l'indifférence religieuse pourraient se dessiner. Cette transposition d'une activité à l'autre, tout en restant une hypothèse, na paraît pas abusive : des recherches de sociologie ont montré maintes fois une co-variation entre des résultats d'intentions de vote et de pratique religieuse. Parmi plusieurs variables les comportements et attitudes

---

[72] J. LALOUX, *Manuel d'initiation à la sociologie religieuse*, Éditions universitaires, Paris 1967, p. 146.
[73] J. CHELINI, *Esquisse de définitions de sociologie religieuse*. Polycopie.
[74] D. RIESMANN, *La Foule Solitaire*, chez Arthaud, Paris 1964, pp. 232 ss. Traduit de l'américain. D'après certains, le texte français parfois ne semble pas refléter d'assez près le texte original.

religieux se sont révélés les plus explicatifs des votes. Une similitude entre l'indifférence en matière politique et religieuse serait donc à vérifier.

Nous aurions des indifférents d'un ancien et d'un nouveau style. Les indifférents traditionnels penseraient que la religion est réservée aux autres, par exemple à ceux qui ont le temps, aux enfants et aux femmes, ou encore aux riches et aux gens cultivés, enfin à ceux qui ont peur de l'existence. « Dépourvus de tout sentiment de responsabilité personnelle » à l'égard de la sphère religieuse, les indifférents ne se sentiraient pas coupables ou frustrés dans ce domaine. Même baptisés, ils estimeraient que la religion et les pratiques religieuses « ne sont pas leur affaire ». Malgré tout ils pourraient croire en Dieu — il faudrait voir lequel — et même prier de temps en temps.

Les indifférents nouveaux style estimeraient en savoir assez sur la religion pour la repousser, assez sur l'information ou sur la formation religieuse venant des Églises pour la refuser, assez sur leurs responsabilités religieuses pour se dispenser d'en assumer réellement. Se considérant au courant de la religion, ayant satisfait aux pratiques « saisonnières », ils n'auraient plus rien à apprendre et à recevoir de la part des représentants des Églises. Les nombreux articles de presse, les livres abordant la question religieuse, les émissions radiophoniques ou télévisées les informent et ils s'y intéressent d'un point de vue culturel au même titre que d'autres émissions. Ils végéteraient en somme dans un univers individuel qui les satisfait. Ils n'ont pas pris une option contre Dieu et peuvent, comme les indifférents traditionnels avoir une vie religieuse médiocre, stoppée par l'environnement social. De plus, l'on peut se demander si l'indifférence religieuse définie jusqu'ici n'est pas une situation plus particulière à la France qui tiendrait à un certain scepticisme et un antidogmatisme hérités surtout du XIXe siècle.

Par contre une forme d'indifférence religieuse serait spécifique de l'athéisme, en tant que « forme la moins voyante de l'athéisme... Ce n'est pas seulement l'existence de Dieu ou la possibilité de le connaître qu'elle met en cause : c'est la consistance même du problème religieux. L'absence de Dieu n'est nulle part aussi totale [75] ». Bref en employant ce terme générique d'indifférence religieuse, il serait bon aussi de préciser exactement son contenu.

---

[75] J. GIRARDI, *Réflexion sur l'indifférence religieuse.* Concilium, n° 23, pp. 57-64. L'auteur constate par ailleurs : « L'indifférence ne concerne pas que les athées proprement dits : elle atteint dans une certaine mesure tous ceux pour qui le problème religieux occupe une place modeste dans la hiérarchie des intérêts. »

3. PRÉCISER LES RAPPORTS ENTRE L'ATHÉISME ET LES SYSTÈMES ÉTHIQUES

Ce difficile sujet a été effleuré au paragraphe précédent sur les comportements et attitudes comme signes éventuels d'athéisme et d'incroyance. Étudions-le de plus près, mais une remarque préliminaire s'impose. Le sociologue enregistre que certains assimilent à tort athéisme et faiblesse morale ou absence de morale. Un athée serait par le fait même un être moralement inférieur ou sans morale. Des schémas mentaux seraient à reviser si l'on en croit des témoignages du genre suivant : « La déchristianisation aboutit pour la majorité des individus à une perte du sens moral. Une société qui ne croit plus à Dieu ni au diable devient comme un carrefour sans feux rouges ni agents [76]. » Les réactions d'un professeur à certains souvenirs d'enfance sont intéressantes : « L'idée de certitude qu'on pouvait être honnête et athée m'a été donnée dès ma famille. Dès le Collège des Jésuites, j'étais très choqué quand on laissait entendre qu'il y avait un lien entre la faiblesse morale et l'athéisme. Mes collègues athées ne se distinguent pas des catholiques dans le domaine moral. Les athées réprouvent l'immoralité comme les catholiques. On trouve chez eux la même proportion de bons pères, de bons maris [77]. »

Au plan des conduites humaines, des « mœurs », il faut donc éviter d'attribuer des conduites morales uniquement aux uns ou aux autres. Les situations sont plus compliquées. Des actes immoraux s'observent chez les chrétiens comme chez les personnes qui ont pris du recul par rapport au christianisme ou en sont nettement séparées. « Il y a, bien sûr, des athées jouisseurs comme il y a des chrétiens jouisseurs ; il y en a qui sont avares comme il y a des chrétiens avares. Brassez les uns et les autres tous ensemble et essayez alors de faire le tri au vu du comportement extérieur ; vous n'y arriverez pas, l'étiquetage disparaît. Cela ne juge la morale ni d'un côté ni de l'autre, mais des hommes qui sont infidèles à ce qu'elle leur dit [78]. »

---

[76] Enquête *Planète*, p. 284.
[77] Texte polycopié. On pourrait rapprocher aussi un passage de Jean Lacroix : « Traditionnellement, en France, un athée c'est un impie aussi bien au sens moral qu'au sens intellectuel, c'est Don Juan, c'est un libertin. Or les athées d'aujourd'hui ne sont plus des libertins d'abord au sens vulgaire et leur comportement éthique ne se distingue guère de celui des chrétiens, ce qui n'est pas sans poser de problèmes à ces derniers. » *Le sens de l'athéisme moderne*, p. 39.
[78] Père DUBARLE, *L'athéisme tentation du monde*, p. 226. Les deux textes suivants soulignent aussi la complexité de ce domaine : « Pour ne pas être trop incomplet, au moins faut-il signaler que, comme il existe une mystique chrétienne éloignée de tout moralisme, il existe une mystique athée opposée à toute morale.

Supposant acquise cette distinction capitale entre faiblesse morale et athéisme ou incroyance, le sociologue constate comment des normes morales venant de religions fondées — c'est-à-dire ayant un fondateur — sont mises actuellement en échec.

Si (en France) se vérifie pour une part l'affirmation selon laquelle la morale inspirée des principes chrétiens se confond avec la morale « tout court », il n'en est pas moins vrai, que dans le domaine de la morale familiale, par exemple, l'opinion française n'est pas unanime à approuver les impératifs catholiques; la majorité déplore leur sévérité et près d'un quart de pratiquants réguliers partagent ces sentiments. Une enquête menée par l'Institut Français d'Opinion Publique auprès d'un échantillon représentatif des jeunes Français de 16 à 24 ans révèle que 72 % des jeunes estiment qu'il y a des cas où le divorce est justifié; le nombre des partisans du divorce — qui est à peu près égal chez les hommes et chez les femmes — croît généralement avec l'âge, il est plus grand chez les jeunes mariés et même chez les fiancés que chez les célibataires.

Les jeunes qui fréquentent un établissement d'enseignement libre, et dont on peut penser qu'ils sont catholiques pratiquants, n'ont pas sur ce point une opinion bien différente de celle de leurs camarades qui fréquentent un établissement d'enseignement public :

« Pensez-vous qu'il y ait des cas où le divorce soit justifié ? »

	Oui	Non	Sans réponse
Enseignement public :	74 %	10 %	16 %
Enseignement libre :	62 %	18 %	20 % [79]

Cette mise à l'épreuve de la morale catholique dans un pays où l'on compte autour de 90 % de baptisés invite les sociologues à étudier les systèmes éthiques constitués progressivement en réaction, voire en marge des religions fondées. Au départ, il faut émettre l'hypothèse que de nouveaux systèmes moraux s'établissent : leur composition mais aussi leur situation par rapport à la morale des confessions religieuses seraient à étudier.

Il y a une tradition d'athéisme qui se fonde sur les aspects nocturnes de la personnalité humaine, qui oppose la transdescendance à la transascendance », J. Lacroix, *Le sens de l'athéisme moderne*, p. 52. « Une longue tradition d'amoralisme pratique de liberté sexuelle, surtout avec la limitation volontaire des naissances, existait au Japon bien avant que l'effondrement de 1945 vint accuser sous l'influence de « l'américanisation » ce qu'on peut nommer le « libertinage » moral d'après-guerre. » H. Chaigne, O. F. M., *L'athéisme tentation du monde, réveil des chrétiens, Aspects de l'athéisme au Japon*.

[79] A. Coutrot et F. Dreyfus, *Les forces religieuses dans la société française*, p. 284.

La foi, l'espérance et la solidarité des athées ont un objet tout humain qui interdit de les comparer aux vertus théologales. Cependant les groupes que cimentent ces dispositions spirituelles se soumettent à une orthodoxie, à un ritualisme, à une morale qui remplacent en les imitant les religions abandonnées [80].

Sur les systèmes éthiques qui se forgent chez les incroyants et les athées, les recherches sociologiques en France sont pour ainsi dire inexistantes. Aussi est-il impossible, à l'heure actuelle, d'esquisser un panorama des normes morales sorties du creuset du monde contemporain. A titre d'exemple et d'hypothèse voici quelques traits de la « morale athée » de certains savants et techniciens. Le Père Dubarle souligne comment les athées

quand ils veulent se conduire proprement sont obligés de se conduire proprement tout de suite : c'est assez exigeant. Ils n'ont pas en effet la possibilité de penser à la cité de Dieu. Dans la morale athée de certains savants et techniciens se remarque *une volonté de créer le monde des hommes*, avec le sentiment qu'il y a des entreprises humaines qui méritent que l'on s'y dévoue. Ce serait aussi une *morale de l'initiative autonome et libre* [81].

Dans cette recherche sur les rapports entre l'athéisme et les systèmes éthiques, il serait important aussi de *définir ce que l'on entend par matérialisme*. Terme employé fréquemment, il recouvre des contenus différents :

Quand on prend des ouvrages catholiques récents de sociologie où l'on traite de la matérialisation, on trouve toute une série de sens notamment :

a. le matérialisme dialectique, comme philosophie du communisme,

b. l'hédonisme, par exemple le goût des bals chez les jeunes,

---

[80] G. LE BRAS, *Traité de Sociologie*, II, P.U.F., Paris 1960, p. 88. Chapitre : Problèmes de la sociologie des religions.
[81] Père DUBARLE, *Pour rejoindre les savants et techniciens, Exigences morales*, dans « *L'athéisme, tentation du monde...* », pp. 225 ss. Comme exemple, en débordant la catégorie des techniciens, laissons la parole à un marxiste qui s'explique sur certaines exigences dans les comportements des hommes : « Ce qui fait de nous des athées, ce n'est pas notre suffisance, notre contentement de nous et de la terre, une quelconque limitation de notre projet... Si nous refusons le nom même de Dieu, c'est qu'il implique une réalité, alors que nous ne vivons qu'une exigence, une exigence jamais satisfaite de totalité et d'absolu, de toute-puissance à l'égard de la nature et de parfaite réciprocité amoureuse des consciences... Est-ce appauvrir l'homme que de lui enseigner qu'il vit d'être inachevé et que tout dépend de lui, que le tout de notre histoire et de sa signification se joue dans l'intelligence, le cœur et le vouloir de l'homme... N'appelez pas orgueil ce qui n'est pas pour nous un choix, mais la simple prise de conscience de notre condition... » R. GARAUDY, *De l'anathème au dialogue*, Plon, Paris 1966, pp. 89-90.

c. la mentalité technicienne comme amenant à se désintéresser de la grâce, des sacrements etc... pour ne se confier qu'à la puissance de l'homme,

d. l'abrutissement des sous-prolétaires, l'abus de l'alcool etc...

Or, évidemment tous ces matérialismes ont en commun le fait de diminuer l'influence du clergé sur la population [82].

Comme nous sommes en sociologie, il ne peut s'agir bien sûr d'une idéologie philosophique. Là aussi, ne sommes-nous pas en présence d'un concept global qui recouvre bien des attitudes? On a parlé, par exemple, d'un « matérialisme de comportement [83] », d'une « mentalité de consommateur », d'une « civilisation du bien-être », ou des « gadgets », d'une « matérialisation croissante [84] ». Des changements sociaux incontestables s'opèrent effectivement sous nos yeux dans le domaine économique de la production et de la consommation. « Il n'est évidemment pas question de considérer comme négative l'évolution vers un mieux-être social; mais il faut en mesurer les effets psychologiques au niveau de la vie religieuse [85]. » Cette tâche reste à entreprendre.

4. ÉLABORER DES CONCEPTS SOCIOLOGIQUES
TENANT COMPTE DE L'HUMANISME CONTEMPORAIN

Parler d'athéisme, c'est souligner une absence, celle de Dieu. Diagnostiquer des formes d'incroyance, c'est attirer l'attention sur des manques réels au niveau des croyances et des attitudes religieuses. Mais est-ce suffisant pour analyser la situation des hommes d'aujourd'hui vis-à-vis des Églises ou de la religion? Quels sont les rapports entre l'athéisme et les humanismes contemporains, en particulier l'humanisme marxiste?

L'observation de notre société où l'homme mesure progressivement ses possibilités et manifeste une volonté croissante de maîtriser rationnellement ses activités — depuis l'aménagement du territoire et l'urbani-

---

[82] J. MAITRE, *Religion et changement social*, Social Compass, 1960, VII, 2, p. 117.

[83] « Dans le matérialisme de comportement on ne se préoccupe pas des hautes valeurs spirituelles, on vit comme si elles n'existaient pas. On fait passer avant tout le souci de réussir, de posséder, de jouir. On est absorbé et dominé par les seules réalités terrestres. » Supplément à la *Semaine religieuse* de Lyon du 17 février 1956, n° 37, paru dans l'*Union*, juillet-août 1956, *L'imprégnation du monde moderne par les matérialismes*.

[84] « Face à la matérialisation croissante du monde contemporain, il faut aussi que tous comprennent et partagent l'ardeur des militants chrétiens. » *Déclaration de l'Épiscopat Français*, 12 février 1965, La Croix du 17 février 1965.

[85] J. MAITRE, article cité, p. 118.

sation jusqu'à sa santé en passant par l'information — puis une réflexion philosophique et théologique permettent d'établir l'hypothèse de ce qui a été appelé *l'ère post-athéiste* avec *l'avènement de l'homme*.

Il s'agit aujourd'hui avant tout d'une incroyance d'un type nouveau, celui d'une ère « post-athéiste ». L'incroyance de nos jours, quoiqu'il en soit de l'extrême complexité du phénomène qu'elle représente, a en effet plus ou moins cessé d'être ce qu'on pourrait appeler une « incroyance directe », cette attitude dont la base essentielle était la négation explicite de la foi. La première impression que donne l'incroyance contemporaine est moins celle d'un système dirigé contre la foi que celle d'une possibilité positive d'exister, d'être totalement homme, en se passant de la foi. L'athéisme combatif, avec ses positions définies est pour ainsi dire passé de l'état d'objet de pensée à celui de condition nécessaire de cette incroyance, celle-ci se définissant avant tout comme une attitude qui découle logiquement de l'humanisme [86].

Si la sociologie veut trouver les concepts adéquats à la situation religieuse d'aujourd'hui, il faut qu'elle tienne absolument compte des deux pôles que sont Dieu et les hommes. Nous nous trouvons devant une situation spécifique. En effet l'athéisme ne date pas d'aujourd'hui, mais par rapport au passé les hommes n'ont jamais pris aussi rapidement conscience de leurs possibilités et ne les ont jamais réalisées avec autant d'ampleur. L'athéisme moderne est corrélatif à une conception de l'homme,

---

[86] J. B. METZ, *Éditorial de la revue* « Concilium », n° 16. *D'autres affirmations vont dans le même sens.* « L'athée d'aujourd'hui est un « athée tranquille » qui ne pose plus la question de Dieu : la seule question de l'homme l'intéresse. » J. F. SIX, *Préparation missionnaire pour un monde athée*, Lettre aux Communautés de la Mission de France, décembre 1963, p. 19. « La partie la plus vivante et la plus profonde de l'athéisme contemporain tend à se situer en quelque sorte au-delà du problème de Dieu et l'on ne saurait comprendre si l'on n'essaie de se placer avec lui dans cette situation paradoxale. » J. LACROIX, *Le sens de l'athéisme moderne*, p. 11. Mais il faudrait lire aussi les pp. 12, 13, 25, 33, 34 et 39.

En commentant un texte de Marx, le Père Martelet affirme : « Athéisme, libération sociale, émancipation de l'homme sont donc pris d'ores et déjà comme trois réalités strictement équivalentes et corrélatives », dans *Athéisme et Communisme*, Lumière et Vie, n° 28, juillet 1956, p. 71.

« Un péril majeur approche de l'Église, sans bruit, le péril d'un temps, d'un monde où Dieu ne sera plus nié, pas chassé, mais exclu, où Il sera impensable. » M. DELBREL, *Nous autres gens des rues*.

« L'athéisme actuel est tout autant marqué par une affirmation de l'homme que par la négation de Dieu. Cet athéisme est anthropologique. » C. MOELLER, Concilium, n° 23, p. 32.

« L'athéisme de MARX n'est pas je ne sais quelle négation des faux dieux ouverte sur la rencontre du vrai Dieu, mais le refus radical de Dieu sous la forme d'une promotion exclusive de l'homme. » H. NIEL, *Athéisme et Marxisme*, Lumière et Vie, n° 13, janvier 1954, pp. 77 et 78.

à une anthropologie. Il va de pair avec une émancipation et une libération de l'homme. C'est à se demander s'il ne revêt pas un caractère de messianisme et de « religion de salut temporel [87] ».

Si cet humanisme contemporain existe, c'est une raison supplémentaire de reconnaître l'insuffisance et les risques d'un dualisme conceptuel comme « croyants et incroyants ». Dans le langage courant ces termes peuvent à la rigueur être utilisés pour s'exprimer brièvement, mais ils présentent pour l'analyse sociologique les deux dangers suivants. Relevant d'une vision négative sur les hommes puisqu'ils indiquent l'absence de croyance et les manques réels dans les rapports avec Dieu, ils risquent de ne pas rendre compte de ce qui ferait la spécificité des hommes d'aujourd'hui par rapport aux Églises et à la religion. Ces concepts bi-polaires saisissent le côté défectueux des rapports avec Dieu ou le divin mais qu'appréhendent-ils des rapports des hommes entre eux et même des rapports réels des hommes avec Dieu ? Or, la place que l'homme prend dans le monde actuel n'échappe à personne. Parler de « croyants et d'incroyants » ne permet pas dans le fond de rendre compte de l'humanisme moderne, athée peut-être pour une part mais qui n'est pas que cela. Comment analyser avec ces deux concepts les hommes de l'ère « post-athéiste » ?

Le second risque n'est pas moindre surtout si l'on songe aux attitudes pratiques pastorales qui peuvent découler de cette « dichotomie brutale » entre croyants et non-croyants [88]. Dans le fond utiliser ces concepts globaux revient à classer les gens en deux catégories. Celui qui appartient à un groupe religieux comment ne va-t-il pas se classer avec les siens du bon côté, dans la catégorie des croyants, pour placer les « autres »

---

[87] « L'irréligion croissante, phénomène de classe autant que de culture appelle notre attention. Elle peut à son tour prendre la forme de dogmes, de cultes, de morales, devenir une religion de salut temporel. » G. LE BRAS, *Sociologie religieuse et sociologie des religions*, Sociologie des religions, nº 1, Archives de janvier-juin 1956.
  « Le monde athée moderne apparaît comme l'entreprise par laquelle l'humanité tente patiemment de se débarrasser de quelques réalités inscrites dans la vie la plus quotidienne : la faim, la guerre, l'injustice ; il est vécu par la foule comme un espoir et un effort avant d'être pensé par les philosophes comme un système. On pourrait dire, en schématisant, qu'il y a d'abord des problèmes posés à l'homme qui engagent son existence même et il y a ensuite un rejet de Dieu, élément indispensable, pense-t-on de la solution de ces problèmes. » J. Y. JOLIF, *Signification humaine de l'athéisme contemporain*, Économie et Humanisme, nº 97, mai-juin 1956.
[88] F. A. ISAMBERT signale le « risque de certaines simplifications abusives » et notamment « la dichotomie brutale entre croyants et non-croyants tendant à exclure du religieux ce qui est non conforme à l'orthodoxie de l'intéressé ou du moins se présente sous une forme insuffisamment analogue à celles qu'il retrouve dans sa propre confession »; *Christianisme et classe ouvrière*, Casterman, Paris 1961, p. 18.

dans les incroyants. Comment ce dernier terme n'aura-t-il pas une nuance négative sinon péjorative et offensante. Certains chrétiens le sentent bien. En répondant à un questionnaire proposé dans une paroisse, une personne s'indigne : « Cela me fait horreur de classer sur cette feuille mes amis comme « incroyants », de les livrer ainsi sous ce terme négatif, si peu subtil, si peu délicat [89]. »

En fait l'analyse des représentations religieuses et des croyances montre que dans chaque homme il existe des systèmes de croyances et d'incroyances. La limite entre croyance et incroyance ne passe pas par deux catégories de personnes — « les croyants » et les « non-croyants » — mais elle est intérieure à chaque individu, même s'il pratique régulièrement sa religion.

OUVERTURES

La lecture des pages précédentes invite, semble-t-il, à deux conclusions. La complexité de la situation religieuse française se dégage, nous l'espérons. Que recouvre l'athéisme et l'incroyance suivant les milieux sociaux, les générations et les régions ? Quelle profondeur atteignent-ils au-delà de l'aspect morphologique facilement observable ? Quels sont les points de doctrine les plus touchés, quelles croyances résistent ou non aux changements de la société actuelle ? L'incroyance et l'athéisme de la classe ouvrière ressemblent-ils à ceux des techniciens et des autres ?

La seconde conclusion, c'est l'état embryonnaire des recherches sociologiques sur ce « no man's land religieux ». Le lecteur s'en est aperçu sans aucun doute. Un gros travail a été fourni en France sur les pratiques religieuses, notamment la pratique dominicale ; s'il fournit des indications indispensables sur les non-baptisés, les sans religion, les non-participants aux divers actes religieux, il appelle un complément de recherches sur les motivations, les représentations religieuses et les attitudes qui impliquent des systèmes de valeur. Ces autres « paliers en profondeur » sont encore à défricher, sans compter l'insuffisance de la réflexion conceptuelle. La sociologie semble en retard sur la philosophie, et en France elle a étudié surtout l'athéisme des jeunes et des étudiants.

Aussi faut-il noter la difficulté, disons l'impossibilité, de porter en quelques mots un diagnostic sérieux et valable sur la situation religieuse

---

[89] H. LE SOURD et P. A. LIÉGÉ, *Croyants et incroyants d'aujourd'hui*, éd. du Cerf, 1962, p. 30.

globale française. Certains donnent des avis divergents où l'athéisme prend des proportions très différentes :

> On notera que l'athéisme relativement militant de certains partis politiques rencontrent une résistance très sérieuse et n'effrite guère la mentalité religieuse de la population adulte française [90].

Un autre observateur affirmait :

> La France n'est pas un pays d'athées, en ce sens que la plupart des Français admettent théoriquement l'existence d'un Dieu. La France n'est pas non plus un pays païen, puisque la majorité des Français se réclame du catholicisme et marque encore par des gestes religieux les grands événements de la vie. La pratique régulière du culte est encore considérable. Cependant la France est un pays à christianiser, où une action missionnaire est nécessaire ; la religion, la pratique même reste étrangère à la vie chez un grand nombre de chrétiens [91].

Rapprochons le témoignage signalé précédemment :

> Si le mot athéisme veut dire se passer de Dieu, ne plus vouloir rien à faire avec Dieu, ne pas s'intéresser à Dieu, alors il y a beaucoup d'athées autour de nous.

La sociologie et d'autres sciences humaines ont à unir leurs efforts pour entreprendre d'autres recherches valables. L'un des pionniers de la discipline sociologique a lancé à plusieurs reprises des appels en ce sens : « L'athéisme des milieux modernes nous oblige à scruter tous les cadres sociaux et toute la vie de l'esprit, car la sociologie de l'irréligion constitue l'un des chapitres le plus émouvant de la sociologie religieuse [92]. » En écho, à la Semaine des Intellectuels catholiques de 1965, Mr Jean Bruhat demandait : « Pourquoi ne pas ajouter à la sociologie religieuse la sociologie des sans-Dieu ? Pourquoi ne nous ferait-on pas l'honneur d'une recherche scientifique ? »

Proposons pour terminer deux séries de problèmes que posent au sociologue les recherches sur l'irréligion.

---

[90] J. P. CAUDRON, *Comment la Foi est-elle transmise aux Français ?* La Vie Catholique illustrée, nᵒ 116, 28 décembre 1966 — 3 janvier 1967, p. 12.

[91] Père ROUQUETTE, *Un gallup sur la pratique religieuse en France*, les *Études*, décembre 1952, p. 56, notes.

[92] G. LE BRAS, *Études de sociologie religieuse*, t. II, P.U.F., Paris 1966, p. 740. Par ailleurs, « ce sont des sociétés nouvelles que le pasteur évangélise en 1959. Et c'est une communauté à la fois traditionnelle et neuve qu'il travaille à constituer. La sociologie lui donnera un sentiment plus fort de la communauté. Elle lui révèlera aussi le « monde du dehors » qu'il aspire à conquérir, une sociologie de l'athéisme, de l'indifférence, de la paresse religieuse qui est aussi nécessaire qu'une sociologie des fidèles. » G. LE BRAS, « Réflexions sur les différences entre sociologie scientifique et sociologie pastorale », Archives de sociologie des religions, nᵒ 8, juillet-décembre 1959, p. 13.

Les *premières difficultés viennent de ses convictions personnelles* : Son degré de croyance — et donc d'incroyance — est-il un handicap ou non pour la saisie profonde de l'athéisme et de l'irréligion? Un chercheur *croyant*, pour prendre l'expression courante, est-il handicapé par rapport à un autre, *incroyant?* « On a dit souvent que le *croyant* est le mieux placé pour comprendre les faits religieux. Disons qu'une connaissance intime est difficile à acquérir sans une sympathie profonde », affirmait F. A. Isambert [93]. L'incroyant est-il mieux placé pour comprendre l'incroyance? Ou la « sympathie profonde » et respectueuse que devra éprouver le chercheur croyant pour l'incroyance lui permettra-t-il de franchir le mur qui les sépare? Il faut se contenter ici de soulever la question en soulignant son importance. Elle entraîne incontestablement de la part du chercheur, quelles que soient ses convictions, une attitude de loyauté et de rectitude intérieures qui l'amèneront à se remettre en cause et à se faire vérifier par d'autres.

La seconde série de problèmes tient à la multiplicité des approches possibles du fait social de l'athéisme. Plusieurs voies se présentent au sociologue avec chacune ses difficultés particulières. En schématisant, trois approches de l'irréligion peuvent être pratiquées : les athées et l'incroyance vus par les chrétiens — ce que les athées et ceux qui n'appartiennent pas aux Églises pensent de la religion, des chrétiens et des Églises — enfin ce que les athées révèlent par leurs affirmations, leurs écrits, leurs conduites et attitudes. Chacune des voies demande des méthodes différentes et pose des problèmes d'interprétation des matériaux recueillis.

L'approche indirecte de l'incroyance et de l'athéisme par l'intermédiaire des chrétiens donne dans le fond le point de vue de ceux-ci sur l'irréligion. Nous obtenons d'abord l'opinion des chrétiens sur ceux qu'ils considèrent comme athées et incroyants, puis les problèmes posés aux chrétiens par les autres. Quelques tentatives de ce genre ont été faites dans des groupes religieux, des paroisses en particulier. Mais il faut bien être conscient des « distorsions » possibles de ce genre d'opération qui tiennent aux dispositions intérieures des observateurs et des observés. Ceux-ci, pour reprendre une expression de Francis Jeanson à qui l'on demandait de rédiger un article sur l'athéisme, risquent de se sentir pris un peu comme les « athées de service [94] ». Du côté des chrétiens, des dispositions que nous allons rapidement passer en revue peuvent colorer ou déformer l'observation. Certaines personnes auront du mal, par principe, à admettre

---

[93] Ouvrage cité sur la classe ouvrière, p. 18.
[94] *Athéisme et liberté*, Lumière et Vie, n° 13, p. 85.

l'existence d'athées [95] ou bien les considéreront comme des « bêtes curieuses », selon la réflexion d'un militant chrétien. Fort intéressantes pour les problèmes soulevés ici se révèlent des réflexions relevées par l'I.F.O.P. dans les « attitudes religieuses de la jeunesse ». La façon dont s'exprime des jeunes catholiques à l'égard des incroyants montre une gamme d'attitudes très différentes. On soupçonne aisément leurs répercussions sur les opinions et les images que les catholiques se font des incroyants. Vis-à-vis de ceux-ci, les jeunes catholiques ont une attitude de *tolérance* « Je les excuse parce qu'ils ne sont pas toujours responsables », « ils sont libres cela les regarde », « Chacun a son idée » — ou bien une attitude de *compassion* « Je les plains », « Plus à plaindre qu'à blâmer » — ou encore de l'*envie*, de l'*admiration*, du *respect* et de l'*approbation* : « Ils ont peut-être raison ». Enfin du *mépris* s'exprime parfois par des épithètes pas très flatteuses ou des réflexions de ce genre : « dans un grand troupeau, il y a toujours des brebis galeuses », ou « c'est des communistes ».

L'étude sur les étudiants parisiens stigmatise chez le chrétien une autre attitude. Un « dogmatisme » qui « était l'expression d'une ignorance tranquille, d'une synthèse chrétienne déjà achevée avant même cette expérience majeure, constitutive de la foi qui est la rencontre de « l'incroyance [96] ». L'attitude de « démission » signalée aussi dans cette recherche recoupe ce que l'I.F.O.P. appelait admiration, respect et approbation. « Les incroyants apparaissent comme intelligents, respectueux, tolérants. »

L'autre approche de l'irréligion — ce que le athées et les incroyants pensent de la religion, des chrétiens et des Églises — devient à son tour source de distorsions. A nouveau, recourons au sondage de l'I.F.O.P. sur les jeunes. Une attitude de tolérance vis-à-vis des croyants en général se rencontre également chez les incroyants : « C'est leur droit », « Ils valent

---

[95] Voir à ce sujet les pp. 155-156 de l'ouvrage *Catholiques d'aujourd'hui* Édition Planète, dont voici des extraits :
« Je suis d'avis que l'athée véritable n'existe pas, ne peut exister... Tel se proclame athée qui n'est au fond qu'anticlérical. »
« On ne peut pas plus se permettre de nier Dieu que de prouver son existence. A ce point de vue un certain rationalisme paraît aussi puéril et absurde que la superstition. A la limite on ne peut conclure. On retombe toujours dans la même constatation : il y a quelque chose. »
« Je crois qu'il n'y a pas tellement d'athées sincères, dit encore un homme sans religion, il y a trop de choses troublantes dans le monde pourqu'on ne puisse croire à rien. Je plains ceux qui le son vraiment car dans l'adversité vers qui ou vers quoi peuvent-ils se tourner ? En ce cas sur quels principes pourraient-ils baser leur respect de la morale ? Ce serait de leur part de l'héroïsme et cela n'est pas monnaie courante en ce monde. »
[96] *Op. cit.*, p. 189.

autant que les autres ». Puis une série d'attitudes favorables, défavorables, hostiles et « nuancées » ont été relevées. Bref, que l'on aborde l'athéisme et l'incroyance par le biais des chrétiens ou des autres, au départ de l'observation nous sommes en présence d'attitudes qui ne peuvent pas ne pas influencer les conceptions réciproques. C'est dire la nécessaire prudence dont il faut faire preuve dans l'interprétation des matériaux recueillis.

La troisième voie d'accès complémentaire aux précédentes est une étude directe des formes écrites, parlées ou vécues de l'athéisme et de l'incroyance. Plus particulièrement, elle pose au sociologue le problème du choix des méthodes à employer dans un domaine qui n'a guère été abordé en France.

NOTICE BIBLIOGRAPHIQUE

ASPECT SOCIOLOGIQUE

Les publications suivantes, de langue française uniquement, n'ont pas toutes la même valeur sociologique. Leur rigueur technique et leur représentativité varient. Certaines sont davantage des séries de témoignages individuels, d'autres ne portent pas exclusivement sur l'athéisme ou l'incroyance. Malgré tout, elles constituent un matériel sociologique intéressant c'est pourquoi il a paru bon de les regrouper sous diverses rubriques, bien qu'elles soient déjà en majorité dans les références des pages précédentes. La déchristianisation n'est pas envisagée ici et nous excluons les œuvres philosophiques et celles de sociologie historique.

1. PUBLICATIONS GÉNÉRALES

En plus des sondages de l'I.F.O.P. où certains aspects de l'incroyance sont abordés, voici quelques publications d'ensemble :
L'athéisme, tentation du monde, réveil des chrétiens, éd. du Cerf, Paris 1963, 256 p.

Un compte rendu ne peut certes conserver toute la vie qui animait les séances de ces journées d'études des *Informations Catholiques Internationales*, ni faire passer la « présence » des conférenciers et participants. Mais on se réjouira d'avoir le texte de l'ensemble des communications qui y ont été faites.

L'athéisme est pour le monde une tentation, à laquelle il a tôt fait de succomber. Science et technique le provoquent à la volonté de puissance, pendant que la lancinante objection du mal le pousse à la révolte. Quoi qu'il en soit des responsabilités, l'athéisme est un mal pour l'homme qu'il vient mutiler.

Mais le chrétien se trouve alors mis en demeure de rendre compte de la foi qui l'anime. N'est-ce pas pour lui l'occasion d'un réveil? Ne doit-il pas saisir mieux qui est son Dieu, au-delà de toutes les caricatures d'un Dieu inhumain et trop humain?

Mgr Veuillot, le P. Henry, le P. Liégé, Friedrich Herr, Étienne Borne ont présenté cet affrontement de l'athéisme et de la foi aujourd'hui. De nombreuses communications font saisir l'extension et la diversité des athéismes, du Japon à l'Amérique du Sud, du monde ouvrier au monde scientifique.

Visages et approches de l'incroyance, éd. du Chalet, Lyon 1965, 240 p.
Actes des sessions régionales organisées en 1964 par le C.P.M.I. à l'intention des missionnaires de l'intérieur et du clergé diocésain.

Dieu aujourd'hui, Desclée de Brouwer, Paris 1965, 258 p., semaine des intellectuels catholiques de 1965.

L'homme chrétien et l'homme marxiste, La Palatine, Paris-Genève 1964, 272 p., Confrontation et débats : semaine de la pensée marxiste. Trois parties : I. Matérialisme et transcendance, II. Praxis et morale, III. Sens humain ou sens chrétien de la réforme.

Ce monde est-il athée ? Informations Catholiques Internationales, n° 111, 1er janvier 1960, pp. 14-27.

BELLET, M., *Ceux qui perdent la foi*, Desclée de Brouwer, Paris 1965, 166 p.

DESQUEYRAT, A., *Le civilisé peut-il croire ?* Desclée de Brouwer, Paris 1963, 263 p.

LELONG, M., *Pour un dialogue avec les athées*, Le Cerf, Paris 1965, 144 p.

LE SOURD, H. et LIÉGÉ, P. A., *Croyants et incroyants d'aujourd'hui*, Le Cerf, Paris 1962, 144 p.

LOEW, J., *Les incroyants d'aujourd'hui*, Parole et Mission, n° 14, 4e année, 15 juillet 1961, pp. 440, 450.

MOREL, G., *Approche de l'athéisme moderne*, Études, novembre 1964, pp. 467-486.

NIEL, H., *Athéisme et Marxisme*, Lumière et Vie, n° 13, janvier 1954, pp. 67-85.

RÉTIF, L., *Où sont les incroyants ?* L'Union, 704, avril 1955, pp. 7-24.

VERRET, M., *Les marxistes et la religion, Essai sur l'athéisme moderne*, Éditions Sociales, Paris 1961, 280 p.

2. IDÉES ET REPRÉSENTATION DE DIEU

CARRÉ, A. M., *Le Christ aux yeux de l'incroyant*, Vie Spirituelle, avril 1964, pp. 418-425.

DECONCHY, J. P., *Structure génétique de l'idée de Dieu chez des catholiques français*, Lumen Vitæ, Bruxelles 1967, 237 p.

TANNEGUY DE QUÉNETAIN, *Comment les Français voient Dieu*, Réalités, n° 219, avril 1964, pp. 76-81.

3. ATHÉISME, SCIENCES ET TECHNIQUES

AYEL, V., *Athéisme et Techniques*, Lumière et Vie, n° 13, janvier 1954, pp. 29-50.

COLLIN, R., *Athéisme et Sciences*, Lumière et Vie, n° 13, janvier 1954, pp. 15-29.

LATIL, J., *Athéisme et Psychanalyse*, Lumière et Vie, n° 13, janvier 1954, pp. 51-67.

Science et matérialisme, Cahiers du Centre Catholique des Intellectuels Français, n° 41, décembre 1962.

4. INCROYANCE, ATHÉISME ET MILIEUX SOCIAUX

HOURDIN, G., *La nouvelle vague croit-elle en Dieu?* Le Cerf, Paris 1959.

ISAMBERT, F. A., *Christianisme et classe ouvrière*, Casterman, Paris 1961.

GOOR, R., *La situation religieuse du monde ouvrier*, Évangéliser, septembre-octobre 1962, pp. 136-160.

L'étudiant et la religion, analyse de certains aspects du phénomène religieux dans le monde étudiant parisien. Ouvrage collectif, Revue Montalembert, 1966, 320 p. En plus de l'enquête, cf. L'étudiant chrétien en dialogue avec l'incroyance, pp. 187-198.

CHAPITRE II

LES INTERPRÉTATIONS SOCIOLOGIQUES DU PHÉNOMÈNE RELIGIEUX DANS L'ATHÉISME CONTEMPORAIN
par
EDVARD D. VOGT

*directeur
du Centre de Recherches culturelles et religieuses de Bergen (Norvège)*

Exposé — I. *Athéisme et fonctionalisme-sociologisme.* II. *La sociologie de la religion dans le marxisme classique.* III. *La sociologie de la religion dans le marxisme contemporain :* 1. L'origine de la religion; 2. L'origine du christianisme; 3. Les mouvements de protestations à l'intérieur du christianisme; 4. Études sur le développement de la religion chrétienne orthodoxe; 5. Études sur l'élimination de la religion dans les pays communistes. 6. Études sur les relations entre religion et classes sociales. IV. *La religion dans le sociologisme de Durkheim.*

Discussion — *Remarque préliminaire :* En quel sens une sociologie de la religion peut-elle être caractérisée comme athée? I. *Appréciation de la sociologie marxiste de la religion :* A. *Aspects négatifs : interférence de l'idéologie athée.* B. *Aspects positifs :* 1. Aspects positifs de la conception dialectique de la religion; 2. Aspects positifs de la méthode; 3. Apports sur quelques problèmes particuliers : *a.* L'aliénation, *b.* La laïcisation, *c.* La survivance inattendue de la religion; 4. Caractère polémique de la sociologie de la religion. II. Appréciation de la sociologie durkheimienne de la religion. III. Perspective de la sociologie de la religion.

EXPOSÉ

I

ATHÉISME ET FONCTIONALISME-SOCIOLOGISME

Parmi ceux qui réfléchissent sur les relations entre les phénomènes religieux et les phénomènes sociaux, il y a des hommes de toute foi et de toute idéologie. Quand une telle réflexion adopte les méthodes scientifiques empiriques, comme en sociologie religieuse, on s'attend ordinairement à atteindre un niveau d'objectivité auquel la foi religieuse du savant, ou bien son absence de foi, n'ont aucune influence sur ses observations et ses théories. Si cet idéal était universellement atteint, il serait évidemment sans intérêt de distinguer un groupe particulier de sociologues, comme les sociologues méthodistes de la religion, ou les athées, ce que l'on fera ici, pour se livrer à un examen séparé de leurs théories. Cependant la situation est la suivante : l'idéal de pleine objectivité est loin d'être atteint dans l'étude des phénomènes humains en général, et les difficultés sont particulièrement grandes dans l'étude de la religion, où les convictions religieuses de l'auteur sont susceptibles de colorer de multiples manières ses intentions dans la recherche, les observations et les théories.

Le premier pas vers une sociologie de la religion sans parti pris sera de reconnaître chez les sociologues l'existence de types divers de jugements de valeurs et de convictions, après quoi il conviendra de comprendre la manière dont leurs croyances peuvent exercer une influence sur leur sociologie et dont ces influences peuvent être équilibrées par leur adhésion aux règles scientifiques générales d'information et de vérification. Le présent article essayera de présenter une contribution aux explorations initiales nécessaires, en examinant les théories des athées qui étudient les relations réciproques entre la religion et la société.

Qui sont les athées parmi les sociologues de la religion? La réponse n'est pas aisée. Elle dépend d'une connaissance intime des convictions personnelles de chaque sociologue, connaissance qui n'est pas ordinairement accessible à la communauté scientifique en tant que telle. Dans cet article, nous nous limiterons à une étude de quelques-uns des « classiques », dont la biographie entre dans l'histoire de la Sociologie, et aux membres des écoles associées à leur nom, assez intégrés pour que l'on puisse présumer aussi de leur adhésion à leurs présupposés athées.

Le choix dépend également de la rigueur avec laquelle on définira l'athéisme. Il paraît opportun, afin de distinguer le caractère spécifique de la pensée des sociologues athées, d'appliquer une définition stricte, qui exclut les nuances variées de l'agnosticisme et des refus plus personnels d'admettre l'existence de puissances divines, qui ne rentrent pas dans la pensée du sociologue, lorsqu'il étudie la sociologie de la religion.

Il est encore plus évident que nous ne nous intéressons pas ici à ceux qui adhèrent à ce qu'on appelle souvent l'*athéisme méthodologique*, c'est-à-dire, dans une étude empirique de la religion, la démarche suivant laquelle les phénomènes seront étudiés dans le contexte de leurs conditions et de leurs causalités naturelles, dans la mesure où ces dernières sont empiriquement observables et vérifiables, — abstraction faite de toute intervention causale éventuelle au plan divin, surnaturel ou « préternaturel », et de tout recours à la révélation et à l'inspiration divines. Ce type d'« athéisme » est en effet adopté universellement aussi par des sociologues qui ont des convictions religieuses personnelles. Il ne s'agit pas pour eux d'une théorie positive de la non-existence d'interventions divines dans le monde empirique, mais seulement d'un principe méthodologique et d'une forme de discipline intellectuelle, à un stade précis de la recherche sur l'étiologie des phénomènes religieux. Chez les athées, l'« athéisme méthodologique » devient absolu et fait intrinsèquement partie de leur métaphysique et de leurs théories sociales athées. C'est donc sur leur athéisme positif que nous avons à diriger notre attention.

Pour identifier les sociologues athées de la religion que nous nous proposons d'étudier, notre premier critère, le fait que leur athéisme soit professé publiquement, doit être complété, par conséquent, par le critère suivant lequel leur athéisme ne doit pas être seulement un principe méthodologique, mais un présupposé majeur dans leurs théories positives de la société.

L'école de sociologie qui paraît immédiatement remplir ces conditions est le *marxisme orthodoxe*. Mais déjà le terme « orthodoxe » permet d'envisager l'existence, à laquelle nous reviendrons plus tard, de types « révisionnistes » de marxisme, où l'athéisme est simplement méthodologique, et auxquels des sociologues théistes pourraient également souscrire.

Quelles sont les autres écoles de sociologie que l'on pourrait qualifier de positivement athées ? La réponse dépendra beaucoup de la manière dont on distingue et définit les écoles sociologiques. Les historiens de la sociologie ont conçu des classifications très variées des écoles sociologiques.

Certaines écoles sont définies en des termes qui indiquent d'abord leur programme *méthodologique*, comme le positivisme, le néo-positivisme, l'empirisme, la sociologie formelle (Simmel), la sociologie systématique (L. von Wiese), la sociologie sociométrique. Toutes présentent une observation des phénomènes religieux en appliquant un athéisme méthodologique général. Quelques-uns des sociologues appartenant à ces écoles sont des athées déclarés, mais il semble ne pas y avoir de lien intrinsèque entre leurs convictions athées et les présupposés de base des écoles auxquelles ils appartiennent, qui rendrait impossible l'adhésion d'un sociologue théiste à ces écoles.

D'autres écoles se définissent par l'adoption de présupposés ou de voies d'approche plus *théoriques*. Les formes diverses de psychologie sociale, de sociologie des petits groupes, de l'action sociale, etc., tendent vers une réduction au psychologique qui, quand elle devient absolue, comme dans une sociologie psychanalytique orthodoxe, peut être tenue pour athée. Cependant l'interprétation freudienne de la religion et, en général son interprétation psychologique, seront traitées dans un article spécial de ce volume. Toutes les fois que la psychologie sociale reconnaît qu'elle ne traite que d'un élément déterminant partiel des phénomènes socio-religieux, elle devient acceptable également aux sociologues croyants.

L'approche *fonctionaliste* des phénomènes sociaux est un essai pour les comprendre dans une perspective finaliste, en tant qu'utiles à quelque autre entité plus fondamentale. Cette entité est conçue ou bien comme l'« acteur social » ou la personnalité, ceci au cas où l'approche est psychologique, ou bien comme le « système social », où le phénomène à examiner s'insère. Quand on ne donne pas d'autre sens au système social que celui d'une totalité relative, par rapport aux institutions ou aux phénomènes particuliers qui s'y insèrent, de telle sorte qu'ils ont à s'y adapter afin d'entrer en interaction avec les autres parties composantes, alors le fonctionalisme n'est rien d'autre qu'une démarche du sens commun dans une analyse mécaniste ou atomiste, qui se contente d'étudier comment un phénomène social particulier se relie à un autre phénomène particulier. Indiquant ainsi un niveau de l'analyse, le fonctionalisme n'est pas une école de sociologie, mais une approche commune à tout sociologisme.

Le fonctionalisme peut, cependant, revêtir un sens plus métaphysique, *lorsque la société, ou le système social, est conçue comme une réalité fondamentale en un sens positif*, avec ses valeurs et ses lois de développement propres, dont dérive entièrement la valeur et la réalité de l'acteur individuel ou du phénomène particulier. Cette doctrine est apparue à travers l'histoire de la sociologie sous des noms divers, comme sociologie évolutive, sociologisme, organicisme et néo-organicisme, sociologie de l'ordre et de l'intégration, grande théorie. La plupart de ces termes ne sont utilisés que par les critiques de ces tendances à faire de la société une entité se suffisant à elle-même, par rapport à laquelle les individus et les structures partielles sont censés réaliser une adaptation et une contribution fonctionnelles. Les sociologues que l'on caractérise comme « sociologistes », etc., se placeraient probablement dans le courant majeur, ou se réclameraient du nom de Durkheim, de Parsons, ou de quelque autre chef d'école, qui, eux-mêmes, peuvent être personnellement athées ou religieux et qui pourraient n'être pas satisfaits du tout par la manière dont leurs disciples conçoivent la réalité du système social.

L'athéisme, qui peut évidemment être inhérent à une sociologie qui conçoit les institutions et les phénomènes religieux *seulement* comme des épiphénomènes secondaires en relation au système social où ils s'insèrent, existe ou n'existe pas suivant l'accent radical placé sur ce « seulement ». Talcott Parsons, par exemple, qui, dans ses écrits, traite invariablement les phénomènes religieux comme des mécanismes d'adaptation pour la personnalité et des facteurs d'intégration pour le système social, assure, quand on l'interroge, comme l'auteur de cet article en 1959, que procédant ainsi il ne traite qu'un aspect de l'étiologie de la religion.

Le sociologisme et la réduction de la religion à un effet du système social paraissent beaucoup plus importants dans la sociologie d'*Émile Durkheim*, jusqu'à recouvrir un athéisme, où la religion se voit refuser toute réalité au-delà de la société. Ici encore, ce refus n'est posé que par implication à partir de la concentration sur la causalité sociale et on ne peut exclure la possibilité que, pour Durkheim, cette concentration n'est qu'un principe méthodologique, celui qu'il développait dans « Les Règles de la Méthode sociologique » : en sociologie, un fait social doit s'expliquer par d'autres faits sociaux, principe qui peut très bien être appliqué par les sociologues croyants dans l'étude de ce qui est alors pour eux l'aspect social de la religion.

Le résultat de ce bref examen de la relation entre l'athéisme et le fonctionalisme-sociologisme est le suivant : dans toutes ces écoles, cette relation demeure ambivalente ou elle n'est pas définie. Ce n'est que lorsqu'une philosophie expressément moniste est affirmée dans le cadre d'une telle sociologie qu'on peut la considérer comme athée. Étant donné que dans toute la sociologie universitaire, à la suite du positivisme, on évite d'introduire des présupposés philosophiques dans le raisonnement sociologique, une telle référence expresse à un momisme ou à un athéisme ne se rencontre pas clairement dans les écoles en question. Elles ont en fait inspiré aussi des recherches de sociologie de la religion menées par des sociologues théistes, et, par conséquent, elles tomberaient hors de la matière du présent article sur la sociologie athée, si le critère d'un athéisme exprès, intrinsèque, était appliqué strictement.

Le fait demeure, cependant, que la sociologie sociologiste de la religion, en particulier celle dérivée de Durkheim, est très *utilisée* par des athées déclarés dans leur interprétation de la religion, indépendamment de ce que cette sociologie peut représenter en elle-même ou pour ses auteurs. Dans ces conditions, nous ajouterons une brève étude de la théorie durkheiminenne à la fin de cet article.

Y a-t-il d'autres types de sociologie de la religion que les types marxiste et durkheimien, qui se définissent comme athées? La seule possibilité serait dans l'identification d'un courant consistant d'existentialisme athée. Cela ne pourrait se rencontrer dans le cadre de la sociologie universitaire, qui est, et sans doute est tenue d'être, « essentialiste », préoccupée qu'elle est de catégories analytiques et de généralisations. On pourrait trouver un point de convergence lorsque, dans des monographies descriptives, un extrême empirisme, plus typique de l'anthropologie sociale que de la sociologie d'aujourd'hui, rencontre les études phénoménologiques et impressionnistes des existentialistes.

Frédéric Nietzsche et Jean-Paul Sartre sont des athées existentialistes, qui ont présenté des observations et des interprétations développées de la religion dans son contexte social. Leurs théories seront cependant traitées largement dans d'autres articles de ce livre, auxquels nous pouvons donc nous référer. Autre motif aussi de les écarter ici : leur manière d'aborder la religion dans son insertion sociale ne paraît pas être intrinsèquement liée à une métaphysique athée. Elle est partagée par des philosophes et des critiques croyants de la société, qui peuvent sans doute partager aussi leurs théories plus positives des phénomènes humains et trop humains liés à une religion organisée en général et à ses fonctions professionnelles en particulier.

II

LA SOCIOLOGIE DE LA RELIGION DANS LE MARXISME CLASSIQUE

Telles sont, en bref, les raisons de choisir le marxisme et la sociologie durkheimienne comme seules écoles sociologiques à considérer dans notre examen des interprétations athées de la religion dans la société. Les sources multiples des théories sur la religion de Karl Marx et de Friedrich Engels se trouvent dans la philosophie grecque, dans l'idéalisme allemand et dans le saint-simonisme français. Ce fut chez Hegel, dans son projet titanesque de comprendre tout l'univers et la totalité de son histoire, qu'ils trouvèrent le courage d'adopter un programme de recherche qui expliquerait pleinement l'homme comme partie de l'univers matériel et, dans ce cadre, de la société. L'adage hégélien, « tout le réel est rationnel », impliquait que l'irrationnel et le mystérieux étaient irréels. La religion et toutes les autres idéologies constituaient des illusions. Illusions, cependant, d'un genre spécial, pourvues de leur efficacité propre.

Quel genre d'illusion et quel genre d'efficacité? Ayant accepté une fois pour toutes la dichotomie entre le monde « réel », matériel et rationnel, et le monde des superstructures idéologiques, le problème était ramené pour Marx et Engels à la question de savoir comment ces deux « mondes » étaient en relation l'un à l'autre. Hegel lui-même s'était contenté d'un système où les entités moins réelles et rationnelles étaient conçues comme des stades préliminaires à une pleine identité avec soi de la réalité absolue. Pour ses disciples de gauche, le problème devint aigu : comment le passage du stade actuel moins rationnel à un stade pleinement rationnel pouvait-il être accompli? Un refus abstrait, idéaliste, de tous les caractères du stade à dépasser ne suffisait pas de toute évidence. Il fallait y distinguer ce qui était faux de sa réalité. Également, le faux avait eu, à un moment donné, une relative réalité comme expression de la rationalité du stade désormais révolu. Par rapport à la structure du stade en émergence, l'idéologie de l'ancien stade ne pouvait être qu'un mensonge fantastique et irrationnel, pernicieux dans la mesure où il pouvait toujours, aux yeux des moins éclairés, donner aux structures anciennes et révolues encore persistantes une rationalité fausse et par là une réalité qui empêcherait le monde nouveau et meilleur de venir au jour.

Ludwig Feuerbach fit l'application psychologique de ce concept hégélien dans sa théorie sur les croyances religieuses conçues comme une projection de la nature même de l'homme dans le vide, qui l'aliène par rapport à ses propres potentialités créatrices. Engels salua cette théorie comme un progrès sur l'abstraction de Hegel, mais la critiqua pour n'être de loin pas assez concrète et pratique :

> L'homme, dont ce Dieu n'est qu'une image, n'est pas non plus un homme réel, mais, lui aussi, la quintessence d'un grand nombre d'hommes réels, l'homme abstrait, donc lui-même à son tour une image mentale... Au point de vue de la forme, il est réaliste, il prend pour point de départ l'homme; mais il n'est absolument pas question du monde dans lequel vit cet homme, aussi celui-ci reste-t-il toujours le même être abstrait qui pérorait dans la philosophie de la religion. C'est que cet homme n'est pas né dans le sein de sa mère, il est éclos du dieu des religions monothéistes... [1].

Il y avait chez Feuerbach quelques points de vue plutôt frustes en sociologie, par exemple dans des déclarations comme celles-ci : « Dans un palais, on pense autrement que dans une chaumière. » — « Si par faim, par misère, tu n'as rien de substantiel dans le corps, tu n'as pas non plus dans la tête, dans l'esprit et dans le cœur de substance pour la morale [2]. » Ceci ne pouvait satisfaire Marx et Engels, qui voyaient en l'homme un être social, immergé dans l'histoire, et qui se proposaient d'identifier le monde réel et rationnel de Hegel avec la société émergeante de l'avenir, et d'identifier le monde irréel et irrationnel des mythes pernicieux de la religion, non avec le vide psychologique, mais avec la société condamnée du passé.

Cette société du passé, avec ses dieux, n'est pour le moment morte et irréelle que moralement. Elle garde encore un pouvoir effectif de former les esprits et les destinées des hommes, retranchés dans les structures du passé, et en premier lieu l'État avec son système juridique, en tension toujours croissante avec les structures économiques, qui tend vers l'ordre social nouveau avec sa conscience vraie, ou au moins plus vraie. Engels donne un condensé de sa théorie et de celle de Marx sur les idéologies dans son livre sur Feuerbach :

> L'État s'offre à nous comme la première puissance idéologique sur l'homme... Des idéologies encore plus élevées, c'est-à-dire encore

---

[1] F. ENGELS, *Ludwig Feuerbach und der Ausgang der klassischen deutschen Philosophie*, Berlin 1957, — cité ici d'après Karl Marx et Friedrich Engels, *Sur la Religion*; textes choisis, traduits et annotés par G. BADIA, P. BANGE et E. BOTTIGELLI; Paris 1960; p. 237.

[2] Cité *ibid.*, pp. 237-238.

plus éloignées de leur base matérielle, économique, prennent la forme de la philosophie de la religion. Ici, la liaison des représentations avec leurs conditions d'existence matérielles devient de plus en plus complexe, de plus en plus obscurcie par les anneaux intermédiaires... (La religion) est la plus éloignée de la vie matérielle et semble lui être la plus étrangère. La religion est née, à l'époque extrêmement reculée de la vie arboricole, des représentations pleines d'erreurs toutes primitives des hommes concernant leur propre nature extérieure les environnant. Mais chaque idéologie, une fois constituée, se développe sur la base des éléments de représentation donnés et continue à les élaborer; sinon, elle ne serait pas une idéologie, c'est-à-dire le fait de s'occuper d'idées comme d'entités autonomes, se développant d'une façon indépendante et uniquement soumises à leurs propres lois [3].

Ce texte exprime les caractères fondamentaux suivants de l'interprétation marxiste de la religion. *La religion fait partie de l'idéologie, de l'aliénation de la réalité humaine et sociale dans une sphère conceptuelle erronée.* Comme phénomène idéologique, il n'y a pas de différence essentielle entre l'État avec ses lois et la religion. Suivant une définition peu connue de la religion donnée par Marx, « *Die Religion ist eben die Anerkennung des Menschen auf einem Weg, durch einen Mittler* [4] » et un État même athée est par conséquent pour Marx un phénomène religieux, et ce n'est qu'au stade final de l'évolution sociale, la société sans État, que la religion est pleinement dépassée.

En second lieu, le texte fait allusion à *l'origine de la religion à un certain stade primitif de l'évolution humaine.* La théorie de la religion comme caractéristique innée de l'homme est clairement rejetée, tandis que d'autre part on donne peu de précisions sur la nature de la société pré-religieuse aussi bien que sur celle de la société post-religieuse. Quand parut en 1877 le livre de Lewis Henry Morgan *Ancient Society*, il fut accueilli avec enthousiasme par Marx et Engels, qui croyaient y trouver la preuve de leur théorie d'un communisme primitif, antérieur à l'aliénation. Engels lui donna un développement ultérieur sur cette base dans *Der Ursprung der Familie, des Privateigenthums und des Staats* (1884). En tant que théorie sur la manière dont s'est produit le développement historique, la théorie de Morgan-Engels sera traitée dans le chapitre sur l'histoire de la religion. Dans la sociologie marxiste de la religion, où sont étudiées les interrelations entre la religion et les autres faits sociaux dans les époques d'aliénation idéologique, sa fonction est simplement

---

[3] *Ibid.*, pp. 255-257.
[4] Marx, dans : *Mega*, I, 1, 1, p. 583 (Zur Judenfrage).

négative : ne pas expliquer la religion comme un dérivé nécessaire de la nature humaine.

Le troisième point établi dans le texte ci-dessus est que la religion n'est pas seulement une projection des conditions matérielles d'existence dans une sphère idéale, mais aussi *une réalité établie*, qui se développe suivant ses lois propres. En théorie marxiste, ces lois sont nécessairement conformes aux lois de tout mouvement, à savoir les lois dialectiques ; Engels concentra son attention sur trois d'entre elles, qui sont la loi de l'interpénétration mutuelle des contraires, la loi de la négation des négations, et la loi de transformation de la quantité en qualité [5].

Marx et Engels donnent dans leurs divers écrits un grand nombre d'indications sur la manière dont changent les idées religieuses, sans pourtant rendre assez explicite le mode d'opération des lois dialectiques pour qu'une vérification empirique devienne possible. Le courant principal des écrits marxistes plus récents sur la religion a consisté à élaborer cette problématique, en étudiant comment les phénomènes religieux concrets, historiques, ont été déterminés par cette dynamique interne psychologique et philosophique des mythes, prise comme le phénomène religieux primitif. Cette école « *mythologique* » a peu de rapports avec une étude vraiment sociologique de la religion, — plus en fait avec une étude théologique ; et si, comme nous le verrons plus loin, une sociologie de la religion se développe maintenant dans le cadre du marxisme, ceci paraît appuyé sur certains aspects des écrits de Marx et Engels qui n'ont été exploités jusqu'ici que par un groupe restreint de leurs disciples, l'école *historiciste*.

Tandis que les marxistes « mythologistes » considèrent les faits religieux et les circonstances connexes, telles que les rituels et les organisations religieuses, comme de simples instruments pour identifier et reconstruire le « texte » des mythes, les « historicistes » s'intéressent à ces faits en eux-mêmes et les étudient dans leurs interrelations avec les faits de la lutte des classes et tous les autres aspects de la vie sociale présentant quelque intérêt. Les « mythologistes » concentrent leur recherche des faits sur la personne des inventeurs de mythes, comme source première de la religion. Paul devient la figure dominante aux origines du christianisme, tandis que Jésus est, au plus, un obscur rebelle palestinien, mais considéré plus souvent dans cette école comme un mythe lui-même, produit de l'imagination de Paul et de ses compagnons de voyage, dans leur effort pour fournir une justification idéologique à l'existence humaine dans la société nouvelle du Bas Empire romain.

---

[5] ENGELS, *Dialektik der Natur*, Berlin, ed. Dietz, p. 3, cf. p. 285.

Les passages de Marx et d'Engels qui développent cet aspect conceptuel mythique des superstructures, religieuses et autres, ont été cités par les marxistes et les antimarxistes à un point tel que leurs remarques nombreuses et souvent pertinentes sur les phénomènes religieux concrets ont été laissées dans l'ombre; souvent même, on les a écartés des anthologies de leurs écrits sur la religion [6].

Dans la perspective « historiciste », le jugement radicalement négatif sur la religion comme mystification frauduleuse, créant ou exprimant une aliénation, se modifie. La « réalité » de l'idéologie et l'appréciation réaliste que Marx et Engels ont exprimée particulièrement par rapport à l'État, contre les nombreuses tendances anarchistes existant parmi leurs disciples, pouvaient à partir de leurs concepts de base être appliqués à la religion. L'État est, pour Marx et Engels, quelque chose de nécessaire et d'utile, qui doit être conquis afin d'influencer le développement économique. De même la loi et la littérature et toutes les autres superstructures. Dans sa lettre à C. Schmidt du 27 Octobre 1890, Engels souligne comment de telles structures réagissent sur le développement économique. La répercussion « peut agir dans la même direction, alors tout marche plus vite, elle peut agir en sens inverse du développement économique, et de nos jours, elle fait fiasco chez chaque grand peuple au bout d'un temps déterminé, ou encore, elle peut fermer au développement économique certaines voies et lui en prescrire d'autres [7] ». De même que la société communiste a établi son État pour diriger le développement économique, de même elle a établi ses propres principes derniers qui, au moins fonctionnellement, se substituent aux « vieilles » religions. Que cette idéologie athée tienne les autres religions pour illusions, ce n'est pas différent de l'attitude que ces religions adoptent à l'égard des autres. Cela ne veut pas nécessairement dire qu'elle sont considérées comme socialement nocives et non fonctionnelles. Même la déclaration souvent citée sur la religion comme opium du peuple se présente dans un contexte qui comprend des éléments d'appréciation :

> La détresse religieuse est, pour une part *l'expression* de la détresse réelle et, pour une autre, la *protestation* contre la détresse réelle. La religion est le soupir de la créature opprimée, l'âme d'un monde sans cœur, comme elle est l'esprit de conditions sociales d'où l'esprit est exclu. Elle est *l'opium* du peuple [8].

---

[6] H. DESROCHE.
[7] ENGELS, dans une lettre à C. Schmidt, 27 Oct. 1890, reprise dans *Sur la Religion*, pp. 275-276.
[8] MARX, *Critique de la philosophie du droit de Hegel*, dans *Sur la Religion*, p. 42.

La religion, vue comme un mouvement en partie fonctionnel des classes opprimées, était un thème éminent des études faites par Engels sur le christianisme primitif et les mouvements religieux du bas Moyen Age [9]. Bien plus que Marx, il entrait dans les détails historiques pour ses analyses des causes, atténuant ses généralisations — et dans ses derniers ouvrages modifiant ses affirmations antérieures, quand il se trouvait en face de la manière naïve, non historique, dont ses disciples les comprenaient. Alors que, dans ses premiers écrits, il pouvait se contenter de cette déclaration : « toute religion n'est que le reflet fantastique, dans le cerveau des hommes, des puissances extérieures qui dominent leur existence quotidienne [10] », plus tard, il donna cette précision que seule une part de la religion pouvait s'expliquer ainsi, tandis que le reste ne pouvait faire l'objet d'une étude scientifique et significative :

> En ce qui concerne les régions idéologiques qui planent plus haut encore dans les airs, la religion, la philosophie, etc., elles sont composées d'un reliquat — remontant à la préhistoire et que la période historique a trouvé avant elle et recueilli — de ... ce que nous appellerions aujourd'hui stupidité. A la base de ces diverses représentations fausses de la nature, de la constitution de l'homme lui-même, des esprits, des puissances magiques, etc..., il n'y a le plus souvent qu'un élément économique négatif [11].

Un sociologue des religions croyant admettrait avec Engels qu'il y a des phénomènes religieux qui proviennent d'au-delà de l'histoire, même s'il appelait cette « tradition » révélation et non stupidités primitives, et le marxiste comme le croyant se distingueraient là du sociologue rationaliste.

Engels indique aussi une limitation sensible des possibilités de la sociologie en face de nombreux phénomènes historiquement déterminés, à savoir les événements accidentels, « la foule infinie de hasards (c'est-à-dire de choses et d'événements dont la liaison intime entre eux est si lointaine ou si difficile à démontrer que nous pouvons la considérer comme inexistante et la négliger) [12] ».

Ce qui nous intéresse ici, ce n'est pas l'ensemble des observations portant sur des phénomènes religieux particuliers chez Marx et Engels,

---

[9] En particulier dans : *Zur Geschichte des Urchristentums*, 1894-1895, et dans : *Der deutsche Bauernkrieg*, 1850, rev. 1870.
[10] « Nun ist alle Religion nichts anderes als die phantastische Widerspielung, in den Köpfen der Menschen, derjenigen ausseren Mächt die ihr alltägliches Dasein beherrschen, eine Widerspiegelung, in der die irdischen Mächte die Form von überirdischen annehmen ». ENGELS, *Anti-Dühring*, *M. E. Dühring bouleverse la science*, traduction d'Émile Bottigelli, 2e Ed., Paris 1956, p. 355.
[11] ENGELS à C. SCHMIDT, dans *Sur la Religion*, p. 277.
[12] ENGELS à BLOCH, dans *Sur la Religion*, p. 269.

Interprétations sociologiques

mais les lignes essentielles de leur interprétation de la religion dans ses relations à d'autres phénomènes sociaux. Après avoir souligné qu'il y a interrelation et interaction, et pas seulement dépendance à sens unique, entre la religion et les conditions économiques, il faut mettre l'accent sur le fait que les conditions économiques comme base de la superstructure idéologique sont comprises par Marx et Engels dans un sens très large, celui de la relation humaine et sociale correspondant à un système technique et scientifique; et ces relations économiques ne sont pas du tout considérées comme efficientes universellement et directement comme causes, mais elles sont traitées expressément comme ultimement, c'est-à-dire non directement, efficientes, et il s'agit alors plus de la condition universelle ou de l'arrière-plan de la vie humaine que de causes au sens qui peut intéresser un sociologue de la religion.

D'après la conception matérialiste de l'histoire, le facteur déterminant dans l'histoire est, *en dernière instance*, la production et la reproduction de la vie réelle. Ni Marx, ni moi n'avons jamais affirmé davantage. Si, ensuite, quelqu'un torture cette proposition pour lui faire dire que le facteur économique est le *seul* déterminant, il la transforme en une phrase vide, abstraite, absurde. La situation économique est la base, mais les divers éléments de la superstructure... exercent également leur action sur le cours des luttes historiques et, dans beaucoup de cas, en déterminent de façon prépondérante la *forme*. Il y a action et réaction de tous ces facteurs au sein desquels le mouvement économique finit par se frayer son chemin comme une nécessité à travers la foule infinie de hasards... Sinon, l'application de la théorie à n'importe quelle période historique serait, ma foi, plus facile que la résolution d'une simple équation du premier degré. Nous faisons notre histoire nous-mêmes, mais, tout d'abord, avec des prémisses et dans des conditions très déterminées. Entre toutes, ce sont les conditions économiques qui sont finalement déterminantes [13].

Ce n'est pas dire « nécessairement »; plus que cela, par exemple, les lois biologiques, ou les lois psychologiques, sont en dernier ressort conditions indispensables à tout phénomène humain et social. Une sociologie de la religion, cependant, doit prendre en considération des interrelations plus immédiates, mais elle ne devrait pas le faire en faisant complètement abstraction des conditions biologiques, psychologiques et économiques où elles prennent place.

---

[13] *Ibid.*, pp. 268-269.

III

LA SOCIOLOGIE DE LA RELIGION
DANS LE MARXISME CONTEMPORAIN

Le rapport récent le plus autorisé sur les sciences sociales et l'étude de la religion en U.R.S.S. a été présenté par A. A. Zvorykin (1964). S'opposant aux « behavioristes » occidentaux, il souligne qu'il y a une différence essentielle entre l'objet des sciences sociales et celui des sciences naturelles. L'homme n'est pas un objet passif dans les études sociales, mais une « force active et créatrice, transformant la réalité [14] ». On utilisera ici des catégories qualitatives, qui doivent être élastiques, mobiles et relatives, afin de rendre adéquatement la dialectique de la vie sociale.

La place de l'étude sociale de la religion parmi les diverses disciplines est définie par Zvorykin au moyen d'une répartition des « sciences sociales en U.R.S.S. » en dix catégories, à savoir :

1. La Philosophie marxiste comme science des lois générales
2. La Sociologie, analysant « les aspects subjectifs de la vie sociale, où l'homme apparaît comme le représentant d'un groupe ou d'une classe sociale, etc. »
3. La méthodologie de la recherche dans les sciences sociales
4. La science de l'organisation du développement social
5. L'économie
6. La science politique
7. Les sciences ayant pour objet les différentes formes de consciences sociale
8. La science des formes générales de la conscience sociale
9. Les sciences de l'homme, comprenant l'anthropologie, la linguistique, la psychologie, la psychologie sociale, la pédagogie et la médecine sociale
10. Les sciences historiques.

L'étude sociale de la religion n'est pas conçue comme une subdivision de la sociologie, mais des sciences de la conscience sociale. Parmi les « sciences ayant pour objet les diverses formes de conscience sociale »,

---

[14] ZVORYKIN, 1964, p. 592.

Zvorykin dénombre « l'éthique, l'esthétique, les études culturelles, l'athéisme, etc... L'athéisme est la science qui a pour objet l'histoire et les lois de l'élimination par l'homme des conceptions imaginaires et religieuses du monde, en même temps que de la foi en Dieu et en un monde de l'au-delà; l'athéisme montre les voies et les moyens de libérer l'esprit humain des illusions encouragées par la religion [15] ».

« La science des formes générales de conscience sociale » couvre entre autres la « science de la conscience de classe, comprenant toute une catégorie de sciences en rapport avec l'élaboration des phases de l'idéologie communiste, et aussi l'analyse de diverses idéologies — bourgeoise, féodale, et les autres formes que les idéologies ont revêtues — et l'examen de l'idéologie religieuse [16] ».

La terminologie et les divisions sont susceptibles de varier à l'intérieur de la théorie marxiste des sciences, mais les caractéristiques principales sous lesquelles Zvorykin considère l'étude de la religion sont communes. Il y a une forte tendance vers l'école « mythologique » et une prise en considération d'ordre philosophique. W. S. Kelle et M. J. Kowalson divisent les sciences sociales en « sciences sociales concrètes » et « sciences linguistiques » et ils placent l'étude de la religion, réunie à l'art et à la pédagogie, dans le dernier groupe, tandis que l'étude de l'économie, de l'État et des phénomènes militaires est placée dans le premier groupe. Toutes ces sciences peuvent être étudiées sous un angle sociologique ou historique. L'étude sociologique et théorique de la religion est nommée « athéisme scientifique » et l'étude historique « histoire de la religion et de l'athéisme [17] ».

Le terme « sociologie de la religion » n'a été accepté que depuis ces quelques dernières années. L'académicien V. Franzev est devenu membre de la Commission pour la Sociologie de la Religion de l'Association internationale de Sociologie en 1959. Il est cependant lui-même essentiellement philosophe; et la tendance à l'étude de la religion comme contenu mental est apparente dans les quelques études empiriques faites dans les pays communistes. Les institutions religieuses sont considérées comme dérivées des idées religieuses, et la compréhension théorique de la religion ne peut être atteinte que sur la base d'une définition correcte de la religion. Selon I. A. Kryvelev, inclure toute référence à un facteur social dans cette

---

[15] *Ibid.*, p. 597.
[16] *Ibid.*, p. 597.
[17] W. S. KELLE & M. J. KOWALSON, *Zur Klassifikation der Gesellschaftswissenschaften*, dans : *Sowjetwissenschaft, Gesellschaftswissenschaftliche Beiträge*, Berlin, 4 (April, 1965), pp. 411-423.

définition est une grave erreur [18]. Il blâme sévèrement V. K. Nikolskij, spécialiste de la religion primitive, qui a essayé d'améliorer la définition classique donnée par Engels de la religion comme reflet fantastique dans l'esprit des hommes, en ajoutant qu'une organisation religieuse au moins rudimentaire était une condition sine qua non pour qu'il y ait religion. Il situait ainsi l'animisme à un stade pré-religieux. Kryvelev admet que la religion a une origine définie dans l'histoire, mais souligne que

> Clergé, église, existence de « prêtres » qui font les intermédiaires entre les laïcs et la force surnaturelle, tout cela est le côté visible, l'élément de la religion qui saute aux yeux, mais ce n'est pas l'essentiel : beaucoup de sectes religieuses contemporaines n'ont absolument aucun clergé établi...

Plekhanov et d'autres également qui ont essayé d'inclure le culte, les actes religieux, dans la doctrine d'Engels, sont censurés par Kryvelev. Il reconnaît qu'il y a connection entre la foi religieuse et la pratique religieuse, en particulier des activités magiques, mais les actions sont des dérivations, dues au poids des idées religieuses sur la conscience, idées qui constituent l'élément essentiel et causal.

> L'aspect fondamental de la religion comme idéologie est un ensemble d'opinions, convictions et croyances. Tous les autres éléments de la religion (sentiment, église, morale, rites) sont dérivés [19].

La croyance en des dieux et des êtres surnaturels n'est pas nécessaire, pourvu que le concept plus large de la croyance en des phénomènes surnaturels, comme des connections imaginaires entre des phénomènes naturels, soit présent.

La distinction entre religion et magie, courante dans la sociologie non marxiste depuis James Frazer et B. Malinowski, est sans valeur aux yeux de Kryvelev, qui est en cela représentatif de la théorie marxiste. « La magie est proprement un ensemble de pratiques fondées sur la foi religieuse et sur des croyances religieuses », comme les autres actes religieux [20]. La distinction est due, suivant Kryvelev, à l'idéologie bourgeoise des soi-disant « religions supérieures », dont le rapport avec, par exemple, les sorciers-guérisseurs australiens est faussement désavoué, afin d'embellir la religion contemporaine.

---

[18] I. A. KRYVELEV, *Voprosy istorii religii i ateizma*, IV (1956), pp. 24-54, cité dans : *La religione nelli U.R.S.S.*, pp. 243-275. Citation p. 248.
[19] *Ibid.*, p. 261-262.
[20] *Ibid.*, p. 258.

Le sociologue roumain C. I. Gulian hésite à accepter le terme « sociologie de la religion », si on y inclut la perspective historique, et si elle est orientée vers le dévoilement du mécanisme par lequel les classes dirigeantes maintiennent la religion « comme un voile mystique afin de dissimuler l'exploitation [21] ».

Selon Gulian, les sociologues non marxistes s'appuient sur des postulats idéalistes et sont en fait au service des organisations religieuses. Joachim Wach est mis en vedette comme un exemple remarquable. Il est blâmé pour avoir souscrit à la théorie des « groupes sociaux », qui enseigne qu'il y a un nombre infini de groupes, brouillant ainsi la distinction entre le groupe des exploiteurs et celui des exploités. Par ailleurs, il tourne en rond, suivant Gulian, quand il met une expérience personnelle de l'inconnu à l'origine de la religion, alors que les expériences personnelles sont des effets et non des causes. Ce sont la structure économique et sociale de la *gens* et les fonctions sociales, qui auraient dû être posées comme les causes déterminantes des traditions religieuses et de l'« attitude du primitif face à la vie ».

Il est également faux de considérer la famille comme une unité religieuse de base dans la société primitive. La famille est une institution universelle, qui ne peut expliquer les phénomènes particuliers, à un stade donné du développement, tels que la religion. Ce n'est qu'à propos de phénomènes religieux secondaires dans le culte, et à propos de certaines doctrines, qu'il peut être intéressant d'examiner leur dépendance par rapport à la famille. L'unité de base dans la société primitive est la *gens* et les autres éléments caractéristiques du système familial, comme le totem, sont, ainsi que l'a montré Engels, des phénomènes idéologiques et non pas les éléments constitutifs de la solidarité sociale, même si à un niveau secondaire ils peuvent la renforcer. Il est méthodologiquement faux de tenter d'expliquer l'une par l'autre deux variables dérivées, telles que la religion et la tradition, ou la religion et la famille, ou d'autres phénomènes de superstructure, qui tous sont à expliquer par la variable indépendante, l'infrastructure [22].

La tendance idéaliste de Wach, et d'autres sociologues de la religion comme E. O. James et G. Mensching, est encore plus apparente dans leur théorie de la religion comme facteur constitutif de la solidarité sociale.

Ils espèrent inciter les lecteurs — en portant leur regard sur le *passé religieux* — à renforcer la « communauté » religieuse *présente*. Ce vain désir d'unir les hommes par la religion malgré leurs intérêts

[21] GULIAN, 1962, p. 100.
[22] *Ibid.*, p. 95.

économiques opposés a engendré chez les auteurs bourgeois la thèse fondamentale non scientifique, la thèse idéaliste, suivant laquelle la religion détermine la structure sociale [23].

Jusqu'ici la sociologie marxiste de la religion a concentré son attention sur les problèmes qui se posent dans les domaines suivants :

1. L'ORIGINE DE LA RELIGION

Problème qui est traité sur un mode plus sociologique qu'historique, dans la mesure où on y voit le problème d'appliquer au concept marxiste du système socio-économique primitif le concept général, et où le problème de la religion découle de l'étude des sociétés récentes. Les indications déjà données suffisent dans le cadre de cet article.

2. L'ORIGINE DU CHRISTIANISME

Il y a peu de temps seulement que les aspects « historicistes » de la théorie d'Engels ont été reconnus. A. Robertson fut le premier marxiste orthodoxe à reconnaître l'historicité de Jésus, selon H. Desroche [24]. J. Lenzman laisse la question ouverte comme de peu d'importance dans un livre récent :

> La question de savoir si le prédicateur exécuté à Jérusalem à l'aube de notre ère a existé ou non ne doit pas être considérée comme le principal critère de l'analyse marxiste ou non marxiste du christianisme primitif, ce que l'on fait fréquemment dans les ouvrages de vulgarisation à ce sujet [25].

3. LES MOUVEMENTS DE PROTESTATION À L'INTÉRIEUR DU CHRISTIANISME

L'intérêt porté au « soupir de Spartacus » à l'arrière-plan du christianisme primitif fut naturellement continué à l'égard des mouvements plus récents, considérés comme anti-féodaux et révolutionnaires « *involit in un involucro religioso (eresie, sette)* [26] ». Le professeur Ernst Werner, de l'université de Leipzig a consacré plusieurs études à de tels mouvements, comme les *Pauperes Christi*, le Chiliasme taborite, les Béguines et les Bégards.

[23] *Ibid.*, p. 99.
[24] H. Desroche dans : *Archives de Sociologie des Religions*, 15, p. 197.
[25] Lenzman, 1961, p. 221.
[26] Citation de l'article « Religion » dans la *Grande Encyclopédie Soviétique*, cité dans : *La religione nell'U.R.S.S.*, p. 9.

Il exprime son programme en ces termes :
La sociologie religieuse marxiste est une science étudiant la base sociale des idées religieuses et les institutions qui en résultent. Elle fait des recherches sur les bases sociales de la religion en général et les changements dus aux conditions sociales et économiques, dans les divers mouvements religieux qui prennent place au cours de leur développement historique. Nous devons saisir le degré de développement socio-économique atteint par les organismes sociaux que nous étudions avant de procéder à une constitution de types. C'est la tâche de la typologie de rechercher le processus de développement à l'intérieur d'un ordre social à l'aide des représentations d'un certain principe idéologique et d'obtenir la succession du principe en fonction du processus social de développement. En ce cas, le type peut être examiné dans son développement en même temps que le développement de la société et l'accroissement de ses antagonismes [27].

Werner met sa sociologie de la religion en opposition à celle qu'a développée Max Weber, qui, d'après Werner, ne traite que des formes extérieures des mouvements messianiques, sans appuyer son étude de ces formes sur la réalité historique. Weber, lui, enferme les caractères de ces mouvements dans ses Types idéaux et, par là, les prive de leur dynamisme et les fait entrer de force dans des formules abstraites, pour les préparer en vue d'une comparaison avec des phénomènes sociaux hétérogènes. Cette sociologie, aux yeux de Werner, est expressément conçue « en vue d'éluder le phénomène de progrès [28] ».

Suivant Werner, les principes fondamentaux du messianisme sont : 1) la libération de toute misère. 2) La recherche d'une amélioration de la situation. 3) Une médiation entre les hommes et Dieu accomplie par un agent spécifique ou par des moyens extraordinaires.

De ses études sur les sectes messianiques du bas Moyen Age, il conclut que le type du messianisme militant de Bohême fut créé par le conflit de classes qui se développa aux XIVe et XVe siècles. En Allemagne, la crise du XVIe siècle transforma ensuite le messianisme de Bohême en un type révolutionnaire avec Müntzer. Les mouvements messianiques ne peuvent se concevoir en dehors de certaines traditions religieuses, et dans le cas présent, la tradition des prophètes juifs et des évangiles. Il souligne que ce n'est pas une pénétration plus profonde de la Bible, mais les conditions sociales, et secondairement la connaissance qu'on en a, qui sont la force principale déterminant « l'essence des phénomènes, même si leurs formes étaient historiquement constituées. Plus le but poursuivi

[27] WERNER, 1963, p. 74.
[28] WERNER, 1963, p. 74.

était révolutionnaire, plus les formes sous lesquelles il se présentait étaient conservatrices et traditionnelles [29] ».

Il est important pour Werner de souligner que c'est une meilleure connaissance de la situation de classe et non la tradition, qui provoque une forme plus haute d'idéologie.

A mon avis, vous ne pouvez placer simplement côte à côte des types de sauveurs qui ne s'harmonisent que dans les traits les plus communs. Au contraire, la signification sociale de leurs prophéties ou de leurs activités politiques doit être découverte pour juger de leur stade de développement plus ou moins élevé dans une sphère culturelle donnée. La question est celle-ci : que peut réaliser le mouvement messianique objectivement dans un pays donné, à un stade donné du développement social, et qu'a-t-il mis en action au plan subjectif pour le réaliser [30]?

Un mouvement plus récent, le jansénisme, a été étudié par le marxiste français Lucien Goldmann dans un livre qui, d'après N. Birnbaum [31], est la « plus originale et la meilleure des contributions marxistes récentes à l'étude de l'idéologie ». Goldmann explique le jansénisme par sa dépendance du système social et culturel de la France du XVIIe siècle; mais en attribuant la causalité aux facteurs culturels, jusqu'à faire de Pascal un précurseur de Marx par l'introduction du mouvement classique dans la pensée moderne, il est allé trop loin aux yeux de ses collègues marxistes plus orthodoxes. Cependant sa méthode d'interprétation sociale de la religion par une étude sociologique de la littérature pourrait se montrer féconde [32].

Les mouvements de protestations aux franges du christianisme dans les pays sous-développés aujourd'hui ont présenté un grand intérêt pour les sociologues marxistes de la religion dans les pays occidentaux, plus peut-être que dans les pays communistes. Roger Bastide a étudié les mouvements messianiques au Brésil, Peter Worsley les cultes Cargo en Mélanésie, Jean Chesneau le mouvement Tai-Ping en Chine. Chesneaux en particulier a essayé de formuler une théorie générale de ces mouvements qu'il appelle « les hérésies coloniales ». Il les voit comme des dégénérescences et des involutions, pour une part des idéologies nationalistes bourgeoises, pour une part aussi du message libérateur du marxisme. Le type de mouvement messianique et millénariste qui en résultera dépend du contexte social. Il propose trois « grandes catégories historico-politiques » entre lesquelles on pourra répartir les millénaristes :

[29] *Ibid.*
[30] WERNER, 1962, p. 3.
[31] N. BIRNBAUM, 1960, p. 152 et p. 103.
[32] L. GOLDMANN, 1955.

Interprétations sociologiques 177

a) les mouvements pré-industriels et proto-industriels en Occident.
b) les mouvements des pays sous-développés, provoqués par l'Occident développé.
c) le millénarisme de « Frontière » cherchant la terre promise dans des territoires vierges, comme les Mormons et les sectes sibériennes de la fin du XIXe siècle [33].

4. LES ÉTUDES SUR LE DÉVELOPPEMENT DE LA RELIGION CHRÉTIENNE ORTHODOXE

Il y a relativement peu d'études qui se proposent de vérifier — ou au moins de clarifier — les implications de la principale thèse marxiste sur la religion comme instrument d'exploitation et de domination dans la religion moderne organisée. Jean Kanapa, qui est l'auteur d'une des tentatives les plus importantes dans ce sens, résume ses résultats en ces termes : la doctrine sociale catholique représente

> une idéologie de justification et de conservation de ce type d'ordre social qui repose sur l'exploitation de classe. Dans ses fondements théoriques, elle relève du dogmatisme métaphysique. Dans sa description de la vie sociale, elle apparaît naïvement apologétique. Dans son programme, elle constitue un prêche en faveur de la capitulation des opprimés. Sous couvert d'impératifs moraux d'essence divine, elle représente un effort constamment réadapté aux exigences du temps — pour entraîner le mouvement ouvrier à abandonner en fait le combat contre la bourgeoisie, voire pour dresser les travailleurs, dont elle aura réussi à dévoyer l'énergie combative et même la conscience de classe, contre la partie la plus consciente de la classe ouvrière, celle qui a objectivement charge des intérêts de toute la classe. En bref, elle est à la fois radicalement antiscientifique et fondamentalement rétrograde [34]...

Ce qui distingue l'étude de Kanapa de la masse des publications antireligieuses, c'est son effort pour consulter les documents ecclésiastiques, même si sa théorie de l'exploitation dirige son choix et rend son interprétation des textes partiale. Les efforts de vérification empirique sont absents. Toutes les fois qu'il se heurte à des données qui ne confirment pas sa thèse, il se réfère à un facteur sous-jacent au système ecclésiastique, un élément de révolte prolétarienne. « Né de la défaite de Spartacus comme on a pu dire, le christianisme a gardé en lui le soupir de Spartacus [35] », qui fera éventuellement une furtive apparition même dans un

---
[33] J. CHESNEAUX, in *Archives de Sociologie des Religions*, 16, p. 12.
[34] J. KANAPA, 1962, p. 303.
[35] *Ibid.*, p. 306.

document pontifical, comme *Mater et Magistra*, et qui pourrait un jour connaître son accomplissement dans les réalisations communistes, lorsque la foi dans les mythes officiels sera tombée du cœur des chrétiens « comme une feuille morte [36] ». L'idée que la foi n'a pas besoin d'être déracinée par une intervention athée est pour Kanapa une conclusion de sa thèse : elle est née d'un système social fondé sur l'exploitation et disparaîtra dans une société socialiste.

5. ÉTUDES SUR L'ÉLIMINATION DE LA RELIGION DANS LES PAYS COMMUNISTES

C'est là peut-être le domaine où la recherche marxiste en sociologie de la religion a été la plus développée; et il y a un parallélisme étroit avec le domaine que les sociologues théistes ont le plus développé, ce qu'on appelle « l'étude de marché ecclésiastique ». L'affirmation essentielle dans la réforme de la propagande athée, recherchée en U.R.S.S. depuis le rapport de F.L. Ilïtchev à la Commission idéologique de Parti Communiste de l'Union Soviétique en 1963, a été qu'une connaissance scientifique du but de la propagande est nécessaire. L'intérêt pour la sociologie occidentale de la religion, amorcé quelques années auparavant, est devenu plus courant.

Quelques-unes des premières études de la période post-stalinienne furent orientées vers les groupes reconnus comme arriérés, tels que les chamanistes et les paysans. T. M. Mikhailov (1963) découvrit à partir d'une étude sur les Bouriates — en Union Soviétique — que les religions païennes résistent mieux en face de l'athéisme que les religions organisées comme l'Islam et les Églises chrétiennes. Il parle même d'une renaissance du paganisme en U.R.S.S. Le chamanisme chez les Bouriates, par exemple, devient plus puissant. Il y a un retour au chamanisme dans des groupes bouddhistes et musulmans [37].

Les académiciens soviétiques L. Pouchkarewa, G. Snesarev et M. Chmaleva menèrent une enquête sur l'état de la religion chez les travailleurs ruraux dans une région située au nord de Moscou, qui fut publiée dans la revue soviétique « Kommunist » en Mai 1960. Ils découvrirent qu'en majorité les travailleurs des fermes collectives étaient déjà des athées confirmés. Les travailleurs mis dans un milieu nouveau et séparés de leurs coutumes et de leurs traditions habituelles, plus tôt que les

---

[36] *Ibid.*, p. 267, 19 et 317.

[37] T. M. Mikhailov, *Certaines causes de la conservation des restes de chamanisme chez les Bouriates* (en russe), dans : *Vestnik Moskovskogo Univ. Istor. Nauki*, Moscou, 18 (1963), 2, pp. 45-54.

autres, abandonnent les pratiques religieuses apprises dans leur jeunesse. L'économie socialiste a provoqué une rupture du lien entre l'économie rurale et la religion. Le peuple trouve les cérémonies religieuses lassantes et soutient que les prières sont souvent oubliées dans les occupations de la vie quotidienne. Les prières de ceux qui prient encore deviennent plus utilitaires et réservées à des cas bien particuliers de besoin. Ce n'est que dans un petit groupe de croyants d'environ 60 ans qu'il a été possible de trouver un système unifié d'idées et d'opinions religieuses communes. Avec les jeunes, l'incroyance est devenue une habitude. Ils ne sont pas conscients de la perversité de la religion et ainsi ne font pas ordinairement de bons militants athées. L'usage du baptême a reparu avec le début de la seconde guerre mondiale [38].

Une étude de l'athéisme dans le mouvement ouvrier en Russie montra que, dans la plupart des cas, l'anticléricalisme a précédé l'adoption de l'athéisme [39].

En Yougoslavie, le professeur Ante Fiamengo a conduit une large enquête par interviews sur l'état de la religion ou de l'athéisme dans divers groupes et groupements sociaux, définis suivant la classe sociale, le sexe, l'âge, le milieu urbain ou rural et les diverses régions. De l'incidence bien plus grande de l'athéisme sur les étudiants, les professeurs du secondaire et les travailleurs industriels que sur d'autres groupes en moindre contact avec le développement technologique, il conclut qu'il y a un lien indirect entre le facteur technologique et la religion. Il ne dispose cependant pas de données pour une comparaison dans le passé, qui lui permette de préciser les orientations [40]. Fiamengo est membre de la Commission de Sociologie de la Religion dans l'Association internationale de Sociologie.

Le cas du professeur S. Ossowski, de Varsovie, mort en 1964, était similaire; il fit beaucoup pour introduire les meilleurs critères méthodologiques du monde occidental dans la sociologie polonaise, jusqu'à exagérer l'exactitude statistique dans la présentation d'une importante étude qu'il avait dirigée, portant sur l'attitude religieuse des étudiants de Varsovie. Dans le rapport rédigé par Anna Pawelczynska [41], les tableaux répartissent en neuf groupes les auteurs des réponses, depuis « le croyant

[38] L. POUCHKAREWA, G. SNESAREV et M. SCHMELEVA, un article dans : *Kommunist*, Mai 1960 sur la religion dans la Russie rurale.
[39] M. PERSITZ, étude sur l'athéisme dans le mouvement ouvrier, dans : *Voprossy Istorii Religii i Ateizma*, Moscou, 8 (1960), pp. 101-127.
[40] A. FIAMENGO, deux articles dans *Archives de Sociologie des Religions*, 2 (Juillet-Décembre 1956), pp. 116-120 et 15 (Janv.-Juin 1963), pp. 101-111.
[41] A. PAWELZYNSKA, dans : *Archives de Soc. des Rel.* (Juillet-Déc. 1961, pp. 107-132).

profond qui pratique systématiquement » (7,4 % en 1958 et 4,9 % en 1961) jusqu'à « l'adversaire décidé de la religion » (1,9 % en 1958 et 4,9 % en 1961) [42].

Edward Ciupak a écrit le compte rendu, devenu populaire, d'une enquête sociologique à Opole et Bialystock en 1958-1959, où il compare les observations sur la vie religieuse à des données de 1934-1936 et à d'autres provenant des archives paroissiales. Sa thèse est que les besoins religieux ne sont pas innés dans la psychologie humaine, mais dus à l'action, au long des siècles, des institutions ecclésiastiques et même étatiques [43].

Erika Kadlecova a poursuivi des recherches sur la religiosité dans la région de la Moravie du Nord en Tchécoslovaquie. A partir de questionnaires présentés par 600 enquêteurs à 1 400 adultes choisis au hasard et à 2 300 adolescents, dans des conditions telles que l'anonymat était assuré, on découvrit que 30 % de la population adulte était athée, 30 % croyante, et 40 % indifférente. Sur les 30 % de croyants, 29 % ne se rattachaient à aucune doctrine religieuse, 48 % adhéraient aux devoirs religieux et aux principes fondamentaux, tandis que 23 % seulement adhéraient inconditionnellement à tout le Credo. La conclusion en est que la religion en 1963 devient marginale dans la vie sociale. Une étude de 1946 fournit une référence à la situation antérieure.

En 1963 et en 1964, on fonda des chaires d'« Athéisme scientifique » à Iena, Prague et Moscou. Seul le titulaire d'Iéna, Olof Klohr, semble s'intéresser à la recherche sociologique. Selon sa communication non publiée au Quatrième Colloque européen sur la Sociologie du Protestantisme à Sigtuna en 1965, il a établi par des enquêtes variées que le processus de laïcisation s'intensifie à mesure que les sources principales de la religion disparaissent. Dans une proportion de 6 à 8 pour mille, la population abandonne officiellement la religion chaque année. La foi de ceux qui restent diminue. 29,3 % de la population se compose maintenant de marxistes et d'athées, — 52,8 % parmi les ouvriers et 56,6 % parmi les fonctionnaires. Quelques marxistes sont chrétiens, et Klohr travaille actuellement à une étude sur les membres chrétiens du Parti.

6. ÉTUDES SUR LES RELATIONS ENTRE RELIGION ET CLASSES SOCIALES

La définition marxiste de la religion s'établit à partir du concept de deux classes sociales, les exploiteurs et les exploités, les premiers utilisant

---

[42] Cf. la critique de ces distinctions subtiles par MAJKA, 1963, pp. 469-70.
[43] E. CIUPAK, 1961, pp. 41 et 187.

la religion comme un instrument de contrôle des derniers. La propriété privée des moyens de production est considérée comme la base de la distinction entre ces deux classes, et l'on regarde les fonctionnaires des diverses superstructures idéologiques, telles que l'État et l'Église, comme une classe exploitante secondaire.

Chez Marx et Engels, cette théorie d'une dichotomie de la classe sociale était nuancée par leur riche connaissance et leur pénétration de l'histoire, par laquelle la division exploiteur-exploité fut réduite à n'être, quoique fondamentale, que l'une des dimensions de la vie sociale, en interaction avec d'autres dimensions; ils faisaient ainsi place à une pluralité de concepts de classe, chacun étant fonctionnel par rapport à des aspects particuliers de la problématique sociale. La conséquence évidente, que la définition de la religion comme instrument d'exploitation ne peut être tenue pour dernière et absolue, mais qu'elle ne recouvre qu'un aspect possible de la religion, n'a jamais été tirée dans le mouvement marxiste orthodoxe. L'insistance sur la dichotomie exploiteur-exploité comme facteur prépondérant et dominant de la vie sociale, politique, culturelle et religieuse a été en effet le critère véritable du marxisme orthodoxe. L'existence évidente chez Marx et Engels de la conscience de classe comme critère de la classe, à côté du critère de la propriété dut être admise, en particulier quand Bucharin et Lukacs attirèrent l'attention sur son importance, mais elle ne fut considérée que pour ce qu'elle fournissait une subdivision des deux classes en fonction de l'intensité dans la lutte des classes.

Le sociologue polonais Stanislas Ossowski a apporté une contribution importante à la théorie marxiste dans son livre récent, traduit en anglais en 1963 sous le titre *Class Structure in the Social Consciousness*, consistant pour une part en un regard neuf sur les théories des classes de Marx et Engels, et par ailleurs en un développement de ces théories en relation avec la sociologie moderne. Il relève que la théorie de la dichotomie ne représente rien de plus qu'une concession au besoin de simplification dans la propagande marxiste. « Chez Marx le révolutionnaire, la conception d'une dichotomie de la structure sociale domine. Chez Marx le théoricien, nous avons à faire parfois, non seulement à une structure triple, avec une classe moyenne entre les deux classes opposées, mais aussi à une structure héritée de l'économie bourgeoise [44] », à savoir la division en travailleurs à gages, capitalistes et propriétaires terriens, utilisée par Adam Smith. Comme les critères de cette dernière division se recouvrent, elle peut être unie à la précédente : la classe moyenne ou

---

[44] S. Ossowski, 1963, p. 79.

petite bourgeoisie est vue en liaison avec le prolétariat, le critère étant qu'elle dépend essentiellement de son propre travail, et en liaison avec la classe des capitalistes — ou propriétaires terriens — le critère étant la possession de biens.

Ossowski souligne que « l'interprétation par les classes » de l'histoire est le signe distinctif du marxisme, et il soutient que cette interprétation n'est possible que lorsqu'on admet un grand nombre de classes sociales.

> Cette interprétation, qui attribue à la division des classes une signification multiple et qui fait entrer toutes les sphères de la vie spirituelle dans l'orbite de la lutte des classes, ne peut être enfermée dans une structure dualiste. Si toutes les luttes politiques ou religieuses doivent être interprétées comme des luttes de classes, si nous devons relier les diverses orientations littéraires et artistiques à des relations de classes sous-jacentes, si nous devons rechercher un reflet des intérêts et des préjugés des classes dans les normes morales, alors il nous faut recourir à un nombre de classes plus grand que les deux classes fondamentales du *Manifeste Communiste* [45].

S'il y a dans la théorie marxiste une élémentaire cohérence, il doit y avoir quelque connection logique entre le concept de classe pluraliste et le concept dualiste. Une solution possible pourrait être d'interpréter la dichotomie exploiteur-exploité comme une polarité dans le cadre d'un critère ou d'une dimension fondamentale, avec les classes multiples comme phénomène secondaire provenant de l'intersection de la division fondamentale par d'autres dimensions, comme la conscience, l'éducation, et des relations diverses aux divers moyens d'exploitation. Ossowski propose une solution différente où la dichotomie est réservée à un type particulier, extrême, de société, auquel il ne donne même pas une réalité historique définie, le traitant comme un type conceptuel idéal :

> Les expériences de ces dernières années nous incitent à formuler la conception marxiste des classes sociales sous la forme d'une loi qui établit une dépendance fonctionnelle : plus le système social se rapproche du type idéal d'une société capitaliste libre et compétitive, plus les classes sont déterminées par leurs relations aux moyens de production, et plus les relations humaines sont déterminées par la propriété des moyens de production [46].

Les études du développement de l'athéisme parmi les ouvriers, la population rurale et d'autres groupes sociaux, ainsi que parmi d'autres classes dans les pays communistes, auxquelles nous nous sommes référés

---

[45] *Ibid.*, pp. 87-88.
[46] *Ibid.*, p. 185.

Interprétations sociologiques

plus haut, ne parlent pas d'exploiteurs et d'exploités, mais exposent, en ce qui concerne la religion, une différenciation des classes sociales proportionnellement à leur accès à la technologie moderne. Cette observation, soit dit en passant, ne paraît pas fondamentalement différente de celles faites par des sociologues non marxistes dans des pays non communistes.

En théorie marxiste, la corrélation entre classe et religion ne vaut pas seulement au niveau de la foi et de la pratique individuelles, mais aussi au niveau des organisations religieuses.

Un autre aspect de la théorie marxiste des classes appliquée à la religion est l'explication des organisations religieuses en termes de système de classes, dans la société où elles existent. L'Église primitive était, selon Engels, structurée suivant la situation des classes dans l'Empire, et elle fut restructurée au Moyen Age dans une hiérarchie féodale pyramidale où sa doctrine connut des changements concomitants. L'idée d'une certaine plasticité des structures de l'Église, que ces observations d'Engels et d'autres impliquent, par exemple à propos du développement de l'Église en une pluralité d'Églises et de mouvements à l'intérieur des Églises, en relation réciproque avec le développement de sociétés civiles pluralistes, n'a pas été adoptée par les marxistes ultérieurs, qui considéraient l'organisation médiévale féodale comme le stade final fossilisé de l'Église.

IV

LA RELIGION DANS LE SOCIOLOGISME DE DURKHEIM

Émile Durkheim a développé son interprétation organiciste de la religion dans son livre « Les Formes élémentaires de la vie religieuse », en 1912. Les données empiriques sont tirées d'études menées par d'autres sur la religion dans une tribu d'aborigènes australiens. Il croit, en s'appuyant sur la théorie de ses contemporains, que leur religion totémiste est un cas de religion *in statu nascendi*, idée qui se trouve aussi à la base des théories de Freud, mais qui a été infirmée plus tard.

Le postulat méthodologique fondamental de Durkheim est que les phénomènes sociaux les plus complexes doivent s'expliquer par les phénomènes les plus simples. Comme selon lui les sociétés primitives représentent les spécimens les plus simples, où les « développements de luxe » secondaires n'ont pas encore caché les traits principaux et indispensables, c'est-à-dire aussi essentiels, il nous faut nous tourner vers ces sociétés si nous voulons comprendre la religion [47]. Un troisième postulat est que toutes les religions sont de la même espèce, et ont donc les mêmes éléments essentiels [48].

Au centre de la religion élémentaire des tribus australiennes se trouve le totem, nom et emblème du clan, qui donne une dimension nouvelle et sacrée à la fois à l'animal totem et aux hommes distingués par lui. Les nécessités sociales provoquent des élaborations théologiques de la désignation par le totem, par lesquelles l'homme acquiert des modes nouveaux de pensée, amenant les généralisations, qui s'appliquent avant tout à la classification des animaux et des clans, des phratries et des classes sociales, puis à l'élaboration d'une cosmogonie. Les rôles cultuels conduisent à des totems individuels. Les concepts religieux se développent à un second niveau de puissance quand les concepts de causalité et de force religieuse sont saisis.

Les attitudes rituelles forment le second groupe essentiel d'éléments religieux, après les doctrines liées au totem. Durkheim distingue entre culte négatif et culte positif, le premier caractérisé par divers tabous avec

---

[47] DURKHEIM, *Les Formes élémentaires de la vie religieuse*, 1960, p. 8.
[48] *Ibid.*, p. 6.

des rites ascétiques correspondants, et le second par des oblations périodiques, par des rites mimétiques, des rites commémoratifs et des rites expiatoires.

Les caractères structurels particuliers d'une société donnée seront exprimés par les caractères particuliers de sa religion.

Loin donc que la religion ignore la société réelle et en fasse abstraction, elle en est l'image; elle en reflète tous les aspects, même les plus vulgaires et les plus repoussants. Mais si, à travers les mythologies et les théologies, on voit clairement transparaître la réalité, il est bien vrai qu'elle ne s'y retrouve qu'agrandie, transformée, idéalisée [49].

Ce processus d'idéalisation de l'expérience quotidienne de la vie sociale prend place dans l'effervescence de situations sociales intenses. Ce double aspect de la réalité sociale, quotidienne et idéale, est un caractère essentiel de la société humaine, celui qui la distingue de la société animale. Un homme, sans cette capacité de connaître une expérience de la société idéalisée en religion, ne serait pas humain [50].

Pour Durkheim, l'expérience spécifique d'une société qui constitue une religion est quelque chose qui est continuellement revécu au stade originel dans la société contemporaine. Lucien Lévy-Bruhl donna à la théorie une orientation évolutionniste. L'expérience religieuse de la société avec ses caractères concomitants de pensée logique et généralisatrice est selon lui acquise à un stade particulier de l'histoire humaine, avant lequel nous pourrions distinguer un stade pré-logique et pré-religieux. Au stade où la religion apparut, les mythes et les rites devinrent les instruments d'une orientation nouvelle, causale, dans le monde conçu comme un univers, une totalité. Pour Durkheim, il y a une coexistence paisible de la science et de la religion comme deux expériences spécifiquement différentes, mais également fonctionnelles [51], mais pour Lévy-Bruhl, le stade de la religion doit évoluer naturellement vers le stade supérieur de la science. Sa démarche le ramène de Durkheim à la loi des trois stades de Comte, et, en un sens, de la sociologie de la religion à l'histoire des religions.

Malinowski reproche à Durkheim d'avoir oublié l'importance de la solitude et de la conscience individuelle dans la religion [52]. Durkheim reconnaît cependant ce qu'il appelle le « culte individuel »; mais il

[49] *Ibid.*, p. 601.
[50] *Ibid.*, p. 605.
[51] *Ibid.*, p. 596.
[52] B. MALINOWSKI, *Magic, Science and Religion*, Garden City, New York 1955, p. 56

l'explique comme une « particularisation » naturelle de la religion, quand elle « s'incarne dans les consciences individuelles », processus qui entraîne la conception d'êtres sacrés secondaires : l'âme, le totem individuel, l'ancêtre protecteur, etc. [53]. « L'existence de cultes individuels n'implique donc rien qui contredise ou qui embarrasse une explication sociologique de la religion; car les forces religieuses auxquelles ils s'adressent ne sont que des formes individualisées de forces collectives [54]. » L'origine de la religion, sa cause première, réside cependant dans la société : « une philosophie peut bien s'élaborer dans le silence de la méditation intérieure, mais non une foi [55] ».

---

[53] *Ibid.*, p. 607.
[54] *Ibid.*, p. 607.
[55] *Ibid.*, p. 607.

DISCUSSION

REMARQUE PRÉLIMINAIRE :

En quel sens une sociologie de la religion peut-elle être caractérisée comme athée ?

Pas plus qu'il n'existe une chimie chrétienne, il n'existe une sociologie chrétienne de la religion. La sociologie de la religion est une science empirique étudiant les relations causales réciproques entre les phénomènes religieux et sociaux. Ce qui ne peut être observé, le surnaturel comme tel, n'entre pas dans l'objet de la sociologie de la religion. Il n'y a pas de différence de principe ici entre les sociologues croyants et athées. La différence peut intervenir dans la compréhension, l'interprétation et la manière d'ordonner systématiquement l'objet, où les caractères particuliers du système conceptuel du savant peuvent avoir un effet direct. La tendance du savant cependant peut aussi, à travers ces élaborations conceptuelles, avoir un effet indirect sur la délimitation et la perception de l'objet. Ceci rend très difficile l'identification des différences spécifiques entre la sociologie d'un sociologue croyant et celle d'un athée. Ils peuvent se servir des mêmes termes et des mêmes données statistiques, mais ces éléments revêtent dans leurs théories des sens subtilement différents pour chaque étude sociologique, rendant impossible une confrontation.

Une autre complication vient de ce qu'il n'y a pas seulement une grande variété d'approches sociologiques et de théories de la religion parmi les sociologues croyants déclarés et parmi les athées déclarés, — souvent avec des ressemblances apparentes plus grandes entre des sociologies théistes et athées qu'entre les théories d'un même camp ; mais l'expérience courante nous apprend aussi que les hommes pourvus d'un système conceptuel pleinement cohérent sont extrêmement rares, si toutefois il en existe. Dans ces conditions, il peut se produire qu'un pieux sociologue croyant développe une sociologie si intimement liée à des positions athées, qu'elle devrait être considérée elle-même comme athée. Et un athée sincère peut de même, en tant que sociologue, travailler dans un cadre qui implique des postulats théistes. La conséquence de cette remarque est que les renseignements biographiques sur la foi religieuse ou sur l'athéisme d'un sociologue ne suffisent pas à définir sa sociologie comme théiste ou athée. Il nous faut rechercher des critères à l'intérieur des systèmes sociologiques eux-mêmes.

Le critère dont nous avons déjà fait usage pour le choix des sociologies de la religion à analyser comme athées, dans la partie descriptive de cette étude, est l'« ouverture » de la théorie générale supposée dans la sociologie particulière à classer. Si l'on tient implicitement (ou expressément) que les phénomènes religieux sont entièrement contenus dans le monde profane sans référence possible à une réalité surnaturelle, et si, deuxièmement, ce présupposé s'exprime dans l'affirmation que ces phénomènes ont leur causes fondamentales à l'intérieur du système social, dans ce cas nous avons identifié une sociologie athée de la religion. Si d'autres facteurs intérieurs au monde profane sont considérés comme les causes fondamentales ultimes des phénomènes religieux, les phénomènes sociaux n'étant alors que des circonstances provoquant des modifications, alors l'athéisme ne réside pas dans la sociologie en tant que telle, mais dans la psychologie, la biologie, la géographie, ou d'autres sciences qui étudient directement les facteurs considérés comme ultimes.

En d'autres termes, il n'y a pas de différence radicale dans l'approche et les méthodes d'une sociologie « réductionniste », qui ne considère pas les phénomènes sociaux, objet de la sociologie, comme des causes déterminantes, mais désigne des facteurs psychologiques et autres pour expliquer les facteurs sociaux, — et une sociologie théiste, qui croit que la référence ultime des phénomènes religieux sociaux se situe au-delà des phénomènes sociaux. Également, un sociologue théiste de la religion doit se soumettre à la discipline d'un « athéisme méthodologique », et étudier les interrelations des phénomènes sociaux et rien d'autre, même s'il admet que ces interrelations sont relativement causales et explicatives, afin de constituer une vraie sociologie et pas seulement une théologie déguisée ; — de même un sociologue réductionniste doit étudier les phénomènes sociaux et admettre qu'ils ont leur existence propre, même si elle n'est que relative, si sa sociologie ne veut pas être considérée comme une psychologie déguisée, etc.

I

APPRÉCIATION DE LA SOCIOLOGIE MARXISTE DE LA RELIGION

A. — Aspects négatifs : Interférence de l'idéologie athée

Le caractère « sociologiste » non réductionniste de la sociologie durkheimienne de la religion est clair — au moins au niveau apparent où se situe ici notre analyse. Le caractère non réductionniste du marxisme n'est pas également apparent, si nous faisons abstraction de ce que nous connaissons de l'athéisme déclaré de ses auteurs et de leurs disciples. La sociologie marxiste semble « réduire » les phénomènes sociaux à des épiphénomènes reliés aux phénomènes économiques et technologiques, et, ultérieurement, à la matière. Cette dernière réduction, cependant, est purement métaphysique, comme la réduction des causes « secondes » à Dieu comme cause première dans la philosophie théiste, où la question qui importe n'est pas de savoir si Dieu est la cause première de toutes choses, mais s'il se manifeste aussi comme cause « seconde » par des interventions directes dans les phénomènes socio-religieux. Ensuite, au niveau de l'efficience immédiate, la réduction des phénomènes sociaux aux phénomènes économiques n'est qu'une réduction apparente, pour autant que le concept de phénomène économique et technologique chez Marx et Engels les intègre pleinement à la sphère sociale [56]. Considérant les structures sociales, résultant de la division du travail et tenues pour les traits essentiels de la substructure économique et technologique, comme les facteurs déterminants ultimes de la religion et des autres superstructures idéologiques, la sociologie marxiste de la religion se présente comme un système clos, un « sociologisme ».

Une question importante demeure. Quand on a reconnu que la sociologie marxiste, en tant que théorie générale, prétend donner une explication complète de la religion comme épiphénomène social, et par conséquent est marquée par une tendance athéiste essentielle, ne serait-il

---

[56] Cf. notamment la lettre d'Engels à J. Bloch, 21.9.1890, et à H. Starkenburg, 25.1.1894, dans K. MARX et F. ENGELS, *Correspondance 1846-1895*, Londres 1934, pp. 475-477, 516-519.

pas encore possible que certaines de ses théories intermédiaires restent relativement à l'abri de cette tendance et forment une part de la théorie marxiste qui coïncide avec la sociologie théiste de la religion ? La tendance athéiste se situe en particulier dans la théorie des origines de la religion, et, en général, dans les théories sur la religion comme variable dépendante. Chez Marx et Engels, nous trouvons aussi, cependant, des théories de l'influence des superstructures idéologiques sur les substructures. Dans le champ où s'appliquent ces théories et leurs observations corrélatives, et naturellement elles peuvent ne pas aller assez loin dans l'affirmation du rôle de la religion dans la vie sociale — négligeant en particulier ses rôles positifs — il n'y a pas de raison pour qu'elles soient entachées du postulat de l'existence dérivée de la religion. Au contraire, savoir dès l'abord que l'étude de la religion comme une variable indépendante n'est qu'une partie de toute l'histoire, libère cette étude de la tendance « sociologisante ».

Henri Desroche a souligné, dans les écrits de Marx et Engels, les nombreuses ouvertures intéressantes à de telles théories sociologiques, très différentes de leurs théories de la religion comme une variable dépendante, qui remplissent toutes les anthologies marxistes officielles [57]. L'une des observations fécondes sur la religion comme variable indépendante, qui ont été supprimées dans le marxisme officiel, est, par exemple, son rôle à la base de structures sociales laïques, comme l'État. La raison de cette suppression est évidemment que cette base est apportée dans les États communistes par le marxisme, qui éprouve naturellement de grandes réticences à se présenter comme une idéologie et au moins comme un équivalent fonctionnel de la religion. La doctrine officielle, dans le courant majeur du marxisme « orthodoxe » clairement athée, a été que, parmi les systèmes conceptuels, seul le marxisme lui-même est au-delà des limites des autres idéologies, ayant atteint une fois pour toutes le niveau d'une conception scientifique réaliste. Il est d'autre part caractéristique des marxistes « révisionnistes », qu'ils tendent à appliquer au marxisme lui-même la critique marxiste de l'idéologie comme liée aux substructures sociales [58].

Sa tendance athéiste peut, comme nous l'avons vu, empêcher la sociologie marxiste de la religion de *comprendre toute l'étiologie* des phéno-

---

[57] DESROCHE, 1962.

[58] Cf. notamment OSSOWSKI, 1963, p. 193 : « L'une des conséquences importantes des événements qui eurent lieu en Pologne en 1956, et surtout des événements de ce qu'on a appelé l'Octobre polonais, fut la destruction des mythes officiels qui dissimulaient notre réalité. » Il définit la base de la tendance idéologique stalinienne dans le besoin d'intégration nationale.

mènes religieux authentiques et aussi de *comprendre le marxisme lui-même comme une pseudo-religion*; mais, mise à part *l'étude des effets* de phénomènes authentiquement religieux, il reste encore un autre champ où la tendance athéiste peut n'avoir pas de conséquences, à savoir *l'étude des pseudo-religions non marxistes*. Pour le sociologue de la religion croyant, il y a dans les phénomènes religieux authentiques une dimension causale qui transcende l'étiologie purement sociale. Il n'y a, cependant, pas de raison de mettre cette limite à leurs explications sociologiques, quand les phénomènes étudiés ne peuvent se légitimer comme religieux dans un sens strict, ou quand peut-être ils rejettent leur nature religieuse d'eux-mêmes, n'étant qu'un équivalent fonctionnel de la religion.

Tous les sociologues théistes admettront que les pseudo-religions existent, mais ils peuvent n'être pas d'accord pour tracer la frontière entre celles-ci et la religion authentique. On tend vers un concept toujours plus large de la religion authentique, dans un esprit œcuménique. Une autre tendance conduit à admettre que la frontière traverse chaque religion ou idéologie particulière de telle sorte que des éléments de phénomènes pseudo-religieux pleinement déterminés socio-psychologiquement sont reconnus à l'intérieur de sa propre religion, et que des éléments de religion authentique sont reconnus dans des idéologies athées, comme le marxisme.

Pour le marxiste, c'est la doctrine officielle du parti qui demande une vigilance continuelle pour protéger le marxisme authentique des « distorsions », des « erreurs » et autres déviations dans le sens de l'« idéalisme » considéré comme la racine de toute conscience erronée. Les éditions successives de l'officielle *Histoire du Parti Communiste de l'Union Soviétique* fournissent une multitude d'exemples, même si la pleine reconnaissance du manque correspondant d'homogénéité de la pensée marxiste s'arrête aux hérésies du passé, considérant chaque fois la dernière épuration comme la percée finale de la doctrine authentique et inaltérée. Cependant une collaboration entre sociologues théistes et marxistes pourrait être envisagée, pour étudier la nature religieuse de déviations marxistes telles que le trotskisme et le stalinisme dans leurs déterminations sociales.

Il pourrait même se faire que l'hypothèse fondamentale de la sociologie marxiste soit acceptée par des sociologues théistes dans l'étude de tels mouvements pseudo-religieux, à savoir que ces mouvements suivent les lois de la dialectique, c'est-à-dire les lois de la pensée humaine non scientifique, pour autant qu'ils sont des systèmes conceptuels qui ont revêtu, dans une certaine mesure, une autonomie relative en interaction avec leur substructure sociale, et ne sont pas que des émanations directes de cette substructure, mais leur passage à travers le cerveau d'hommes relativement libres et créateurs. Que les formulations de ces lois dialectiques, données par les marxistes, soient adéquates, c'est une question que nous ne pouvons discuter ici, mais le concept même de lois dialectiques gouvernant la marche des mouvements idéologiques implique cependant une dimension *spirituelle* dans la dynamique sociale correspondante, qui manque dans une grande partie de cette plate sociologie de la religion, empiriste et mécaniste, qu'on a souvent considérée comme moins contestable que le marxisme. La dialectique du marxisme peut être considérée comme un développement légitime de la théorie dialectique d'Aristote et n'a pas de lien intrinsèque avec le matérialisme marxiste [59].

Depuis les thèses de Marx contre Feuerbach, il a été reconnu qu'il y a dans la pensée dialectique une dimension *pratique* orientée vers le changement des situations qui sont le point de départ de la pensée. Aussi bien les phénomènes qui suivent les lois de la dialectique, comme les phénomènes idéologiques, que la théorie des modes sous lesquels ils suivent ces lois, comme la sociologie marxiste, sont, d'après cette théorie, orientés positivement ou négativement vers les changements qui interviendront dans le futur. Les idéologies de la conscience erronée, comme la religion, seront déterminées par leur *résistance* aux changements que la dialectique de la substructure rend nécessaires. Elles détournent les impératifs du futur vers les impératifs d'un monde abstrait irréel situé hors du temps, le ciel. La vraie idéologie, le marxisme, la pensée scientifique, formule les impératifs des possibilités futures réelles.

B. — *Aspects positifs*

I. ASPECTS POSITIFS DE LA CONCEPTION DIALECTIQUE DE LA RELIGION

Le type dialectique marxiste de la religion et de la sociologie de la religion présente deux aspects positifs. En premier lieu, il est positif que la sociologie marxiste de la religion la définisse comme *instrument* pour les organes politiques et exécutifs de la société. Elle a, comme toute la science sociale marxiste, la quadruple fonction, (a) de tenir informés les dirigeants du parti, (b) de planifier, guider et contrôler efficacement l'économie et la société, (c) d'améliorer l'organisation du travail, et

---

[59] J'ai essayé de prouver cette affirmation dans ma thèse inédite sur *Friedrich Engels et sa Dialectique de la Nature*, Rome 1962.

(d) de maintenir la pureté de l'idéologie [60]. L'objectif de la politique marxiste peut être la destruction de la religion, mais l'usage de la sociologie dans ce contexte d'action y introduit de fortes raisons d'être réaliste, ainsi qu'un correctif constant par le succès ou l'échec des actions menées. Cela promet un grand développement de la sociologie de la religion dans les pays marxistes. L'intérêt accru pour cette discipline, ces dernières années, est venu de ce qu'on a constaté l'échec des campagnes antireligieuses passées, comme l'a exprimé le rapport de Leonid F. Ilïtchev au XXIIe Congrès du Parti Communiste de L'Union Soviétique : « Il faut y inclure l'ensemble de l'intelligentsia soviétique... Il est indispensable d'améliorer de façon radicale l'étude scientifique des problèmes contemporains de l'athéisme... Le travail scientifique dans le domaine de l'athéisme est un des secteurs les plus négligés. Son défaut principal est l' « académisme », la fuite dans le passé lointain, et le manque presque total de travaux consacrés aux problèmes contemporains de l'athéisme scientifique... Les travailleurs scientifiques ne fournissent pas de réponse fondée à toute une série de questions que pose la pratique de l'éducation athéiste [61]. »

Tandis que le plus grand nombre d'études sociologiques marxistes de la religion avaient été consacrées jusque là à des problèmes historiques, comme la détermination sociale de la religion primitive, le christianisme primitif et les mouvements réformistes médiévaux, on a maintenant encouragé les études de phénomènes *contemporains*, où le risque de « faussement » des théories par des données empiriques nouvelles est naturellement bien plus élevé. Il n'y a pas de raison de croire que de telles études ne seront pas encore plus encouragées dans l'avenir et qu'elles n'adopteront et ne développeront pas de plus en plus les techniques de vérification, de contrôle et d'interprétation, qui caractérisent maintenant les meilleures études des écoles non marxistes.

Un second aspect positif de l'interprétation marxiste de la religion comme phénomène dialectique est qu'elle rend impossible une dichotomie nette entre les idéologies de la conscience idéaliste orientée vers un ciel factice, et l'idéologie scientifique du marxisme.

Les mouvements religieux ayant un programme social radical et réaliste sont assez abondants aussi bien à travers l'histoire que dans le monde contemporain, tandis que simultanément les mouvements inspirés du marxisme sont dénoncés comme des idéologies utopistes et réaction-

---

[60] Cf. Peter C. LUDZ, *Sociology in Eastern Europe, East Germany*, dans *Problems of Communism*, January-February, 1965, p. 68.

[61] Leonid F. ILÏTCHEV, *Rapport sur la lutte anti-religieuse en U.R.S.S.*, reproduit dans *Informations Catholiques Internationales*, Paris, n° 211, 1.3.1964, p. 30.

naires par les autres marxistes. La conséquence de la première des trois lois de la dialectique formulées par Engels : « *Das Gesetz der gegenseitigen Durchdringung der Gegensätze* [62] », la loi de l'interpénétration des contraires, ne peut être que celle-ci : la théorie marxiste et les religions véritables sont des mélanges de conscience vraie et erronée, — une religion entièrement réactionnaire et une théorie de la vie sociale entièrement scientifique et réaliste ne se rencontrent jamais dans la réalité.

Si cette conséquence de l'hypothèse de la religion comme phénomène dialectique était vérifiée par la recherche empirique, une révision serait nécessaire des implications nombreuses de la définition de la religion comme projection déviée des valeurs de l'avenir dans le vide d'un ciel abstrait. Un commencement de ce développement, auquel le marxisme pourrait être préparé maintenant, a été fait par Ernst Bloch dans *Das Prinzip Hoffnung*, où il étudie le rôle de l'espoir dans l'action humaine et la vie sociale. Il découvre que l'espoir, comme projection de la pensée humaine dans l'avenir, est une dimension de toute pensée, dans le marxisme « réaliste » comme dans la pensée religieuse. Il n'y a aucun type de pensée qui relègue toutes les valeurs à un ciel mythique en dehors du temps, mais, en toute pensée entrent en composition une intention d'améliorer les conditions temporelles et une référence à des idéaux extra-temporels. Si une telle référence définit un type de pensée comme religieux, alors le marxisme est lui-même religieux. Cette remarque aurait pu être faite aussi à partir de la définition oubliée, que Marx donnait de la religion comme la reconnaissance de l'homme à travers une médiation, à laquelle nous nous sommes référés plus haut [63]. Toute pensée humaine procède au moyen de médiations par des concepts généraux qui, par définition, sont abstraits, c'est-à-dire séparés des faits concrets du temps, passé, présent et futur.

La relativisation de la dichotomie entre religieux et marxiste, à laquelle conduisent ces implications de l'hypothèse marxiste sur la nature dialectique de la religion, doit mener à une libération correspondante par rapport aux idées préconçues sur les fonctions sociales négatives des institutions religieuses, qui, jusqu'ici, ont grandement limité le champ de la recherche empirique dans les interprétations marxistes de la religion. Tandis que la méthode *déductive*, qui a dominé la sociologie des épigones du marxisme, correspondait à la thèse d'une dichotomie absolue entre la religion et l'action sociale orientée vers l'avenir, une méthode *empirique* impliquera un passage de cette thèse

---

[62] F. ENGELS, *Dialektik der Natur*, éd. Dietz, 1959, p. 3.
[63] « *Die Religion ist eben die Anerkennung des Menschen auf einem Weg, durch einen Mittler.* » MEGA, I, 1, 1, p. 583.

à une hypothèse générale, acceptable pour les sociologues théistes, sur le caractère relatif des représentations théoriques et culturelles, par lesquelles les hommes cherchent à rendre les idéaux — et les dieux — présents comme des forces pratiques dans leur vie [64].

2. ASPECTS POSITIFS DE LA MÉTHODE

Notre jugement sur la sociologie marxiste de la religion a été centré jusqu'ici sur les caractères *essentiels* qui décident de sa compatibilité et de son incompatibilité avec la sociologie de sociologues aux convictions religieuses. D'autres caractères doivent être notés, qui n'ont pas un lien direct avec ce problème, mais qui concernent la valeur scientifique générale de la sociologie marxiste. Nous avons déjà attiré l'attention sur son état général de sous-développement, — situation qu'elle partage avec une grande partie du milieu scientifique théiste, où la méthode déductive prédomine encore dans les interprétations des relations réciproques entre religion et société.

La sociologie marxiste de la religion partage aussi avec une bonne part de la sociologie non marxiste une tendance à considérer comme vérités universelles les généralisations faites à partir des phénomènes religieux du christianisme occidental. Le milieu juif et protestant de Marx, et l'enfance piétiste d'Engels restent les références concrètes fondamentales, à l'arrière-plan des théories marxistes de la religion. Certains phénomènes idéologiques orientaux, comme l'alternance périodique d'une société entre deux idéologies, qui se rencontre sur les hauts-plateaux birmans, sont inconcevables pour le marxisme — comme pour la sociologie théiste courante [65].

Certains traits de méthodologie générale sont valables. La sociologie marxiste est, au moins par programme, « concrète » et « réaliste », dans le sens d'une réaction contre les préoccupations néo-positives des « types » et du relativisme de la pensée conceptuelle. Les sociologues marxistes veulent faire leurs généralisations à partir de faits, et ils croient en l'existence objective de lois des phénomènes sociaux, reprochant aux « empiricistes » d'être en cela des « agnostiques » et des « idéalistes » [66].

[64] H. DESROCHE dans une recension des *Archives de Sociologie des Religions*, 9 (Janvier-Juin, 1960), p. 175.
[65] N. BIRNBAUM, 1960, p. 133, renvoyant à une étude de E. LEACH, *The Political Systems of Highland Burma*, 1954.
[66] Un article de KUCZYNSKI, *Lois sociologiques*, dans : *Voprossy Filosofii*, 1958, cité dans *Soviet Survey*, Octobre-Décembre 1958, p. 8, expose la différence qui sépare dans leur concept de loi les sociologues « orthodoxes », qui identifient sociologie et matérialisme historique, et les sociologues plus révisionnistes, qui considèrent la sociologie comme « une science entièrement indépendante ».

Il y a dans la sociologie marxiste un refus ferme du réductionnisme psychologique, caractéristique d'une bonne part de la sociologie non marxiste. Cela n'est pas surprenant, pour autant que cela découle du sociologisme marxiste général, et en particulier de la théorie de la religion comme caractère d'un stade particulier du développement social, en contradiction avec la théorie de la religion comme caractère de la nature humaine en tant que telle. C'est cependant très utile comme principe méthodologique. Souvent la sociologie théiste de la religion demeure peu concluante par son incapacité à se concentrer sur les interrelations sociales sans emprunter des explications trop faciles à la sphère de la psychologie ou de l'éthique individuelles. Les théistes comme les marxistes tendent à identifier à tort comme essentiellement marxistes au lieu d'être simplement essentiellement sociologiques les explications des phénomènes religieux, qui font abstraction des états de la conscience individuelle et se concentrent sur les situations sociales comme facteurs de détermination des phénomènes. C'est seulement quand ce principe méthodologique sûr s'identifie avec une théorie métaphysique moniste qui postule que les situations sociales sont l'unique facteur causal existant, que les voies des sociologues théistes doivent diverger de la sociologie marxiste, au moins de la manière dont cette dernière s'est présentée jusqu'ici.

Autre caractère méthodologique valable de la sociologie marxiste : son approche historique, en opposition à la concentration des non-marxistes sur les interrelations contemporaines.

3. APPORTS SUR QUELQUES PROBLÈMES PARTICULIERS

Parmi les problèmes particuliers qui ont spécialement retenu les sociologues marxistes de la religion, il y a trois théories marxistes qui peuvent fournir aux sociologues théistes une contribution notable, pourvu qu'on les libère de la tendance athéiste qui les défigure actuellement. Parmi ces problèmes, le premier domaine peut être désigné sous le terme « *aliénation* », le second « *laïcisation* » et le troisième « *survivances* ».

a. *L'aliénation*

Le terme hégélien d'*aliénation*, désignant une contradiction entre un idéal et le stade de sa réalisation, prit de l'importance chez Marx comme expression du conflit entre les aspirations humaines et la situation de l'homme dans la société capitaliste. Une grande confusion a été créée par l'emploi simultané du terme dans un sens philosophique, un sens psychologique et un sens sociologique. C'est ce dernier qui nous intéresse ici. Dans ce sens, il indique la contradiction plus ou moins grande entre, d'une part, la fonction sociale et l'utilité d'une personne ou d'un groupe, et, d'autre part, son prestige et sa puissance dans le système social. On pourrait trouver un terme meilleur et plus technique pour cet état de contradiction, mais son importance est fondamentale aussi bien à l'intérieur des sociétés civiles que des sociétés religieuses, et ses conséquences religieuses méritent sans aucun doute une étude empirique [67].

b. *La laïcisation*

Le terme « laïcisation » n'est pas spécifiquement marxiste, mais le processus qu'il désigne, par lequel les structures sociales sont vidées graduellement de leurs connotations religieuses — au moins dans leur expression traditionnelle — est de grand intérêt pour le marxiste, qui le voit en concomitance avec le progrès du marxisme, et donc d'un intérêt « pastoral » pratique immédiat. Ce processus est censé suivre « la loi de transition du capitalisme au socialisme [68] » mais on a fait très peu pour donner à cette loi un contenu concret. Quelques-unes des hypothèses de la théorie marxiste, en particulier au sujet de ses liens avec les phénomènes d'aliénation, pourraient cependant être vérifiées. La sociologie théiste a trop souvent analysé naïvement le processus de « déchristianisation » comme une conséquence directe de la technologie, de l'urbanisation, du bien-être, — ou de la diffusion accrue des idéologies antireligieuses. L'idée que des contradictions graves dans les structures sociales ou que des injustices puissent être préjudiciables à la religion devrait retenir l'attention des sociologues théistes. Cependant la théorie marxiste de l'aliénation pourrait suggérer, et peut-être à bon droit, que l'effet serait peut-être aussi contraire. Une situation d'aliénation, provenant de la division du travail avec sa séparation des fonctions et du pouvoir, est, suivant la théorie marxiste, à la base de la religion, même si, à son tour, elle peut donner naissance à une protestation athéiste, quand les injustices sont révélées — et quand s'éveille une espérance d'harmonie post-révolutionnaire.

c. *La survivance inattendue de la religion*

Le problème immédiat qui se pose aux sociologues marxistes vivant dans des sociétés post-révolutionnaires, est la *survivance* inattendue de la religion dans ces circonstances nouvelles. Le nom officiel de la sociologie de la religion en U.R.S.S. semble être maintenant « l'étude des survivances

---

[67] Cf. V. RIESER, *Il concetto di « alienazione »* in Sociologia, dans : *Quaderni di Sociologia*, XIV (aprile-giugno 1965), pp. 131-170.

[68] Cf. l'article de KUCZYNSKI, cité note 66.

religieuses [69] ». Staline lui-même est l'auteur de la théorie suivant laquelle la survivance religieuse est due en partie à la survivance de structures économiques capitalistes, et en partie au retard naturel dans le développement de la conscience, par rapport aux nouvelles substructures, amplifié par les activités missionnaires des capitalistes des États entourant l'Union Soviétique [70]. La théorie d'un retard culturel a reçu une expression sociologique dans les écrits de Vierkandt et de W. F. Ogburn, mais Staline a peut-être raison quand il ne la tient que pour une explication partielle. Le problème des survivances existe aussi dans les sociétés dominées par une religion plus élevée, comme le christianisme, où des résidus des anciennes religions « païennes » peuvent se faire sentir même après des millénaires. Dans le cas présent, une étude de cette problématique marxiste pourrait se révéler utile aux sociologues théistes. Les structures capitalistes dans un pays communiste pourraient n'être qu'un exemple particulier de la nature fondamentalement pluraliste de toutes les sociétés, où toutes les structures importantes, comme par exemple la famille et la ville, ont des racines dans un passé bien antérieur aux religions et aux idéologies actuelles. Elles ne pourront probablement jamais être dépouillées de leur signification culturelle et religieuse originelle dans les niveaux antérieurs de la conscience.

4. CARACTÈRE POLÉMIQUE DE LA SOCIOLOGIE RELIGIEUSE

Un dernier caractère, que l'on devrait considérer comme au moins partiellement et indirectement valable dans la sociologie marxiste de la religion, est sa forme souvent extrêmement polémique. Ses observations les plus intéressantes sont bien souvent enrobées dans une polémique contre les divers types non marxistes de sociologie de la religion (aussi bien que contre les théories marxistes qui, pour l'auteur en question, sont infidèles au « vrai » marxisme). L'accusation courante contre les théories inacceptables est qu'elles ne sont pas scientifiques, parce que destinées à servir de nouveaux intérêts religieux ou économiques « réactionnaires ».

L'accusation est fondée, mais de peu d'intérêt, pour la « sociologie religieuse » pastorale, consacrée à une « étude de marché » au compte des diverses communautés religieuses. Comme c'est le cas fréquent de la sociologie marxiste, c'est là de la sociologie appliquée, souvent à un niveau modeste d'élaboration dans la théorie et les méthodes; mais dans la mesure où elle découvre ou publie les faits sociaux, elle peut avoir une

---
[69] Cf. POUCHKAREWA, 1960.
[70] STALINE, cité dans *La religione nell'U.R.S.S.*, p. 30.

utilité réelle pour une sociologie plus scientifique. L'accusation est plus intéressante quand elle s'adresse à des sociologues universitaires, comme l'école de Talcott Parsons, qui, par sa théorie générale du rôle fonctionnel de la religion dans l'autorégulation des systèmes sociaux, est accusé de favoriser la politique de *statu quo* des élites non marxistes au pouvoir. Il est exact que les théories ont des effets sociaux, et les sociologues théistes ne peuvent être trop vigilants en examinant les motivations cachées dans les types qu'ils retiennent. Les théories sociologiques fonctionnent comme des « prophéties s'accomplissant d'elles-mêmes ». Les marxistes essayent souvent d'utiliser ainsi leurs propres prophéties optimistes sur le progrès de l'athéisme, mais le fait qu'ils découvrent la paille dans leur œil est toujours utile, d'autant plus que s'ils se tournent vers l'œil du voisin, cela permet d'enlever la poutre dans leur propre œil.

II

APPRÉCIATION DE LA SOCIOLOGIE DURKHEIMIENNE DE LA RELIGION

La critique marxiste de la sociologie durkheimienne de la religion est encore plus fondamentale, pour autant qu'elle est dirigée contre le fondement métaphysique de l'athéisme de Durkheim, son monisme idéaliste. L'idéalisme, c'est le terme marxiste habituel pour désigner toutes les théories non marxistes, mais on peut sans doute lui donner un sens plus précis et traditionnel quand il s'applique à Durkheim, pour qui la « société » revêt bien des traits du *Weltgeist* hégélien. Le phénomène religieux n'est pas seul à être engendré par intégration dans la société, il en est de même de tous les autres phénomènes spirituels, depuis la logique et la mémoire jusqu'au concept de causalité et de pensée rationnelle en général. La société est conçue comme la source à partir de laquelle ces valeurs sont attribuées à l'individu.

Nous n'avons pas à nous occuper ici de l'impossibilité métaphysique d'une telle théorie, mais les marxistes ont tout à fait raison de faire remonter ses racines à l'idéalisme kantien et hégélien. En postulant cependant que les catégories de la pensée et du sentiment de l'individu lui sont communiquées par son expérience de la dimension de société, Durkheim formule une théorie qui, en principe, est empiriquement vérifiable, et affiche ses preuves. Les nombreuses démonstrations produites par Durkheim et ses successeurs consistent dans une multitude impressionnante d'exemples d'influences sociales sur la pensée et la religion d'individus et de groupes ; mais tant qu'une multitude également impressionnante d'exemples d'expériences religieuses et intellectuelles vécues dans la solitude et en rupture avec la société peut être alléguée, les démonstrations ne sont pas concluantes.

Il est difficile d'affirmer en toute sûreté que les théories de Durkheim sur la religion sont inséparables de ses théories sur l'origine sociale de la pensée logique et des catégories de la pensée. Si on pouvait le démontrer, cela permettrait d'infirmer son interprétation sociologiste de la religion en détruisant sa théorie encore plus extravagante sur l'origine sociale, par exemple, des catégories de temps et d'espace. Que nos idées sur le temps et l'espace soient causées par le besoin de *réunions* organisées dans la société, cela n'est certainement pas démontré par Durkheim et il est facile à des psychologues expérimentaux de l'infirmer.

Que Durkheim s'appuie sur une métaphysique idéaliste, ce n'est certainement pas seulement une accusation inventée par les marxistes. Il abandonne souvent complètement ses références empiriques, supposant que l'univers n'existe pas si ce n'est en tant qu'il est pensé, et qu'il n'est entièrement pensé que par la société, et qu'il n'est par conséquent qu'une partie de la vie intérieure de la société, conçue comme la totalité en dehors de laquelle rien n'existe [71]. Cependant, il ne serait pas sage de refuser ses nombreuses observations précises et ses théories, à cause de ce contexte de métaphysique athée. Souvent ce qui rend ses théories empiriques inacceptables est directement leur formulation sociologique qui dépouille les facteurs non sociologiques de leur force causale. Il se peut néanmoins que beaucoup de ses théories soient rendues acceptables aux sociologues théistes grâce à une simple transposition dans un langage qui fait état d'influences partielles, là où Durkheim parle de causalités absolues. Cette transposition paraîtra aux yeux des disciples orthodoxes de Durkheim un changement radical dans ses théories, mais elle peut encore ouvrir la voie à des vérités importantes pour les sociologues théistes. Une telle approche de Durkheim est, par exemple, à la base de l'acceptation universelle de l' « athéisme méthodologique » qui, *à l'intérieur de la sociologie* de la religion n'admet des explications des phénomènes socio-religieux que par d'autres faits sociaux. La manière chaleureuse qu'a Durkheim de considérer la religion comme le pilier de la cohésion sociale est de même à l'origine de bien des analyses utiles de la religion dans une perspective fonctionnelle, auxquelles les sociologues théistes se livrent souvent d'une manière non critique, mais qui certainement touchent à un aspect légitime et vrai de la religion.

Durkheim et la sociologie marxiste de la religion ont en commun un grand intérêt porté aux religions primitives en général, et aux origines de la religion dans la préhistoire en particulier, alors que les sociologues théistes concentrent leur attention sur les religions supérieures contemporaines. Le monisme de l'idéaliste Durkheim et des marxistes matérialistes leur rend une approche historicisante naturelle; pourtant une perspective historique améliorerait certainement la qualité des théories théistes, mais il faudrait la combiner avec une compréhension, meilleure que celle dont font preuve les athées, des grandes *différences qualitatives* entre les diverses religions, en dépit de leurs *connections historiques* qui,

---

[71] Cf. notamment E. DURKHEIM, *Les Formes élémentaires de la Vie religieuse*, 1915, pp. 441-442.

pour les athées, prouvent que la religion la plus primitive constitue l'essence de toutes les religions supérieures.

Cette recherche de l'élément constitutif essentiel dans une situation complexe est commune à Durkheim et aux marxistes, non seulement dans la dimension historique, mais aussi au plan contemporain, où tous deux travaillent à partir *d'une dichotomie entre une substructure de base et une superstructure épiphénoménale.* Quand Durkheim, contrairement aux matérialistes dialectiques, affirme que l'*idéal*, la conscience collective et la religion, sont la *substance* de la société, avec les structures des formes comme ses épiphénomènes, la tentation est grande pour les théistes d'adopter sa thèse. Le succès de la théorie de Max Weber, telle qu'on la comprend d'ordinaire, l'affirmation que le développement économique dépend de l'éthique religieuse, montre la force de cette tentation.

Il serait sage, cependant, de mettre un point d'interrogation devant le présupposé même d'une dichotomie des phénomènes sociaux, entre les deux catégories des phénomènes et des épiphénomènes. Ce serait une hypothèse parfaitement sûre d'avancer que les rôles de cause et d'effet changent entre les phénomènes sociaux dans les diverses situations et suivant l'angle sous lequel elles sont étudiées. Cette hypothèse se remarque en fait partout où une sociologie de la religion vraiment intéressante a été établie. Ce n'est pas moins le cas dans les théories de moyenne ou de faible étendue, chez les sociologues marxistes et durkheimiens. Là, leur métaphysique générale a moins d'incidence que les implications des phénomènes eux-mêmes. Quand on en vient à la théorie de Max Weber, il est maintenant reconnu que l'interpréter comme une simple sociologie de substructures et de superstructures, comme on l'a fait couramment, n'est absolument pas exact. C'est une qualité chez Weber que de saisir la société comme une totalité avec des éléments en interrelation, ce qui lui a permis d'apporter une contribution majeure à la sociologie scientifique de la religion.

III

PERSPECTIVES DE LA SOCIOLOGIE DE LA RELIGION

Une sociologie de la religion, qui se contente de l'étude des interrelations et des interactions des phénomènes sans aucune idée préconçue de la priorité d'un type de phénomènes, est intellectuellement moins séduisante que les sociologies réductionnistes ou les sociologies capables d'identifier un type de phénomènes sociaux comme le fondement des autres. La nouvelle tendance à l'analyse des systèmes, à la théorie de la communication et aux types cybernétiques de *feed-back*, dans les sciences naturelles comme dans les sciences sociales, a été lente à atteindre la sociologie, et plus lente encore à atteindre la sociologie de la religion. Cependant on tend à créer au plan universitaire la base générale de nouvelles approches méthodologiques et théoriques, moins simplistes que la vieille manière de penser à partir d'un seul facteur. La méthode dialectique du marxisme, et aussi le fonctionalisme, l'organicisme et le sociologisme durkheimien peuvent être compris comme des tentatives impressionnantes pour atteindre un type adéquat des interrelations des phénomènes sociaux dans les systèmes sociaux. Un plein succès était difficilement possible, tant que la science en général n'avait pas obtenu une théorie épistémologique claire sur les types et leur relativité. Tant que la théorie physique confondait les concepts de types et les phénomènes autonomes, il n'était pas surprenant que les sociologues tendent à considérer leurs principes explicatifs comme des réalités autonomes, et quand cette confusion se combinait avec une métaphysique moniste, elle conduisait au concept d'un univers dans lequel les autres principes non sociaux ne sont qu'apparents ou superficiels, et où il n'y a donc de place ni pour Dieu, ni pour le diable, — ni pour la personnalité individuelle créatrice.

Leur foi religieuse en Dieu peut avoir sauvé les sociologues théistes de ces erreurs, mais elle ne peut, évidemment, garantir par elle-même la valeur de leur sociologie. Il n'est pas dans notre propos d'exposer l'état de développement *de la sociologie de la religion étudiée par les sociologues théistes*. Qu'il suffise de souligner que les sociologues théistes ne forment pas un groupe homogène. Les règles universitaires sont communes, mais l'approche et le choix des sujets de recherche dépendent du *point de départ* des érudits, c'est-à-dire sommairement ou bien les problèmes pastoraux des églises, ou bien la *sociologie générale*. Deux hommes ont exercé une influence prépondérante : Gabriel Le Bras, comme guide des chercheurs engagés pastoralement vers une problématique sociologique toujours élargie, et Max Weber, qui a incité les sociologues à venir d'autres centres d'intérêt à une étude active des fonctions de la religion dans la société.

Un *troisième* groupe mérite aussi une mention : ceux qui travaillent dans les autres branches de la recherche religieuse empirique, comme l'histoire des religions, la phénoménologie religieuse, la psychologie religieuse, et aussi la philosophie de la religion, qui reconnaissent de plus en plus l'importance de la dimension sociale de la religion et la nécessité de collaborer avec les sociologues, — ou qui adoptent eux-mêmes des méthodes sociologiques et deviennent sociologues de la religion.

Tant que les sociologues de la religion venus de ces trois milieux continuaient à publier leurs travaux dans les revues et les congrès de leurs anciens collègues, les échanges et la collaboration entre eux étaient faibles ou inexistants, mais la tendance s'est fait jour d'intégrer leurs efforts dans les institutions universitaires communes, — institutions qui sont naturellement ouvertes également aux sociologues athées et dans lesquelles ils s'intègrent dans une mesure toujours plus large.

L' « Association Internationale de Sociologie », avec sa « Sous Commission pour la Sociologie de la Religion » est le plus important de ces lieux de rencontres, et les « Archives de Sociologie des religions », à Paris, est la revue la plus importante. D'autres conférences importantes, (comme les « Conférences internationales de Sociologie religieuse », ou les « Colloques européens sur la Sociologie du Protestantisme »), des organismes de recherche (comme le FERES à Bruxelles) et des revues (comme « *Sociologia Religiosa* » de Padoue, « *Social Compass* » à Bruxelles, « *Journal for the Scientific Study of Religion* » à New Haven, et « *Review of Religious Research* » à New York) ont un arrière-plan plus particulier, mais ils tendent tous à s'intéresser à la discipline comme telle dans *toute* son extension, où l'objet est constitué par les interrelations de tous les phénomènes sociaux avec tous les phénomènes socio-religieux dans toutes les religions, toutes les sociétés et toutes les époques historiques.

Le dédain et l'ignorance des sociologues théistes par rapport à la sociologie athée, et réciproquement, est dépourvu de sens dans cette situation nouvelle. Le problème demeure, cependant : comment recevoir humblement le savoir et les conceptions des autres, quand ce savoir et ces conceptions s'expriment non seulement dans des systèmes conceptuels étrangers, mais quand ces systèmes se fondent sur des présupposés métaphysiques inacceptables et susceptibles d'influencer même les observations et les théories les plus élémentaires, les entachant de ce que l'on considère comme l'erreur. Le présent article ne prétend à rien de plus qu'à signaler quelques aspects du problème, et non à les résoudre.

BIBLIOGRAPHIE

ABBOUSSE-BASTIDE, Paul, *La doctrine de l'éducation universelle dans la philosophie d'Auguste Comte*, Tome I : De la Foi à l'Amour. Tome II : De l'Amour à la Foi, P.U.F., Paris 1957, 754 pp.
Dans cette étude érudite, Abbousse-Bastide conclut que Comte n'était pas athée : « Le seul Dieu que bannit Comte est celui qui n'aurait pas besoin des hommes » (p. 689).

ANONYME, *The Destinies of Sociology in Poland*, dans : Soviet Survey, 28, April-June 1959, pp. 46-55.
Article très documenté sur les débats entre les écoles plus ou moins révisionnistes dans la sociologie polonaise. La question de l'autonomie de la sociologie par rapport à l'idéologie est d'un particulier intérêt.

ARVON, H., *Ludwig Feuerbach ou la transformation du sacré*, P.U.F., Paris 1957, 188 pp.
Arvon affirme que l'athéisme de Feuerbach a été mal compris, à cause de la « banalisation » qu'Engels lui a fait subir. F. était un humaniste religieux, désireux seulement de détruire les spécimens faux de théisme, mais reconnaissant l'irréductibilité de l'expérience religieuse.

BAUSANI, Alessandro, *La religione nell'U.R.S.S.*, a cura di Alessandro Bausani, Milano 1961, 416 pp.
Documenté, mais moins analytique que descriptif.

BIRNBAUM, Norman, *The Sociological Study of Ideology (1949-60)*, dans : Current Sociology, IX (1960), 2, pp. 91-117.
Intéressante vue générale des tendances, avec une bibliographie étendue.

BLOCH, Ernst, *Das Prinzip Hoffnung*, Berlin, Aufbau, I, 1953, 477 pp.; II, 1955, 512 pp.; III, 1956, 518 pp.
Approche nouvelle de la relation entre le marxisme, la religion et la société par une analyse des fonctions de l'espoir dans la pensée humaine.

CARRIER, Hervé et PIN, Émile, *Sociology of Christianity, International Bibliography*, Presses de l'Université Grégorienne, Rome 1964, 316 pp.
La bibliographie la plus étendue publiée à ce jour.

CANTONI, Remo, *La sociologia religiosa di Durkheim*, dans : Quaderni di Sociologia, XII (Luglio-Settembre 1963) 3, pp. 239-271.
Écrit comme introduction à l'édition italienne des « Formes élémentaires ».

Cercetari filozofice, Academia Republicii populare romine, Institutul de Filosofie, Bucuresti, 10 (1963) contient une série de contributions sur les relations du matérialisme historique aux études sociales. Cf. Bulletin signalétique 18-21-2253, 2255, 2256.

CHAMBRE, H., *Le Marxisme en Union Soviétique*. Idéologie et Institutions, Éd. du Seuil, Paris 1955, 510 pp.
Un chapitre est consacré à la sociologie marxiste de la religion sous le titre : « L'idéologie scientifique antireligieuse ».

CHAMBRE, H., *Christianisme et Communisme*, Fayard, Paris 1959, 128 pp.
Bonne vue d'ensemble.

CHESNEAUX, Jean, *Les hérésies coloniales. Leur rôle dans le développement des mouvements nationaux d'Asie et d'Afrique à l'époque contemporaine*, dans : Recherches internationales à la lumière du marxisme, n° 6, mars-avril 1958, pp. 170-188.
Étude importante par un marxiste, faisant ressortir la dépendance du millénarisme par rapport à son contexte social.

CHESNEAUX, Jean, *Le millénarisme des Taiping*, dans : Archives de Sociologie des Religions, 16 (juillet-décembre 1963), pp. 122-124.
Recension proposant une typologie des mouvements millénaristes.

CIUPAK, Edward, *Kultura religijna na wsi* (la culture religieuse dans les régions rurales), Iskry, Varsovie 1961, 190 pp. + tabl. Compte rendu d'une enquête sociale à Opole et Bialystock en 1958-59, concluant que les besoins religieux sont créés par les institutions administratives ecclésiastiques et étatiques (p. 187).

DANILOV, A. I., *La théorie marxiste-léniniste de la réflexion et des sciences historiques* (en Russe), dans : Srednie Veka, Akademia Nauk S.S.S.R. Institut Istorii, Moscou 1963, n° 24, pp. 3-23.
La sociologie marxiste est concrète, c'est-à-dire qu'elle ne suit pas des schémas préfabriqués, comme la sociologie bourgeoise, mais étudie les données historiques dans leur réalité tangible et dans leur conditionnement strictement temporel.

DESROCHE, Henri, *Athéisme et socialisme dans le marxisme classique : K. Marx-F. Engels*, dans : Archives de Sociologie des Religions, 10 (juillet-décembre 1960), pp. 71-108 (extraits du suivant).

DESROCHE, Henri, *Marxisme et religions*, P.U.F., Paris 1962, 125 pp.

DESROCHE, Henri, *Socialisme et sociologie du christianisme*, dans : Cahiers internationaux de sociologie, XXI (juillet-décembre 1956), pp. 149-167.
Ces ouvrages et d'autres de Desroche, marxiste révisionniste, se situent dans les perspectives de Marx et Engels sur la religion.

DJILAS, M., *The New Class*, New York 1957, VII + 214 pp.
Important comme étude de la « cléricalisation » du marxisme.

DURKHEIM, Émile, *Les formes élémentaires de la vie religieuse*, 4e éd., P.U.F., Paris 1960, 647 pp.

DURKHEIM, Émile, *Pragmatisme et sociologie*, Vrin, Paris 1955, 212 pp.
Cours inédit de 1913-1914, publié par A. Cuvillier.

Églises et Religions : I. Le Christianisme à la lumière du marxisme, Éditions de la Nouvelle Critique, Paris 1958, 201 pp.
Ensemble d'essais par des marxistes, parmi lesquels celui de Chesneaux présente le plus d'intérêt.

FIAMENGO, Ante, *Sociologie et Religion en Yougoslavie*, dans : *Archives de Sociologie des Religions*, 2 (juillet-décembre 1956), pp. 116-120.

FIAMENGO, Ante, *Croyances religieuses et changements technologiques en Yougoslavie*, dans : *Archives de Sociologie des Religions*, 15 (janvier-juin 1963), pp. 101-111.
Fiamengo est le sociologue des pays communistes qui s'est le plus intéressé à la sociologie de la religion et qui a pris le plus de contacts avec les sociologues occidentaux.

FISCHER, O., *Science and Politics : The New Sociology in the Soviet Union*, Ithaca, Center for International Studies, Cornell University, 1964, 66 pp.

GOLDMANN, L., *Le dieu caché : études sur la vision tragique dans les Pensées de Pascal et dans le théâtre de Racine*, Gallimard, Paris 1955, 451 pp.
Remarquable étude du jansénisme dans son contexte social et culturel, par un marxiste révisionniste.

GRUNWALD, Constantin de, *La vie religieuse en U.R.S.S.*, Plon, Paris 1961, 248 pp.
Exposé documenté des aspects pratiques des relations des autorités soviétiques avec la religion.

GRUNWALD, Constantin de, *Science et Religion en Union Soviétique*, dans : *Archives de Sociologie des Religions*, 16 (juillet-décembre 1963), pp. 125-137.
Analyse les tendances des publications récentes; une bibliographie de 32 d'entre elles figure à la fin de l'article, dont pratiquement aucune n'est formellement sociologique.

GULIAN, C. I., *Designs of the « Sociology of Religion »*, dans : *The Rumanian Journal of Sociology*, n° 1 (1962), pp. 93-102.
Le socialisme doit être la fin explicite de la sociologie de la religion, si elle ne veut pas être mise au service de l'exploitation.

KADLECOVA, E., Deux articles sur une enquête portant sur la religiosité dans la région de la Moravie du Nord, dans : *Sociologicky Casopis* (Revue de sociologie), Prague, rocnik 1, 1965, 1, pp. 13-24 et 2, pp. 135-147; avec un sommaire en anglais. Enquête par interview d'un échantillon pris au hasard dans la population adulte.

KANAPA, Jean, *La doctrine sociale de l'Église et le marxisme*, Éd. sociales, Paris 1962, 324 pp.
Étude marxiste de la doctrine sociale catholique, vue comme une idéologie pour la justification de l'exploitation de classe.

KLOHR, Olof (ed.), *Moderne Naturwissenschaft und Atheismus*, VEB Deutscher Verlag der Wissenschaften, Berlin 1964, 312 pp.
Professeur d'Athéisme scientifique à Iéna, Klohr organisa un congrès en 1964 pour obtenir un « athéisme scientifique » meilleur, s'intéressan

à la religion contemporaine. Ceci conduit à s'occuper de psychologie et de sociologie de la religion.

LANTERNARI, Vittorio, *Movimenti religiosi di libertà e di salvezza dei popoli oppressi*, Feltrinelle, Milan 1960, 366 pp.
Étude descriptive des mouvements prophétiques et messianiques dans la crise sociale des peuples colonisés. L. se définit comme « *storicista* », ce qui semble être identique à marxiste.

LE BRAS, Gabriel, *Sociologie des religions : tendances actuelles de la recherche*, dans : *Current Sociology*, V, 1956, 1, pp. 5-87.
Vue générale des tendances, avec une bibliographie étendue.

LENZMAN, J., *L'origine du christianisme*, Éd. en langues étrangères, Moscou 1961, 302 pp.
Lenzman essaie d'éviter l'éclatement traditionnel dans les rangs des marxistes entre les « mythologistes », qui nient l'existence historique de Jésus, et les « historicistes » qui l'affirment, ne lui accordant que peu d'intérêt.

LEVADA, I. A., *Les problèmes sociaux dans la critique de la religion* (en Russe), dans : *Voprossy Filozofii*, Moscou, 17 (1963), 7, pp. 37-49 (résumé en anglais).
La religion n'a pas son origine dans la psychologie de l'individu, mais comme élément de la vie sociale. Une étude fonctionnelle est recommandée.

LÉVY-BRUHL L., *Carnets*, Presses universitaires, Paris 1949, 259 pp.
Ouvrage posthume, où L.-B. révise son concept de pensée prélogique des primitifs.

(LÉVY-BRUHL), *Centenaire de Lucien Lévy-Bruhl*, Numéro spécial de la Revue Philosophique, oct.-déc. 1957, pp. 397-576.

LEVI-STRAUSS, C., *Anthropologie structurale*, Paris 1958, 454 pp.
L'ouvrage central de l'héritier de Durkheim.

LUDZ, Petercc., *Soziologie und Empirische Sozialforschung in der DDR*, dans : *Kölner Zeitschrift für Soziologie une Sozialpsychologie*, numéro spécial, n° 8, 1964.

LUCKACS, G., *Histoire et conscience de classe*, Paris 1960, 381 pp.

MARX, Karl et ENGELS, Friedrich, *Sur la Religion*, Éd. sociales, Paris 1960, 360 pp. (traduction française de l'anthologie russe publiée en U.R.S.S. en 1955, dont une traduction anglaise *On religion*, Moscou 1957, 379 pp. et des traductions dans d'autres langues ont paru).
L'anthologie présente de graves lacunes. Des textes de Marx, *La Question juive*, et d'Engels, *La correspondance avec les frères Graeber* et « *Die Lage Englands* » auraient été tout à fait à leur place, mais manquent.

MAJKA, J., *La sociologie de la religion en Pologne*, dans : *Social Compass*, X (1963), n° 6, pp. 453-476.
Étudie non seulement les sociologues marxistes, mais aussi d'autres, comme le durkheimien Czarnowski (1879-1937) qui marqua un progrès

par rapport à Durkheim en concevant la religion plus comme un phénomène inter-groupe qu'un phénomène de groupe.

MIKHAILOV, T. M., *Certaines causes de la conservation des restes de chamanismes chez les Bouriates* (en Russe), dans *Vestnik Moskovskogo Universiteta Istoriceskie Nauki*, Moscou, 18 (1963), n° 2, pp. 45-54, avec bibliographie.
Il parle d'une renaissance du paganisme en U.R.S.S., car les religions païennes résistent mieux en face de l'athéisme que les religions organisées. Le chamanisme apparaît aussi dans des groupes bouddhistes et musulmans.

HUNTZ, T., *Contes de fées, Religion et Développement social* (en slovène).
La religion est placée sur le même plan que les contes de fées, nés tous du désarroi de l'homme en face des forces de la nature, et conduisant tous à la passivité.

OSAKOV, Z., *Sur les lois dialectiques générales et particulières du développement social et sur les sciences qui les étudient* (en bulgare), dans : *Izvest. Inst. Filos. Bulgaria*, 7 (1962), 1, pp. 45-82 (cité par : Bulletin Signalétique 17-19-20340).

OSSOWSKI, Stanislaw, *Class Structure in the Social Consciousness*, Londres 1963, traduit du polonais, 204 pp.
Important essai pour repenser le concept marxiste de classe comme base de la conscience sociale — et de la religion.

PAWELCZYNSKA, Anna, *Les attitudes des étudiants varsoviens envers la religion*, dans : *Archives de Sociologie des Religions*, 12 (juillet-décembre 1961), pp. 107-132.
Compte rendu d'une des études les plus importantes sur la religiosité dans un pays communiste.

POUCHKAREWA, L., SNESAREV, G. et CHEMELEVA, M., *Enquête sur la religion dans la Russie rurale* (en Russe), dans : *Kommunist*, mai 1960.
Rapport d'une enquête socio-religieuse sur l'état de la religion chez les travailleurs ruraux dans un secteur de 400 kilomètres carrés au nord de Moscou. Examine les groupes d'âges, l'attachement aux icônes, la pratique du baptême, du mariage et de l'enterrement, et les fêtes religieuses. Résumés dans : *Documentation Catholique*, 6 nov. 1960, 1371-82, et dans : *Christian Ordre*, mai 1962, pp. 303-312.

PAESITZ, M. M., *L'autobiographie des travailleurs comme source dans l'étude de l'athéisme dans le mouvement ouvrier* (en Russe), dans : *Voprossy Istorii Religii i Ateizma*, Moscou, 8 (1960), pp. 101-127.

POULAT, Émile, *Socialisme et Anticléricalisme : une enquête socialiste internationale (1902-1903)*, dans : *Archives de Sociologie des Religions*, 10 (juillet-décembre 1960); pp. 109-131.
A propos de l'un des rares éléments de recherche faite par des marxistes dans les premières décades après la mort de Engels. Repose sur une enquête non échantillonnée parmi les lecteurs d'un périodique.

RICHARD, Gaston, *L'athéisme dogmatique en sociologie religieuse*, dans : *Revue d'histoire et de philosophie religieuse*, 1923.

RUDY, Zwi, *Ethnosoziologie sowjetischer Völker, Wege und Richtlinien*, Francke Verlag, Berne et Munich 1962, 243 pp.
Le meilleur exposé de l'ethnologie soviétique et de son étude des religions primitives en U.R.S.S.

SARK, W., *La interpretaciòn marxista de la religiòn y la interpretaciòn religiosa del marxismo*, dans : Revista internacional de Sociologia, 45 (1954), pp. 33-44.

TOKAREV, S. A., *La religion dans l'histoire des nations du monde* (en Russe), Moscou 1964, 558 pp.
Divise les religions entre celles « avant l'âge de la société de classes », « pendant l'âge de transition vers la société de classes », et « de la société de classes ». Dans le chapitre de conclusion, il analyse « la mort de la religion ».

TABORSKY, Edward, *Sociology in Czechoslovakia*, dans : Problems of Communism, January-February 1965, pp. 62-66.
Ce n'est qu'en avril 1964 que le rétablissement de la Société Tchèque de Sociologie fut autorisé par les leaders du Parti.

WERNER, Ernst, *Pauperes Christi. Studien zur sozial-religiösen Bewegungen im Zeitalter des Reformpapsttums*, Koehler und Amelang, Leipzig 1956, 228 pp.

WERNER, Ernst, *Popular Ideologies in Late Medieval Europe : Taborite Chiliasm and its Antecedents*, dans : Comparative Studies in Society and History, II, 1960, 3, 344-363.

BUETTNER, Theodora et WERNER, Ernst, *Circumcellionen und Adamiten. Zwei Formen mittelalterlicher Haeresie*, Akademie Verlag, Berlin 1959, VII-141 pp.

ERBSTGAESSER, M. et WERNER, Ernst, *Ideologische Probleme des mittelalterlichen Plebejertums. Die Freigeistige Haeresie und ihre sozialen Wurzeln*, Akademie Verlag, Berlin 1960, 172 pp.

WERNER, Ernst, *Les mouvements messianiques au moyen âge*, dans : Archives de Sociologie des Religions, 16 (juillet-décembre 1963), pp. 73-75.
Communication au Ve Congrès mondial de Sociologie, Washington 1962.

WILDER, Emilia, *Sociology in Poland*, dans : Problems of Communism, January-February 1965, pp. 58-62.
Les études de sociologie furent poursuivies en Pologne au cours de toute la période stalinienne. Une réaction se produisit dans le Parti contre « la manie américaine des sondages » après l'étude sur les étudiants de l'université de Varsovie en 1958 (cf. l'article de Pawelczynska cité ci-dessus), qui révéla un attachement profond à la religion et un détachement du marxisme.

DEUXIÈME SECTION

LA PSYCHOLOGIE
FACE AU PROBLÈME DE L'ATHÉISME

CHAPITRE I

ANALYSE PSYCHOLOGIQUE

DU PHÉNOMÈNE DE L'ATHÉISME

par

ANTOINE VERGOTE

professeur de philosophie et de psychologie à l'Université de Louvain

I. *Questions préliminaires* : A. L'athéisme comme objet de l'étude psychologique; B. L'athéisme : position vraie ou religion méconnue? C. Conception dynamique de la psychologie et de l'athéisme; D. Liens entre les motifs psychologiques et les critiques psychologiques de la religion. II. *Les processus psychologiques impliqués dans l'athéisme* : A. Peur et fuite du Sacré; B. Défense contre le Sacré identifié au magique; C. Désacralisation du monde et mystique terrestre; D. Méfiance envers l'expérience religieuse interne; E. La raison en conflit avec l'assentiment religieux; F. Conflit entre la suffisance du bonheur et du plaisir, et l'espérance du salut; G. La Providence mise en cause par le mal et la souffrance; H. Critiques de la religion du père. *Conclusion.*

I

QUESTIONS PRÉLIMINAIRES

A. — L'athéisme comme objet de l'étude psychologique

Dès la naissance de la psychologie scientifique, la psychologie de la religion s'est constituée en science, au même titre que la psychologie de la perception, de la sexualité, de la volonté, etc. ... Rarement pourtant, on a élaboré une « psychologie de l'athéisme », qui ferait le pendant de la psychologie de la religion [1].

Pour examiner les questions psychologiques de l'athéisme, il faut d'abord se rappeler cette situation, et essayer de l'interpréter.

Nous devons noter en premier lieu que, par lui-même, l'athéisme ne détermine pas un domaine de recherches psychologiques. Comment le pourrait-il, puisqu'il se définit comme absence de religion? On n'élabore pas la science d'un phénomène négatif. Une étude psychologique de l'athéisme n'est possible qu'en fonction de ses éléments positifs. En première instance, ce sont toutes les tendances humaines que l'athée entend promouvoir. Mais, de ce point de vue, l'athée ne se différencie pas nécessairement du croyant : il prône un humanisme dont il partage l'idéal avec un grand nombre d'hommes religieux, et la psychologie de son humanisme coïncide avec la psychologie générale de la personnalité. Aussi longtemps que l'athéisme se cantonne dans un humanisme positif, et reste neutre ou indifférent à l'égard de la question religieuse, cette pure absence de religion n'offre aucune matière à la recherche psychologique. Bien sûr, l'indifférence religieuse fait problème pour le croyant. Le psychologue, tout comme le sociologue ou l'historien, peut la constater et la mesurer. Mais elle ne donne matière à une recherche et à une explication psychologiques que si elle se confronte au discours religieux, et lui oppose un refus motivé. Dans ce cas, l'athéisme sort de son indifférence et se mue en antithéisme. Ce deuxième élément, qui différencie l'athéisme d'avec un humanisme général, offre un objet spécifique à l'exploration psycholo-

---

[1] Nous ne connaissons aucun ouvrage s'appuyant sur des données positives. Nous pouvons signaler un ouvrage proprement psychologique, de tendance descriptive et clinique : H. C. RUMKE, *Karakter en aanleg in verband met het Ongeloof 3*, Amsterdam, Ten Have, 1949; trad. anglaise : *The Psychology of Unbelief*, Londres, Racliff, 1952.

gique. L'antithéisme détermine donc le champ propre d'une psychologie de l'athéisme.

Encore cet athéisme n'est-il objet de la psychologie que dans la mesure où il est lui-même de nature psychologique. Par athéisme psychologique, nous entendons l'attitude de celui qui critique et refuse la position religieuse pour des motifs humains, et non seulement pour des raisons purement logiques ou métaphysiques. La négation métaphysique et le rejet logique du concept de Dieu ne s'accompagnent pas nécessairement d'une critique existentielle de l'attitude religieuse, même si la plupart du temps la métaphysique pense ses arguments en se référant à l'homme concret. Seule, en tout cas, la contestation existentielle de la position religieuse appartient au domaine de la psychologie.

L'athéisme psychologique se trouve donc en dialogue avec la religion. Il est la démarche de l'homme qui poursuit son accomplissement humain à l'encontre de l'attitude religieuse. L'athéisme psychologique se définit par rapport à l'homme religieux.

B. — *L'athéisme : position vraie ou religion méconnue ?*

Cette délimitation de l'athéisme psychologique nous définit les principes directifs de notre recherche. Nous avons d'abord à prendre l'athéisme au sérieux, et à écarter les raccourcis philosophiques et théologiques qui l'interprètent soit comme une religion inconsciente d'elle-même, soit comme une « religion de fuite ». Les « mystiques » humanitaires, tels les mouvements nationaux, sociaux, tels l'éthique rationaliste ou le marxisme, ne sauraient être qualifiés de religion qu'en vertu d'une extension illégitime de ce terme. Certes, ces mouvements s'apparentent à la religion ; ils proposent un idéal de l'homme et de la société, ils présentent des principes d'interprétation de l'histoire et des sociétés, ils demandent à leurs adeptes un dévouement, voire même une obéissance et une abnégation qui ne vont pas sans rappeler les exigences manifestées par les diverses religions. A la suite du sociologue Yinger [2], on peut appeler ces mouvements les « Voies contemporaines vers le salut ». Comme lui, on peut même dresser un véritable parallélisme entre les institutions religieuses et les formes sociales dans lesquelles s'organisent ces mouvements mystiques. Mais ceux-ci sont animés par une intention explicite qui nous interdit d'y reconnaître des formes de religion larvée. En effet, pour autant

[2] J. M. YINGER, *Religion Society and the Individual : an Introduction to the Sociology of Religion*, New York, Macmillan, 1957, p. 95.

qu'ils sont proprement athées, ils entendent promouvoir l'humanité de l'homme, non seulement sans Dieu, mais contre la religion elle-même. Ils veulent réaliser l'homme pour lui-même et *par lui-même*. S'ils considèrent l'attitude religieuse comme une réduction de l'humanité, c'est justement parce que l'homme religieux confesse sa dépendance, et son impuissance à réaliser lui-même son propre salut, et qu'il attend de l'Autre sa perfection, son bonheur et son amour. Bien sûr, il nous est loisible de critiquer une telle position, et de montrer qu'elle se méprend sur les termes mêmes du salut et de l'espérance religieuse. L'homme religieux peut différencier les domaines et répondre à l'athée que sur le plan humain il a la même possibilité que lui d'être humaniste. L'histoire occidentale nous fait certainement connaître autant de chrétiens humanistes que des chrétiens antihumanistes. Et parmi les incroyants, il en est qui sont aussi peu humanistes que le fut certain nombre de chrétiens. Il reste que de nombreux athées justifient existentiellement et philosophiquement leur position au nom d'un humanisme radical qu'ils opposent à l'attitude religieuse. Sur ce point précis, rien ne nous permet d'identifier leur humanisme athée et militant à une religion oublieuse d'elle-même. Et c'est ce moment précis d'opposition à l'homme religieux qui s'offre à l'interrogation psychologique.

A plus forte raison, devons-nous refuser d'adopter comme principe d'intellection psychologique la thèse de G. Van der Leeuw, affirmant que *la religion de la fuite, c'est l'athéisme*. « Ils peuvent passer de Dieu au diable, mais le diable aussi — dans le langage de la phénoménologie — est une manière de « Dieu ». Ils peuvent revenir de Dieu à l'homme ou à l'humanité, mais cette fuite les ramène simplement à la potentialité originelle [3]. » Nous contesterions le jugement de Van der Leeuw au niveau même où il entend se situer : celui d'une phénoménologie de la religion. Mais en tout cas, au regard du psychologue, rien ne justifie l'adéquation de l'humanisme athée, non moins que de la religion manifeste, à l'expression d'une même potentialité originelle. Quand, en vertu de ses principes humanistes, l'athée refuse l'attitude religieuse, c'est vers une finalité exclusivement humaine qu'il entend orienter ses opérations et ses intérêts. Sans doute, le phénoménologue peut-il déchiffrer à l'origine de toute quête humaniste un appel religieux, une potentialité religieuse originelle. Mais l'homme est l'être qui se fait par la manière dont il porte à leur réalisation ses capacités originaires. Quand il accomplit son essence selon l'axe d'un humanisme résolument athée, il n'y a plus de sens à parler d'un

---

[3] *La religion dans son essence et ses manifestations. Phénoménologie de la religion*, Paris, Payot, 1948, p. 582.

Analyse psychologique du phénomène de l'athéisme 217

déploiement de ses potentialités religieuses. Ce qu'il importe de saisir, c'est la manière dont l'homme assume et réalise effectivement son être. Or, en s'engageant dans un rapport exclusif au monde et à l'humanité, la personnalité humaine se structure et s'effectue autrement que dans le rapport au Transcendant. La réalité humaine de l'athéisme ne se présente donc pas comme une religiosité originaire et latente sous les dehors de la méconnaissance. D'une attitude à l'autre, les potentialités mises en œuvre ne sont plus réellement les mêmes.

C. — *Conception dynamique de la psychologie et de l'athéisme*

La question psychologique de l'athéisme doit donc être posée de façon précise : pour quels motifs humains l'athée refuse-t-il l'attitude religieuse ? Les motifs s'expriment sous forme idéologique : l'homme justifie ses prises de position devant sa raison. Mais les motifs engagent des processus psychologiques, puisqu'il s'agit de forces qui meuvent et polarisent l'existence. En eux se déploient et s'accomplissent les puissances qui composent l'être humain. Nous ne désirons pas entrer dans la discussion technique des termes psychologiques de motifs et de motivations [4]; il nous suffit de constater le lien qui existe entre les motifs idéologiques de l'athéisme et ses motifs psychologiques. Ce lien détermine l'optique de notre étude. Dans une étude psychopathologique de la religion on peut déceler les motifs inconscients qui déterminent la position athée, à l'insu même du sujet. Dans certains cas, en effet, des processus psychologiques inconnus du sujet, commandés par un refoulement pathologique, peuvent déterminer ou conditionner des motifs idéologiques qui leur empruntent leur force persuasive, tout comme, d'ailleurs, la foi religieuse pathologique peut, elle aussi, tirer sa conviction secrète de certaines tendances psychiques sous-jacentes. Laissant à d'autres le soin de présenter l'athéisme pathologique, nous nous attacherons à l'examen des motifs psychiques ouverts, librement assumés, et s'exprimant dans des formes d'athéisme qui se justifient elles-mêmes au niveau de la conscience vécue. Non pas que ces motifs soient toujours clairement présents à la conscience du sujet. Bien au contraire, ils ne s'éclairent souvent que du clair-obscur des passions et des désirs. Malgré cela, cependant, ces mouvements affectifs appartiennent encore au sujet lui-même qui les vit comme ses passions et

---

[4] Cf. la synthèse de cette problématique de HANS THOMAE, *Einführung*, dans *Die Motivation menschliches Handelns, herausgegeben von H. Thomas*, Berlin-Cologne, Kiepenheuer à Witsch, 1955, pp. 13-14.

ses désirs. Dans les formes pathologiques d'athéisme, par contre, les motifs n'appartiennent plus au sujet lui-même ; ils le travaillent à son insu, et exercent sur lui leur influence déterminante, à partir d'un inconscient refoulé.

Puisqu'ils se manifestent comme des façons de contester l'homme religieux, ces athéismes ne se comprennent psychologiquement que par la psychologie religieuse. Pour le psychologue, l'homme n'est pas religieux « par nature » ; s'il le devient, c'est progressivement, au cours d'une évolution psychologique qui structure sa personnalité en la différenciant : de la même manière que se forme en lui le pouvoir d'aimer l'autre, ou la conscience morale. Il faut donc comprendre l'athéisme psychologique à la lumière d'une conception dynamique, évolutive, de la psychologie aussi bien que de la religion. A chaque étape de la formation religieuse, l'homme peut éprouver la religion comme une donnée conflictuelle. L'instauration de l'attitude religieuse consiste dans le dépassement des conflits par l'intégration des éléments conflictuels. Le devenir athée se comprend comme le dépassement des conflits par l'exclusion du pôle religieux, éprouvé, au moment du conflit, comme non assimilable à l'humanité qui se déploie. Les différents moments du conflit déterminent ainsi les différentes formes d'athéisme. C'est ce que nous allons essayer de montrer.

Dans l'optique d'une psychologie dynamique un certain nombre de questions se trouvent dépassées quant à leur formulation. Nous pensons, entre autres, à la façon dont certains envisageaient autrefois des « tempéraments » disposés à l'athéisme, des tempéraments laïcs. Une telle conception relève d'une psychologique statique, selon laquelle l'homme naît avec une structure toute faite. Nul doute que des facteurs physiologiques, et donc permanents, ne déterminent la personnalité. Mais nous avouons ne plus comprendre ce que pourrait signifier un « tempérament athée ». La psychologie nous apprend comment l'homme, dans son existence concrète, se fait, se structure progressivement, selon les vicissitudes de son devenir humain. Ce caractère résulte de la constante interaction des différents facteurs qui composent la situation de l'homme : structures psychologiques, échanges affectifs avec les parents et la famille, climat culturel. Il n'existe donc de tempérament athée que dans la mesure où l'homme se structure dans cette ligne au cours d'une évolution dont la psychologie génétique marque les étapes. Notons d'ailleurs qu'à cette évolution psychologique correspond également une évolution religieuse, dont la psychologie génétique nous révèle les stades de façon analogue. Pour cette même raison, nous ne tenterons pas d'élaborer une typologie des athées. La seule typologie psychologique qu'il nous soit possible de dresser, la seule qui ait un fondement réellement psychologique, est celle qui se base sur les motifs vécus qui se font jour au cour de la formation personnelle. Une conception dynamique de la personnalité psychologique et de son attitude religieuse pose d'une façon nouvelle, et pour la première fois sans doute, dans des termes adéquats, la difficile question de la coexistence de la foi et de l'incroyance. En même temps qu'elle est un assentiment qui résout un conflit, la foi implique un moment d'athéisme dépassé. Au terme de son accomplissement, elle apparaît comme une intégration supérieure d'éléments conflictuels. Mais qu'on la considère plutôt au moment de sa formation, et l'on devra bien reconnaître que le sujet porte en lui deux possibilités : il peut également opter pour la foi ou pour une certaine forme d'athéisme. A ce moment de conflit vécu, le sujet peut être qualifié, à la fois de croyant et d'incroyant. Il ne refuse pas formellement la foi, et n'est donc pas athée. Mais une ou plusieurs instances de la personnalité s'y opposent, de même que d'autres instances l'inclinent à donner son assentiment. Du fait que sa volonté participe aux tendances en conflit, l'adhésion de foi reste compromise par une certaine part d'incroyance.

Ce jugement qui résulte de l'analyse psychologique d'un acte de foi en train de s'instaurer, n'est pas une abstraction théorique. Il correspond à l'expérience vécue de nombreux croyants, qui n'osent décider si leur attitude est celle de la foi ou celle de l'incroyance. Si donc la frontière entre foi et athéisme est souvent flottante, ce n'est pas en raison d'une confusion dans l'analyse de l'essence de la religion et de l'athéisme, mais bien à cause de l'état conflictuel dans lequel les deux attitudes peuvent coexister à certains moments de la formation de la personnalité. Aussi, l'ambiguïté même de la foi et de l'athéisme nous obligera à signaler des formes d'existence qui ne sont pas radicalement athées, mais où le sujet s'engage déjà sur la voie du refus de la foi religieuse. Nous retrouverons d'ailleurs cette ambiguïté dans les théories psychologiques qui critiquent la religion.

D. — *Liens entre les motifs psychologiques et les critiques psychologiques de la religion*

Les mêmes motifs psychologiques qui animent la position athée se déploient et se thématisent dans les théories psychologiques qui critiquent le théisme, et dont nous traiterons dans la IIe section, chap. VII de ce volume, sous le titre de l'*Interprétation psychologique du phénomène religieux dans l'athéisme contemporain*. Nous aurons l'occasion d'y montrer comment les théories psychologiques scientifiques reprennent consciemment des tendances fondamentales de l'homme pour les élaborer en anthropologies explicites. A son tour, cette mise en forme consciente des motifs psychologiques leur confère un pouvoir accru. Car un motif psychologique n'est pas une puissance, une entéléchie, qui éclôt et mûrit de façon autonome, à l'instar d'une force biologique. Étant psychique, il est à la fois un vecteur actif qui oriente le sujet, et qui se laisse former par lui et par le milieu conscient dans lequel il se manifeste. Un milieu culturel plus ou moins athée renforcera donc les motifs qui opposent l'homme à la religion. La peur psychologique de s'aliéner dans une illusion religieuse par exemple, sera d'autant plus forte que le climat culturel ambiant accentue l'exigence de démythiser l'homme et sa religion. C'est dire qu'athéisme personnel et critique psychologique de la religion se confirment l'un l'autre.

Nos deux études sur l'athéisme sont d'autant plus indissociables que nous sommes dans l'impossibilité de documenter notre analyse des motifs psychologiques de l'athéisme autant que nous le voudrions. Nous manquons presque totalement d'études proprement psychologiques sur l'athéisme [5]. Ce n'est d'ailleurs pas étonnant. Les vrais athées ne constituent jamais qu'une population assez restreinte, et plus hétérogène que le groupe des croyants. Surtout, leur position même en rend l'observation difficile. En effet, nous nous en sommes déjà expliqués, ils ne se prêtent à une recherche psychologique spécifique que dans la mesure où un élément positif différencie leur attitude de la personnalité générale, telle que l'étudie la psychologie de la personnalité. Cet élément, nous l'avons reconnu dans leur contestation de l'homme religieux. Une entente psychologique sur cet athéisme militant doit donc se faire du seul point de vue de la psychologie de la religion. Ce qui suppose qu'un psychologue de la religion puisse observer et interroger des populations qui s'avouent athées. Autant dire qu'il n'y a pas d'étude psychologique plus délicate, plus complexe, et dont les conditions matérielles soient plus difficiles à réussir.

Notre recherche dans le présent chapitre portera essentiellement sur les moments conflictuels que le croyant traverse, et où l'on voit s'ouvrir les voies qui mènent aux athéismes motivés. Ces athéismes, on les voit se déployer et se thématiser dans les différents systèmes philosophiques et psychologiques.

Dans ses structures psychologiques, l'athéisme est étroitement soli-

---

[5] Les études existantes sont des rapports d'observation, des réflexions philosophiques et théologiques, mais elles n'interprètent pas les phénomènes analysés à la lumière de la psychologie de la personnalité. Citons en guise d'exemple de telles analyses qui ne sont psychologiques qu'au sens très large du terme : I. Lepp, *Psychanalyse de l'athéisme moderne*, Paris, Grasset, 1961.

Analyse psychologique du phénomène de l'athéisme 221

daire du devenir culturel de l'homme : l'avènement et l'orientation des sciences humaines sont tout à la fois l'une de leurs expressions les plus éclatantes et l'un de leurs moteurs les plus puissants. L'histoire de la culture met en œuvre les dynamismes psychologiques de l'homme. La science psychologique n'a pas pour objet quelques structures atemporelles. Elle étudie l'homme concret, tel qu'il se fait et se structure en échange avec le monde et la culture. L'athéisme, qui est le grand fait culturel de notre époque, trouve ses assises concrètes dans les dynamismes psychologiques; mais ces dynamismes psychologiques se forment et se font valoir dans l'horizon culturel particulier que nous esquisserons dans le premier paragraphe de II 7. L'analyse des dynamismes psychologiques présents dans l'athéisme doit donc être située par cette double référence : d'une part, référence à la philosophie athée qui est sous-jacente à l'avènement des sciences anthropologiques; et référence, d'autre part, aux écoles psychologiques qui, à des degrés variables, réduisent la religion au niveau des simples réalités humaines.

II

PROCESSUS PSYCHOLOGIQUES ENGAGÉS DANS L'ATHÉISME

A. — Peur et fuite du sacré

L'ambivalence du sacré a toujours suscité chez l'homme une ambivalence affective. Rappelons la phénoménologie du sacré élaborée par R. Otto [6] : le sacré se présente comme la coïncidence des pôles opposés que sont le *tremendum* et le *fascinosum*, l'effrayant et l'attrayant. Les sentiments humains qui lui correspondent sont la frayeur et la joie confiante. Quand le sacré, le Tout-Autre, fait irruption dans la sphère familière de l'homme, il fait peur et il attire. Et les deux sentiments ne se juxtaposent pas. L'autre est effrayant dans la mesure même où il attire. Étant séparé du profane, il exige que l'homme se garde à distance de lui. De nos jours encore on peut le constater : un homme ou un objet sacrés seront spontanément mis à part par les hommes [7].

Cette qualité propre au sacré d'être séparé du profane peut donner lieu à une attitude de défense qui exclut le sacré du profane. En conclusion de son ouvrage sur le sacré comme hiérophanie, Mircea Éliade fait observer que dès les anciennes religions, l'effroi devant le sacré amenait parfois l'homme à se protéger de lui en rompant avec lui [8]. Ainsi devenait-il irréligieux par peur d'un sacré ressenti comme menaçant. L'effroi n'est donc pas un sentiment simple. Impliquée dans la fascination par le Tout Autre, la peur peut se convertir en confiance. On constate effectivement que le mouvement de confiance et de joie marque un temps second dans l'approche du Sacré : il est comme la victoire sur la peur [9]. Mais l'homme peut également suivre l'invitation à la fuite que toute peur implique.

Le tabou avait d'ailleurs la double fonction de rendre présent le

---

[6] R. Otto, *Das Heilige*, Munich, Biederstein, 1917; trad. française : *Le Sacré*, Paris, Payot, 1929.
[7] Cf. les exemples concrets donnés par A. Brien, *L'Expérience du Sacré*, dans *Bulletin Saint-Jean-Baptiste, (Crise du Sacré)*, V, 8 juin-juillet 1965, pp. 355-362.
[8] Cf. *Traité de l'Histoire des religions. Morphologie du Sacré*, Paris, Payot, 1948, p. 492.
[9] Sur l'éveil et la signification psychologique de l'ambivalence du sacré, on pourra consulter : Ch. Van. Bunnen, *Le Buisson ardent : ses implications symboliques chez des enfants de 5 à 12 ans*, dans *Lumen Vitæ*, Bruxelles, XIX, 2, 1964, pp. 349-352.

sacré et de protéger l'homme [10]. Le tabou délimitait le sacré dans un espace et dans un temps propres, séparés de l'espace et du temps profanes. Mais en même temps il maintenait le sacré à proximité de l'homme. Ainsi les fêtes religieuses étaient-elles une transgression du tabou, permise et convoitée à certaines époques, quoique interdite en temps normal [11]. Cette délimitation du tabou, et la restriction de sa transgression, permettaient à l'homme de préserver son statut propre. Étant en effet d'un « autre niveau ontologique », le tabou ou le sacré menacent de détruire l'homme qui s'en approcherait illégitimement.

Nous n'hésitons pas à croire que, chez maints contemporains, la religion provoque encore ce mouvement de défense qui finit par mettre Dieu à l'écart de la vie réelle. L'homme se sent menacé par Dieu de multiples façons, et tous nos paragraphes suivants consisteront à détailler les différentes expériences du danger que l'homme ressent à l'approche au divin. Mais avant d'aborder des expériences de peur plus orientées, d'un contenu plus explicite, nous tenons à signaler cet effroi global face au sacré. Il peut inciter l'homme à éviter spontanément l'appel religieux, l'amenant ainsi à une sorte de déisme, d'athéisme pratique, d'indifférence religieuse.

B. — *Défense contre le sacré identifié au magique*

La sphère du magique apparaît comme une étrangeté inquiétante. S. Freud l'a fortement souligné dans une belle étude sur le sentiment de l' « *Unheimliches* » (l'inquiétante étrangeté) [12]. Il a montré que tout ce qui touche à la magie trouble l'homme intensément, parce que les désirs et les pensées magiques font parties d'un stade psychologique que l'homme a dû refouler violemment, pour construire son moi sur le principe de réalité. Dans son inconscient, l'homme reste de connivence avec la magie. Il garde en lui le vœu secret d'effacer à nouveau la frontière qui sépare le réel et l'imaginaire, et de réaliser ses aspirations à la toute-puissance du désir et de la pensée [13]. Aussi, chaque fois qu'il est confronté à la manifes-

---

[10] Cf. E. Éliade, *op. cit.*, pp. 15 ss.
[11] Cf. Th. Reik, *Problem der Religionspsychologie*, t. I, *Das Ritual*, Vienne, Internationaler Psychoanalytischer Verlag, 1923, pp. 59 ss.; R.Caillois; *L'homme et le sacré*, Paris, Gallimard, 1950, pp. 125, 168.
[12] *Das Unheimliche*, Gesammelte Werke XII, pp. 229-268; trad. : *L'inquiétante étrangeté*, dans *Essais de Psychanalyse appliquée*, Paris, Gallimard, 1933, pp. 163, 211.
[13] Pour une interprétation psychologique de la magie, cf. H. Aubin, *L'homme et sa magie*, Paris, Desclée de Brouwer, 1952. Sur les concepts et théories psychanalytiques, on pourra consulter : W. Huber, H. Piron, A. Vergote, *La psychanalyse science de l'homme*, Bruxelles, Dessart, 1964.

tation de désirs et de pensées magiques, il réagit par une angoisse. A l'approche de ce monde qu'il éprouve tout à la fois comme étranger et comme le sollicitant, il ressent une menace pour sa personnalité structurée. La peur apparaît ici comme une angoise caractéristique en face des désirs qui ont été refoulés et qui risquent de faire irruption et de détruire la personnalité.

Nous sommes convaincus que certains refus de la religion trouvent leur motif secret dans cette peur et cette fuite devant la magie. A certains de nos contemporains, le « surnaturel [14] » se présume comme un ensemble de forces de caractère magique. Il leur apparaît comme une puissance miraculeuse qui dérange les lois de l'univers, de l'histoire et de la psychologie humaine. La nature magique de maintes croyances religieuses manifeste d'ailleurs elle aussi la proximité psychologique de la religion et de la magie [15]. Et la psychologie génétique nous a montré que nécessairement l'enfant passe par une période d'interprétation plus ou moins magique des rites. De son côté la psychologie clinique nous révèle l'orientation magique des sentiments de culpabilité [16]. Il n'est donc pas étonnant que certains hommes assimilent spontanément le surnaturel au magique. Or, la magie qui fascine, qui attire, est aussi ressentie comme une menace pour l'homme qui s'est constitué en être raisonnable, en refoulant justement ses tendances magiques. La peur devant la religion comme magie est d'autant plus intense à notre époque, que toute la culture a favorisé le réalisme de la raison. Dans la mesure où il s'est identifié à un idéal de rationalité, l'homme contemporain se sent plus menacé par la présence d'un « surnaturel » compris comme destructeur de la raison et de sa légalité. Nous ne disposons pas d'études positives sur cette attitude de défense, mais nous pouvons attirer l'attention sur les réflexions *affectives* que la religion déclenche chez certains en raison de tout ce qui en elle dépasse la *nature* rationalisée : les miracles, l'efficacité surnaturelle, la résurrection, la providence... Si une juste critique théologique ne parvient pas à dissiper la confusion qui peut régner entre la religion et la magie, si elle ne renverse pas les obstacles que des incroyants dressent devant le discours religieux éclairé, c'est que le refus de l'athée tire sa force des couches affectives profondes, là où l'imaginaire magique et le surnaturel se confondent.

---

[14] Pour se sensibiliser à tout ce que le terme de surnaturel peut « évoquer » on peut utilement consulter L. Levy-Bruhl, *Le surnaturel et la nature dans la mentalité primitive*, Paris, P.U.F., 1931.

[15] Cf. H. Aubin, *op. cit.*

[16] Cf. A. Hesnard, *L'Univers morbide de la faute*, Paris, P.U.F., 1949, pp. 51 ss.

C. — Désacralisation du monde et mystique terrestre

On l'a souvent fait observer : la désacralisation actuelle du monde favorise l'avènement d'un humanisme athée. Certains voient même dans cette désacralisation l'effet des philosophies athées. Mais nous estimons qu'un processus fondamental de désacralisation précède et sous-entend toute prise de position explicitement athée. C'est là un phénomène essentiel qui marque l'ensemble de la civilisation occidentale contemporaine, et qui l'accompagne partout où elle est en train d'investir les autres régions culturelles. Considérée en elle-même, cette désacralisation est neutre par rapport à la foi religieuse. Mais pratiquement, en raison de la situation actuelle religieuse de l'humanité, elle provoque une crise qui, dans un premier temps tout au moins, risque d'éloigner l'homme de la religion.

La phénoménologie et l'histoire des religions [17] nous ont révélé une humanité extraordinairement religieuse. Jusqu'à l'époque moderne, le cosmos, la nature, la vie, l'éthique, le pouvoir civil et judiciaire étaient entourés ou remplis d'un sacré par lequel l'homme se trouvait rapporté au divin, source de vie, de pouvoir et de droit. La chose est suffisamment établie pour que nous puissions renvoyer aux ouvrages désormais classiques qui s'y consacrent *ex professo*.

Le christianisme médiéval avait su intégrer cette hiérophanie universelle dans une théologie et dans une vision du monde théocratique qui ont été désignées sous le terme de christianisme constantinien.

Mais l'étude des témoignages littéraires, l'expérience pastorale et les enquêtes psychologiques nous montrent que dans les temps modernes, l'univers s'est laïcisé. Les sciences de la nature, celles de l'homme et de la société ont collaboré dans un effort continu en vue de conquérir l'univers, l'homme et la société sur le domaine du sacré antique. Il n'est pas bien aisé de saisir le sens de ce vaste mouvement. Trop de polémiques religieuses et antireligieuses en ont obscurci la signification. Il nous faut essayer de le comprendre positivement, en le restituant dans le devenir de l'homme tel qu'il se poursuit à travers tout l'effort de la civilisation occidentale.

Une brève évocation du sacré antique peut nous aider. Les religions anciennes présentent des structures et des phénomènes si divers que certains spécialistes écartent tout essai de généralisation comme abstraction

---

[17] Consulter les ouvrages classiques : G. VAN DER LEEUW, *La religion dans son essence et ses manifestations*, Paris, Payot, 1948; M. ÉLIADE, *Traité de l'histoire des religions*, Paris, Payot, 1949.

arbitraire [18]. Nous voyons cependant que les anciennes religions se caractérisent par un lien qui les rattache directement au mystère de la vie [19], et que celui-ci rendait le sacré immédiatement présent à l'homme. Ce lien direct peut être rendu par le terme de participation [20], qui dit l'unité psychologique de l'homme, tout à la fois avec le cosmos et avec le mystère de la vie. La « mentalité de participation » ne représente pas, comme Lévy-Bruhl l'avait cru tout d'abord, un stade prélogique de la pensée. Mais le terme de participation dit bien que, même parvenus à un niveau de raison logique très élaborée, les hommes s'éprouvaient comme organiquement insérés dans un mystère englobant. Or une telle expérience englobante de la vie impliquait une référence immédiate à l'Auteur de la vie : Dieu ou les dieux. Par cette insertion vitale dans le sacré, la nature et la société présentaient une valeur symbolique [21]; elles évoquaient spontanément le monde divin.

Il est à remarquer que deux tensions travaillaient déjà les anciennes religions, et que toutes deux elles les orientaient vers un déisme pratique. Dans certaines cultures, les spéculations mythologiques ouraniennes éloignaient Dieu dans une transcendance en rupture avec le monde vital de l'homme. Dans les cultures agraires, par contre, le développement de la participation cosmo-vitaliste tendait à immerger le divin dans une totalité de vie terrestre [22].

A l'époque moderne, les mêmes tendances fondamentales restent toujours à l'œuvre au sein de la civilisation occidentale, mais en raison de l'anthropocentrisme déterminant de la culture contemporaine; elles y sont parfois affectées d'un coefficient d'athéisme très net. De nombreux philosophes ont fait la critique de la religion et même du concept de Dieu. Il ne nous appartient pas de les étudier ici. Mais pour le psychologue, il est significatif que ces critiques procèdent d'une prise de conscience toujours plus aiguë de la condition originale de l'homme comme être fini.

---

[18] C'est la position de K. GOLDAMMER, *Die Formenwelt des Religiösen*, Stuttgart, Kröner, 1960, pp. 19-31.

[19] Cf. J. GOETZ, *Les religions des primitifs*, dans F. M. BERGOUNIOUX et J. GOETZ, *Les religions des préhistoriques et des primitifs* (Coll. Je sais, Je crois), Paris, Fayard, 1958, p. 113.

[20] Cf. le très bon aperçu sur la question de la mentalité participative dans H. M. M. FORTMANN, *Als ziende de Onzienlijke*, Hilversum – Antwerpen, P. Brand, 1964, 2ᵉ vol., pp. 170-241.

[21] R. GUARDINI s'est particulièrement signalé pour ses études sur la perception symbolique du divin, et sur l'évanescence d'une telle perception à l'époque moderne. Cf. e.c. *Die Sinne und die religiöse Erkenntnis*, Würzburg, Werkbund Verlag, 1950; *Religion und Offenbarung*, ibid., 1958.

[22] Cf. M. ÉLIADE, *Traité de l'histoire des religions*, Paris, Payot, 1949.

Citons, en guise d'exemple, la critique Kantienne : c'est parce qu'il a voulu établir le mode propre d'une connaissance humaine radicalement limitée, mais valable dans le monde humain, que Kant a conclu à l'impossibilité de la connaissance métaphysique de Dieu. Nous retrouvons une démarche analogue dans de nombreuses attitudes athées : l'exploration et l'affirmation de la condition humaine rompt le lien de parenté ou de proximité que l'homme entretenait avec Dieu. L'homme se découvre comme être-au-monde et, par le fait même, il ne se reconnaît souvent plus comme être à Dieu. Il faut souligner ici que la révélation chrétienne a exercé une profonde influence tout à la fois sur la question religieuse et sur la formation de la conditione humaine. Radicalement personnel, le Dieu de la révélation est nécessairement l'absolument Autre ; Il rompt le lien de la participation naturelle, pour lui substituer la grâce et la parole. De ce fait, l'homme se trouve détaché d'un lien trop immédiat, et libéré pour une prise de conscience accrue de sa propre condition.

De tous ces éléments culturels, résulte souvent une attitude humaniste qui ressent Dieu comme un être étranger à la vie humaine. L'intitulé d'un cahier de 1951, *Dieu pourquoi faire ?*[23] est l'expression que nous avons maintes fois entendu prononcer par des jeunes intellectuels. Sur la fin de leurs études, ils découvrent que toute la vie humaine, professionnelle, éthique, familiale, est possible sans Dieu, et qu'au plan humain, ils n'ont rien à changer à leurs principes et à leur mode de vie s'ils en viennent à abandonner leur foi. Mais par son absence même de vie réelle, Dieu leur devient facilement un être hostile. En effet, l'étranger qui n'apporte pas de sens à la vie concrète, mais qui n'en impose pas moins ses exigences de reconnaissance et de culte, prend facilement la figure d'un intrus, d'un importun. Nous assistons ainsi à la genèse d'une démarche athée, qui, partie du déisme va s'achever dans l'antithéisme. Entre les positions extrêmes, plusieurs attitudes sont possibles, qui sont autant de manières de résoudre le conflit. Certains, tel J. Jaurès[24], retrouvent un principe divin dans la nature et dans l'humanité en évolution que nous font découvrir les sciences. Mais ils s'opposent à tout principe divin qui serait hétéronome par rapport à ce devenir terrestre, et en particulier au Dieu de la révélation qui y ferait irruption et y introduirait des principes hétérogènes. Cette attitude vaguement théiste, nous l'avons souvent rencontrée et, nous le savons d'expérience, des chrétiens aussi peuvent chercher à sauver leur foi par cette intégration de Dieu au mouvement d'une humanité en expansion.

[23] *Jeunesse de l'Église*, Paris 1951.
[24] Cf. notre contribution dans II, 7.

Récapitulons notre analyse, et essayons de dégager les processus psychologiques qui y sont impliqués. L'exercice même des sciences, la mise en œuvre de la technique, l'exploration esthétique ou érotique des sentiments, tous les vecteurs de la culture contemporaine accentuent chez l'homme la prise en possession de ses propres moyens. Le monde où il les déploie, tout en représentant, d'une certaine façon, un mystère englobant, s'affirme comme un monde de l'homme. Par le fait même, la référence à Dieu s'y estompe. Le lien vital avec Dieu se distend, et Dieu devient souvent un être étranger, irréel, hostile même. Les incroyants affirment souvent ne pas croire parce qu'ils n'ont pas fait une expérience religieuse. Le mystère de la vie et du monde leur est devenu un englobant terrestre, religieusement neutre. De leur côté, les croyants, intellectuels surtout, s'interrogent souvent sur la réalité du Dieu que le discours religieux leur a présenté, parce qu'eux non plus ne connaissent pas d' « expérience religieuse ». Des intellectuels croyants, que nous avons interviewés de façon approfondie, ont dénié toute valeur à l' « expérience religieuse » ; ni la nature, ni la vie professionnelle ne leur rappellent Dieu. La plupart, cependant, reconnaissent que certaines données les renvoient à un Autre (le monde par exemple attend un achèvement ; le souci éthique d'autrui apparaît comme inspiré et porté par un Autre [25]). Mais ils se refusent à qualifier d'expérience religieuse ces indices, parce qu'ils n'y reconnaissent pas vraiment une présence de Dieu. Pour cette raison, nous préférons parler d'expériences préreligieuses. Le monde contient encore des références à un Autre : mais nos sujets ont de la peine à identifier le Dieu de la foi à cet Autre que l'expérience préreligieuse évoque pour eux. Dans leur interrogation et leur doute, on reconnaît la même rupture entre la nature, la vie, le monde, et d'autre part, le Dieu de la religion. On peut donc à bon droit parler d'une désacralisation du monde, qui est l'effet de l'évolution culturelle. Elle est la raison de nombreux abandons de la foi religieuse. Et de la part des croyants, cette situation de rupture exige une conversion religieuse profonde, axée sur la révélation dans le Christ.

Ce type d'athéisme que nous venons d'analyser n'engage pas de processus psychologiques particuliers. Mais il exprime une évolution générale de la personnalité humaine qui va de la dépendance participative première vers une acquisition positive de l'autonomie personnelle ; cette évolution, nous pouvons la caractériser comme l'avènement de la personnalité adulte. La psychologie génétique nous apprend que l'enfant est spontanément religieux, mais que les doutes religieux accompagnent

---

[25] On trouvera les détails sur cette enquête dans notre ouvrage : *Psychologie religieuse*, Bruxelles, Dessart, 1966, Ire Partie, chapitre II.

l'émergence de la conscience du moi. La même évolution s'est accomplie, de façon irréversible, dans l'histoire de la civilisation. Elle permet une foi religieuse plus libre, plus personnelle, plus transcendante. Mais elle favorise aussi l'évolution athée, qui est le grand fait de la civilisation contemporaine.

A titre de représentants d'un anthropocentrisme athée de ce genre, nous pouvons signaler Feuerbach, Nietzsche, Freud, Spranger, et, à certains égards, J. Jaurès; nous exposerons leurs conceptions dans la deuxième section, chap. 7.

Nous trouvons une confirmation de notre analyse, dans l'attitude hostile que l'Église Catholique a opposée à tous les grands courants de la civilisation moderne. Les sciences astronomiques, médicales, psychologiques, l'évolutionnisme, la démocratie politique, la morale laïque, tous ces phénomènes déterminants ont été condamnés ou suspectés au moment de leur apparition. L'Église y a reconnu l'affirmation d'une autonomie humaine qu'elle jugeait incompatible avec la foi religieuse. Ces malentendus résultent du conflit profond qui travaille l'homme moderne, et qui peut le conduire à un surnaturalisme qui méconnaît les pouvoirs et la légalité propre de la nature humaine, aussi bien qu'à un humanisme en rupture avec la foi.

Dans les paragraphes suivants, nous nous attacherons à l'analyse de quelques mouvements psychologiques plus déterminés, qui accentuent l'avènement de l'autonomie humaine, dans un secteur particulier, et qui opposent l'humanisme et la foi religieuse pour des motifs psychologiques bien déterminés.

D. — *Méfiance envers l'expérience religieuse intérieure*

Nous avons plusieurs fois entendu des athées affirmer ne pas croire, parce qu'ils n'ont pas connu d'expérience religieuse. Pour eux, l'homme religieux est celui qui, par cette expérience, est entré en contact avec le divin; il croit, pensent-ils, parce que la présence divine s'est imposée irrésistiblement. Par contre, les croyants intellectuels que nous avons interviewés à ce sujet, expriment leur méfiance envers l'idée d'une expérience religieuse, tout en reconnaissant que l'absence d'expérience religieuse rend la foi particulièrement difficile. Au fond les deux séries de témoignage s'accordent donc à lier la nature problématique de la foi à l'absence d'une expérience religieuse.

Dans le paragraphe précédent, nous avons montré comment, par la désacralisation du monde contemporain, l'expérience religieuse symbolique à l'intérieur du monde tend à se faire plus rare et perd sa charge de référence explicite à Dieu. Face à un univers qui se fait plus muet sur Dieu, l'homme peut recourir à une expérience intérieure, où, dans l'immanence subjective de son affectivité, il aurait l'impression vivante d'une présence divine. F. Schleiermacher a cru reconnaître dans cette expérience intérieure le cœur même de la religion (voir II, 7, l'interprétation psychologique).

L'intériorité humaine est essentiellement une présence affective à soi et à autrui [26]. Schleiermacher ne s'y est pas trompé quand il identifiait religion intérieure et sentiment [27]. Les intellectuels que nous avons interviewés qualifient eux aussi l'expérience intérieure comme étant de nature affective. Mais ils s'en méfient justement pour cette raison. En matière de religion au moins ils rejettent le sentiment. Le terme « mystique » leur suggère le même type d'expérience intensément affective, où l'homme a l'impression que la présence divine immédiate la rend évidente au cœur sensible. Les termes d'expérience et de mystique évoquent une immédiateté, une union intuitive qui ne peut se réaliser que par l'affectivité.

Quatre raisons motivent la méfiance de nos adultes envers l'expérience religieuse intérieure.

1° Par toute sa formation intellectuelle l'homme contemporain a appris à faire la critique de l'affectivité et de l'intériorité. Si l'époque moderne se caractérise par la découverte de l'irrationnel [28], elle a finalement pour but de le décanter, de la maîtriser et de l'intégrer dans la raison. La psychanalyse a fait la critique la plus corrosive de la conscience; jamais avant elle, on n'avait soupçonné à quel point la conscience s'enracine dans les pulsions, y adhère, se trouve transie par elles, et en une large mesure débordée et obscurcie. Mais loin d'être un procès et une dénigration de la conscience, cette exploration de l'inconscient a pour but de restituer à la conscience une lucidité et un pouvoir accrus; le projet freudien est d'amener l'homme à « écouter la voix discrète de la raison [29] ». La phénoménologie elle aussi, a décrit le caractère ambigu et quasi-magique de l'affectivité [30]. L'émotion est tout à la fois révélation

---

[26] Cette thèse est largement exposée et justifiée par M. HENRY, *L'essence de la manifestation*, Paris, P.U.F., 1963.
[27] Cf. notre contribution dans II, 7.
[28] Cf. A. DONDEYNE, *Foi chrétienne et pensée contemporaine*, Louvain, Publications universitaires, 1951, pp. 53 ss.
[29] Cf. W. HUBER, etc., *op. cit.*
[30] Sur le problème de l'affectivité cf. l'étude très complète de M. ARNOLD, *Emotion and Personality*, New York, Columbia University Press, 1960; SARTRE *Esquisse d'une théorie des émotions*, Paris, Hermann, 1948, a fortement insisté sur la tromperie magique des sentiments.

de la totalité, et leurre sur nous mêmes. Les multiples recherches sur l'affectivité ont introduit dans notre climat culturel une lucidité nouvelle et un esprit critique; leur large diffusion devait infirmer la confiance en une expérience religieuse intérieure.

2º Cette méfiance se renforce de l'opposition entre l'intériorité religieuse et le monde désacralisé. Pour l'homme orienté vers la praxie efficiente, le monde intérieur se présente comme le critère de la réalité. On sait que la phénoménologie a défendu la thèse du caractère radicalement intentionnel de la conscience, et qu'elle affirme l'impossibilité de tout accès direct à l'intériorité [31]. On peut reconnaître dans cette philosophie l'expression théorique d'une conception générale, affirmant que l'homme n'est réel que dans et par l'action qu'il réalise dans le monde. N'oublions pas que cette thèse est issue de la critique Kantienne du *Cogito*, établie sur une analyse de la connaissance scientifique du monde. Toute l'aire moderne amène l'homme à se décentrer de lui-même et à se tourner vers le monde. Or ce monde s'est fait très silencieux sur Dieu. Dès lors il semble témoigner contre l'expérience intérieure. De plus, plusieurs théories qui dénoncent dans la religion son illusion ou son aliénation affective ou sociologique, viennent confirmer le soupçon d'irréalité dont la discordance entre intériorité et monde réel affecte la religion.

3º Nos interviews des intellectuels nous suggèrent que le souvenir des expériences religieuses intérieures, qui marquaient l'adolescence, renforcent la méfiance envers ces expériences. Il est frappant, en effet, que plusieurs de nos sujets avouent avoir connu de telles expériences durant l'adolescence. Ils les identifient avec une psychologie typiquement adolescente, et les désavouent pour cette raison. Nos observations contredisent donc ainsi celles d'Allport, affirmant qu'un nombre important de sujets croyants qu'il a interrogés, s'appuient sur une expérience « mystique » antérieure [32].

Les enquêtes que nous avons menées auprès de centaines d'adolescents [33], nous montrent l'importance qu'ils accordent à une telle expérience intérieure. De nombreux sujets affirment que leur certitude de l'existence de Dieu se fonde sur l'expérience intérieure et immédiate de sa présence. A bien considérer leurs témoignages, on constate que ce

---

[31] Cf. p. ex. M. MERLEAU-PONTY, *Phénoménologie de la perception*, Paris, Gallimard, 1955, p. v; G. GUSDORF, *La découverte de soi*, Paris, P.U.F., 1948, pp. 98, 100, 158; M. HENRY *(op. cit.)* réagit contre cette thèse.

[32] Cf. *The Individual and his Religion, A Psychological Interpretation*, New York, Macmillan, 1953, p. 39. Allport a observé chez 17 % des sujets une telle expérience qui garde sa valeur révélatrice.

[33] Cf. notre ouvrage *Psychologie religieuse*, Ire partic, chapitre II.

sentiment de la présence divine répond à leur besoin d'une présence amicale, consolatrice et compréhensive. Ce sentiment est solidaire de leur solitude et détresse affective. Dès lors, on comprend bien que l'adulte, ayant en grande partie dépassé aussi bien ces besoins affectifs que l'émerveillement de l'impression religieuse, s'en détourne avec méfiance. La psychologie, en effet, nous apprend que la réaction affective contre un stade psychologique antérieur est une loi essentielle du devenir humain.

D'ailleurs chez les adolescents, l'expérience de l'amitié divine décline sensiblement de 16 à 19 ans. N'est-ce pas un indice que ladite expérience mystique relève d'un état émotionnel typiquement adolescent? Le passage de l'adolescence à l'âge adulte s'accomplit précisément par le dépassement d'un certain narcissisme affectif, et par l'insertion active et progressive dans une société marquée par la *praxis*. Les adultes se montrent d'autant plus allergiques à tout ce qui leur rappelle le narcissisme affectif de leur adolescence, qu'ils en gardent le souvenir préconscient comme d'un stade qu'il leur a fallu surmonter et même refouler pour devenir adulte.

4⁰ Nos intellectuels interviewés opposent foi et expérience religieuse intérieure. Dans les milieux chrétiens, Dieu est nettement conçu comme une personne, même si les sujets avouent leur immense difficulté à intégrer dans leur religion vécue cette foi dans le mystère personnel de Dieu. Or, un Dieu personnel apparaît difficilement à l'expérience affective immédiate, puisque la personne divine reste en dehors du sensible, et ne se manifeste qu'en des signes ou en des paroles. Les croyants qui opposent foi et expérience estiment spontanément que le vrai Dieu, le Dieu de leur conviction croyante, ne peut pas se donner dans la subjectivité intérieure.

A ces traits fondamentaux de l'homme contemporain, on peut en ajouter d'autres, plus secondaires et plus contingents. Le réalisme technique et même matérialiste de notre époque peut étouffer les valeurs d'intériorité. Une enquête récente [34] nous a révélé que les jeunes de 16 à 24 ans en France sont extraordinairement « réalistes ». Se méfiant même de l'amour-passion ils posent comme trois premières valeurs : la santé, l'argent et l'amour. Il n'est pas étonnant qu'avec une mentalité pareille, la religion n'arrive qu'en dernier rang. Gardons-nous cependant d'attribuer à ce réalisme la responsabilité déterminante d'une méfiance généralisée à l'égard de l'expérience religieuse intérieure. Cette méfiance se rencontre tout aussi bien chez des sujets demeurés libres de toute mentalité matérialiste; chez eux, elle se comprend à la lumière des caractéristiques psychologiques générales de l'adulte, telles que nous les avons décrites.

---

[34] *Les 16-24 ans*, Paris, Le Centurion, 1963, pp. 211 ss.

L'absence ou le rejet de l'expérience religieuse, au sens où nous l'avons décrit, en nous référant aux témoignages cités, rend problématique la foi religieuse. Tous nos sujets interviewés présentent comme la difficulté majeure de la foi, le décalage entre foi et expérience. Les vérités de la foi, qu'on ne peut pas éprouver à travers une expérience, leur paraissent, pour une très large part, des constructions conceptuelles, des vérités non intégrées à la vie. Et même s'ils se reprochent de ne pas suffisamment réfléchir sur leur foi, ils ajoutent leur crainte que la réflexion systématique ne les égare dans des constructions notionnelles, sans valeur de réalité.

La croyance religieuse apparaît ainsi dominée par une double méfiance, dont l'antinomie détermine la spécificité de la foi, et explique, croyons-nous, de nombreuses attitudes athées.

La défiance envers l'expérience religieuse intérieure ne produit pas nécessairement l'athéisme. Tout comme l'évanescence du sacré, elle est ambivalente par rapport à la foi religieuse. Mais il lui arrive souvent de donner naissance à un athéisme pratique ou même militant. En effet, si l'on a identifié la religion avec un type d'expérience contestable, on sera nécessairement amené à lui dénier toute valeur de réalité, voire même à la juger comme une forme d'existence aliénée. La dignité de l'homme une fois engagée dans la praxis affective, et la vie religieuse enfermée dans une intériorité illusoire, la religion prend le signe négatif d'une attitude trompeuse, narcissique, qui coupe l'homme d'avec la société des adultes humanistes. Le mépris dans lequel certains incroyants tiennent toute vie contemplative ou mystique, exprime ce refus de l'intériorité religieuse considérée comme une sorte d'opium.

Ici encore les frontières qui séparent l'athéisme militant de la foi religieuse demeurent flottantes. Maints croyants essayent de résoudre le conflit en réduisant la religion à une éthique évangélique. La traditionnelle « vie théologale » leur apparaît comme un surnaturalisme purement conceptuel, sans impact sur la vie réelle, ou comme une mystique affective encore bien proche de l'adolescence. Nous sommes convaincu que la disparition de « désir de Dieu », autrefois prévalant dans la contemplation chrétienne, est due pour une large part à cette méfiance à l'égard de l'intériorité.

E. — *La raison en conflit avec l'assentiment religieux*

On sait comment, poussé par les méthodes des sciences positives, l'esprit critique peut détruire le sens du symbolisme, indispensable à l'éveil et au progrès de l'attitude religieuse, et comment ces exigences de vérification positive peuvent faire obstacle à un abandon aux mystères religieux qui relèvent d'un autre type d'intelligibilité. On a même l'habitude d'insister sur les effets athées de ce conflit entre science et foi. Nous croyons cependant qu'on exagère l'influence du rationalisme épistémologique. Des enquêtes nous ont appris qu'actuellement tout au moins, les croyants ont dépassé le débat de la science et de la religion. Ce conflit appartient déjà à une époque révolue, où, affronté à un certain obscurantisme religieux, un totalitarisme naïf des sciences opposait brutalement la science à la foi. D'autres enquêtes nous montrent que les doutes et les abandons de foi sont plus fréquents, non dans les milieux des sciences positives, mais chez les spécialistes des sciences humaines : psychologie, sociologie, philosophie, histoire.

Dans le texte qui suit, nous voudrions mettre en lumière l'attitude d'esprit qui anime la recherche scientifique et qui peut la mettre en opposition avec la foi. Il ne nous appartient d'ailleurs pas de réfléchir sur les épistémologies respectives des sciences et de la foi, ce problème étant d'ordre proprement philosophique et théologique.

Des enquêtes nous font croire qu'actuellement, les croyants tout au moins, ont dépassé le débat de la science et de la foi. Une enquête menée par Allport en 1948, révèle que 70 % des étudiants de *College* croient à l'accord possible entre science et foi [35]. Dans l'enquête menée par l'I.F.O.P. en France, en 1958, 14 % seulement des sujets entre 18 et 30 ans jugent que la foi est contredite par la science moderne [36]. D'après une enquête menée par l'hebdomadaire *Arts*, auprès des étudiants universitaires de Paris, en 1957, « la majorité (de ces étudiants) estiment que le conflit science-religion est aujourd'hui dépassé [37] ».

Deux enquêtes américaines nous donnent des informations sur les rapports des scientifiques à la foi. Riggs [38] étudie le concept de Dieu chez différentes catégories de scientifiques. Il établit trois échelles d'*items*, exprimant trois conceptions de Dieu : la conception naturaliste-humaniste, celle du libéralisme religieux, et celle de l'orthodoxie traditionnelle. Sur les 707 sujets interrogés, 42 % seulement ont répondu. 4 % se déclarent athées, 29 % agnostiques, et 67 % théistes. La majorité se qualifient de

---

[35] *The Religion of the Post-War College Students, Journal of Psychology*, XXV (1948), pp. 3-33.
[36] Cf. *Sondages*, Paris, 1959, (n° 3), p. 19.
[37] N° 610 (13 mars 1957), p. 74.
[38] M. D. RIGGS, *An Exploratory Study of the Concepts of God Reported by Selected Sample of Physical Scientists, Biologists, Psychologists and Sociologists*, Southern Calif. Univ. 1959 (Thèse; microfilm).

« libéraux ». Deux groupes sont cependant à distinguer. Chez les physiciens et les biologistes, la conception libérale ou orthodoxe de Dieu l'emporte nettement. Les sociologues et les psychologues sont hésitants et prennent moins clairement position envers les trois conceptions; leurs réponses négatives sur la conception naturaliste-humaniste sont plus fréquentes que les réponses positives, mais, d'autre part, il y a peu de différence entre réponses positives et négatives sur la conception libérale. Quant aux sources de leur conception de Dieu, la majorité de tous les scientifiques attribue une influence prépondérante aux parents. En outre, les physiciens et les biologistes accentuent les sources proprement religieuses; les psychologues, celles qui ne sont pas religieuses; les sociologues ne se prononcent pas clairement.

De cette enquête nous ne pouvons tirer que quelques indices hypothétiques pour une psychologie de l'athéisme. D'abord, les manières de formuler les conceptions de Dieu sont insatisfaisantes; leur insuffisance a d'ailleurs suscité un nombre impressionnant de protestations, provoquant des refus de réponse.

La nette différence entre le groupe des sciences de la nature et celui des sciences humaines, nous suggère cependant que ce n'est pas l'esprit scientifique comme tel qui importe, mais bien le type de science. Les sciences humaines semblent conduire l'homme à considérer attentivement les sources non religieuses du concept de Dieu, et à ramener la religion à une dimension humaniste.

L'enquête de Mayer [39] sur l'attitude religieuse des « scientifiques éminents » aboutit à la conclusion que ces sujets ont tendance à ne pas croire en un Dieu personnel. Cette conclusion nous semble cependant très discutable, parce que Mayer conçoit le Dieu personnel selon la définition de Leuba; or, la conception de Dieu, proposée par Leuba, nous paraît viciée par un élément de croyance quasi-magique [40]. Il est néanmoins intéressant de constater que cette conception différencie les groupes des scientifiques. Les « scientifiques éminents » croient moins en Dieu que les *graduates* ou les *undergraduates*. Ici encore, on peut se demander si la différence n'est pas due à des influences historiques et sociologiques. Notons que d'après cette enquête également, ceux qui pratiquent les sciences humaines sont moins croyants que les physiciens et les biolo-

[39] R. MAYER, *Religious Attitudes of Scientists*, Ohio State Univ., 1959 (Thèse; microfilm).
[40] Voici la définition de J. LEUBA : Je crois en un Dieu que l'on peut prier dans l'attente de recevoir une réponse. Par « réponse », j'entends plus qu'un effet naturel, subjectif, psychologique, de la prière. — Cf. : *The Belief in God and Immortality*, Chicago, Open Court Publ. Cc., 1926.

gistes. Sur ce point, Mayer confirme les résultats obtenus par Riggs, et, pour la France, par l'hebdomadaire *Arts*.

De ces enquêtes se dégagent deux données certaines : 1º le conflit science-religion tend à disparaître ; 2º les sciences humaines, par le fait qu'elles mettent explicitement en question l'homme et toutes ses expressions culturelles, développent un esprit critique à l'égard des croyances et des activités religieuses. Dans le II, 7 de ce volume, nous aurons l'occasion d'approfondir cette source spécifique d'incroyance. Comme elle relève directement de la méthode et de l'objet proprement scientifique de la psychologie ou de la sociologie, il serait hors de propos d'introduire ces motifs d'athéisme dans une étude psychologique.

Nos conclusions appellent encore une nuance. L'optique est certainement différente d'après les milieux ; il ne fait pas de doute que les incroyants voient plus souvent une opposition entre religion et science. Dans ces milieux, une certaine image de la religion antiscientifique ou antihumaniste se maintient plus longtemps ; la permanence des stéréotypes sociaux est un phénomène maintes fois observé par la psychologie sociale, dans les rapports entre groupes différents. Le stéréotype de la religion antiscientifique s'est d'ailleurs nourri d'une longue histoire de malentendus entre foi et progrès scientifiques. Plus que les sciences, c'est son propre passé qui témoigne actuellement contre la religion.

Ayant situé le conflit foi-science dans ses limites, nous pouvons à présent approfondir le dynamisme psychologique de ce conflit. Les études que nous connaissons, et que nous avons citées, nous renseignent malheureusement très peu sur les vecteurs proprement psychologiques qui sous-tendent cette tension ; elles se situent au niveau d'une enquête sociologique, ou se limitent aux questions épistémologiques. Les considérations qui suivent doivent tout à nos conversations avec des athées, et aux témoignages de croyants qui ont passé par le débat intérieur entre science et foi. D'après nous, la multiplication d'enquêtes approfondies dans les milieux incroyants qui opposent science et foi, nous apprendrait que pour eux aussi, ce dont il s'agit en fin de compte, c'est de sauvegarder l'esprit scientifique qu'ils estiment menacé par la religion. Le conflit essentiel se situe au niveau de l'image que l'on se fait de l'homme, au plan de l'anthropologie sous-jacente à l'exercice de la raison telle qu'elle se déploie dans l'ère scientifique.

Partons du témoignage de Taine, représentant typique de ce rationalisme des 18e et 19e siècles, qui entendait libérer la raison de toute subordination à d'autres lois que les siennes propres, en vue de la restaurer dans son autonomie. « La raison apparut en moi comme une lumière... Ce qui tomba d'abord devant cet esprit d'examen, ce fut ma foi religieuse...

j'estimai trop ma raison, pour croire à une autre autorité que la sienne; je ne voulus tenir que de moi, la règle de mes mœurs et la conduite de ma pensée. L'orgueil et l'amour de ma liberté m'avaient affranchi [41]. » Ce texte exprime clairement le puissant motif psychologique qui anime le « rationalisme » : la liberté de l'intelligence ne paraît entière que dans le refus de toute soumission à des normes qui lui échappent par définition, celles du mystère religieux.

Pour bien cerner le conflit qui oppose la raison et la foi il faut s'interdire tout jugement moralisateur dénonçant dans la critique l'orgueil et la fausse liberté. Il faut commencer par entrer dans la dynamique même de la raison, et se laisser saisir par son intentionalité propre. C'est d'ailleurs à cette seule condition qu'on pourra situer dans la vérité l'acte de foi. Dans la poursuite de la vérité scientifique, la raison est tout à la fois humble dans le respect de l'objet qui se révèle, et soucieuse de le pénétrer de part en part. Son « orgueil » réside dans sa soumission même. Par sa constante critique d'elle-même, et par l'exploration continue de l'objet auquel elle se mesure, elle déploie le plus pleinement possible sa tendance innée à posséder la vérité. Mais l'adhésion aux mystères religieux lui paraît constituer une aliénation de l'esprit en même temps qu'une attitude d'orgueil mythique. La raison n'est pas faite, lui semble-t-il, pour la possession des vérités absolues, et se laissant aller à y croire, elle ne peut que se déposséder de ses pouvoirs réels.

Le conflit de la raison et de la foi, si difficile à saisir exactement dans son ambivalence d'orgueil et d'humilité, se manifeste surtout dans les trois reproches que l'esprit du « libre examen » adresse à la foi religieuse. Le croyant est convaincu que l'assentiment au *mystère* religieux libère sa raison, l'ouvre à l'Autre, et lui fait découvrir en profondeur la condition de l'homme. Par contre, le « rationaliste » considère l'acceptation du mystère divin tout à la fois comme une capitulation de la raison devant des vérités inaccessibles *a priori*, et comme une injustifiable présomption de la part de l'homme. En second lieu, les vérités religieuses qui se donnent pour des vérités éternelles, lui paraissent de ce fait comme disproportionnées par rapport à la démarche discursive et temporelle de la raison, toujours interrogative de par sa nature même. Enfin, les dogmes chrétiens, en tant que messages émanant d'un au-delà du monde humain, heurtent de front la tendance innée de la raison à se réaliser elle-même dans la révélation du monde auquel elle appartient.

Nous pouvons résumer cet affrontement entre raison et foi, en disant que la première trouve sa liberté et sa plénitude dans le mouvement

---

[41] Dans son écrit autobiographique *De la destinée humaine.*

même d'une recherche contingente et sans cesse en progrès. En face du mystère de la foi, elle craint d'avoir à se figer dans une immobilité passive qui serait sa mort [42], et à se laisser déposséder par l'accueil de vérités extrinsèques qui lui enlèveraient tout espoir d'initiatives créatrices.

Aux yeux des athées, l'histoire de la pensée scientifique justifie leur crainte que la religion n'étouffe l'esprit de recherche. En effet, les premiers âges de la pensée religieuse, comme ceux de la pensée scientifique, ont été marqués par un syncrétisme où la théologie se mêlait à la science mythique. D'où le reproche que l'athéisme adresse à la religion, d'être mythe et projection, et, par ce fait même, de paralyser l'esprit de recherche. Dans le mythe et dans la projection, en effet, la raison vit à l'extérieur d'elle-même, dans les objets sur lesquels elle a reporté son propre contenu [43]. Il lui importait donc de récupérer ce qu'elle avait légué au monde symbolique. Souvenons-nous de l'explication du mal psychique ou biologique par l'influence d'une puissance démoniaque : ne faut-il pas y voir « la projection » d'expériences intérieures et psychologiques sur les structures du monde? L'avènement des sciences physiques et des sciences humaines devait tout à la fois inaugurer l'étude des lois de la nature et opérer la critique des projections mythiques. On comprend qu'en toute pensée religieuse les athées puissent soupçonner la persistance d'un tel obscurcissement de l'intelligence. Le fait même d'accepter des mystères religieux peut donner l'impression que la raison renonce d'emblée à comprendre, et que ce qu'elle poursuit dans une pensée symbolique, c'est l'espoir d'un mode de compréhension apparemment supérieur, mais en fait, illusoire et stérile. A l'opposé d'une mentalité de participation qui se livre à la totalité pour se laisser envahir par elle, un milieu de culture formé à la raison critique accuse le conflit dans la mesure même où, chez l'homme, il met l'accent sur la tendance à posséder et à maîtriser. Souligné par notre culture, ce conflit est cependant éternel; il est au cœur même de l'acte de foi. La foi est en effet, obéissance de l'esprit, accueil d'une parole de grâce que nous adresse l'Autre.

Un durcissement théologique et la dogmatisation de vérités contingentes, qu'elles soient d'ordre philosophique ou moral, ont souvent faussé le rapport entre raison et foi en les empêchant de se confronter dans la vérité. Mais ce conflit est le lieu même où doit surgir l'assentiment de foi. Dès qu'elle y a consenti, la raison voit son horizon s'élargir à une nouvelle

---

[42] Cf. les affirmations de M. MERLEAU-PONTY à ce sujet, dans *Sens et non-sens*, Paris, Nagel, 1948, p. 191.
[43] C. G. JUNG a fortement analysé la psychologie de cette projection et de cette identité archaïque; cf. e.a. *Von den Wurzeln des Bewusstseins*, Zürich, Rascher, 1954, pp. 67 ss., 86 ss.

Analyse psychologique du phénomène de l'athéisme 239

dimension de la vérité, en découvrant d'ailleurs qu'elle n'a perdu aucun de ses privilèges. Bien au contraire, la vraie foi en un Dieu transcendant libère la raison scientifique et philosophique pour elle-même ; en principe, la foi doit démythologiser la raison. Mais parce que, précisément, la réalité de Dieu ne se révèle qu'à celui qui y consent, Dieu n'apparaît, dans le temps qui précède l'assentiment de foi, que comme une réalité plus ou moins mythique, un obscur principe d'explication pseudo-scientifique du monde. Et la raison qui se méprend encore sur la nature du Dieu véritable ressent l'adhésion de la foi comme un renoncement illégitime et comme une aliénation injustifiable. Il lui faut d'abord s'en remettre aux indices de Dieu, et renoncer à son autonomie dans un geste d'accueil, pour découvrir que, loin de l'appauvrir et de l'aliéner, la vraie foi la restitue à elle-même d'une façon renouvelée. Mais le moment de conflit et d'assentiment, que nous avons ici contracté en un seul instant, se représente en fait à diverses reprises au cours du cheminement religieux.

F. — *Conflit entre la suffisance du bonheur et du plaisir et l'espérance du salut*

D'après des enquêtes que nous avons menées auprès de centaines d'adolescents, au sujet de l'expérience et de l'attitude religieuse, les sujets pensent à Dieu, surtout dans la détresse affective, morale ou matérielle. Par contre, ils avouent très souvent ne pas penser à Dieu dans les moments de joie. Assurément certains vrais croyants réussissent à intégrer joie et plaisir dans leur intention religieuse, et leur prière est essentiellement louange, action de grâce et bénédiction. Encore faut-il noter que dans la plupart des cas où nous avons recueilli de tels témoignages religieux, l'action de grâce se rapportait à une expérience heureuse où le sujet venait d'échapper à un danger ou à une souffrance [44].

Que la joie, au contraire de la détresse, ne fasse guère penser à Dieu, cela demande un examen psychologique approfondi. A un stade psychologique encore assez peu différencié, nous y reconnaîtrons l'indice d'un conflit inhérent à l'acte de foi, et l'un des motifs psychologiques de l'athéisme.

Le même phénomène se reproduit, avec une intensité accrue, dans l'expérience du plaisir, qui culmine dans la jouissance érotique. Laissons la parole à Simone de Beauvoir, témoin de ce conflit entre plaisir et foi :

---

[44] Cf. les informations plus détaillées dans notre ouvrage *Psychologie religieuse*, Bruxelles, Dessart, 1965.

J'avais passé ma journée à manger des pommes interdites et à lire, dans un Balzac prohibé, l'étrange idylle d'un homme et d'une panthère; avant de m'endormir, j'allais me raconter de drôles d'histoires, qui me mettraient dans de drôles d'états. « Ce sont des péchés », me dis-je... je compris que rien ne me ferait renoncer aux joies terrestres... « Je ne crois plus en Dieu », me dis-je, sans grand étonnement... J'avais toujours pensé qu'au prix de l'éternité ce monde comptait pour rien; il comptait, puisque je l'aimais, et c'était Dieu soudain qui ne faisait pas le poids : il fallait que son nom ne recouvrît plus qu'un mirage [45].

Ce texte pourrait provoquer des propos moralisateurs, qui en voilent la portée psychologique sous des termes tels que celui de divertissement ou d'hédonisme. Sans méconnaître les exigences éthiques en cause, nous entendons nous laisser d'abord instruire par ce témoignage. Car il nous introduit à l'un des conflits de foi les plus obscurs, dont il incombe à tout croyant de chercher la solution sous peine de se réfugier dans une solution de compromis honteux.

La joie évacue le besoin de Dieu. Le plaisir a tendance à l'exclure. Dans la joie l'homme se satisfait de lui-même. La joie est, en effet, un moment de plénitude intérieure; en elle la totalité de l'être vient à la rencontre de l'homme pour acquiescer à ses désirs. La joie est une expérience de totalité dans laquelle l'existence humaine se sauve de l'ennui et de l'insuffisance; à elle-même, elle n'ouvre aucune faille d'où pourrait surgir un appel vers l'Autre, vers Dieu. Dans la jouissance sexuelle cette expérience de plénitude atteint son intensité suprême, non seulement parce que l'émotion retentit dans le corps tout entier, mais surtout parce qu'elle met en œuvre tous les schèmes imaginaires d'unité, de totalité et de durée. La jouissance sexuelle constitue le modèle même de l'expérience de sommet, qui suspend imaginairement et affectivement le temps, abolit l'espace, supprime la séparation, et efface la distinction entre le bien et le mal [46]. A l'homme, être incarné, marqué par la nostalgie du bonheur, la sexualité promet le salut dans une plénitude exhaustive [47].

Il est normal, dès lors, que l'éveil de la sexualité semble placer l'homme devant l'alternative qui oppose deux plénitudes, et qu'au regard

---

[45] *Mémoires d'une jeune fille rangée*, Paris, Gallimard, pp. 137-138.
[46] Cf. l'analyse psychologique que A. H. MASLOW a donnée de « l'expérience du sommet », dont le prototype paraît bien avoir été, pour les sujets, l'union sexuelle : *Cognition of Being in the Peak Experiences, Journal of Genetic Psychology*, 1959.
[47] L'on sait les vertus mystiques de plénitude quasi-divine que PLATON a reconnues à l'éros (cf. *Le Banquet*). Tout un courant littéraire moderne a développé le thème de la mystique païenne contenue dans l'érotisme. Cf. p. ex. G. BATAILLE, *L'érotisme*, Paris, éd. de Minuit, 1957.

de l'intensité de jouissance, Dieu ne semble pas « faire le poids ». Nous avons souvent observé que dans leurs profondeurs affectives, les adolescents ressentent la sexualité comme un absolu de bonheur auquel l'absolu divin semble s'opposer irréductiblement.

A notre conviction, la réticence et la méfiance qu'une longue tradition chrétienne a entretenue envers la jouissance érotique tout particulièrement, s'explique par cette intuition obscure de l'Église selon laquelle la jouissance est de soi marquée par une note de suffisance païenne. C'est ce qui peut expliquer l'effort poursuivi par l'Église en vue de dompter, d'humaniser et de christianiser la jouissance érotique, en la subordonnant à la loi de la vie et au service social. Il n'est d'ailleurs que de réfléchir un instant à la signification proprement religieuse du vœu de chasteté. L'abstinence sexuelle y est justifiée comme une option radicale pour la foi en Dieu, seul vrai salut de l'homme. Cela ne montre-t-il pas, de façon éclatante, le germe de paganisme athée que recèle la promesse érotique d'un bonheur en plénitude? Loin de nous de durcir le conflit en un dualisme abrupt. Mais il faut reconnaître que ce conflit de foi, ressenti au moment de l'éveil sexuel, éclaire la méfiance séculaire manifestée par le christianisme à l'égard de la sexualité.

Nous pouvons encore étayer notre analyse psychologique de ce conflit en rappelant l'une des thèses majeures de la psychanalyse freudienne [48]. Freud affirme la nécessité du complexe d'Œdipe pour que l'enfant achève le passage du principe du plaisir au principe de la réalité. Or, l'Œdipe implique à son tour, le complexe de castration; l'enfant doit renoncer au plaisir d'une satisfaction sexuelle immédiate, et à toute la plénitude imaginaire qu'elle comporte, pour pouvoir entrer dans la société caractérisée par l'engagement éthique, par le travail, et par la maîtrise de l'esprit sur les sens. Dès lors, il n'est pas étonnant que Freud rattache la formation de la conscience morale, de la civilisation et de la religion, à ce moment de structuration personnelle qu'il désigne du nom de complexe d'Œdipe.

Ce qu'on appelle communément divertissement ou esprit de jouissance, et où l'on reconnaît l'une des sources possibles de l'athéisme, relève donc d'un conflit essentiel à la formation de la foi religieuse. Ici de nouveau, divers facteurs sociologiques peuvent aggraver le conflit. Ce peut être, d'une part, un climat d'érotisation trop insistante, et d'autre part, un moralisme vétilleux qui empêche la formation sexuelle, en la

---

[48] Nous nous sommes longuement expliqué sur ce sujet dans W. HUBER, H. PIRON, A. VERGOTE, *La Psychanalyse, science de l'homme*, Bruxelles, Dessart, 1964, pp. 194-208, 223-254.

chargeant d'une culpabilité religieuse disproportionnée par rapport à son stade psychologique. Certaines attitudes athées reflètent la réaction brutale d'un homme qui se cherche, qui éprouve le besoin de se libérer des interdits religieux pour pouvoir accomplir son épanouissement affectif. D'autres sujets, au contraire, subordonnent radicalement leur humanité à la loi divine, pour devenir des « scrupuleux ». Dans une évolution normale, l'adolescent, et parfois même l'adulte, garde quelque temps l'impression que toute jouissance l'écarte de l'espérance en un salut divin. Plusieurs témoins nous ont dit qu'à diverses reprises, ils ressentaient toute jouissance comme volée à Dieu. Dans leur affectivité, ils revivent le drame de Prométhée. Mais à mesure que leur affectivité s'affine, et que leur foi s'approfondit, ils trouvent à dépasser le conflit, en acceptant la jouissance comme un don et comme un signe d'un salut religieux. C'est ainsi que, pour certains sujets de nos enquêtes, l'amour reçu et l'amour donné leur rappellent Dieu. Dans l'échange amoureux, l'homme éprouve en effet, un bonheur et une bonté dont il découvre qu'il n'est pas lui-même la source. Le cercle de la suffisance s'est rompu, et la jouissance qui s'éprouve dans la tendresse enchantée évoque, en sa plénitude même, une grâce divine. Celui qui donne l'amour, le sent en lui comme une force de bien qui ne lui appartient pas : et celui qui le reçoit, fait l'expérience d'un bonheur qui lui advient comme une grâce.

La jouissance et le bonheur sont donc ambigus par rapport à la foi, pour plus d'une raison. Si la religion est naturelle et fruste, la jouissance et le bonheur éloignent de Dieu, pour autant que le Dieu de cette religion vécue est un Dieu consolateur et providence dans la détresse. Par eux-mêmes, plaisir et bonheur constituent des états de plénitude qui accentuent la suffisance humaine, tendent à rejeter l'homme sur lui-même, et à l'opposer à Dieu comme à un intrus hostile. A mesure que la religion est méfiante envers tout plaisir humain, l'homme inclinera d'autant plus à chercher le sens de son existence dans les joies terrestres. Mais l'expérience de l'amour-tendresse peut ouvrir l'homme à la grâce divine. Et dans une attitude véritable de foi, toute joie peut être reconnue comme un don divin.

La doctrine religieuse sur le péché peut singulièrement poser sur le conflit entre bonheur humain et espérance religieuse. Nous basant sur divers témoignages d'athées [49], nous estimons que cette doctrine, mal comprise, est une source importante d'athéisme. Les athées ont en effet souvent l'impression que le christianisme méprise l'homme et le monde,

---

[49] De cette critique on trouvera un exemple éloquent dans A. HESNARD, *Morale sans péché*, Paris, P.U.F., 1954.

et ne lui reconnaît aucun pouvoir de faire le bien par lui-même. Dans la conception chrétienne, d'après eux, l'homme est par nature orienté vers une jouissance qui serait brutalement égoïste. La doctrine du péché consisterait à condamner toute recherche de jouissance. Or, ils estiment la jouissance comme un élément du bonheur, sans pour autant réduire le bonheur à la jouissance. Une religion centrée sur la rédemption du péché, leur paraît donc foncièrement antihumaniste.

Une enquête réalisée par Jahoda sur l'abandon de foi [50] confirme notre expérience. Les athées y sont nombreux à citer, parmi les motifs importants de leur athéisme, des souvenirs désagréables du pessimisme religieux.

G. — La Providence mise en cause par le mal et la souffrance

D'après nos enquêtes [51], l'existence du mal et de la souffrance est la raison principale des doutes de foi et de la révolte contre Dieu. Sur 75 adolescents d'humanités anciennes, 35 % doutent de la bonté de Dieu, et sur 100 adolescents, 62 % affirment avoir éprouvé, pour ce motif, un sentiment de révolte contre Dieu. Sur 80 adolescents d'écoles techniques, 29 % avouent éprouver des difficultés à croire en Dieu, à cause du problème de la souffrance. D'après une recherche menée à l'aide d'une échelle d'attitude religieuse, sur une population représentative de 500 adolescents, ceux des écoles techniques présentent un taux de révolte significativement supérieur à celui qu'on observe dans les humanités classiques.

Ce n'est pas le problème théorique du mal qui éloigne l'homme de la foi en Dieu; c'est l'expérience de la souffrance qui dresse l'homme contre Dieu, en raison d'un processus psychologique qui est solidaire d'une certaine attitude religieuse. Deux témoignages d'ouvrières interviewées nous l'attestent clairement. Une jeune femme de 20 ans raconte l'échec de ses fiançailles et conclut : « Je ne crois pas... L'expérience ne m'a jamais fait croire que Dieu existe... Est-ce possible qu'Il ne m'écoute pas? » Dans ce cas, la prière de demande non exaucée provoque le rejet de l'existence de Dieu. On aurait tort de ne voir là qu'un très mauvais raisonnement, ou une conception religieuse par trop naïve... Cet athéisme par déception correspond exactement à la croyance dans un Dieu providence, telle que peut la susciter le besoin de secours dans une détresse.

---

[50] G. Jahoda, *The Genesis of Non Belief. A Study in the Social Psychology of Religion*, pro manuscripto, pp. 5 ss.
[51] N'ayant pas trouvé d'autres études sur ce thème, nous ne pouvons que rapporter nos propres enquêtes sur ce sujet.

Or, nous savons que chez un très grand nombre de croyants les frustrations humaines réveillent intensément la foi en un Père tout-puissant et protecteur, et l'espoir qu'il vienne sauver l'homme de sa misère [52]. Comme S. Freud l'a bien montré [53], cette croyance est portée par une structure psychologique dont l'enfance a laissé en tout homme le souvenir actif. Dans la détresse, l'homme, désirant un bonheur humain absolu, retrouve en lui l'image d'un père protecteur, et la transpose sur Dieu. Il n'est pas étonnant, dès lors, que la déception le conduise à la révolte, ou mieux, au refus de l'image d'un Dieu père protecteur. Certes, une telle démarche religieuse ou athée, témoigne d'une croyance encore bien magique. En effet, une telle croyance est portée par le refus passionnel de la frustration et par la conviction affective que les désirs humains se réalisent automatiquement. Dans la détresse, l'homme délègue spontanément à un Père tout-puissant et bon le pouvoir de réaliser ses désirs frustrés. En fait, chez beaucoup de croyants, les comportements religieux trouvent leur source dans cette croyance magique. Il faut une grande purification religieuse pour que l'homme dépasse cette religiosité naturelle et très affective. Dans cette perspective on comprend l'importance religieuse que peut revêtir la question de la souffrance.

La disposition psychologique du sujet aussi bien que les circonstances de la vie influencent fortement la solution que l'homme donne au problème de la souffrance. Trop de misère ou un état psychologique dépressif orientent la lecture du monde vers ses éléments de chaos et vers les échecs, et effacent tous les indices d'une présence divine. L'expérience de la souffrance envahit tout, et plus rien ne vient contredire l'interprétation affective, affirmant soit que Dieu n'existe pas, soit qu'il ne s'occupe pas des hommes. Il est à noter que souvent des adolescents ou même des post-adolescents passent par une crise religieuse, lors d'un grave conflit avec les parents. Touchés dans leurs liens affectifs les plus profonds, ils voient en plus se défaire l'image symbolique des parents comme médiatrice de Dieu.

Au processus que nous venons d'analyser, un second témoignage ajoute un élément d'interprétation caractéristique d'une mentalité magique. Une ouvrière de 24 ans nous dit : « Pour moi, les difficultés sont nombreuses et grandes. La mort de mon frère m'a fait douter de Dieu;

---

[52] Nous avons rapporté de nombreuses observations et données statistiques dans notre ouvrage *Psychologie religieuse*, Bruxelles, Dessart, 1966, I`re` Partie, chapitre II.

[53] Cf. notre présentation de la critique freudienne dans II, 7. Nous avons étudié en profondeur ces questions dans *Psychologie religieuse*, Bruxelles, Dessart, 1966, I`re` Partie, chapitre II, III et IV.

Analyse psychologique du phénomène de l'athéisme

nous n'avons pas mérité cela. Dieu n'existe pas... » Illogique du point de vue théologique, cet énoncé obéit à une logique proprement psychologique, que nous révèle le mot « mérité ». Le sujet s'attend à ce que le Dieu providence acquiesce à ses demandes et intervienne dans la vie quotidienne. Pour la croyance plus ou moins magique, telle qu'elle émane des désirs de bonheur et de toute-puissance, les événements de la vie sont produits par une force agissante dans le monde. Tel pauvre qui trouve un billet de 100 fr., peut interpréter cet heureux hasard comme un effet du Dieu protecteur. Mais, de la même façon, notre sujet interprètes pontanément la mort du frère comme un acte méchant, par lequel une force « surnaturelle » l'afflige. L'expression « nous n'avons pas mérité cela », constitue un vague début d'interprétation magique, qui attribue le malheur à quelque intervention divine. Dans les délires d'ailleurs, nous voyons les sujets se révolter contre un Dieu conçu comme essentiellement méchant. Seulement le sentiment de la méchanceté divine contredit l'idée qu'on s'est faite du Dieu protecteur. Seule la conclusion que Dieu n'existe pas peut alors résoudre la contradiction.

Une culpabilité névrotique peut renforcer cette impression affective du Dieu méchant. Gravement perturbé dans les bases affectives de sa conscience morale, l'homme a tendance à interpréter tout échec et toute souffrance comme une punition d'un Dieu exigeant et jaloux, qui ne lui accorde aucune liberté et aucune jouissance.

Le problème du mal et de la souffrance revêt une telle importance dans le doute religieux et dans l'ignorance, parce qu'il contredit la demande de bonheur, où nous reconnaissons une des sources principales d'une religiosité spontanée et affective.

H. — Critique de la religion du Père

Tous les conflits qui peuvent opposer l'homme à la religion trouvent leur centre de gravité dans le concept de Dieu-Père, parce que ce concept est le symbole suprême de la relation humaine au Dieu personnel. Aussi a-t-on vu plusieurs philosophes et psychologues faire la critique systématique de la religion du Père, pour lui substituer la dignité humaniste du fils des hommes. En ce sens, on peut caractériser l'athéisme humaniste comme la révolte des fils arrivés à l'autonomie et à la pleine disposition de leurs pouvoirs. Même si la critique du Père n'ajoute aucun argument nouveau à notre psychologie de l'athéisme, il nous faut analyser quels conflits peuvent se cristalliser autour du symbole paternel, parce qu'il appartient aux structures psychologiques fondamentales de l'homme aussi bien que du théisme.

En psychologie, Freud a fait la critique la plus incisive de la religion du Père; dans II, 7, nous exposerons largement ses idées. Au niveau de la pensée philosophique, nous rencontrons une critique analogue. S'inspirant des schèmes de pensée hégéliene, elle entend achever le christianisme par le dépassement de la religion du Père dans une éthique de liberté et d'amour, sous le signe de l'Esprit. Ainsi, selon Merleau-Ponty, les chrétiens n'auraient pas compris « qu'ils adoraient le Fils dans l'esprit de la religion du Père. Ils n'avaient pas encore compris que Dieu était avec eux pour toujours. La Pentecôte signifie que la religion du Père et la religion du Fils doivent s'accomplir dans la religion de l'Esprit, que Dieu n'est plus au Ciel, qu'Il est dans la société et dans la communication des hommes... Le catholicisme arrête et fige ce développement de la religion : la Trinité n'est pas un mouvement dialectique, les trois Personnes sont coéternelles. Le Père n'est pas dépassé par l'Esprit, la religion du Père demeure dans la religion de l'Esprit, la peur de Dieu, la Loi, n'est pas éliminée par l'Amour. Dieu n'est pas tout entier avec nous. En arrière de l'Esprit incarné, demeure ce Regard infini devant lequel nous sommes sans secret, mais aussi sans liberté, sans désir, sans avenir, réduit à la condition de *choses visibles*. » Et encore : « l'ambiguïté politique du Christianisme se comprend. Dans la ligne de l'Incarnation, il peut être révolutionnaire. Mais la religion du Père est conservatrice [54] ». Francis Jeanson fait écho à Merleau-Ponty quand il dénonce dans le christianisme une foi hybride. Elle retient ce qui est caractéristique de la « religion » : « croyance passive en la puissance absolue de la Divinité, tentatives magiques de participation à cette puissance, règne du sacré sous les espèces de la Loi ». Mais la foi chrétienne contient également d'après Jeanson, « l'action de la foi-conscience *et...* la gratitude de la foi-croyance : c'est un appel à la liberté humaine, au nom de ce qu'il lui faut précisément récuser pour parvenir à déployer ses véritables ressources; c'est la négation du Sacré et la consécration de la Grâce... » La foi chrétienne est donc « l'indication pédagogique du dépassement de la religion — qui est *respect de l'Autre* — vers la *reconnaissance des autres* [55] ».

Ces longues citations expriment fortement l'opposition fondamentale que certains de nos contemporains estiment reconnaître entre la foi en Dieu-Père et l'humanisation de l'homme. Le Père serait la loi absolue, qui détruit la liberté créatrice de l'homme, et le détermine à une incapa-

---

[54] *Sens et non-sens*, Paris, Nagel, 1948, pp. 361-362.
[55] *La foi d'un incroyant*, Paris, éd. du Seuil, 1963, p. 123.

Analyse psychologique du phénomène de l'athéisme 247

cité irrémédiable d'assumer sa propre existence. Le Père serait le regard qui juge implacablement les inévitables imperfections humaines. Il marquerait nécessairement l'existence humaine d'une culpabilité qui la déshumanise et la fige sur son passé. Le Père condamnerait l'homme à l'impossibilité de l'amour, puisque au regard d'un amour absolu plus aucun amour incomplet ne conserverait encore quelque valeur. En résumé : là où s'introduit le culte du Père, il n'y aurait plus d'espace pour l'homme qui se fait. Le message du Fils viserait à nous délivrer du Père, à nous arracher à son culte, pour nous restituer la capacité d'aimer l'homme et de construire progressivement un monde humain. Mais le Fils, s'il est unique, nous tiendrait encore captifs dans la religion, dans le culte du Père, il faut donc dépasser la religion du Fils, pour vivre dans l'Esprit, qui est Dieu en tout homme tel qu'il se fait par l'amour et la création en liberté.

Des sociologues de leur côté, ont émis la même exigence de construire une société sans Père, dans le but de la libérer de tout asservissement, et de l'humaniser pleinement. Tel le psychanalyste et sociologue A. Mitscherlich [56]. L'auteur décrit la disparition progressive, dans notre milieu culturel, des facteurs paternels : tradition, autorité, obéissance, identification au modèle. Il ne voudrait pas entièrement éliminer le Père, mais le dépasser, par la formation d'une personnalité plus autonome. Grâce à cette émancipation, la nouvelle société sera à même d'éliminer de la personnalité tout ce qui la diminue, par suite d'un lien de type paternaliste : culpabilité, angoisse, sadisme et masochisme, tous les éléments perturbateurs qui dérivent de l'introjection précoce de l'image paternelle. Après l'évacuation de toutes les contraintes intérieures et extérieures, l'auteur veut promouvoir l'humanité par la seule « compulsion de lucidité ». Pour tout ces motifs psychologiques, Mitscherlich entend également achever, au plan religieux, le mouvement protestant, par l'élimination de l'autorité et du sacrifice de l'intelligence, inhérents à la religion du Père.

Dans ces critiques de la religion du Père, nous retrouvons les conflits entre humanisme athée et religion, que nous avons passés en revue dans les paragraphes précédents : opposition entre raison et foi, entre jouissance et Dieu, entre culpabilité religieuse et bonheur humain. Mais les théories qui entendent détruire la religion du Père centrent consciemment leurs attaques sur l'opposition irréductible qu'ils mettent entre la foi dans le Père et la liberté humaine.

Au psychologue la question se pose : comment l'homme peut-il res-

---

[56] *Auf dem Weg zur vaterlosen Gesellschaft. Ideen zur Sozialpsychologie*, Munich, Piper, 1963.

sentir le culte du Père comme destructeur de la liberté qui est le cœur même de son humanité, alors que le christianisme entend libérer l'homme, en l'amenant à la reconnaissance de Celui qui fonde sa liberté ?

Aussi paradoxal que cela puisse paraître, le conflit est constitutif de l'homme et de sa religion. Et s'il est seulement arrivé, dans les temps modernes, à son explicitation consciente, il sous-tend la religion depuis les temps archaïques. De nombreuses mythologies mettent en effet en scène la figure démiurge du fils rebelle, tuant le père tyrannique, afin de se rendre maître du monde et de ses puissances. Le mythe célèbre de Prométhée, symbolisant l'homme héros, qui dérobe aux dieux jaloux leur pouvoir, n'en est qu'un épisode. Tous ces mythes expriment le désir humain de se substituer au Père, pour l'évincer et se faire son égal. La vérité profonde qu'ils recèlent, Freud l'a dévoilée quand il désignait comme le désir le plus secret de l'homme, celui de devenir son propre père, de se fonder en soi-même, de ne dépendre que de soi-même, dans ses pouvoirs et dans son bonheur. Pour bien comprendre ce puissant désir, il faut se rappeler que, selon l'expérience psychanalytique, l'homme s'humanise nécessairement par le complexe d'Œdipe. Or l'Œdipe met en œuvre le désir de l'enfant de se substituer au père. En effet, lors de son émergence, l'identification, qui est un des moments structurants de l'Œdipe, implique nécessairement la lutte pour l'impossible égalité, jusqu'au moment où l'enfant renonce à la démesure de son désir, et trouve l'égalité dans l'assentiment à la filiation. Cette structuration positive de l'Œdipe est rendue possible du fait que le père n'est pas seulement la loi, mais également le modèle et celui qui reconnaît le fils comme le sien. Ici encore, comme nous l'avons noté à plusieurs reprises, au moment du conflit que l'enfant vit dans la profondeur de sa conscience affective, le père paraît un obstacle à son devenir autonome. Au temps de la tension, il prend la figure du tyran absolu. Car l'enfant projette sur lui le négatif de ses propres désirs de tout être et de tout avoir.

Ce même conflit, avec la même projection mythique sur le Père, resurgit quand l'homme prend conscience de sa liberté et s'affronte à Dieu. Comme nous le témoignent les textes cités, à certains moments, face à Dieu, l'homme a la même impression que la Loi exclut la liberté, et que l'amour absolu ne lui laisse plus l'espace pour aimer l'homme. Rien de plus révélateur de cette transformation mythique de Dieu-Père, que l'interprétation freudienne du christianisme ; pour Freud il est la religion de la révolte larvée du fils contre le Père.

Que cet extraordinaire désir de disposer de soi-même en vérité puisse amener l'homme à l'athéisme, un témoignage de J. Rivière, précédant de peu sa conversation, nous l'atteste :

J'ai assez avec moi. Ce m'est assez que de ma vie, même si elle me doit une interminable souffrance. J'aime mieux souffrir que de consentir à une domination, ne dût-elle durer qu'un instant « et me donner l'éternelle béatitude » ...Je refuse seulement de préférer Dieu à moi, je ne crois pas qu'il nous demande autre chose que le parfait et intégral développement de nous-mêmes [57].

Le théologien ne contestera pas la dernière phrase; seulement, il ajoutera que ce désir d'humanisation intégrale correspond au désir du Père lui-même, en tant qu'il est celui qui reconnaît ses fils comme siens. L'athée se situe au moment de l'émergence de la liberté, là où elle croit ne pouvoir se fonder qu'en elle-même.

Certaines formes de religion servile donnent des apparences de vérité au sentiment d'opposition entre foi et liberté. Il est un fait que régulièrement les croyants s'attachent moins aux causes humaines [58] parce qu'ils ne mettent pas suffisamment leur dignité d'homme dans leurs initiatives créatrices. L'impression que la religion s'oppose au bonheur humain peut d'ailleurs se prévaloir de certaines attitudes des églises chrétiennes au cours de leur histoire [59]. Mais c'est la dépendance servile d'un Père protecteur dans la détresse, que l'homme, conscient de sa liberté, ressent comme particulièrement dégradante. Dans les religions, rien de plus naturel que le cri au secours adressé au Père tout-puissant en bienveillant; tel est bien le motif prévalent de nombreux comportements religieux. Mais justement parce qu'ils relèvent des besoins religieux naturels, l'athée n'a souvent d'autre expérience personnelle de la religion que celle de ces mouvements spontanés, dont il dénonce la vanité et le caractère magique. Dès lors, il sera tenté d'identifier le Père avec cet être créé par des besoins un peu infantiles.

---

[57] J. RIVIÈRE et P. CLAUDEL, *Correspondance*, Paris, Plon, 1963, pp. 65 et 67.
[58] H. A. MURRAY et C. D. MORGAN, *A Clinical Study of Sentiments*, *Genetic Psychological Monographies*, 32 (1945), pp. 3-311 observe : « The fact that an intense interest in radical social ideologies is apt to wean a man from religious doctrine is suggested by the negative correlation (rho-52) that we obtained between radical political sentiments and religion » (p. 206). Par contre, « ...Our religion subjects are not much interested in politics and social issues » (p. 204). « La corrélation négative (rho-52) que nous avons obtenue entre sentiments politiques radicaux et religion, nous suggère qu'un intérêt intense pour des idéologies sociales radicales est capable de priver l'homme d'une doctrine religieuse » (p. 206). Par contre, « nos sujets ne sont pas très intéressés dans la politique et dans les questions sociales » (p. 204).
[59] L'enquête menée en France en 1957, prouve cependant qu'aux yeux des jeunes, la religion n'est pas hostile au bonheur ici-bas, et qu'elle ne s'oppose pas au progrès social. Pour le bonheur ici-bas : 53 %; contre : 7 %; opposés au progrès social : 14 %; non : 62 %; *Sondages*, 21 (1959, 3), 42.

Mais ces déficiences religieuses ne prennent leur importance que pour autant qu'elles raniment le désir qui est au cœur même de tout homme : de ne dépendre que de lui, de faire lui-même son bonheur et son salut [60].

Le vrai débat entre la grâce et la liberté n'est donc pas d'abord d'ordre théologique. Il relève des dynamismes psychologiques qui portent le devenir humain. L'athéisme, au fond, est le refus de la grâce divine, au moment où l'homme ne sait pas encore accéder à une attitude de filiation, pour reconnaître que la grâce fonde et élargit la liberté.

CONCLUSION

L'indifférence religieuse ne pose pas de problème spécifiquement psychologique. Il en poserait, si l'on partait de l'existence en l'homme de « besoins religieux », que l'homme aurait à satisfaire sous peine des se diminuer dans son humanité. Mais le terme de « besoins religieux » est un des plus ambigus qui soient. Le « besoin » de Dieu, en effet, n'existe qu'au niveau d'une religiosité naturelle et primaire, là où l'homme invoque Dieu pour qu'il lève des frustrations proprements humaines.

L'antithéisme par contre, relève de la psychologie. Il est toujours une manière de résoudre un conflit entre foi et humanisme, par l'exclusion du pôle divin, qui, au moment de l'opposition, semble destructeur au pôle humain. La foi véritable résout le conflit par une intégration des deux pôles. La solution s'effectue par une conversion religieuse, qui s'inspire du discours religieux pour reconnaître le vrai Dieu derrière la figure mythique projetée, et pour modifier en même temps le processus psychique qui s'opposait à l'assentiment religieux.

Cependant, le croyant peut également réduire la tension vécue, en sacrifiant une part de son humanité à une foi mal comprise. Dans ce cas, le contre-témoignage d'une foi qui est évasion fournira à l'athée un argument en faveur de l'opposition qu'il croit dénoncer de bon droit entre humanisme et religion.

---

[60] Fr. RIEMANN, *Grundformen der Angst*, Basel, Reinhardt, 1961, met en lumière que la psychologie de l'homme est travaillée par la polarité fondamentale : se fermer sur soi-même — s'ouvrir à l'autre. C'est cette polarité qui se manifeste dans la tension liberté-assentiment de foi.

BIBLIOGRAPHIE

Pour les détails de notre aperçu des concepts et processus psychologiques de la personne, en rapport avec les critiques de la religion, nous renvoyons le lecteur aux notes bibliographiques de notre exposé historique (II, c. 7). Nous signalons seulement quelques ouvrages qui présentent des éléments de synthèse pour une psychologie de la personne :
On trouvera les présentations les plus complètes des différentes perspectives psychologiques sur la personnalité dans :

HALL, C. S., and LINDZEY, G., *Theories of Personality*, New York, Wiley, 1954.

CARY, J. L. MC., *Psychology of Personality*, New York, Greve, 1956 (Différentes théories de la personnalité, par L. BELLAK, R. B. CATTOL, G. KLEIN, M. HEAD, M. SANFORD, et un essai de synthèse par D. MC. MELLAND).

LERSCH, Ph., et THOMAE, H., *Persönlichkeitsforschung und Persönlichkeitstheorie* (Handbuch der Psychologie IV), Göttingen, Hegrefe, 1960 (avec de nombreux collaborateurs; l'ouvrage le plus complet en la matière).

FRAISSE, P., et PIAGET, J., *Motivation, Émotion et Personnalité* (Traité de psychologie expérimentale, V), Paris, P.U.F., 1963 (volume rédigé par J. Nuttin, P. Fraisse et R. Mertilti). — L'ouvrage se limite assez strictement à la psychologie expérimentale.

Parmi les essais d'intégrer dans une anthropologie complète et dynamique, les différentes données de la psychologie positive, de la psychologie des profondeurs et de la philosophie, signalons :

LERSCH, P., *Aufbau der Person*, Munich, J. A. Barth, 1952.

NUTTIN, J., *Psychanalyse et conception spiritualiste de l'homme*, Louvain, De Standaard, 1953.

ALLPORT, G. W., *Pattern and Growth in Personality*, New York, Holt, 1961.

ARNOLD, W., *Person, Charakter, Persönlichteit*, Göttingen, Hogrefe, 1962.

Parmi les ouvrages qui sont une reprise philosophique de données anthropologiques, l'on pourra utilement avoir recours à :

RICŒUR, P., *Philosophie de la volonté*, t. I : *Le volontaire et l'involontaire*, Paris, Aubier, 1949; t. II, vol. 1 : *Finitude et culpabilité, l'homme faillible, ibid.*, 1960.

KELLER, W., *Psychologie und Philosophie des Willens*, Bâle, E. Reinhardt, 1954.

L'on trouvera d'excellents exposés critiques sur les méthodes et les concepts opératoires de la psychologie dans :

STRASSER, S., *Fenomonologie en empirische menskunde*, Arnhem, Van Loghum Slaterus, 1962 (Traduction anglaise en préparation).

LINDSCHOTEN, J., *Idolen van de psychologie*, Utrecht, Bijleveld, 1964.

Il existe peu d'ouvrages qui donnent une étude psychologique englobante de la personnalité religieuse. Les synthèses, qui sont informées par les différentes psychologies et par les sciences religieuses, restent à faire. Celles existantes présentent pour la plupart, de graves lacunes par rapport à ces deux exigences.

THOULESS, R. H., *Introduction to the Psychology of Religion*, Londres, Cambridge Univ. Press., 1925.

JOHNSON, P. E., *Psychology of Religion*, New York, Abingdon, 1948 (tentative, peu technique, de confronter les phénomènes religieux et les concepts et lois d'une psychologie dynamique de la personne).

ALLPORT, G., *The Individual and her Religion*, New York, Macmillan, 1950. (Jusqu'à ce jour, l'ouvrage encore le plus technique; voir notre jugement dans la section historique : 1, III, 2.)

GRUEHN, W., *Die Frömmigkeit der Gegenwart*, Munster, Asschendorffs Verlagbuchhandlung, 1956 (ouvrage dans la ligne de Girgensohn sans contact avec la psychologie contemporaine).

CLARK, W. H., *The Psychology of Religion, An Introduction to Religious Experience and Behaviour*, New York, Macmillan, 1959 (rassemble de nombreuses données positives; inspiré par la psychologie de W. James).

STRUMK, O., JR., *Readings in The Psychology of Religion*, New York, Abingden 1959.

Nous nous permettons de signaler notre ouvrage : *Psychologie religieuse*, Bruxelles, Dessart, 1966, 2ᵉ éd. 1967,

CHAPITRE II

LA PSYCHANALYSE ET L'ATHÉISME

par

LOUIS BEIRNAERT

rédacteur aux " Études ". Paris

INTRODUCTION — I. *Freud et la découverte de l'inconscient.* II. *Le discours analytique de Freud sur le discours religieux.* III. *Les athéismes du psychanalyste :* a. Athéisme méthodologique; b. Le psychanalyste athée; c. Transformation de l'attitude méthodologique en absolu. IV. *La question de l'athéisme après Freud. Bibliographie.*

INTRODUCTION

On peut être tenté de traiter de l'athéisme névrotique comme on traite de l'athéisme sociologique, par exemple. De même que certaines structures sociales favorisent l'athéisme, de même la maladie mentale rendrait-elle compte, au moins partiellement, de leur position chez certains athées notoires. Envisagée ainsi, l'étude de ce que l'on pourrait appeler les « raisons névrotiques » de leur attitude antireligieuse chez certains sujets est assez décevante. Elle ne porte finalement que sur la façon dont ils ont réagi aux influences familiales et sociales — de nature intellectuelle ou affective — qui se sont exercées sur eux, par rapport au phénomène religieux. Il s'agit de la mise en évidence d'un facteur de plus dans la recherche en cours des conditions qui favorisent ou défavorisent une certaine attitude dans le domaine religieux. Remarquons ici qu'un tel facteur peut jouer en faveur de la croyance. On peut parler de « raisons névrotiques » à l'œuvre dans la position religieuse de certains fidèles. Si donc « la névrose » peut légitimement être invoquée pour expliquer, au moins partiellement, tant l'athéisme que le théisme, il s'ensuit qu'on ne peut la considérer comme un facteur spécifique dans la question. Il y a des névrosés croyants et d'autres incroyants. Leur maladie rend compte de certains traits de leur position religieuse, par exemple de leur haine du christianisme ou de leur fanatisme, mais nullement de cette position même. L'expérience confirme d'ailleurs que la guérison de la névrose, même si elle entraîne certaines modifications dans l'attitude religieuse, ne change pas celle-ci radicalement. Freud le reconnaissait implicitement, quand il écrivait à Pfister : « La psychanalyse n'est en soi ni religieuse ni irréligieuse. C'est un instrument impartial dont peuvent se servir le prêtre comme le laïque quand ils ne cherchent qu'à guérir ceux qui souffrent [1]. »

Il faut néanmoins reconnaître qu'au niveau de la tentative scientiste pour faire de la religion un phénomène réductible à des données d'observation et explicable par la psychologie, on a cherché à faire de la religion une manifestation névrotique, et inversement à faire de la névrose

---

[1] Lettre à Pfister, 9 février 1909. Citée dans E. JONES, *La vie et l'œuvre de Sigmund Freud*, trad. franç., Paris, Presses Universitaires de France, 1961, t. II, p. 464.

une manifestation de l'incroyance. On connaît assez l'utilisation qui a été faite de la fameuse phrase de Freud sur la religion comme « névrose obsessionnelle de l'humanité », et la position de Jung présentant Dieu comme un archétype immanent de la psyché collective. Nous traiterons plus bas de la position de Freud. Mais celle de ses épigones ne rend raison ni du sens dernier des pratiques et des croyances religieuses, ni même du sens final de la névrose pour l'inventeur de la psychanalyse. Quant à Jung, du fait même qu'il appelle Dieu « la position psychique effectivement la plus forte, exactement dans le sens de l'affirmation paulinienne : « leur Dieu est le ventre » (Phil., III, 19) [2] », il est incapable de rejoindre ce que le croyant entend par Dieu. La « divinité » psychique peut être n'importe quoi. Si Dieu est une donnée de la nature, il est partout où quelqu'un, voire quelque chose, obtient frayeur, soumission et dévouement. Le fait même qu'à partir de la psychologie, fût-elle dite « des profondeurs », on puisse aboutir à des positions aussi contraires que celles qui consistent à réduire la religion à n'être qu'un phénomène névrotique, et la névrose un phénomène de l'athéisme, montre à l'évidence qu'il ne s'agit pas là de découvertes prenant place dans le système des sciences. Dans les deux cas les données sont interprétées en fonction de la subjectivité des observateurs.

La tentative pour étudier le facteur névrotique à l'œuvre dans l'incroyance (ou dans la croyance) de certains sujets ne mène pas au-delà d'une découverte intéressante. Les essais de réduction soit de la névrose à l'incroyance, soit de la croyance à la névrose, n'aboutissent qu'à méconnaître le sens de Dieu et de la religion pour les sujets humains. Il reste donc à se demander ce que les découvertes concernant les sujets névrosés peuvent nous apporter quant à l'athéisme et au théisme. En parlant de découvertes faites à propos des névrosés, nous mettons l'accent non sur la névrose, mais sur ce que le névrosé nous apprend.

---

[2] C. G. JUNG, *Psychologie et Religion*, trad. franç., Paris, éd. Buchet-Chastel-Correa, 1958, p. 170. « Gott ist in Wirklichkeit die effektive stärkste seelische Position, ganz im Sinne des paulinischen Wortes : ihr Gott ist der Bauch. » *Psychologie und Religion*, Zurich, Rasher Verlag, 1947, p. 155.

I

FREUD ET LA DÉCOUVERTE DE L'INCONSCIENT

Depuis Freud, la névrose a changé de sens. Tout commence avec un événement. Au lieu de considérer les symptômes dont lui parle son interlocuteur, comme des effets qu'il s'agit de relier à des causes, à partir de son savoir de médecin, Freud entreprend d'écouter le sujet névrosé comme un interlocuteur pris au sérieux dans son discours même. « C'est lui qui a raison », écrit-il souvent dans ses récits d'observation. Raison contre qui? Contre justement tous ceux à qui les propos du malade, pour expressifs qu'ils soient de son état subjectif et de sa souffrance, et comme tels dignes de respect, n'apprennent rien sur la nature de son mal. Pour Freud au contraire, le sujet qui lui parle dit vrai. Mais, et c'est là le pas décisif, « il ne sait pas ce qu'il dit », c'est-à-dire que son discours conscient est sous-entendu par un autre discours inaccessible à la conscience, le discours inconscient.

Cet inconscient, Freud le repère dans les failles, les distorsions, les trébuchements, les bizarreries du discours conscient. Nous n'avons pas ici à développer la conception que se fait Freud de l'inconscient, mais simplement à souligner un fait capital, à savoir que cet inconscient n'est pas comme on le dit parfois, un nouveau continent que l'on pourrait faire rentrer dans le conscient. Freud n'a pas trouvé une Amérique psychologique que l'on pourrait explorer intégralement. Le nœud de sa découverte, c'est que l'inconscient est une dimension irréductible de tout sujet humain qui parle. Aussi ne faut-il pas concevoir l'analyse comme un processus destiné à rendre un sujet totalement conscient. Entreprise vouée à l'échec, comme le montre à l'évidence ce qui se passe chez les analysés, voire chez les analystes. Ils continuent à faire des lapsus, à rêver, à éprouver de temps à autre des symptômes, etc... L'analyse leur a sans doute permis de faire un bout de chemin dans la reconnaissance de certaines vérités, mais surtout, elle a creusé le sens d'un manque radical qui marque tout sujet humain dans son rapport à sa parole. Quoi qu'il dise, même en ayant raison de le dire, quelque chose lui échappe irrémédiablement. C'est tout le sens de la distinction que fait Freud entre le refoulement secondaire et le refoulement primaire. On peut bien lever certains refoulements secondaires, le refoulement primaire qui conditionne la possibilité de ceux-ci ne peut être levé car il tient au moment constitutif du sujet parlant. En un sens l'homme est névrosé parce qu'il parle.

La psychanalyse et l'athéisme

On comprend alors que si les analyses, en tant qu'elles impliquent le recours à un psychanalyste, ont une fin, le processus dans lequel le sujet est introduit par l'analyse n'en a pas.

Il suit de ce que nous venons de souligner que la psychanalyse est perpétuellement en danger de se perdre. Parce qu'effectivement elle livre quelque chose de l'inconscient, un texte ou si l'on veut un discours que l'on peut qualifier de psychologique, on peut être tenté et l'on est tenté de présenter ce discours comme étant la vérité, jusque-là masquée, du discours conscient. Désormais on saurait en vérité ce que l'on voulait dire. Il n'est pas de leurre plus fascinant et plus funeste que celui qui consiste à réduire ainsi la portée de la psychanalyse à la mise au jour d'un texte dernier dans lequel tiendrait tout entière la vérité du sujet. Il n'est qu'à voir les impasses dans lesquelles restent engagés les analystes qui n'ont pas pu se dégager de l'attente anxieuse d'un savoir d'eux-mêmes qui les aliène dans la mesure où ils s'imaginent qu'il est là, tout constitué dans l'Analyse, quand ce n'est pas dans la tête de l'analyste. Il est là, et il leur est inaccessible.

Mais justement, la psychanalyse en vérité, celle que Freud a introduite, en même temps qu'elle libère certains discours qui viennent prendre place dans le discours conscient, est fondé sur la reconnaissance d'un non-savoir irréductible, sur ce que dans d'autres contextes historiques on a appelé « la docte ignorance ». Expérience, conjointe aux discours, de la négativité, de la non-vérité, du rien si l'on veut, qui marque le sujet du discours. Seules les analyses qui ont été conduites dans cette perspective permettent de donner tout leur sens aux discours conscients, et de s'engager dans l'avenir parce qu'elles délivrent l'homme de la question anxieuse à laquelle il se heurte comme à un mur : « mais comment puis-je parler et agir, tant que j'ignore la signification cachée de mon agir, tant que j'ai un inconscient ? »

Les conséquences de ce que nous venons de dire sont d'une grande portée pour le discours religieux comme pour le discours athée.

II

LE DISCOURS ANALYTIQUE DE FREUD

SUR LE DISCOURS RELIGIEUX

On interprète en général le discours que Freud a tenu sur la religion, depuis « Zwangshandlungen und Religionsübungen [3] » en 1907, jusqu'à « Der Mann Moses und die monotheistische Religion [4] » en 1938, comme une immense tentative de réduction du discours religieux et notamment du discours judéo-chrétien à un autre discours, issu de l'expérience analytique, qui livrerait la clef du premier en dévoilant ce qu'il veut dire. Or s'il est une chose qui s'impose quand on relit Freud à la lumière des remarques que nous venons de faire, c'est que ce discours freudien, si nous en appelons à Freud même, apparaît plein de trous, de failles, de reprises, d'extrapolations osées, dont il était lui-même conscient. Il se compare à « une danseuse qui fait des pointes [5] », il confesse son insatisfaction, il reconnaît que la religion est d'un ordre de grandeur tel qu'elle échappe aux prises de son discours [6]. Ayant mis en évidence ce qu'il appelle « le nucleus paternel » qui est cœur de toute religion monothéiste, il tourne autour, il y revient sans cesse, et qualifie de « mythe scientifique » [7] le meurtre du Père primitif, dans lequel il voit le grand événement qui a donné naissance à l'histoire humaine et à la religion. Mythe, c'est-à-dire récit qui introduit l'homme à son histoire, mais sur un mode imaginaire; scientifique, c'est-à-dire vérité qui fait partie du système de la science et donne prise sur la réalité. N'y a-t-il pas là une contradiction? Mais cette contradiction même ne désigne-t-elle pas la vérité dont Freud échoue à donner la proposition véritable, parce que celle-ci est ailleurs? Même si Freud s'est parfois laissé prendre à la séduction de son propre discours sur la religion, en vertu d'un préjugé scientiste dont il n'était pas complètement dégagé, il n'en reste pas moins que son discours est traversé d'une immense interrogation, témoignant par-là que l'inventeur de

---

[3] S. FREUD, *Gesammelte Werke*, Londres, Imago publishing, 1941, VII, pp. 129-139.
[4] S. FREUD, G. W. XVI, pp. 103-246.
[5] « Meiner Kritik erscheint diese vom Mann Moses ausgehende Arbeit wie eine Tänzerin, die einer Zehenspitze balanciert. » G. W. XVI, p. 160.
[6] « Allem was der Entstehung einer Religion... zu tun hat, hangt etwas Grossartiges an, dass durch unsere bisherigen Erklärungen nicht gedeckt word. » G. W. XVI, p. 236.
[7] *Massenpsychologie und Ich-Analyse*. G. W. XII, p. 151.

la psychanalyse sentait que ce qu'il disait était marqué par un manque radical.

Lire Freud autrement, prendre son discours conscient comme une tentative délibérée de réduction du discours religieux à un discours purement psychologique, c'est oublier d'entendre Freud comme il nous a appris à entendre, et faire du psychanalyste qu'il était l'homme à la recherche du seul savoir.

Comment d'ailleurs, face au discours religieux, Freud aurait-il pu l'entendre autrement qu'en analyste, c'est-à-dire non seulement pour rendre conscientes certaines vérités qui restaient jusqu'alors inconscientes au croyant, mais pour y creuser la place où le discours religieux, tout en disant vrai, s'échappe à lui-même, incapable qu'il est de donner le mystère autrement que comme ce dans quoi l'on doit entrer et cheminer, parce qu'on ne le possède pas dans un savoir. On aurait donc tort de croire que Freud ne nous aurait apporté que des propos révélateurs concernant par exemple la reprise et la magnification des figures parentales de l'enfance dans la conception que les croyants se font de la Providence. Il va bien plus loin. Ce qu'il nous amène à reconnaître c'est que la dimension de l'inconscient, en ce qu'elle a d'irréductible en tant qu'elle marque tout discours, y compris le discours religieux, est au cœur de la religion. A sa façon, et par le chemin qui lui est propre, il nous fait entendre que notre discours sur Dieu dit ce qu'il est et pourtant ne le dit pas. Il rejoint à la fois la théologie négative, et l'expérience des grands spirituels. C'est ce dont peuvent témoigner certains analysés qu'une expérience rigoureuse a menés à ce point.

Ces quelques remarques qui demanderaient de plus longs développements suffisent pour caractériser l'apport essentiel de Freud, à partir de l'écoute des sujets névrosés, à la reconnaissance du sens du discours religieux. Qu'il n'ait pas fait le même travail à propos du discours athée, c'est là le signe d'une partialité qu'il devait à sa position personnelle de « juif infidèle ».

Cette dernière remarque nous introduit directement à la question de l'athéisme, ou plutôt des athéismes des psychanalystes.

III

LES ATHÉISMES DU PSYCHANALYSTE

De ce que nous avons dit, il s'ensuit que la qualification d'athée attribuée à la psychanalyse a trois significations qu'il importe de bien distinguer.

a. *Athéisme méthodologique*

Le psychanaliste est athée méthodologiquement. En ce sens il faut, nous semble-t-il, tenir que la psychanalyse est nécessairement athée quand il s'agit de l'expérience analytique. De quoi s'agit-il, en effet? Si le psychanalyste est tout entier à l'écoute du discours de son interlocuteur, s'il n'a pas, en tant qu'analyste, à proférer de parole propre, à tenir le moindre discours qui pourrait être un conseil, un rappel, voire une parole normative tant sur le plan moral que sur le plan religieux (et ceci sous peine de faire obstacle à la parole propre de son interlocuteur et à la découverte conjointe de certaines vérités et de ce manque radical qui caractérise le sujet de la parole) il est athée. On voit dans quel sens. Cet athéisme méthodologique n'est que le refus de faire intervenir le moindre discours pour ou contre la foi, dans une expérience tout entière axée sur la vérité en tant qu'elle n'est pas encore là et que le sujet doit nécessairement l'articuler à son compte, en son propre nom.

Toute infidélité de l'analyste par rapport à sa position, toute proposition de sa part portant sur la vérité religieuse, ne peut que renforcer et perpétuer une situation dans laquelle l'interlocuteur, bien loin de progresser dans la reconnaissance de ce qu'il en est pour lui de la vérité, continue à se suspendre à la parole de l'autre, et à répondre à la demande qu'il lui prête.

Il suit de là que la question souvent posée de savoir si un croyant ne peut être analysé que par un croyant ne peut que signifier, au niveau de l'expérience, la méconnaissance où l'on se trouve par rapport à la nature de l'analyse. La seule demande, valable à ce moment, ne peut être que celle-ci : « Est-ce un bon analyste? » C'est-à-dire : est-il rigoureusement fidèle à la position analytique, et est-il capable d'entendre l'inconscient et de le faire entendre?

Ainsi compris l'athéisme du psychanalyste comme tel n'a rien de plus — et peut-être de moins — effrayant que le silence de Dieu dans les expériences spirituelles véritables.

b. *Le psychanalyste athée*

Le psychanalyste peut être — en dehors de son expérience, et en tant qu'il prend position sur la question de Dieu — un athée déclaré, dans la mesure où il affirme que le discours religieux est réductible à un discours purement psychologique. Il sait, lui, ce que veut dire la religion. On voit comment une telle position peut s'articuler à partir d'un aspect du discours freudien. Il suffit de constituer cet aspect du discours en savoir, pour aboutir à une position d'athéisme. Dieu n'est que le père de l'enfance, etc... On sait assez où cela mène : à poser un discours, élaboré à partir de l'analyse, en vérité dont le discours religieux ne serait que la déformation.

On voit comment une telle position est infidèle à la psychanalyse elle-même. Cette sorte de réduction de la psychanalyse à un savoir psychologique méconnaît la véritable nature du sujet de l'inconscient tel que Freud l'a désigné. C'est pourquoi nous pensons qu'un tel athéisme, dans la mesure même où il est lié à une méconnaissance de l'analyse, est incompatible avec une position analytique correcte.

Le public, et en particulier les croyants, s'imaginent en général sur ce seul type l'athéisme de l'analyste. Quand ils viennent à l'analyse avec la demande plus ou moins consciente d'être débarrassés de ce qui les gêne — cela arrive —, c'est cet athéisme réducteur qu'ils imaginent derrière l'athéisme méthodologique de l'analyste. On les voit alors passer par des moments où ils affichent un amoralisme et une irréligiosité qui témoignent surtout de leur besoin de se situer là où ils imaginent que l'autre demande qu'ils se placent. Cette phase imaginaire n'a en général qu'un temps. Mais pour peu que l'analyste se laisse aller à manifester qu'il y a là, en effet, un début de libération — méconnaissant complètement la vraie nature du phénomène — et la situation risque de se stabiliser. Combien d'analysés promènent ainsi un amoralisme et un athéisme qui ont succédé au moralisme et à la religiosité de leur enfance, sans que rien soit changé au fond, dans leur rapport aliénant au désir de l'autre, leur analyste s'étant finalement situé face aux personnes de leur enfance, comme une figure parentale permissive. Mais où est l'analyse en de tels cas?

c. *Transformation de l'attitude méthodologique en absolu*

Il est enfin une forme d'athéisme, plus subtile, propre à des analystes que l'on peut ranger parmi les meilleurs, et qui, comme tels, sont dignes de confiance au niveau de l'expérience analytique. Cet athéisme consiste à ériger l'attitude méthodologique en absolu, c'est-à-dire à déclarer implicitement ou explicitement que le sujet de l'inconscient, c'est-à-dire le sujet marqué par le manque dans tout ce qu'il dit ou fait, est la seule vérité absolue. Devant toute affirmation, et notamment toute affirmation religieuse, il ne s'agit donc pas d'opérer une réduction, mais de mettre en évidence la négativité qui la frappe. Il n'est de vérité que dans la question à propos de la vérité. La vérité du discours religieux n'est donc ni en lui-même, ni dans un autre discours qu'il voilerait, mais dans le mouvement même qui manifeste la non-vérité de toutes les vérités, c'est-à-dire finalement dans la manifestation de l'inconscient au sens même que Freud lui a donné.

Il s'ensuit que tout discours conscient est dans cette perspective tenu pour un leurre, dans la mesure justement où il est là pour occulter la situation radicalement décentrée de l'homme par rapport à la vérité. C'est ainsi que certains présentent la révolution copernicienne introduite par la psychanalyse. Le conscient gravite autour de l'inconscient qui est la vérité ultime du rapport du sujet à la parole, à toute parole.

Il ne faut pas méconnaître l'extrême sérieux de cette position. En tant, en effet, qu'elle rejoint quelque chose d'essentiel à la position chrétienne, à savoir l'importance accordée à la négativité, à la défaillance inhérente à tout discours quand il est question de Dieu, elle pose aux croyants une telle question qu'il est impossible d'y échapper sans se leurrer soi-même. Il est non seulement inutile, mais mensonger, de répondre à une telle position par un refus. Le « que dis-tu quand tu parles » doit être entendu. Les mésusages leurrants et mystifiants du discours religieux sont si répandus, et nous y tombons si facilement, que l'interrogation est toujours de saison.

Mais cet « athéisme de la question » est-il cohérent ? Il fait de tout discours conscient un leurre. Or, cette affirmation même, que veut-elle dire ? Il serait trop facile de reprendre ici l'argumentation classique contre les sceptiques, et de rétorquer que ce discours même sur le leurre, et aussi tout le discours analytique, dans la mesure où ils sont conscients, sont eux aussi des leurres. Mais un tel propos ne mettrait pas en évidence le sens selon lequel le discours conscient est un leurre, et le sens selon lequel il se pourrait qu'il ne le soit pas.

Quand Freud écoutait ses interlocuteurs, il tenait leur discours pour vrai. Nous l'avons déjà remarqué. Vrai pour Freud, bien entendu, mais dans la mesure où il entendait déjà, au-delà de ce que le discours disait, ce qu'il ne disait pas. C'est-à-dire que le discours conscient est véridique en tant qu'il est mis en relation avec le discours inconscient, en tant que quelque chose est dit sur le mode de n'être pas dit. Il suit de là qu'il n'a pas à dénier au discours conscient sa valeur de vérité, tant que celui-ci est entendu dans ce qu'il ne dit pas. Où et quand commence le leurre? Quand justement le discours conscient est pris pour argent comptant, c'est-à-dire quand il est entendu comme ne disant rien de plus qu'il ne dit. Ainsi de l'analysé affirmant par exemple qu'il souffre d'un mal physique, et demandant à son analyste l'adresse d'un médecin. Entendre ce discours c'est l'écouter dans ce qu'il ne dit pas, c'est-à-dire par exemple dans la perplexité du sujet par rapport à la situation analytique. Ce discours ne devient leurre que si l'analyste et l'analysé s'y laissent prendre comme à un discours dont la vérité est tout entière là. Certes, il fallait que cette dimension leurrante du discours conscient fasse partie de celui-ci pour qu'un tel usage soit possible, mais elle ne se manifeste que là où la dimension inconsciente est refusée. C'est ce refus qui constitue l'actualisation du leurre.

Il suit de là que le discours conscient dit la vérité dans la mesure où il est proféré et entendu au sein de ce qui en nie la suffisance. Il n'est pas de discours particulier qui ne renvoie à la totalité du discours et, dans la perspective freudienne, au discours inconscient et à la défaillance du sujet de la parole. Mais saisi dans ce renvoi, le discours conscient est vrai.

C'est bien là d'ailleurs ce qui se passe tant dans l'expérience analytique que dans l'expérience spirituelle. Bien loin de frapper à mort les discours humains, celles-ci leur donnent sens et vérité. Ce retour au discours conscient saisi désormais comme ayant sens dans sa défaillance même est d'ailleurs la seule possibilité que nous ayons d'articuler la vérité. Certes, dit Freud, notre conscience est faible, mais nous n'avons qu'elle.

Nous n'avons pas par-là répondu entièrement à la question posée par l'athéisme méthodologique érigé en absolu. Mais nous avons établi la condition qui permet de donner sens et vérité au discours religieux conscient. Il resterait à montrer que le discours chrétien sur Dieu dit la vérité dans une telle perspective. Développer ceci nous entraînerait trop loin.

Remarquons en terminant que la psychanalyse manque encore d'une théorie cohérente du discours conscient. Comment s'en étonner puisque son effort a surtout porté sur l'élucidation de l'inconscient? C'est à cette lacune actuelle que tient la retenue qui caractérise l'analyste quand il s'agit pour lui d'entrer en dialogue avec les représentants des autres disciplines humaines. A n'entendre que l'inconscient, il lui arrive d'être sourd à tout le reste. Or, c'est ce reste qui constitue l'étoffe de nos dialogues d'hommes.

IV

LA QUESTION DE L'ATHÉISME APRÈS FREUD

La psychanalyse ne nous apporte donc aucun argument nouveau pour ou contre l'athéisme. Elle ne nous apporte pas davantage des explications inédites sur la foi ou sur l'incroyance de certains sujets. Dire à quelqu'un que sa révolte contre Dieu n'est qu'une révolte contre les figures parentales de son enfance n'a jamais changé la position dernière d'un homme. La réduction psychologique est aussi peu de saison quand elle est employée par les croyants que quand elle est utilisée par les incroyants.

L'apport de Freud est ailleurs. Il a contribué [8] à introduire dans la question de l'athéisme une nouvelle façon d'entendre le discours de l'athée, et corrélativement une nouvelle façon de se situer dans le discours chrétien même. Cette nouveauté a déjà pénétré le chrétien de ce temps, sans que nous lui donnions encore toute sa portée.

Il y a en effet diverses façons d'entendre un discours, et notamment le discours de l'athée. Façons qui ne constituent pas des attitudes qui se succéderaient chronologiquement, dans une sorte de progrès continu qui les feraient se remplacer l'une l'autre par destruction, jusqu'à l'établissement d'une attitude ultime qui serait seule la véritable audition et intelligence de ce que l'autre dit. Le procès de l'une à l'autre est dialectique, en ce sens que chaque moment y est aboli et repris dans le moment suivant.

Le premier temps du dialogue avec l'athée, c'est de l'entendre comme disant l'erreur. C'est-à-dire le contraire de la vérité que nous possédons. Il est bien évident qu'en ce moment s'affirme quelque chose d'essentiel à la position chrétienne, pour laquelle son discours sur Dieu dit la vérité. Il devrait logiquement en découler que c'est à prendre ou à laisser. Ou bien l'athée renonce à son erreur, et professe la vérité, ou bien il est voué aux ténèbres extérieures. Le dialogue est impossible. Si telle n'est pas la position du chrétien par rapport à son discours et à celui de l'autre, c'est parce que dans le discours erroné de l'autre il ne peut pas

---

[8] Freud n'est certes pas le seul à avoir renouvelé la problématique de l'athéisme. Hegel et d'autres l'ont fait avant lui. Mais le fondateur de la psychanalyse en établissant l'existence de l'inconscient a définitivement montré l'impossibilité d'entendre le discours conscient comme s'il suffisait et n'était pas articulé avec un discours inconscient.

ne pas voir le sujet dans l'erreur certes, mais appelé à la vérité. Celui-ci se trompe, ou est trompé, mais du fait qu'il parle il affirme la vérité de l'homme qu'il est, et par-là sa capacité de chercher la vérité et d'y accéder. C'est par-là que le chrétien reconnaît, dans le discours de l'athée, la vérité de la situation d'homme qu'il partage avec lui, et qu'un véritable dialogue peut intervenir entre l'athée et le croyant se reconnaissant tous deux comme interlocuteurs.

Il s'en faut pourtant que l'intelligence de cette vérité reconnue dans le discours de l'athée suffise à fonder le dialogue. Tant que le chrétien tient à son discours vrai pour le donner à entendre à quelqu'un qui peut certes l'entendre — du moins en principe — mais qui est dans l'erreur, il se manifeste comme supérieur à ce dernier, il a une position de condescendance. Il a beau reconnaître son interlocuteur pour un homme disant, du fait qu'il parle, sa vérité d'homme, il n'en reste pas moins qu'il continue à le considérer comme étant dans l'erreur. On connaît assez les impasses dans lesquelles s'engage le dialogue avec l'athée, quand ce dernier est vu comme objet de conversion...

Aussi est-il nécessaire d'entrer dans un second temps, en acceptant d'écouter l'athée pour entendre ce qu'il a à nous dire dans son discours athée lui-même. Il ne s'agit pas de cesser de tenir pour vrai le discours chrétien, mais de cesser de le regarder comme disant une vérité particulière. Le discours chrétien dit vrai et par-là justement il n'est pas séparable des autres vérités. Celles-ci doivent passer de l'implicite à l'explicite dans le discours chrétien lui-même. C'est en écoutant et en entendant le discours de l'athée que le chrétien va parvenir à les articuler. Disant sa vérité d'homme du fait qu'il parle, l'athée affirme aussi dans son discours la vérité de l'homme ou du moins quelque chose de cette vérité. Il nous dit beaucoup de choses qui pour être maintenant passées dans la conscience de tous, croyants et incroyants, n'en ont pas moins été d'abord articulées souvent par lui. Dans les domaines scientifiques, politiques, psychologiques, etc... quelque chose de la vérité de l'homme s'est fait entendre à nous par sa voix. Ainsi dans son discours athée entendu au-delà de la négation de Dieu, ce que dit notre interlocuteur, c'est la valeur de l'homme, de son autonomie, de son travail, ce qu'il affirme c'est le sujet humain capable de prendre en main son destin et de parler en son propre nom, c'est aussi la communauté historique des sujets comme faisant la vérité.

Mais à s'ouvrir ainsi aux dires de l'autre, à les reconnaître comme siens, le chrétien s'aperçoit que ses propres dires sont à leur tour mieux entendus, que l'interlocuteur y prend intérêt là où il n'était jusque-là qu'indifférent. Le dialogue peut se poursuivre dans un échange mutuel, où l'on arrive vraiment à s'entendre; l'athée reconnaissant que le chrétien n'est pas étranger à la vérité de l'homme, et le chrétien reconnaissant la vérité de l'homme qu'il a en commun avec l'athée.

Néanmoins cette nouvelle façon d'entendre leurs discours réciproques laisse encore subsister entre croyant et incroyant une opposition radicale : l'un affirme Dieu, l'autre le nie. Quelles que soient les vérités que nous parvenons progressivement à reconnaître en commun, il reste ce dernier et radical affrontement. Comment s'entendre dans cette divergence même? Il ne s'agit pas seulement de respecter chez l'autre une opinion sincère, de faire preuve de tolérance. La mise entre parenthèses de cette portée du discours au niveau même où il est question de la vérité de l'affirmation ou de la négation de Dieu, ne constitue en rien une abolition effective du désaccord. C'est ici, pensons-nous, que la dimension reconnue par Freud dans tout discours peut nous indiquer un chemin. Ce manque de vérité inhérent à tout discours conscient, ce fond de non-vérité ou de négativité qui sous-tend tout discours vrai, cette impossibilité pour le sujet de se saisir jamais dans toutes ces paroles dont il est pourtant le sens dernier, introduisent l'homme à la reconnaissance sans cesse évanouissante, mais aussi sans cesse renaissante, d'une sorte de défaillance radicale de son être parlant, au cœur de son discours athée lui-même. Pour peu que de son côté, le chrétien ne soit pas resté sourd à ce à quoi l'invite tout le discours de la foi en lui signifiant que la Vérité qu'il affirme vraiment dans son discours, n'en est pas moins encore absente, que Celui qu'il connaît en vérité n'en demeure pas moins ignoré, que suivant l'expression traditionnelle Dieu est mystère, athée et chrétien peuvent de nouveau s'entendre en entendant l'un de l'autre, l'un chez l'autre le cri inarticulé du défaut qui les marque.

Il n'en reste pas moins, bien entendu, que s'ils parviennent ainsi à s'entendre dans ce que ne dit pas le discours conscient, ils vont continuer à s'opposer dans les discours explicites. Mais le sens de cette opposition n'est plus le même. Quelque chose est là désormais qui les unit de façon radicale.

Est-ce à dire que la situation de l'athée et celle du chrétien s'équivalent, et que le discours conscient, qu'il affirme ou qu'il nie, soit secondaire? Nous ne le pensons pas. A l'entendre de nouveau, le discours athée dans la mesure où il pose quelque chose (et il ne peut pas ne pas poser l'absolu, fût-ce sous la forme de la question à laquelle il n'y a pas de réponse) se constitue toujours en savoir. L'athée sait qu'il n'y a pas de réponse. Son discours explicite pris à ce niveau nie ce que pose son discours implicite, à savoir que le sujet défaille en toutes ses affirmations. Le chrétien au contraire, ne pose jamais son discours explicite en savoir absolu, car dans ce discours même il pose la négativité sous la forme du mystère.

La psychanalyse et l'athéisme

Il affirme qu'il n'y a pas de savoir absolu pour les sujets humains. C'est pourquoi il dit vrai.

Ces indications requerraient d'amples développements. Elles n'avaient pour but que de montrer comment peut se poser aujourd'hui la question de l'athéisme, et surtout celle du dialogue avec les athées. Depuis Freud nous ne pouvons plus entendre discours athée et discours chrétien autrement qu'en termes d'interlocution, et avec ce qu'il disent l'un et l'autre sans encore le dire explicitement. L'ère des polémiques, des démonstrations, des argumentations est définitivement close. Nous sommes entrés dans le temps du dialogue.

BIBLIOGRAPHIE

Il est inutile et il serait fastidieux d'étendre cette bibliographie. Les études qui ont tenté de rendre compte de l'athéisme par la névrose n'atteignent pas le niveau critique. Dans la mesure, en effet, où elles ne posent pas la question de savoir en quoi et pour quoi une structure névrotique sous-jacente fait du discours athée ou religieux du sujet un discours profondément problématique, elles constituent toutes des exploitations abusives et contradictoires de données analytiques, utilisées au gré de projets préalables non critiques. Quant à ce que la psychanalyse nous apprend de la relation des sujets humains à leurs discours de foi ou d'athéisme, nous ne pouvons que renvoyer à quelques travaux fondamentaux dont la signification est encore loin d'avoir été dégagée.

FREUD, S., *Zwangshandlungen und Religionsübungen*, 1907; Gesammelte Werke, VII, pp. 129-139. Le premier texte de Freud sur l'analogie entre les rituels des obsédés et les pratiques du croyant.

Totem und Taboo, 1913; G. W. IX. L'exposé le plus complet de Freud sur le mythe du Père primitif, comme fondement préhistorique des formations religieuses et morales.

Zukunft einer Illusion; G. W. XIV, pp. 325-380. Écrit en 1927 quelque temps après la fin de la première guerre mondiale, il porte la marque du souci de Freud concernant l'aide à apporter aux hommes pour supporter les maux engendrés par l'existence et la civilisation. Sa conclusion rationaliste n'en laisse pas moins transparaître une profonde perplexité.

Das Unbehagen in der Kultur, 1929; G. W. XIV, pp. 421-506. Dans la même perspective que l'ouvrage précédent, mais avec un accent de désespoir résigné.

Der Mann Moses und die monotheistische Religion, 1938; G. W. XVI, pp. 103-246. Rédigé lors du déferlement de l'antisémitisme, cet ouvrage constitue une tentative de Freud pour rendre compte de l'histoire du peuple juif, de son monothéisme, et de son progrès dans la voie de la spiritualité (Geistlichkeit). Avec *Totem et Tabou*, c'est le plus important travail de Freud sur la religion. C'est aussi celui où se manifeste le plus ouvertement la perplexité du fondateur de la psychanalyse à l'égard de son discours.

Jung, C. G., *Psychologie und Religion*, Zürich, Rasher Verlag, 1947 (1re éd. 1939). Les leçons de Jung à l'université de Yale, en 1923. Elles exposent l'essentiel de sa conception de la religion.

Glover, E., *Freud or Jung*, Londres, George Allen and Unwin Ltd., 1950. Mise en évidence de l'opposition qui existe entre les perspectives de Freud et celles de Jung au sujet de l'inconscient. Pour Glover, Jung est encore un psychologue du conscient.

Lacan, J., *Fonction de la parole et du langage en psychanalyse*. La Psychanalyse, t. 1, Paris, Presses Universitaires de France, 1956, pp. 81-166.

C'est à cet exposé notamment que se réfère la conception de la psychanalyse freudienne impliquée dans cet article. On y verra nettement que l'inconscient est structuré comme un langage, et que l'analyse est autre chose qu'une entreprise de réduction psychologique.

CHAPITRE III

CROISSANCE PSYCHOLOGIQUE
ET TENTATION D'ATHÉISME

par

ANDRÉ GODIN

*professeur
de psychologie religieuse au Centre International « Lumen Vitæ », de Bruxelles*

INTRODUCTION — I. *L'anthropomorphisme* : *a.* Anthropomorphisme imaginaire; *b.* Anthropomorphisme affectif. II. *L'animisme* : *a.* Animisme punitif; *b.* Animisme protecteur. III. *La mentalité magique* : *a.* Efficacité magique ou opportunité religieuse de la prière; *b.* Mentalité magique dans la vie sacramentelle. IV. *Le moralisme.* V. *Le psychologisme. Conclusion. Bibliographie* (1964).

INTRODUCTION

Une certaine apologétique chrétienne se plaît à souligner l'universalité géographique et temporelle de la croyance au divin, l'adhésion unanime (plus ou moins consciente) à une forme de théisme. En bonne méthode, une telle affirmation devrait être complétée par cette autre : l'universalité également impressionnante d'un certain athéisme, la présence (plus ou moins socialement admise) d'une pensée selon laquelle aucune divinité n'est à l'origine du monde, en relation avec le monde ou à l'œuvre dans le monde.

La coexistence de ces deux tendances, que l'on peut retrouver aussi bien chez les philosophes de la Grèce antique que dans les cultures primitives chez certains adultes ayant cessé de croire aux mythes et aux rites traditionnels [1], suggère l'idée de la permanence, dans l'humanité, d'un conflit ou d'une antinomie psychologique dont la résolution se poursuivrait, au cours de la croissance, soit dans la ligne de la croyance religieuse, soit dans la ligne de l'incroyance.

Cet article relève et analyse certains traits ou mécanismes psychologiques fonctionnellement importants dans les attitudes religieuses élémentaires. Ils favorisent la religion vécue, notamment chez les enfants et les adolescents, mais en la lestant d'un poids qui constitue une menace pour la suite de leur développement religieux, une tentation permanente d'athéisme. Ces traits de la religiosité spontanée seront ramenés à cinq, pour les commodités de cet exposé et parce que nous les croyons suffisamment universels pour être retrouvés non seulement dans le christianisme mais dans la plupart des religions instituées.

Nous examinerons successivement les traits suivants : *anthropomorphisme — animisme — mentalité magique — moralisme —* et *psychologisme.*

Dans l'état actuel de la psychologie religieuse scientifique, hâtons-nous de reconnaître que l'universalité de ces traits de religiosité, pour être établie, appellerait de nombreuses confirmations qu'il nous serait impossible de fournir pour certains d'entre eux en dehors du milieu chrétien. Là où ils sont observables, par contre, on ne pourra guère nier la diminution graduelle de l'importance que la plupart des hommes leur

---

[1] Sur ce point, cf. par exemple P. SCHEBESTA, *Ursprung der Religion,* Berlin, Morus Vg., 1960, p. 241.

accordent au fur et à mesure de leur développement humain et culturel, même si la signification dernière de l'existence leur semble appeler des attitudes religieuses au-delà de ces traits de religiosité primitive. Ainsi ces derniers apparaîtront-ils en relation avec le phénomène étudié en cette section de l'encyclopédie : l'athéisme psychologique.

Chacun de ces traits sera présenté selon sa *réalité psychique*, c'est-à-dire dans les limites de l'objet d'une psychologie scientifique. Nous entendons par là l'ensemble des conditionnements, conscients ou relatifs à la conscience, qui affectent les conduites humaines en tant que celles-ci ne résultent pas de la liberté et s'offrent à l'observateur comme des phénomènes comportant certaines lois stables et permettant éventuellement un pronostic statistique. Il s'agit donc de dispositions de base; un philosophe thomiste y verrait la « cause matérielle dispositive » de la religion vécue, le terrain psychique à partir duquel la religion comme acte libre va s'épanouir et dans lequel elle s'incarnera en le dépassant.

Ces traits de religiosité psychique, dont la stabilisation dépend de facteurs sociaux (éducatifs et institutionnels), ne seront bien connus, scientifiquement, que dans une perspective psycho-sociologique encore peu accessible actuellement. Quant à leur signification ou à leur validité objective au plan des valeurs religieuses, elle ne pourrait être abordée que par le phénoménologue, le philosophe et le théologien ; cette dernière considération dépasserait donc la compétence de l'auteur, même si quelquefois il se permet une allusion à des horizons méthodologiquement étrangers à cet article.

I

L'ANTHROPOMORPHISME

Par anthropomorphisme religieux, nous entendons la tendance à se représenter Dieu comme un personnage humain en lui attribuant des formes, des traits de caractère ou des activités humaines, et à adopter, en conséquence, certains comportements à son égard.

Dans l'évolution religieuse des enfants, adolescents et adultes, on peut distinguer un anthropomorphisme imaginaire et un anthropomorphisme affectif.

a. *Anthropomorphisme imaginaire*

Il s'agit de la tendance spontanée (présente dans la plupart des religions, soit qu'on y cède, soit qu'on lutte pour la purifier) à se faire une *image*, une représentation de Dieu dans le prolongement direct du monde humain.

Henri Clavier [2] s'est efforcé de classer les réponses obtenues chez 182 enfants, catholiques et protestants, de 6 à 12 ans en distinguant : a) Un anthropomorphisme matériel simple ou grossier (Dieu porte une robe, a une longue barbe, ramasse des fleurs,...) ; b) mitigé ou intermédiaire (homme différent des autres, trône éblouissant, barbe si longue qu'on ne voit pas de pareille ici-bas,...) ; c) spiritualisé (voit tout, est partout à la fois, invisible impossible à dessiner,...). En conversation individuelle avec chaque enfant, cet auteur trouve que : les réponses du type (a) vont de 100 % à 75 % de 6 à 9 ans — du type (b) de 100 % à 50 % de 9 à 12 ans — du type (c) sont fournies environ dans 50 % des cas à 12 ans.

La mentalité anthropomorphique cause de nombreuses distorsions dans l'assimilation de certaines vérités chrétiennes, ou dans la compréhension de certains récits bibliques dont le sens totalement ou principalement symbolique échappe à l'enfant. Ronald Goldman [3] a étudié systématiquement à travers quelles catégories des personnages et des récits

---

[2] H. CLAVIER, *L'idée de Dieu chez l'enfant*, Paris, Fischbacher, 1962.

[3] R. GOLDMAN, *Religious Thinking from Childhood to Adolescence*, Londres, Routledge and Kegan Paul, 1964.

bibliques sont compris entre 6 et 17 ans : la pensée anthopomorphique et artificialiste y joue un grand rôle (Dieu, par exemple, « a écrit la Bible sur sa machine à écrire »). De son côté, Christian Van Bunnen [4] a montré qu'un épisode symbolique comme Le Buisson ardent n'est guère susceptible d'être saisi comme symbolique, par la majorité des enfants, avant 11-12 ans.

Une manifestation plus subtile de l'anthropomorphisme imaginaire a été relevé dans une recherche récente, scientifiquement remarquable, de l'abbé Jean-Pierre Deconchy [5]. Il ne s'agit plus de traits physiques (le géant ou le vieillard barbu), mais de l'attribution à Dieu de qualités morales, humaines et même typiquement enfantines. Ainsi certains enfants, nombreux jusqu'à douze ou treize ans, fournissent au mot inducteur Dieu des associations libres comme celle-ci : « Serviable — dévoué — prévenant — loyal — franc » ou encore, par une sorte de projection empathique à partir de leur propre personnalité : « Bon — gai — content — joyeux. » Évidemment cette expression de l'anthropomorphisme n'est pas aussi fruste que la précédente ; elle peut même apparaître comme la forme primitive d'une pensée analogique qui tâtonne vers l'affirmation d'une transcendance d'où ne seraient pas exclus les attributs personnels. Quoi qu'il en soit, elle est en constante régression au seuil de l'adolescence. Si tout se passe bien, une certaine purification se produit donc graduellement.

Par ailleurs, certains sondages chez les adultes montrent que ce dégagement de l'anthropomorphisme primitif ne s'accomplit ni chez tous, ni sans crise. Dans une patiente recherche, basée sur des entretiens individuels, Richard V. McCann [6] trouve que dans un groupe de 200 adultes, chrétiens à l'origine, 18 % n'ont guère modifié leur conception anthropomorphique initiale. Quant aux 82 % qui ont évolué, ils se divisent en 45 % qui ont spiritualisé graduellement leur conception de Dieu et 37 % qui sont devenus agnostiques. Les conversations montrent fréquemment que le Dieu qu'ils ont rejeté, parce qu'ils ne pouvaient plus y croire, n'est guère le Dieu auquel un croyant spirituellement adulte peut se ralier (selon l'Évangile par exemple), mais plutôt une caricature de Dieu. L'image divine restée infantile a été rejetée et ces chrétiens devenus agnostiques ont pensé que c'était de Dieu qu'ils ne voulaient plus.

[4] C. Van Bunnen, Le Buisson ardent, dans le volume De l'expérience à l'attitude religieuse, Bruxelles, éd. de Lumen Vitæ, 1964, pp. 189-202.

[5] J.-P. Deconchy, L'idée de Dieu entre 7 et 16 ans, dans le même volume De l'expérience à l'attitude religieuse, pp. 115-128.

[6] R. C. McCann, Developmental Factors in the Growth of a Mature Faith, dans Religious Education (New York), 1955, 50 (May-June), pp. 147-155.

Les difficultés et certaines conditions de ce cheminement d'une *pensée infantile* à une *pensée adulte* ont été bien analysées par le Dr. H. C. Rumke [7] et par le Père Jacques M. Pohier [8]. Il nous suffit d'avoir évoqué ici comment cet anthropomorphisme, en voie de maturation, comporte en lui-même un germe d'athéisme, dont la virulence augmente si le milieu éducatif favorise certaines fixations (le Dieu-gendarme, par exemple) à propos des images du « Dieu de l'enfance [9] », ou au contraire s'atténue dans le cas d'une éducation religieuse bien orientée et respectueuse du mystère divin. Il est clair qu'un homme est virtuellement athée dès qu'il s'imagine, dans une mentalité artificialiste appliquée à Dieu, qu'il aurait pu lui-même fabriquer un monde meilleur que celui créé par Dieu. Non seulement cet anthropomorphisme imaginaire élimine la transcendance, mais il place l'homme au-dessus d'un Dieu dont l'œuvre est illusoirement méprisée.

b. *Anthropomorphisme affectif*

Beaucoup plus profonde et durable, largement inconsciente chez la plupart des croyants, cette disposition est fondée sur les influences qui, durant les cinq ou six premières années de la vie, structurent la personnalité humaine. Elles dérivent en ordre principal, au moins dans notre type de culture, des relations affectives vécues avec les parents (ou les substituts parentaux). Par anthropomorphisme affectif, nous entendons un ensemble d'*attitudes* structurées par les rapports sociaux (familiaux) de la petite-enfance qui affectent les conduites religieuses et se projettent dans la relation affective avec Dieu. Pierre Bovet [10], dans un livre classique, a montré que le premier éveil religieux s'enracine psychologiquement dans les relations vécues avec les parents : dépendance, admiration, amour sécurisant, pardon reçu, etc... Joseph MacAvoy, S. J. [11], a pu rapprocher certains traits de la religion, vécue par l'adolescent ou l'adulte, de certaines périodes critiques que mentionnent les travaux des psychanalystes.

---

[7] H. C. RUMKE, *Karakter en aanleg in verband met het ongeloof*, Amsterdam, Ten Have, 1955. Traduction anglaise : *The Psychology of Unbelief*, Londres, Rockliff, 1952.

[8] J. M. POHIER, *Pensée religieuse et pensée infantile*, dans le volume *Adulte et enfant devant Dieu*, Bruxelles, éd. de Lumen Vitæ, 1961, pp. 23-46.

[9] Nous avons décrit ces fixations avec plus de détails et dans une perspective pédagogique, dans *Le Dieu des parents et le Dieu des enfants*, Paris et Tournai, Casterman, 1963.

[10] P. BOVET, *Le sentiment religieux et la psychologie de l'enfant*, Neuchâtel, Delachaux, 1925.

[11] J. MAC AVOY, S. J., art. *Crises affectives et vie spirituelle*, dans *Dictionnaire de Spiritualité*, Paris, Beauchesne, t. 11, 2, 1953.

Des troubles de la phase « orale » (sevrage de la première enfance) retentissent sur des manières égocentriques de prier, de s'adresser à la Sainte Vierge comme dispensatrice de tout bien, de vivre l'obéissance religieuse ou la relation au directeur spirituel comme une dépendance passive qui en altère le sens. Des troubles de la phase « anale » (éducation à la propreté au cours de la seconde année) peuvent faire apparaître dans la vie religieuse un culte du devoir, fait de rigidité et de méticulosité, un perfectionnisme littéral et scrupuleux, un besoin maladif de pénitence cherchée pour elle-même et non comme un moyen d'union spirituelle, etc... Enfin, le conflit « œdipien » (découverte d'un amour partagé, de la troisième à la sixième année), s'il est mal résolu, est parfois à l'origine d'une religiosité où dominent l'anxiété du salut, une propension à la fausse culpabilité, une théâtralisation des vertus ou une pseudo-vocation à la chasteté.

De son côté, Leonardo Ancona [12] insiste sur la différence entre religion vécue (comme valeur intérieurement choisie et activement rayonnante) et certains traits de religiosité vers lesquels des sujets atteints de psychonévrose se sentent portés. Diverses observations cliniques lui font mettre en parallèle certaines structurations névrotiques, aux trois périodes critiques mentionnées ci-dessus, avec des formes insatisfaisantes de religiosité : besoins de gratifications sensibles, impulsions à se mêler aux rites et aux observances, aspiration pseudo-religieuse à la valorisation personnelle (« apparaître » le meilleur devant Dieu et devant les autres). Il fait justement remarquer que cette religiosité, quand elle se satisfait dans des comportements appropriés, n'est pas une véritable activité de religion, mais plutôt une opération de défense du Moi qui trouve là un moyen d'adaptation toujours précaire. La psychothérapie, en libérant le sujet de ses besoins névrotiques et, par contrecoup, de ses formes archaïques de religiosité, ne débouche pas automatiquement sur la religion authentique. La libération des traits névrotiques de religiosité rend la religion possible, mais elle rend aussi possible l'agnosticisme et l'irréligion. Cette indépendance relative de la religion spirituellement adulte, par rapport à son substrat psychique illustre une fois de plus comment une religion illusoirement fondée sur un anthropomorphisme affectif, devient un motif possible d'irréligion, sinon en droit (ce que nous discuterons dans la dernière partie de cet article) du moins en fait chez certains sujets névrotiques ou à certaines périodes critiques de l'évolution de sujets normaux [13].

Ce serait une erreur de penser que l'anthropomorphisme affectif ne

---

[12] L. ANCONA, *Interpretazione clinica del comportamento religioso*, dans *Archivio di psicologia, neurologia e psichiatria* (Milan), 1961, n° 1, pp. 7-28.

[13] De fort bons exemples de ces cheminements psychologiques ont été fournis par I. LEPP, *Psychanalyse de l'athéisme moderne*, Paris, Grasset, 1961.

gêne le développement chrétien que chez des sujets névrotiques bloqués ou retardés. Il est possible d'en retrouver la trace chez des chrétiens évoluant spirituellement de façon satisfaisante. Une de nos élèves, Mlle Monique Hallez [14] a pu montrer que les « images parentales » jouent longtemps un rôle dans les attitudes intérieures des croyants à l'égard de Dieu. Travaillant avec une méthode scientifique exigeante (Q-sorting), et analysant les réponses d'une élite spirituelle (de 18 à 50 ans) comprenant des groupes de foyers chrétiens aussi bien que des religieux contemplatifs et des religieuses enseignantes, elle découvre que la religiosité spontanée (encore manifeste à la fin de l'adolescence) reporte sur l'évocation divine les traits qui étaient initialement ceux du parent de l'autre sexe : les jeunes gens se reliant davantage à Dieu avec des sentiments qu'ils ont éprouvés à l'égard de leur mère, les jeunes filles projetant plus fréquemment vers Dieu les traits qu'elles ont appréciés chez leur père. Cette différence, statistiquement significative chez les sujets ayant une préférence parentale très différenciée, tend cependant à s'atténuer avec l'âge, avec l'éloignement du milieu familial et, peut-être, avec la maturité d'une vie spirituelle plus développée (groupe des contemplatifs). Pourtant ce dégagement du conditionnement initial (inconscient, bien entendu, chez la plupart des sujets) semble entravé là où il y a eu préférence plus marquée, ou rejet plus accusé, dans la direction d'un des deux parents. Dans ces cas, l'évocation divine peut se trouver (et, semble-t-il, pour longtemps chez certains individus) fortement tirée vers les caractéristiques du parent préféré, ou gravement compromise par sa relation trop étroite avec le parent rejeté. Cette dernière situation ouvre le champ à une crise religieuse, et virtuellement à l'athéisme, comme l'examen de quelques cas particuliers (dans l'étude citée) permet de le soupçonner.

Évaluation

Envisagé chez l'adulte normal, le problème de l'anthropomorphisme (imaginatif et affectif) rejoint la question beaucoup plus générale (finalement philosophique et théologique) de savoir si la religion elle-même est autre chose qu'une projection de nos besoins affectifs : question soulevée par Freud et par la psychologie moderne dans son ensemble. Renvoyons-la à la dernière section de cet article, où elle pourra être envisagée en tenant compte des autres traits de religiosité spontanée.

Remarquons que, dans la foi, nous obéissons à un mouvement radicalement différent de tout anthropomorphisme lorsque nous méditons sur

---

[14] A. GODIN et M. HALLEZ, *Images parentales et paternité divine*, Bruxelles, *Lumen Vitæ*, 1964, XIX, 2 (avril-juin), pp. 243-276.

le mystère de l'Incarnation. En effet, au lieu de « projeter » sur Dieu des imaginations ou besoins affectifs issus de l'homme, nous apprenons à découvrir et à contempler quelle est la vraie nature de Dieu lorsqu'elle s'exprime dans des conduites humaines : celles du Verbe historiquement incarné. Ainsi ce serait en Jésus-Christ, contemplé dans la foi, que l'anthropomorphisme trouverait son redressement et sa mutation définitive, même au plan psychique. Mais, avant d'en arriver là, beaucoup d'hommes risquent de voir sombrer leur attitude religieuse en rejetant une image anthropomorphique de Dieu dont leur intelligence critique ne veut plus. Cette tentation est d'autant plus forte que deux traits psychologiques de religiosité spontanée, sont en régression constante à partir de la seconde enfance : l'animisme et la mentalité magique.

II

L'ANIMISME

On entend par *animisme* (psychologique) une propension à doter d'*intentions* l'univers inanimé et le monde des êtres vivants. Il ne s'agit donc pas exactement de l'animisme dont parlent les ethnologues, les historiens des religions, ou certains psychologues : attribution de la vie et de la conscience aux objets du monde extérieur. Le terme sera pris ici dans un sens plus restreint, fréquent en psychologie : attributions d'intentions par une sorte de « finalisme [15] » psycho-moral dans l'interprétation des choses ou des événements. Cet intentionnalisme, très puissant chez les jeunes enfants au stade dit « pré-causal », demeure une disposition importante dans l'équipement psychique des adultes, capable de reparaître sans contrôle dans certaines conditions : intoxication, peur intense, pathologie mentale. Étudié par Jean Piaget sous le terme de « justice immanente [16] », cet intentionnalisme nous semble mériter le nom d'animisme *punitif* pour le distinguer d'un animisme *protecteur* dont la courbe de développement ne se présente pas de la même façon.

a. *Animisme punitif*

Dans l'étude déjà ancienne que nous venons de mentionner, Piaget utilisait cinq petites histoires proposées verbalement à chaque enfant, suivies de questions spécifiques posées de façon souple dans une conversation individuelle. Dans chaque histoire, un enfant est victime d'un événement fortuit, dont la cause physique est perceptible, mais dans des situations où un facteur moral est impliqué. Par exemple, un petit voleur de pommes fuit les gendarmes, passe en courant sur un mauvais pont et tombe dans l'eau. Comment se fait-il qu'il soit tombé dans l'eau ?...

Laissant de côté un cinquième des réponses qui sont hésitantes, Mlle Rambert relevait chez 167 enfants (Genève et Jura Vaudois) la proportion suivante, par âge, des réponses animistes (affirmant que, sans le vol, passant sur le même pont il ne serait pas tombé) :

6 ans	7-8 ans	9-10 ans	11-12 ans
83 %	73 %	54 %	34 %

[15] Ce terme est proposé par M. LAURENDAU et A. PINARD, *La pensée causale*, Paris, P.U.F., 1962, p. 9, où il recouvre une des cinq manifestations de la mentalité précausale des enfants.
[16] J. PIAGET, *Le jugement moral chez l'enfant*, Paris, Alcan, 1932.

Il est à remarquer que de nombreux enfants, d'après les extraits de conversation cités par l'auteur, ont invoqué l'image d'un Dieu punisseur en expliquant leur réponse. Si l'on demande : « Le pont sait-il que le garçon qui franchit est un petit voleur ? », certains enfants répondent que le vent le lui avait dit. D'autres disent que Dieu, lui, le savait. Piaget écrit : « C'est là à coup sûr une formule apprise » (p. 205). Il n'a pas tort. Toutefois on se rend compte, en lisant l'ensemble de l'ouvrage et surtout les nombreuses recherches répétées avec la même méthode dans divers milieux religieux et culturels [17], que la réaction étudiée appartient à une couche profonde de la mentalité enfantine, largement indépendante de l'instruction religieuse acquise. Mais sa décroissance régulière avec l'âge, dans tous les milieux culturels étudiés, ne peut non plus faire aucun doute. Bien que les rôles respectifs de la maturation (affective) et de l'éducation socialement reçue (acculturation) soient difficiles à discerner, la convergence des résultats obtenus est frappante : l'interprétation des phénomènes (à commencer par ceux de la nature) par les « causes secondes », par les causalités naturelles ou physiques, l'emporte graduellement. Une pensée scientifique remplace une pensée intentionnaliste et finaliste spontanée. On ne peut sous-estimer l'importance de cette évolution au plan des attitudes religieuses, où les idées de justice immanente et de providence rétributive sont facilement prises pour des réalités à court terme : les manipulations interventionnistes d'un Dieu qui manœuvre le monde à des fins psycho-morales.

La relation d'une pensée « scientiste » (c'est-à-dire d'une pensée scientifique excluant toute signification religieuse au plan de la pensée symbolique) à l'athéisme est suffisamment connue pour que nous en relevions les manifestations. L'absence de pensée religieuse symbolique est responsable de la tension qui continue d'exister entre les étudiants qui se cultivent scientifiquement et leurs croyances religieuses. Sur huit facteurs, énumérés par des étudiants agnostiques ou athées comme ayant contribué à leur perte ou leur manque de foi, la conviction que « la science contemporaine peut rendre compte de tous les phénomènes naturels » est la raison la plus fréquemment (44 % des cas) fournie, la suivante étant « l'existence de peines et de souffrances non méritées [18] ». Une autre étude

---

[17] On trouve ces travaux résumés et bien commentés par G. JAHODA, *Child-animism : a critical survey of cross cultural research*, dans *J. of Soc. Psych.*, 1958, 47, pp. 213-222, au plan de la méthode psychologique, et par A. GODIN et B. VANROEY, *Justice immanente et protection divine*, *Lumen Vitæ*, 1959, XIV, 1 (janvier-mars), pp. 133-152, au plan des implications religieuses.

[18] J. HAVENS, *The College Student and His Religion*, dans *J. for the Scientific Study of Religion*, III, 1 (Fall 1963), p. 55.

américaine récente montre que plus un étudiant participe activement et avec succès à la recherche scientifique, moins il croit religieusement [19]. Parmi plus de 1.600 ouvriers de huit entreprises yougoslaves, le motif le plus fréquemment allégué (32 % des réponses) pour exprimer l'incroyance est « l'opinion que la vie et le travail dépendent des hommes et non de forces surnaturelles [20] ». Si normales que puissent paraître ces réponses au regard d'une pensée religieuse profonde, elles n'en manifestent pas moins quel genre d'interprétations on rejette actuellement quand il s'agit de Dieu.

b. *Animisme protecteur*

Puisque les interventions d'un Dieu-trouble-fête sont progressivement rejetées, on pourrait examiner si la réaction d'animisme obéirait à la même loi de décroissance régulière avec l'âge si les histoires proposées mettaient en jeu des situations où l'enfant se trouverait protégé, aidé, tiré d'affaire par des causes fortuites, susceptibles d'être interprétées dans un sens naturaliste ou dans un sens animiste (exaucement d'une prière).

Une recherche de Bernadette Van Roey [21] est venue éclairer cet aspect de la question, au moins dans un milieu d'enfants chrétiens de 6 à 14 ans. La réaction au thème de l'intentionnalisme protecteur s'y est révélée : a) Beaucoup moins puissante initialement (6-7 ans) que l'intentionnalisme punitif; b) Suivant une courbe différente en augmentant d'abord pour passer par un sommet vers 12 ans, puis déclinant assez rapidement pour rejoindre l'autre vers 14 ans. Ainsi cette réaction d'animisme protecteur semblerait être moins naturelle (plus « culturelle »), mais reposerait également sur un fondement affectif (besoin de sécurité?) en voie de régression.

Évaluation

La réaction animiste (finalisme psycho-moral), sous sa double forme punitive et protectrice, est une composante importante dans le développement des attitudes humaines et religieuses. Selon une idée du professeur Étienne De Greeff [22], cet intentionnalisme est un mode de connaissance

---

[19] R. STARK, *On the Incompatibility of Religion and Science : A Survey of American Graduate Students*, dans *J. for the Sc. St. of Rel.*, III, 1 (Fall 1963), pp. 3-20.

[20] A. FIAMENGO, *Croyances religieuses et changements technologiques en Yougoslavie*, dans *Archives de Sociologie des Religions*, Paris, 1963, n° 15 (janvier), p. 111.

[21] A. GODIN et B. VAN ROEY, *Justice immanente et protection divine*, *op. cit.*

[22] É. DE GREEFF, *Les instincts de défense et de sympathie*, Paris, P.U.F., 1947, p. 73.

spontanée en relation assez étroite avec l'instinct de défense, mais que l'éducation peut rapprocher de l'attitude fondée sur la sympathie et l'ouverture à autrui. On a dit que « la peur engendre les dieux »; soit, mais ce serait l'aspiration à la protection, à la sympathie, à la bienveillance qui leur donnerait une consistance et... un avenir au plan psychologique.

La croyance en une providence est-elle intrinsèquement liée à l'animisme spontané? Et que penser d'un enseignement chrétien qui, vers 10-12 ans, bâtirait sur celui-ci ses leçons sur la providence divine? Si tel était le cas, il serait fort à craindre que la croyance à la providence soit assez rapidement menacée...

Mais est-ce bien sur la Providence chrétienne que débouche cet animisme spontané dont le développement intellectuel et culturel marque actuellement le déclin? Il nous semble que non. En effet les « intentions » punitives ou protectrices propres à l'animisme psychique sont : a) à court terme; b) bouleversant les causalités secondes en y introduisant des finalités morales dont l'action demeure cependant très mécanique; c) égocentriquement orientées (du point de vue de l'homme) et passivement subies. Or la Providence chrétienne, rappelons-le : a) dispose toutes choses pour aboutir à la gloire finale de l'amour divin; b) respecte entièrement l'autonomie des causes secondes dont l'organisation stable est une des expressions du « gouvernement » divin (sans exclure le cas exceptionnel du miracle; c) invite l'homme à une mentalité théocentrique, non seulement pour découvrir sa collaboration au dessein de Dieu, mais aussi pour discerner activement le sens chrétien de tout événement, bon ou mauvais.

III

LA MENTALITÉ MAGIQUE

Aussi ancien que le monde des hommes, existe un double désir : *capter* par des rites les mystérieuses énergies encloses dans la matière et *conquérir* certains avantages spirituels par des moyens exclusivement matériels. La première attitude alimente une magie pré-technique, où l'incantation prétentieuse n'a pas encore fait place à la patiente soumission au réel, qui découvre et utilise les lois de la nature. La seconde attitude suscite une magie pré-religieuse, ou para-religieuse, où la vraie nature de l'esprit (courage moral — ouverture à autrui — invocation) se trouve comme enlisée et parfois compromise.

L'idée de s'assurer la sécurité, la puissance ou même l'amour par des rites exactement accomplis (cadeaux, gestes ou paroles stéréotypées) constitue un trait peut-être essentiel à la condition humaine, en tout cas très primitif et, en ce sens, fondamental.

Beaucoup d'auteurs ont souligné que, contrairement à l'attitude religieuse, l'attitude magique vise à dominer, à capter des forces immanentes au monde ou aux objets, qu'elle a un caractère réel et non « personnel », qu'elle tend à *convoquer* et non à *invoquer*. Le point de vue psychologique sur ces questions a été amplement étudié par Jean Cazeneuve [23] et le Dr H. Aubin [24]. Ce dernier écrit : « On est dans le domaine de la magie lorsque l'on croit capter automatiquement la force dont on veut se rendre maître, sans faire appel à aucune divinité, sans aucun acte de soumission authentique. » Au plan des religions, on pourrait toujours se demander s'il n'y a pas une *soumission* (jouée au moins symboliquement) du seul fait de recourir à des pratiques instituées et ne pouvant d'elles-mêmes produire l'effet désiré. Il est vrai que chez certains individus il pourrait s'agir seulement d'une soumission à des impératifs socio-culturels. Cette remarque suffit à faire comprendre qu'un observateur extérieur aura toujours de la peine à discerner s'il s'agit d'une pratique magique ou religieuse. En fait ce n'est pas la pratique qui est magique, ou au contraire qui prend valeur d'expression religieuse, c'est la mentalité de celui qui l'accomplit. Le superstitieux allume le même cierge, récite la

---

[23] J. CAZENEUVE, *Les rites et la condition humaine*, Paris, P.U.F., 1958.
[24] H. AUBIN, *L'Homme et la magie*, Paris, Desclée De Brouwer, 1952, p. 227.

même invocation que le religieux, mais dans un esprit profondément différent. Le premier pose un acte qui s'inscrit dans le prolongement de l'animisme dont nous avons parlé : il en attend une protection automatiquement assurée. Le second manifeste par un comportement symbolique son union, sa soumission, son espoir, son offrande, qui sont des mouvements intérieurs et spirituels.

La mentalité magique et la réaction contre les superstitions qu'elle entraîne trouvent deux points d'interférence avec le développement religieux à l'intérieur du christianisme : l'efficacité de la prière et la mentalité sacramentelle.

a. *Efficacité magique ou opportunité religieuse de la prière*

Dans l'Europe contemporaine, les pratiques magiques ayant tendance à favoriser une mentalité superstitieuse sont en régression partout [25]. Même là où la mentalité magique a besoin de se trouver des objets, ceux-ci sont sécularisés et perdent de plus en plus leur relation avec la religion chrétienne [26]. Sans doute convient-il de s'en réjouir.

Toutefois le problème des prières inexaucées demeure, pour beaucoup de gens, la pierre d'achoppement sur laquelle vient se buter leur développement religieux, pour le meilleur (la prière devenant peu à peu le moyen d'une union plus profonde avec le plan divin) ou pour le pire (le rejet de toute prière entraînant un athéisme pratique). De nombreux sondages ont révélé que « l'inutilité de la prière » vient souvent en tête des motifs effectifs d'incroyance [27]. Encore s'agit-il souvent de la prière sous ses formes les plus frustes : demandes de faveurs complètement égocentriques. Durant les années d'adolescence, R. H. Thouless et L. B. Brown [28] ont pu constater la diminution rapide de la croyance en l'efficacité matérielle des prières de demande de faveur, mais en même temps — et ceci nous semble d'une extrême importance — le maintien de leur opportunité même chez les plus âgées des 126 jeunes filles Australiennes de 12 à 17 ans interrogées dans ce sondage. L'inexaucement des prières apparaît donc comme une épreuve purificatrice pour la religiosité magique

---

[25] Cf. par exemple, M. LEPROUX, *Médecine, magie et sorcellerie (Le folklore charentais)*, Paris, P.U.F., 1954.

[26] Sur ce point, lire J. MAÎTRE, *Religion populaire et populations religieuses*, dans *Cahiers Int. de Sociologie*, Paris, 1959, XXVII, pp. 95-120.

[27] Ainsi dans la recherche de G. B. VETTER et M. GREEN, *Personality and Group Factors in the Making of Atheists*, dans *J. of Abn. and Soc. Psych.*, 1932, 27, pp. 179-194.

[28] R. H. THOULESS et L. B. BROWN, *Les prières pour demander des faveurs*, dans *De l'expérience à l'attitude religieuse*, pp. 129-136.

ou superstitieuse, spontanée dans les années de l'enfance, d'où peut sortir une prière spirituellement mieux orientée.

b. *Mentalité magique dans la vie sacramentelle*

Qu'il soit difficile d'introduire les jeunes enfants à la mentalité sacramentelle véritable, qu'il soit difficile de leur faire dépasser une compréhension magique de la formule théologique selon laquelle le sacrement agit *ex opere operato*, voilà ce que ne niera aucun éducateur psychologue.

Nous avons tenté avec Sœur Marthe, de construire une épreuve simple, permettant de découvrir le niveau de mentalité magique, ou au contraire sacramentelle, des enfants et pré-adolescents chrétiens [29]. L'âge de 11 à 14 ans apparaît comme spécialement crucial pour l'acquisition du véritable esprit sacramentel, ou au contraire pour la fixation d'une mentalité magique contre laquelle les ironies extérieures d'un certain milieu déchristianisé aura beau jeu de s'exercer.

Évaluation

« La religion », écrivait le Père Augustin LÉONARD, O. P. [30], « est toujours menacée de se dégrader en superstition ; l'expérience du sacré peut déchoir en une expérience magique du sacré. Ainsi le sacrement, qui est rite symbolique efficace où l'homme se fait l'instrument de Dieu, dans un contexte de grâce et d'amour, peut se changer existentiellement et subjectivement en un rite symbolique efficace où Dieu devient l'instrument de l'homme dans une contrainte imposée par un mécanisme aveugle. »

La restauration des « signes sacrés » dans la liturgie chrétienne, toujours menacée de dégénérer en magie ou en spectacle [31], permettra au chrétien et à tout homme de bonne volonté de s'associer activement aux gestes expressifs qui prolongent l'œuvre salvatrice du Christ. La mutation de la mentalité magique en mentalité religieuse et sacramentelle demeure cependant problématique et, pour l'homme, même adulte, sans cesse à refaire. Elle suppose un abandon, dans la foi et l'espérance, à l'action divine : abandon que le climat technique de notre culture rend peut-être plus difficile, mais aussi plus valable et plus pur là où il se maintient dans la fidélité.

[29] A. GODIN et Sœur MARTHE, *Mentalité magique et vie sacramentelle*, dans *Lumen Vitæ*, 1960, XV, 2 (avril-juin), pp. 270-288.

[30] A. LÉONARD, *La métamorphose du sacré dans la superstition*, dans *Supplément de la Vie spirituelle*, Paris, 1954, n° 28 (février), p. 9.

[31] *La Liturgie : magie, spectacle ou action divine ?* Tel est le titre suggestif d'un exposé psychologiquement et théologiquement éclairant, publié par l'abbé D. BUSATO, Toulouse, Privat, 1962.

IV

LE MORALISME

S'il suffisait de dépasser la religiosité marquée par les traits de la mentalité pré-causale (animisme et magie), on aboutirait peut-être à un théisme philosophique, à une croyance en un *Deus otiosus*, à une adhésion rationnelle et froide au Dieu lointain et pratiquement absent. Toutefois, à l'adolescence, ce cheminement se trouve brusquement barré et, en un sens, enrichi par la brusque apparition (certains disent réapparition) d'un sentiment psychique de culpabilité. Fréquemment lié à l'éveil pubertaire, il ne va pas sans ambiguïté pour l'éveil d'une conscience religieuse du péché.

Par moralisme, nous entendons la dominance des préoccupations morales dans le champ de la conscience religieuse, pouvant aller jusqu'à identifier indûment moralité et religion.

Les recherches et enquêtes relatives à l'adolescence soulignent fréquemment le caractère « moralisant » des préoccupations religieuses à cet âge. D'une part, l'obligation religieuse à cet âge est fortement ressentie comme portant sur des conduites morales et, en particulier, sur les problèmes que pose une sexualité dont les manifestations sont difficilement contrôlables à la plupart. D'autre part, si la prière de l'adolescent s'ouvre sur des horizons plus variés, moins naïvement égocentriques, elle se développe largement autour de qualités morales à acquérir : force d'accomplir son devoir, sécurité dans les épreuves, assurance d'une victoire dans les luttes contre un milieu dont les adolescents sentent vivement les limites et les imperfections.

A une question posée par le Frère Étienne [32] : « Quand vous priez, que demandez-vous à Dieu pour vous-même ? », 35 % des garçons de 14 ans et 30 % des garçons de 15 ans signalent en premier lieu la résistance au péché d'impureté. Et cette réponse, jointe à la prière « pour réussir les études », vient largement en tête, bien avant les prières pour la foi, la grâce ou la charité qui ne sont mentionnés que dans 10 % des cas environ.

Et comme la réalisation de la rectitude morale, spécialement en matière sexuelle, peut se faire attendre longtemps, il ne manque pas

---

[32] Frère ÉTIENNE, *Une enquête dans les classes de Troisième et de Quatrième*, dans *Catéchistes*, Paris, 1956, n° 1, pp. 35-50.

d'enquêtes pour nous révéler que les doutes prolongés et graves sur la foi sont en relation avec « des difficultés pour la pureté » (23 % dans la recherche du Père Pierre Delooz [33]), « des obstacles du côté de la pureté » (42 % chez les jeunes filles de l'enseignement technique répondent à Suzanne Van Espen [34]), « des confusions entre difficultés psychiques personnelles et incertitudes religieuses » (facteur principal relevé par Pier Giovanni Grasso [35]).

Il devient souvent difficile de se relier à Dieu comme pécheur, acceptant le poids de son impuissance à rejoindre les normes morales pour en dépendre spirituellement davantage et attendre son salut de Lui Seul. Ruth Ann Funk [36] a bien établi que, chez 61 sujets (sur une population de 255 étudiants universitaires de 17 à 25 ans) ayant des tendances anxieuses dans leur personnalité, une corrélation significative existe entre le fait d'avoir des doutes plus graves sur la foi, des sentiments de culpabilité et des besoins plus marqués (mais frustrés) de « consolations » religieuses.

Sur le thème du *refus de culpabilité* vient alors se jouer une option religieuse. Nier Dieu, c'est aussi selon certains se libérer d'une culpabilité qui n'a pas de fondement dernier dans les valeurs humaines. Rejeter les impératifs du « surmoi [37] » et, en même temps, la relation à un Dieu sévère ou pardonnant : telle serait la condition qui ouvre ces chemins de liberté sur lesquels marchent ceux qui construisent un monde meilleur, le monde de la solidarité humaine. Ainsi s'exprime Francis Jeanson pour justifier son athéisme (à la demande d'une revue catholique [38]) :

> L'athéisme, en ce qui me concerne, n'a d'autre sens que ce refus de culpabilité... L'athéisme, pour moi, ne se soucie pas de prouver la non-existence de Dieu, mais de donner prise à l'homme

---

[33] P. Delooz, *La foi des élèves de l'Enseignement de l'État en Belgique*, Bruxelles, éd. du Foyer Notre-Dame, 1957, p. 17.

[34] S. Van Espen, *La foi des Étudiantes de l'Enseignement technique*, thèse inédite, Louvain, Instituts des Sciences Religieuses, 1959.

[35] Pier G. Grasso, *Fondamenti sociologici dell'educazione religiosa*, dans *Educare*, vol. II, pp. 45-184, Roma, éd. Pas., 1960.

[36] A. R. Funk, *A survey of Religious attitudes and Manifest Anxiety in a College Population*, Ph. D. Thèse inédite, 1955, Purdue University (Indiana, U.S.A.), disponible sur micro-film.

[37] On appelle *surmoi* une structure de l'affectivité (bâtie dans les six ou sept premières années de la vie) qui aboutit à une régulation automatique des conduites et du sentiment de culpabilité. Le *surmoi* est souvent confondu avec la conscience morale, dont il n'est qu'un mécanisme inconscient.

[38] F. Jeanson, *Athéisme et liberté*, dans *Lumière et Vie*, Paris, 1954, n° 13 (janvier), pp. 85-96.

sur sa propre existence... Si Dieu existe, je comprends bien qu'il ait souffert et qu'il continue de souffrir pour le salut des hommes : c'est qu'il est aussi coupable qu'eux du mal qu'ils peuvent se faire ou plutôt il en est le seul *coupable*, et ils sont seuls à pouvoir s'en rendre *responsables*... Mais le Christ n'est pas venu demander aux hommes de se frapper la poitrine, mais de s'aimer... Pour ne point risquer de trahir ce devoir de solidarité, je récuserai tout autre devoir, toute autre obligation, toute autre justice, enfin, et tout autre amour que ceux que progressivement, et tant bien que mal, je m'efforcerai d'établir avec eux dans cette vie, sur cette terre. Si la morale est possible, elle n'y perdra pas; et si Dieu existe, je veux croire qu'il y trouvera son compte.

R. G. Kuhien et M. Arnold ont relevé, chez 500 jeunes gens de 12 à 18 ans, des glissements dans les croyances, à propos de Dieu, du salut et de la prière, qui illustrent bien cet aspect de la question [39].

Évaluation

Il est sans doute triste, pour un chrétien, de voir que l'appel du Dieu incarné « pour sauver les pécheurs » rebute de nombreux baptisés, tourmentés par un sentiment de culpabilité à la fois psychique et moral, et n'est entendu par d'autres que sous l'aspect d'un moralisme.

Avec la propension au moralisme (et la réaction qu'elle entraîne chez quelques-uns), nous sommes pourtant mis en face d'une composante majeure de l'existence humaine : celle de l'autonomie de la conscience morale, celle de l'origine et du fondement ultime des valeurs. Elle se combine, vers la fin de l'adolescence, avec la dernière source de l'athéisme psychologique qu'il nous reste à mentionner : le *psychologisme comme explication dernière de la religiosité.*

---

[39] R. G. KUHLEN et M. ARNOLD, *Age Differences in Religious Beliefs and Problems During Adolescence*, dans *J. of Genetic Psychology*, 65, 1944, pp. 291-300.

V

LE PSYCHOLOGISME

Par psychologisme, nous entendons aussi bien la propension à croire parce que l'objet de la croyance répond aux besoins affectifs et les calme en les satisfaisant, que la critique destructrice de l'adhésion religieuse selon laquelle les valeurs religieuses ne seraient que la projection de nos besoins et de nos désirs. Dans le premier cas, il s'agit d'un psychologisme naïf et qui s'ignore; dans le second cas, d'un psychologisme critique et qui prétend pouvoir dire le dernier mot sur « le tout » de la croyance religieuse. Bien que la discussion de cette dernière attitude soit du ressort de la philosophie et de la théologie, nous attirons l'attention sur la particulière virulence que cette objection a prise dans la psychologie de l'homme moderne, à partir de Freud sur la base de certaines constatations déjà faites dans les pages qui précèdent.

Sigmund Freud [40] a décelé plusieurs mécanismes et sources psychiques de la religion : les besoins affectifs élémentaires (narcissisme primaire) alimentent la propension mystique — la culpabilité (effet psychique du « surmoi ») s'apaise par le ritualisme — les frustrations et l'angoisse suscitent la croyance en Dieu.

> Quand l'enfant, en grandissant, voit qu'il est destiné à rester à jamais un enfant, qu'il ne pourra jamais se passer de la protection de puissances souveraines et inconnues, alors il prête à celles-ci les traits de la figure paternelle, il se crée des dieux dont il puisse avoir peur, qu'il cherche à se rendre propices et auxquels il attribue cependant la tâche de le protéger [41].

Ainsi la religion, au moins quant à son origine et à sa source psychique, serait une projection de désirs inconscients, compensatoires et plus tard rationalisés. A cette interprétation, partiellement correcte mais qui confond la *genèse* et la *valeur* objective d'une croyance, certains ethnologues et anthropologues apportent le poids de quelques observations. Il semble, en effet, que la nature des divinités honorées dans de nombreuses cultures primitives (dieux bienveillants ou sévères, propices

---

[40] S. FREUD, *Das Unbehagen in der Kultur*, Vienne 1929.
[41] S. FREUD, *L'avenir d'une illusion*, Paris, Denoël, 1927, pp. 63-64.

ou redoutables, secourables ou cruels) soit en relation avec le type de contrainte éducative que la famille, suivant en cela les traditions culturelles, impose aux jeunes enfants : châtiments corporels, bains froids, manipulations rudes, etc., ou au contraire interventions rares, bénignes et flexibles de la part des parents. Le sevrage brusque et la propreté précocement exigée ont certainement un rapport avec le « caractère » des divinités faisant partie des mythes culturels de ces pays. Encore est-il impossible de dépasser la considération d'une causalité réciproque entre ces deux phénomènes : les croyances religieuses ayant fort bien pu influencer culturellement, les pratiques pédagogiques [42].

Évaluation

Les mécanismes et dispositions affectives, relevés comme les sources de la religion, nous les interpréterions volontiers (avec certaines corrections de détails) comme les sources de la religiosité. Sans doute est-ce un mécanisme de projection, dans son sens le plus large, qui fait comprendre la naissance, chez les peuples primitifs, de diverses mythologies évoluant en polythéismes. On peut penser avec Mircea Éliade [43] qu'une fonction de ces mythes (comme de nombreuses activités de l'homme moderne) est bien de soulager partiellement l'anxiété psychique, de réduire l'angoisse d'êtres humains, consciemment jetés dans le temps, qui hésitent, se sachant mortels, à sacraliser l'histoire.

Tant que les attitudes religieuses demeurent régies par le « principe du plaisir » (besoins affectifs), tant que leurs objectifs ne dépassent pas les conduites passivement soumises à une moralité sociale, ou répondent à une préoccupation utilitaire (par exemple, chez certains psychologues modernes, celle de protéger la santé mentale), tant qu'elles ne progressent pas dans la ligne du « principe de réalité » (soumission au réel), elles apparaîtront probablement de plus en plus caduques et les mythes qu'elles engendrent ou alimentent seront précaires au fur et à mesure du progrès de la maturité et de la réflexion humaine.

Mais cette constatation, à notre avis, laisse entièrement de côté le Dieu qui se révèle à nous en Jésus-Christ.

C'est un Dieu fort, interventionniste et protecteur, que réclament nos besoins psychiques, non point un Dieu faible, pauvre, discret et

---

[42] Nous avons résumé quelques-uns de ces travaux dans *Psychologie Religieuse Positive : le problème des paramètres*, dans *Archiv fur Religions psychologie*, Band VIII, Göttingen, Vandenhoeck und Ruprecht, 1964.

[43] M. Éliade, *Le mythe de l'éternel retour*, Paris, Gallimard, 1949, et *Aspects du mythe*, Paris, Gallimard, 1963.

humilié. Ni l'apparente absence de Dieu dans la montée de l'univers créé (inexaucement des prières égocentriques), ni le crucifié qui pardonne à ses ennemis, ni la nourriture eucharistique gage de résurrection, ne peuvent apparaître comme des projections de nos cœurs infantiles ou des produits de nos désirs psychiques. Lorsque Dieu se manifeste et entre dans l'histoire, lorsqu'il exprime en une vie d'homme le mystère caché d'une Trinité sainte, il se révèle comme se soumettant aux lois de sa création, comme un Dieu ami et sauveur des pauvres et des pécheurs, comme un Dieu dont la seule richesse est de nous offrir l'union, par delà la mort, à ce qu'il est : l'amour infini qui pardonne et ressuscite.

CONCLUSION

« Si l'irréligiosité dont est imprégné le monde contemporain, et qui s'arme de pensée scientifique dans nos universités, avait pour contrepartie de donner à notre sentiment religieux, à notre doctrine, à notre piété, une idée plus forte et plus efficace de la transcendance de Dieu,... nous aurions tiré du présent drame spirituel un avantage considérable, et nous aurions mieux compris la leçon, peut-être insuffisamment rappelée, des grands maîtres de la théologie et de la mystique. Plus expérimentés et plus forts que nous, ayant la certitude du Dieu vivant, ils sont les premiers, après la Bible, à nous mettre en garde contre l'insuffisance et même la fausseté de nos représentations du divin (auxquelles s'attaque la pensée scientifique, croyant par là s'en prendre au divin lui-même [44]). »

Si les faits que nous avons signalés sont exacts et si les analyses que nous avons suggérées sont fondées, le cheminement de l'homme, même chrétien, vers le Dieu vivant ne se fait qu'en suivant certaines structures et en traversant certaines étapes. Celles-ci sont autant d'épreuves : elles purifient l'image divine qui s'était d'abord ébauchée à partir d'une religiosité spontanée, passivement structurée (conditionnée) par des besoins affectifs élémentaires et les stimulations plus ou moins éducatrices du milieu culturel et des institutions socio-religieuses.

« L'homme est naturellement religieux, mais il n'est pas naturellement chrétien [45]. »

[44] Cardinal MONTINI, 1er septembre 1959, *Discours à la Fédération Universitaire Catholique italienne*, trad. dans *Documentation Catholique*, Paris, LVI (1959), n° 1317, col. 1502.
[45] P. A. LIÉGÉ, O. P., *Un certain message de l'athéisme*, Chap. IV de *Vivre en chrétien*, Paris, Fayard, 1960, p. 38.

Croissance psychologique et tentation d'athéisme

En grandissant, l'homme met de plus en plus en question son adhésion à Dieu dans la mesure où il s'en est lui-même, psychologiquement construit l'image. Tantôt, marqué par la révolte, il rejette un Dieu dont il pense avoir vu clairement qu'il n'est qu'une idée, une projection utile pour un temps (pour les enfants, la moralité, la santé mentale ou l'ordre dans la tribu ou la cité). Ce rejet est actuellement favorisé par la désacralisation de la nature qu'entraîne la culture technique [46]. Tantôt, mieux inspiré et plus philosophe, il s'interroge sur la signification (ou « intentionnalité » profonde) de ces projections symboliques qui le différenciaient d'emblée de l'animal et lui faisaient dépasser, au moins par un élan et une aspiration, l'isolement, le mal et la mort [47].

Toutefois, il y a loin de cette interrogation à la découverte et à l'acceptation du Dieu qui parle et qui se révèle en son Fils historiquement incarné. « Croire, ce n'est pas seulement vouloir la vérité divine, mais c'est entendre *la voix* qui sort précisément de la « faiblesse » de Dieu [48]. » Nous avons dit pourquoi un tel appel peut souvent angoisser l'affectivité humaine dans la mesure même où elle est restée infantile. Il réclame, en tout cas, une mutation profonde, une *conversion* de nos désirs les plus spontanés (en particulier de nos désirs de puissance) avant d'être reconnu comme appel divin, et amoureusement accepté.

Devant ce Réel suprême, chacun d'entre nous demeure stupéfait et hésitant. Il est tellement surprenant à la psyché humaine qu'il ne peut avoir été inventé. Mais on comprend dès lors que chaque homme, chaque groupe humain, chaque culture comme chaque génération recule et hésite un instant. Entre cette offre d'amour et cette hésitation, continuera sans doute longtemps à se jouer le drame le plus fondamental de l'histoire et à s'accomplir l'œuvre, à la fois divine et humaine, à laquelle est conviée la communauté des hommes.

---

[46] Sur ce thème et l'apparition possible de certaines formes nouvelles du « sacré », cf. A. VERGOTE, *De l'expérience religieuse*, dans le volume *De l'expérience à l'attitude religieuse*, Bruxelles, éd. de Lumen Vitæ, 1964, pp. 31-44.

[47] On se reportera, là-dessus, aux analyses phénoménologiques actuellement irremplaçables d'un P. RICŒUR, par exemple : *La symbolique du mal, Finitude et culpabilité*, t. II, Paris, Aubier, 1960.

[48] R. GUARDINI, *Le Seigneur*, t. I, Paris, Alsatia, 1945, p. 141.

BIBLIOGRAPHIE

La plupart des sources bibliographiques de cet article ont été citées dans le texte. Nous nous bornons ici à quelques indications générales.

a) La psychologie des doutes religieux, étudiée scientifiquement, figure ordinairement dans un chapitre des principaux manuels de psychologie religieuse positive actuellement (1964) en vente. Signalons :

BERGUER, G., *Traité de psychologie de la religion*, Lausanne, Payot, 1946.
ALLPORT, G. W., *The Individual and His Religion*, New York, Macmillan, 1950.
CLARK, W. H., *The Psychology of Religion*, New York, Macmillan, 1958.
JOHNSON, P. E., *Psychology of Religion*, New York, Abingdon, 1959.

b) Des considérations psycho-philosophiques d'un grand intérêt sont à demander aux auteurs suivants :

RUMKE, H. C., *Karakter en aanleg in verband met het ongeloof*, Amsterdam, Ten Have, 1949, trad. anglaise : *The psychology of Unbelief*, Londres, Rockliff, 1952.
LACROIX, J., *Le sens de l'athéisme moderne*, Paris, Casterman, 1958.
FESSARD, G., S. J., *Sens et valeur de l'athéisme actuel, De l'actualité historique*, vol. II, Paris, Desclée de Brouwer, 1959.

c) Des analyses psycho-sociales et des indications psycho-pédagogiques complémentaires seraient à prendre dans les volumes suivants :

VAN DOORNIK, N. G. M., *Jeugd tusschen God en Chaos*, 's Gravenhage, Nijhoff, 1948.
JACOB, Ph. E., *Changing Values in College*, New York, Harper, 1957.
CARRIER, H., S. J., *Psycho-sociologie de l'appartenance religieuse*, Rome, Presses de l'université Grégorienne, 1960.
Le mete della catechesi (Atti del secondo Convegno Nazionale, Assisi, 1960), Turin, Elledici, 1961.
Adulte et enfant devant Dieu, Bruxelles, éd. de *Lumen Vitæ*, 1961.
GRASSO, P. G., *I Giovani stanno cambiando*, Zurich, P.A.S. verlag, 1963.
THUN, Th., *Die Religiose Entscheidung der Jugend*, Stuttgart, Klett, 1963.

CHAPITRE IV

L'ATHÉISME DES JEUNES

par

GIANCARLO MILANESI

professeur de psychologie religieuse à l'Université Pontificale Salésienne de Rome

Introduction : 1. Dimension sociologique; 2. Dimension psychologique; 3. Dimension phénoménologique. I. *Étendue du phénomène de l'athéisme des jeunes :* 1. Prémisses; 2. État des recherches : *a.* Sur la pratique religieuse, *b.* Sur les opinions religieuses, *c.* Sur les valeurs sociales et religieuses; 3. Valeur méthodologique et conclusions théoriques des recherches analysées : *a.* Valeur méthodologique, *b.* Conclusions théoriques. II. *Sens psycho-sociologique de l'athéisme des jeunes :* 1. Prémisses; 2. Religiosité intégrée et religiosité marginale : *a.* La religiosité devient intérieure, *b.* La religiosité devient absolue, *c.* La religiosité devient sociale; 3. Religiosité marginale, irréligion, athéisme. *Conclusion.*

INTRODUCTION

Les études sur la religiosité des jeunes ont souvent abouti, au cours des deux dernières decennies, à des résultats contrastants. D'un côté on remarque l'absence de catégories théoriques susceptibles d'encadrer et d'interpréter les données dont on dispose; mais d'un autre côté, les faits eux-mêmes, c'est-à-dire les composantes de la conduite religieuse, semblent se soustraire à une interprétation précise et par suite deviennent facilement la cause d'évaluations diamétralement opposées. On a décrit la jeunesse des « années 1950-1960 » tantôt comme « ouverte » ou « indifférente » aux valeurs religieuses, tantôt comme « substantiellement » religieuse ou privée du « sens du sacré », tantôt comme orientée vers une « nouvelle religiosité », ou victime « privilégiée » du processus de sécularisation en voie de réalisation.

Les différentes significations que l'on a successivement attribuées au comportement religieux des jeunes sont une preuve de l'intérêt que suscite ce problème; mais c'est surtout un indice de la complexité réelle de la question.

Une étude complète sur l'athéisme des jeunes dépasse évidemment les limites dans lesquelles notre étude est placée et exige une référence constante aux problèmes généraux de la religiosité juvénile contemporaine, examinés suivant une méthode interdisciplinaire et avec un souci de synthèse. Une étude d'une telle portée a des dimensions qui dépassent le but de notre enquête; il faut donc tout d'abord déterminer le sens que doit avoir une étude sur l'athéisme juvénile, compte tenu des autres études prévues dans ce travail général sur l'athéisme.

I. DIMENSION SOCIOLOGIQUE

Le premier problème que se pose le sociologue est de mettre en évidence l'existence quantitative du phénomène de l'athéisme des jeunes en considérant les résultats des recherches dont on dispose, suivant leur valeur méthodique, en mesurant la valeur représentative des échantillons choisis et la validité des conceptions sociologiques générales et spécifiques.

Le second problème qui se rattache étroitement à l'exigence d'un cadre de référence convenable consiste dans la nécessité de préciser en des termes conceptuels valables les faits réels compris sous la dénomination d'athéisme. Cela ne veut pas dire simplement qu'il faille distinguer, à l'intérieur du phénomène, une étude mieux définie des différentes sortes de comportements irréligieux parmi ceux qui ont une consistance sociologique plus solide; il faut aussi traduire en langage sociologique précis, et par suite en analyses qualitatives, les chiffres résultant des recherches et les indications sociologiques tirées des différentes sciences qui éclairent le phénomène de l'athéisme des jeunes.

Il nous faut donc encadrer le phénomène dans les lois structurales et dynamiques du devenir social, d'abord en considérant les catégories que l'on estime nécessaires pour expliquer sociologiquement l'athéisme comme tel, puis celles qui sont plus spécifiques et qui permettent d'interpréter en particulier l'athéisme des jeunes.

Le problème suivant se pose pour nous, à savoir : donner une nouvelle définition de l'irréligiosité des jeunes en tant que «schéma de comportement» ayant une caractéristique propre dans le cadre des «institutions» et de la «culture» d'une région géographique déterminée, — en voir le rapport avec la personnalité des jeunes, avec leur introduction dans les groupes et dans la société.

En un mot il faudra préciser le sens sociologique de l'athéisme en tant que «valeur» dans le comportement social des jeunes, isolés et en groupe.

De cette explication sociologique préliminaire dépend la solution d'un autre problème : celui du développement ou de la mobilité sociologique de l'athéisme des jeunes et d'une façon générale de l'athéisme des adultes. La prévision de l'évolution du phénomène dépend en effet du degré de diffusion et de structuration sociale du comportement athée chez les jeunes : de la «consistance» sociale des valeurs «athées» dans le comportement des jeunes on peut inférer le degré d'«intégration» de l'athéisme parmi les valeurs culturelles qui sont transmises dans la personnalité de base de la génération nouvelle.

Nous voulons en effet présenter les prémisses pour un jugement sur le caractère irréversible ou non d'un phénomène de «sécularisation» et de «déchristianisation» qui intéresse des sphères culturelles toujours plus vastes; il est évident que de telles prémisses sont contenues dans la «signification» sociologique (quantitative et qualitative) de l'athéisme des jeunes.

2. DIMENSION PSYCHOLOGIQUE

Aussi bien à l'échelon scientifique qu'à celui de l'opinion publique il est généralement admis que l'athéisme de l'adulte plonge ses racines dans l'athéisme des jeunes. Le psychologue devra contrôler l'exactitude de cette assertion en la complétant avec les apports de la sociologie ; il devra suivre la marche du comportement irréligieux pour voir si effectivement les courbes du développement tendent à se stabiliser sur des niveaux de religiosité et d'irréligiosité acquis pendant la jeunesse et si auparavant l'on a des indices de l'établissement d'un tel athéisme à cet âge-là ; il devra enfin étudier la dynamique du phénomène de l'athéisme juvénile par rapport au développement parallèle de la personnalité totale, ainsi que par rapport au développement de la conduite religieuse précédente.

Nous sommes persuadés qu'une telle analyse psychologique est non seulement très importante par elle-même, mais a aussi une très grande valeur pour la compréhension du phénomène général de l'athéisme et la détermination des idées de base de l'apport sociologique. En effet celui-là ne se limite pas à l'aspect psychologique : il est aussi mieux précisé par le sens que la conduite « athée » prend dans l'ensemble de la personnalité des jeunes.

A ce point de l'analyse la psychologie devra rechercher à tous les niveaux possibles les causes, les conditions, les antécédents d'une conduite irréligieuse chez les jeunes, dans le cadre d'une théorie de la personnalité et de la religiosité. L'exigence, que nous avons soulignée, d'un cadre d'idées cohérentes s'impose forcément si l'on veut éviter à cette étude un caractère fragmentaire qui dans d'autres branches de la psychologie a souvent arrêté les recherches ou en a rendu stériles les résultats.

3. DIMENSION PHÉNOMÉNOLOGIQUE

L'analyse phénoménologique du comportement religieux est souvent utile et parfois nécessaire pour une meilleure compréhension des dimensions sociologiques et psychologiques. On entend ici l'*approach* phénoménologique aussi bien dans son acception la plus générale et méthodologique de description scrupuleuse du phénomène dans toutes ses composantes analytiques à un niveau empirique, que — d'une manière plus spécifique — dans le sens de compréhension de la signification intentionnelle de l'athéisme dans le cadre de l'expérience psychologique totale de l'individu qui réalise cette expérience.

L'aspect subjectif de cette « expérience » constitue un apport à notre avis décisif pour la compréhension du phénomène dans sa structure psychologique objective et contrôlable.

Il offre en outre à l'*approach* sociologique le premier pas pour l'évaluation de la consistance sociologique de l'athéisme des jeunes, comme schéma du comportement spécifique social.

Celui qui étudie ces phénomènes doit encore vérifier la validité des différentes méthodes à travers lesquelles on essaie, de plusieurs côtés, de faire l'analyse phénoménologique de l'expérience « athée »; il faudra qu'il résolve les difficultés que l'on rencontre pour saisir sur le vif une telle expérience et pour mettre en évidence sa signification intentionnelle. Bien sûr (et nous donnons ainsi par avance un jugement que nous émettrons plus tard), les seuls témoignages — d'origine introspective — des intéressés eux-mêmes ne semblent pas suffisants; il faudra souligner la nécessité de contrôler la portée du « sens » et de la « valeur » que les sujets attribuent à leur « athéisme »; et pour cela il faudra vérifier l'incidence culturelle réelle d'une telle attitude sur l'ensemble du comportement.

Une telle analyse phénoménologique a déjà fait l'objet ici d'un article de M. G. Hourdin; nous ferons donc abstraction de cet aspect de la question.

*
* *

En présence de problèmes si complexes, notre tâche est de présenter les résultats des études effectuées jusqu'ici; puis, après avoir fait le point de la situation, nous indiquerons la direction que devront prendre les nouvelles enquêtes ou les nouveaux problèmes à résoudre. Comme point de départ il nous paraît utile de nous rendre compte de l'étendue du phénomène que nous voulons analyser, sur la base de certaines recherches effectuées en de vastes milieux sociaux de cultures différentes.

I

ÉTENDUE DU PHÉNOMÈNE DE L'ATHÉISME DES JEUNES

1. PRÉMISSES

Nous dirons tout d'abord que les enquêtes que nous avons pu mettre à profit sont fort hétérogènes : elles reflètent en réalité l'hétérogénéité des « indices » pris comme base d'un compte rendu statistique de la jeunesse athée.

Nous examinerons en particulier :
1) les indices de *pratique religieuse,* en entendant par là surtout la participation au service divin et aux principaux actes religieux les plus courants des confessions officielles;

2) *les indices des recensements religieux des étudiants,* là où ont été établies des catégories équivalant à une déclaration d'athéisme, telles que « athée », « humaniste », « agnostique », « sans religion », « sans Église ». Sur la valeur de telles déclarations il sera discuté dans la suite de notre étude;

3) les indices de *l'influence culturelle du comportement religieux :* nous pensons en effet qu'un moyen efficace de contrôle de l'athéisme consiste à noter le degré de « sécularisation » des actions morales et des valeurs culturelles les plus communes chez les jeunes de notre temps.

Ces dernières recherches sont utilisées assez rarement en fonction du relevé statistique du phénomène de l'athéisme juvénile; il nous semble cependant qu'elles sont la prémisse nécessaire pour une meilleure évaluation étiologique (en particulier au niveau sociologique) des comportements eux-mêmes.

Peut-être est-il aussi nécessaire de faire remarquer qu'un tableau statistique n'a aucun sens si l'on ne peut comparer les paramètres choisis comme idée-base des recherches; ainsi faudrait-il analyser à l'avance les différents sens qui sont attribués, dans les diverses enquêtes, aux termes « athée », « irréligieux », etc.

Nous croyons cependant opportun de reporter cette comparaison au moment où nous en parlerons du point de vue critique : nous pensons en effet que, dès l'abord, un tableau tracé à grandes lignes des résultats généraux peut constituer une aide pour le moins indicative, si l'on veut avoir une idée initiale, bien qu'approximative, du phénomène [1].

2. COMPTE RENDU DES RECHERCHES

a. *Enquêtes sur la pratique religieuse chez les jeunes*

Nous n'avons pas la prétention d'analyser à fond chaque recherche, ni de rendre compte des différentes variables (âge, sexe, scolarité, niveau social et économique, genre d'éducation, etc.), ni de la valeur des sujets :

[1] Nous sommes parfaitement conscients des limites que comportent les enquêtes du genre de celles que nous citons. La religiosité est un fait psychologique et sociologique tellement complexe qu'il sera toujours problématique d'« inférer », à partir de certains indices ayant plutôt rapport au « comportement » (même si ce n'est pas vraiment dans le sens behavioriste), la consistance structurale et dynamique de la conduite religieuse d'un individu ou d'un groupe.

Il est évident que la religiosité ne s'identifie pas à « la pratique du culte », ni à la « conviction subjective » d'une appartenance, ni à la pratique conformiste de certaines lois morales.

Sur la valeur de tels indices en sociologie religieuse, cf. par ex. J. Wach, *Sociologie de la Religion*, Paris 1955, chap. II. Les Revues citées dans les notes sont indiquées par les abréviations suivantes :
Rel. Educ. = Religious Education (U.S.A.)
J. of Psychol. = Journal of Psychology (U.S.A.)
J. of Soc. Psychol. = Journal of Social Psychology (U.S.A.)
Gent. Monog. = Genetic Monographs (U.S.A.)
Psychol. Monog. = Psychological Monographs (U.S.A.)
Amer. J. Soc. = American Journal of Sociology (U.S.A.)
Arch. de Soc. des Rel. = Archives de Sociologie des Religions (France)
Rev. Action Popul. = Revue de l'Action Populaire (France)
Soc. Comp. = Social Compass (Hollande)
J. Gen. Psychol. = Journal of Genetic Psychology (U.S.A.)
J. for Scient. Stud. of Rel. = Journal for the Scientific Study of Religion (U.S.A.)
J. Abn. Soc. Psych. = Journal of Abnormal and Social Psychology (U.S.A.)
Brit. J. Soc. Clin. Psychol. = British Journal of Social and Clinical Psychology (Angleterre)
Nouv. Rev. Théol. = Nouvelle Revue Théologique (Belgique)
Orient. Pedag. = Orientamenti Pedagogici (Italie)
J. Bible and Rel. = Journal of Bible and Religion (U.S.A.)
Char. Potent. = Character Potential (U.S.A.)
Psychol. Rep. = Psychological Reports (U.S.A.)
J. Amer. Psychoan. Assoc. = Journal of American Psychoanalytical Association (U.S.A.)
Americ. Psych. = American Psychologist (U.S.A.)
Gen. Psych. Monog. = Genetic and Psychological Monographs (U.S.A.)
Intern. J. Psychoan. = International Journal of Psychoanalysis
Soc. Forces = Social Forces (U.S.A.)
Amer. Cathol. Soc. Rev. = American Catholic Sociological Review (U.S.A.)
Teach. Coll. Contr. Educ. = Teachers College Contributions to Education (U.S.A.)
Riv. Soc. = Rivista di Sociologia (Italie)

l'espace et la complexité des éléments dont nous disposons nous l'interdisent.

Nous nous bornerons à l'exposé des données les plus intéressantes, en ajoutant quelques commentaires. Pour ce faire nous suivrons un critère géographique et nous grouperons les recherches suivant des régions culturelles analogues; quand il s'agira de recherches dans une seule région, nous respecterons autant que possible un critère chronologique.

Remarquons tout d'abord qu'un tableau complet de la pratique religieuse juvénile exigerait le contrôle d'une quantité toujours croissante d'enquêtes, souvent conduites scientifiquement, mais parfois aussi d'une façon approximative, effectuées dans le cadre des paroisses, des diocèses, des régions, des catégories. Or il est absolument impossible d'arriver à une telle perfection si l'on ne limite pas l'enquête à un secteur bien déterminé : nous renvoyons donc pour cela aux études faites spécialement sur ce sujet[2]; et nous nous arrêterons en revanche sur les recherches spécifiques concernant la pratique des jeunes et sur d'autres recherches qui pourraient avoir une importance particulière dans le secteur des jeunes.

Commençons par les *États-Unis* où les enquêtes sont pour la plupart effectuées sur des étudiants.

Déjà en 1947 Beckman [3] notait que dans un groupe de sujets qu'il avait interrogés, 16 % déclaraient qu'ils ne prenaient *jamais* part aux services de leur Église.

On a une impression analogue à la lecture de l'étude d'Allport, Gillespie et Young [4] qui, en 1948, ne trouvaient que 17 % et 38 % (respectivement garçons et filles) qui assistaient *régulièrement* au service divin; Brown et Lowe [5], en 1951, sur 887 étudiants universitaires appartenant

---

[2] Cf. les nouvelles que l'on trouve périodiquement dans des revues spécialisées telles que *Archives de Sociologie des Religions* (Paris), *Social Compass* (La Haye), *Sociologia Religiosa* (Padoue), *Revista Internacional de Sociologia* (Madrid), *American Catholic Sociological Review*, depuis 1964 *Sociological Analysis* (River Forest, Ill., U.S.A.).

[3] E. BECKMANN, *What High School Seniors Think of Religion*, dans *Rel. Educ.*, 42 (1947), pp. 333-337. Le groupe étudié n'est que de 81 sujets.

[4] G. W. ALLPORT, J. M. GILLESPIE, J. YOUNG, *The Religion of the Post-war College Students*, dans *J. of Psychol.*, 25 (1948), pp. 3-33. Le groupe considéré était composé de 414 étudiants de la Harvard University et de 86 étudiants du Radcliffe College.

[5] D. G. BROWN, W. L. LOWE, *Religious Beliefs and Personality Characteristics of College Students*, dans *J. of Soc. Psych.*, 33 (1950), pp. 103-129. Il s'agissait d'un groupe d'étudiants de l'université de Denver : 622 protestants, 122 catholiques 68 israélites et quelques autres.

à différentes confessions, en enregistraient 33 % qui ne priaient *jamais* et ne fréquentaient jamais le culte.

Une étude de Nelson [6] effectuée à deux reprises, en 1936 et en 1950, révélait une moyenne plutôt basse dans la pratique dominicale chez les étudiants.

En 1936 la moyenne générale était de 5,77 %; ce qui, dans l'échelle des attitudes religieuses de Thurstone, équivaut à la qualification de « *neutral* » ou de « *indifferent* ».

En outre l'attitude devient de plus en plus négative avec l'âge et la progression dans les études [7].

Un contrôle effectué en 1950 révélait un changement en mieux de 19 % des cas et en pis de 52 % [8]. En 1950 les recherches de Ross [9] montraient que la pratique religieuse *normale* (hebdomadaire) se rencontrait chez 48 % des sujets examinés; il était permis de supposer que les autres ne pouvaient être considérés comme pratiquant régulièrement, bien qu'il fût difficile de déterminer la quantité absolue des non-pratiquants.

Le *Yearbook of American Churches* de 1956 donnait un état de l'observance dominicale chez les jeunes, pendant les années de la *Grade School*, de la *High School* et du *College*, respectivement de 43 %, 47 % et 51 %, — ce qui prouve un accroissement de la pratique religieuse avec l'âge et les années de scolarité [10].

En 1952 Fichter [11] avait noté chez les catholiques un déclin de l'assistance à la Messe après 16 ans : la diminution de l'assistance était de 20 % environ.

Il retirait une impression analogue d'une enquête qu'il fit plus tard [12] : le catholique-type (le « fidèle » au sens moyen et normal) est

---

[6] E. NELSON, *Students Attitudes toward Religion*, dans *Genet. Monog.*, 22 (1940), pp. 325-423; E. NELSON, *Patterns of Religious Attitude Shifts from College to Fourtheen Years Later*, dans *Psychol. Monog.*, 70 (1956), 17, pp. 1-15. Noter que l'auteur a pu contrôler en 1950 1200 sujets sur les 3 749 qu'il avait étudiés 14 ans plus tôt. Il s'agissait d'un groupe de sujets appartenant à plusieurs catégories (protestants et catholiques).
[7] E. NELSON, *Students Attitudes toward Religion*, dans *Genet. Monog.*, 22 (1940), pp. 352 ss.
[8] E. NELSON, *Patterns*..., p. 6.
[9] M. G. ROSS, *Religious Beliefs of Youth*, New York, 1950; cité par M. ARGYLE, *Religious Behaviour*, Glencoe 1959, p. 36. Le groupe de M. G. Ross était composé d'environ 2 000 sujets appartenant à la Y.M.C.A.
[10] *Yearbook of American Churches*, ed. by Nat. Counc. of the Churches of Christ in U.S.A. and by B. Y. Landis, 1956.
[11] J. H. FICHTER, *The Profile of Catholic Religious Life*, dans *Amer. Journ. Soc.*, 58 (1952), pp. 145-149.
[12] J. H. FICHTER, *Social Relations in a Urban Parish*, Chicago 1954.

très religieux dans l'adolescence et la post-adolescence (de 10 à 19 ans); à 20 ans on peut le considérer négligent pour les pratiques religieuses; de 30 à 40 ans il entre dans la période la plus basse de sa vie du point de vue pratique religieuse, puis il se reprend mais seulement d'une façon partielle.

Plus récemment nous avons dans ce même secteur les recherches de l'équipe conduite par R. K. Goldsen [13] qui aboutit aux résultats suivants : 25 % des sujets répondent « *never or almost never* » à la demande concernant l'assistance aux offices religieux, 21 % « *mainly on important holidays* » (*op. cit.*, p. 157). De tels chiffres globaux en révèlent d'autres sur les pratiquants réguliers qui varient de 20 % à 49 %, suivant les Universités considérées.

Pour la région du Midwest des États-Unis, nous avons les chiffres obtenus par J. K. Hadden et R. R. Evans [14] en 1965 ; ces chiffres semblent prouver que dans la période de passage entre la *High School* et le *College* on a une diminution sensible de la pratique religieuse (cela est en contraste avec les résultats du *Year Book* de 1956). Les chiffres du pourcentage des sujets qui *avant* pratiquaient et *maintenant* ne le font que « *practically never or less* » sont de la grandeur suivante : State University 7,4 % (G. 10,8 %, F. 6,0 %) ; Central College 10 % (G. 12,5 % et F. 7,1 %) ; Midwestern College 3,5 % (G. 5,9 % et F. 0,0 %).

De l'ensemble de ces résultats, même partiels, nous pouvons conclure, nous semble-t-il, en ce qui concerne la situation aux États-Unis, par cette opinion de H. Carrier [15] : « La pratique religieuse est rare ; elle n'est conservée que par une portion réduite des étudiants » (*op. cit.*, p. 97).

En Europe on a réalisé des recherches encore plus détaillées sans compter celles qui se réfèrent d'une façon générale à la population et auxquelles nous avons prié le lecteur de se reporter.

Un article panoramique de J. V. Houtte [16] sur la pratique religieuse dominicale urbaine en Europe nous donne des statistiques intéressantes. Le recensement dominical de 11 villes de population supérieure à cent mille habitants révèle en effet que la chute des pratiques religieuses

---

[13] R. K. Goldsen, M. Rosenberg, R. M. jr. Williams, E. A. Suchman, *What College Students Think*, Princeton 1960. Le groupe étudié par cette équipe comprend 2 975 sujets, appartenant à 11 universités et à différentes dénominations religieuses.

[14] J. K. Hadden, R. R. Evans, *Some Correlates of Religious Participation among College Freshman*, dans *Relig. Educ.*, 60 (1965), pp. 277-285.

[15] H. Carrier, *La religion des étudiants américains*, dans *Arch. de Soc. des Rel.*, 12 (1961), pp. 89-105.

[16] J. Van Houtte, *Pratique dominicale urbaine et âges en Europe occidentale*, dans *Arch. de Soc. des Rel.*, 18 (1964), pp. 117-182.

arrive en France vers 13-14 ans et pour les autres nations dans les années de la seconde adolescence (16-18 ans), ou entre la première et la seconde adolescence (15-16 ans); elle se stabilise sur sa valeur minimale entre vingt et trente ans, pour ne remonter — et encore de bien peu — que dans la vieillesse [17].

En France en particulier les recherches de Desabie [18] faites en 1958 dans le département de la Seine confirment que la pratique religieuse commençait à décliner vers 13 ans, aussi bien chez les garçons que chez les filles (de 52 à 33 % et de 57,7 à 36,6 %) pour se stabiliser vers 20 ans sur un pourcentage de 9 à 10 % pour les garçons et de 15,2 % pour les filles. Ce n'est qu'après une nouvelle diminution (5,2 et 8,1 %) à l'âge moyen de la maturité que l'on enregistrait une légère reprise dans la vieillesse (9,6 – 16,9 % à 75 ans) (cf. *op. cit.*, pp. 820-821).

Quant à la pratique de la Communion Pascale, F. Boulard [19] pouvait affirmer qu'au-dessus de 14 ans 34 % pouvaient se dire pratiquants; mais ce chiffre n'a pas grande valeur parce qu'il comprend un éventail d'âges trop étendu et des pratiques religieuses différentes.

En revanche l'étude de G. Hourdin [20] sur les résultats d'une enquête effectuée par l'I.F.O.P. (Institut Français d'Opinion Publique) est d'une grande utilité. A la question : « vous arrive-t-il de prier? » 36 % répondaient « *jamais* », 11 % « *quelquefois* », soit au total 47 %, 36 % déclaraient qu'ils n'allaient pas régulièrement aux exercices du culte.

Une enquête successive, en 1961, toujours menée par l'I.F.O.P. [21], mettait en évidence que 20 % n'allaient *jamais* à l'église, 42 % *de temps en temps* et 37 % *régulièrement* une fois par semaine.

Les impressions générales que donnent ces sondages sont confirmées par des enquêtes faites secteur par secteur.

[17] Comparer les courbes de la pratique religieuse pp. 126-127 de l'œuvre citée. Les résultats analytiques des différentes enquêtes montrent les pourcentages des présences dominicales chez les jeunes (respectivement garçons et filles) : Brest 31 % et 48 % (15-19 ans); Innsbruck 27,6 et 39,3 (14-20 ans); Nantes 34 et 50 (15-19 ans); Munich 41 et 45 (14-19 ans); Gand 35,2 et 44,6 (15-19 ans); Bologne 31 et 41,6 (16-20 ans); Lyon 21,5 et 33,6 (15-19 ans); Nice 12 et 23 (15-19 ans); Charleroi 22,3 et 30,3 (16-18 ans); Limoges 15 et 26 (15-19 ans); Paris 16 et 21 (15-19 ans).

Il est important aussi de comparer les tableaux de la p. 128 afin de contrôler les différences d'âge de chute de la pratique religieuse, suivant les sexes et les régions.

[18] J. DESABIE, *Sociologie religieuse dans la Seine : recensement du 14 mars 1954*, dans *Rev. Action Popul.*, 1958, n° 120, pp. 815-823.

[19] F. BOULARD, *Premiers itinéraires en sociologie religieuse*, Paris 1954, cité dans l'édition italienne : *Primi risultati della sociologia religiosa*, Milan 1955, p. 25.

[20] G. HOURDIN, *La nouvelle vague croit-elle en Dieu?*, Paris 1959.

[21] J. DUQUESNE, *Les 16-24 ans*, Paris 1963.

D'une récente étude [22] effectuée entre 1958 et 1960 auprès des apprentis, on pouvait tirer deux autres indications. A la question : « pendant les vacances fréquentez-vous un lieu de culte? [23] », 26 % répondaient « *de temps en temps* », 12 % « *très rarement* » et 16 % « *jamais* »; pourcentages maximum de non-fréquentation dans les régions définies par Boulard (*op. cit.*, p. 156) « zone de missions » ou « zone indifférente mais de tradition chrétienne ». Il est intéressant de remarquer que le plus grand absentéisme se produisait dans les grands centres urbains et parmi les élèves des écoles publiques [24].

Enfin, après l'enquête de E. Pin [25], on peut confirmer le fléchissement des jeunes de 12 à 14 ans aussi bien pour les garçons que pour les filles : la pratique religieuse dominicale passe respectivement de 60 et 65 % des 11 ans (G.) et 12 ans (F.) à 50 % des 13 ans (G.) et à 41,5 % des 15 ans (F.); puis, après une petite reprise à 16 ans pour les deux sexes, on a une nouvelle chute avec des valeurs moyennes oscillant autour de 20-25 % vers 19-20 ans. C'est à 25 ans que les chiffres sont les plus bas pour les garçons (9,2 % de pratiquants) et à 23 ans pour les filles (19,8 % de pratiquantes) [26].

Pour la France ces chiffres spécifiques peuvent être facilement complétés par un contrôle systématique des tableaux de répartition suivant l'âge de la fréquentation des cérémonies du culte dominical, comme il ressort des nombreuses enquêtes effectuées au cours de ces dernières années [27].

En Suisse il n'a été fait que peu de recherches. En plus des sondages généraux au niveau diocésain, nous avons une enquête effectuée par J. Oberwiler [28]. Cette étude conduisait à des résultats partiels, car il

[22] R. SCHIÉLÉ, A. MONJARDET, *Les apprentis scolarisés*, Paris 1964, p. 328. L'enquête a été effectuée sur un groupe soigneusement choisi pour qu'il représente du point de vue statistique la population française de ce secteur. La méthode est celle de l'interview et du questionnaire. Les sujets étaient au nombre de 5 000, compris pour la plupart entre 14 et 17 ans.

[23] *Op. cit.*, p. 227. Remarquer que le pourcentage de pratique religieuse « pendant les vacances » peut être un critère utile de contrôle.

[24] R. SCHIÉLÉ, A. MONJARDET, *op. cit.*, pp. 228-229.

[25] E. PIN, *Pratique religieuse et classes sociales*, Paris 1956.

[26] E. PIN, *op. cit.*, pp. 96-100.

[27] On renvoie le lecteur à deux articles fondamentaux qui résument à peu près entièrement la matière : J. MAÎTRE, *Les dénombrements de catholiques pratiquants*, dans *Arch. de Soc. des Rel.*, 3 (1957), pp. 72-97; 16 (1963), pp. 141-144. Et aussi : F. MALLEY, *La pratique religieuse dans les grandes villes françaises*, dans l'*Actualité religieuse dans le monde*, 62 (1955), pp. 17 ss.

[28] J. OBERWILER, *La physionomie religieuse de la grande adolescence de l'enseignement secondaire libre*, Fribourg (Suisse) 1964, p. 140. Le groupe analysé comprend 650 sujets de 60 écoles secondaires catholiques de la Suisse romande et de la France

s'agissait de sujets à qui les pratiques religieuses étaient imposées en grande partie par un règlement.

Par contre une autre enquête faite par L. Schmid est intéressante : elle a été réalisée sur un groupe de jeunes suisses de langue allemande [29]. Des étudiants interrogés, 182 G. (30 %) et 50 F. (11 %) fréquentaient l'église *de une à 10 fois par an* et respectivement 41 (6,7 %) et 5 (0,8 %) *ne la fréquentaient jamais* : 6 % des G. seulement et 7 % des F. fréquentaient *régulièrement* toutes les fêtes [30].

Pour ce qui concerne la prière, les résultats qui ressortent de cette enquête ne donnent pas des chiffres suffisamment sûrs aux fins de la statistique sociologique.

La situation anglaise nous offre aussi quelques indications. Gorer [31] signalait la chute des pratiques religieuses à des moyennes d'environ 30 % à 16 ans et au-dessous de 20 % à 25 ans (ceci pour l'assistance au culte hebdomadaire) ; Cauter et Downham [32], toujours pour l'Angleterre, avaient signalé des chiffres inférieurs de peu aux précédents entre 20 et 25 ans.

Il faut toutefois tenir compte de ce que les trois dernières enquêtes signalent une reprise des pratiques religieuses après 30 ans (mais de faible importance).

Pour la jeunesse catholique urbaine anglaise, nous avons une autre enquête de 1958 qui donne des résultats classifiés suivant le degré d'instruction religieuse [33]. *Le plus grand nombre* de pratiquants réguliers (86 %) était donné par les jeunes qui fréquentaient régulièrement l'école catholique et par suite avaient une instruction religieuse ; tandis que *le plus petit nombre* (pratiquants irréguliers et non-pratiquants : 33 % les premiers et 42 % les autres) était donné par ceux qui ne fréquentaient ni école ni instruction religieuse.

Enfin un article de J. B. Brothers [34] nous donne quelques indications

orientale ; l'âge moyen est 15-16 ans. La méthode est celle du questionnaire. L'époque de la recherche : 1961-1962.
[29] L. SCHMID, *Religiöses Erleben unserer Jugend*, Zöllikon 1960. Les sujets de cette recherche sont tous protestants (622, dont 389 G. et 223 F.) ; ils sont de la région de Bâle, de Zurich et de Winterthur et ont de 16 à 25 ans. L'enquête a été effectuée en 1957 à l'aide d'un questionnaire.
[30] L. SCHMID, *op. cit.*, p. 125. Cette enquête est suivie d'un essai d'explication par les résultats d'un questionnaire. Cf. pp. 133-139.
[31] G. GORER, *Exploring English Character*, Londres 1955.
[32] T. CAUTER, J. S. DOWNHAM, *The Communication of Ideas*, Londres 1954. Cité par M. ARGYLE, *op. cit.*, p. 67.
[33] *Youth and Religion : a Scientific Inquiry into the Religious Attitudes, Beliefs and Practice of Urban Youth*, dans *New Life* (Londres), 14 (1958), pp. 1-60.
[34] J. B. BROTHERS, *Religion in the British Universities, the Findings of Some Recent Surveys*, dans *Arch. de Soc. des Rel.*, 18 (1964), pp. 71-82. Les enquêtes citées

concernant la pratique de la religion de la part des jeunes étudiants universitaires anglais. A Liverpool, en 1960, 18 % des étudiants des deux sexes *ne fréquentaient jamais* les cérémonies de leur Église. A Bristol, 24 % des jeunes ne fréquentaient le culte qu'*« occasionally »* : il s'agissait d'étudiants de la faculté de Technologie recensés dans une enquête de 1962. En 1951 un *« Jewish » Students National Inquiry* avait trouvé que 36 % des étudiants universitaires juifs tenaient une conduite religieuse « minime » ou « nulle ».

Rappelons qu'en général les chiffres rapportés correspondent à des « moyennes » de toutes les confessions : Toutes les enquêtes sont d'accord pour mettre en évidence que l'influence de la pratique religieuse plus fréquente des étudiants catholiques a comme effet d'élever la moyenne et de donner ainsi une idée faussée de la pratique réelle des autres groupes, pratique qui est beaucoup plus basse.

A son tour l'*Allemagne* offre un ensemble très riche de résultats : l'ouvrage de E. Reigrotzki [35] de 1956 nous donne une idée assez complète du comportement religieux de la jeunesse allemande entre 18 et 24 ans (cf. *op. cit.*, pp. 33 ss.).

Répondant à la question concernant leur présence au culte dominical, 23 % des G. et 17 % des F. avaient dit : « *selten* ou *nie* » parmi les catholiques et 66 % et 52 % parmi les protestants.

Des résultats essentiellement semblables avaient été enregistrés par *H. Schelsky* dans *Arbeitslosigkeit und Berufsnot*, Köln, 1952 (II, pp. 188 ss.), par H. Wollenweber et U. Planck dans *Die Lebenslage des westdeutschen Landjugend*, München, 1956, II, pp. 401 ss., et encore par K. Pipping, R. Abshagen et A.-E. Brauneck dans *Gespräche mit der deutschen Jugend*, Helsingfors, 1954, pp. 299 ss.

Plus récemment une enquête de H. O. Wölber [36] rapporte que 17 % des jeunes *ne fréquentent jamais* l'église et 38 % ne le font que dans les

par Brothers ont des valeurs différentes suivant le type de sujets examinés et la méthode. Pour avoir des données plus précises nous renvoyons aux sources de chacune des enquêtes, indiquées au bas de l'article cité.

[35] F. REIGROTZKI, *Soziale Verflechtungen in der Bundesrepublik. Elemente der sozialen Teilnahme in Kirche, Politik, Organisationen und Freizeit*, Tübingen 1956.

[36] H.-O. WÖLBER, *Religion ohne Entscheidung*, Göttingen, 1960 (la première édition est de 1959). Le groupe comprend des jeunes gens de 15 à 24 ans, appartenant à diverses confessions religieuses chrétiennes. Le travail de Wölber traite aussi des résultats d'autres recherches faites en Allemagne. A ce propos les enquêtes périodiques faites dans certains Instituts de demoscopie sont très utiles. Cf. :

— EMNID *(Institut für Meinungforschung), Jugend Zwischen 15 und 24. Eine Untersuchung zur Situation der deutschen Jugend im Bundesgebiet, dans Auftrage der Deutschen Shell Aktiengesellschaft*, Bielefeld 1954.

— EMNID *(Institut für Meinungforschung), Jugend zwischen 15 und 24. Zweite*

L'athéisme des jeunes

grandes solennités ou *quelquefois* [37]. On note en outre une diminution constante de la pratique religieuse de 15 à 24 ans : la moyenne des pratiquants est de 44 %, mais celle des jeunes qui fréquentent l'église au moins *une fois par mois* [38] est de 52 % à 15 ans et de 37 % à 25 ans.

On a des renseignements plus précis [39] au sujet du sexe des *non pratiquants absolus* (G. 21 % et F. 13 %); dans les *grandes solennités* il y a 17 et 12 % et *quelquefois* respectivement 26 et 25 %.

Faisons remarquer que parmi ceux qui ont fréquenté l'église (82 %) une partie seulement (34 %) a pris part au culte [40].

Toujours en Allemagne une étude statistique effectuée parmi les étudiants catholiques des écoles professionnelles [41] montrait que 16,3 % des étudiants fréquentaient la Messe dominicale *selten* et 5,5 % *gar nicht* : 21,1 % et 7,6 % les garçons et 7,1 % et 1,4 % les filles. Ces chiffres donnent une idée de la situation dans ce secteur [42].

La pratique des Sacrements (*op. cit.*, p. 70) et de la prière (*op. cit.*, p. 71) nous donne également des chiffres intéressants.

12,9 % des garçons et 6 % des filles se confessaient une fois par an; 7,7 % (G.) et 21 % (F.), *gar nicht*. 10,8 % et 2,1 % communiaient *une fois par an*, tandis que 6,4 % et 1,7 % le faisaient *gar nicht*.

Pour la prière on avait les chiffres suivants : 15,2 % et 5 %, avaient répondu *selten* et 7,6 et 1,5 %, *gar nicht* [43].

Untersuchung zur Situation der deutschen Jugend im Bundesgebiet, dans Auftrage des Jugendwerkes der deutschen Shell, Bielefeld 1955.
— *Dritte* EMNID, *Untersuchung zur Situation der deutschen Jugend : wie stark sind die Halbstarken*, R. VON FRÖHNER, W. ESER, K. F. FLOCKENHAUS, Bielefeld 1956.

[37] *Op. cit.*, p. 109.
[38] *Op. cit.*, p. 159.
[39] *Op. cit.*, pp. 188 ss.
[40] Au cours d'une enquête de contrôle effectuée un dimanche pris au hasard, l'auteur trouve des résultats légèrement plus bas. 34 % des sujets étaient présents aux Offices (dont 19 % de protestants et 60 % de catholiques); absents : 60 % de protestants et 30 % de catholiques. Les autres n'avaient pas été recensés.
[41] D. BAUSCHKE, *Zur religiösen Situation katholischer Berufsschuljugend einer westfälischen Industriestadt*, dans *Jahrb. des Inst. f. Christ. Sozialwiss.* (Münster), 1 (1960), pp. 51-108. L'enquête, conduite suivant une bonne méthode, s'occupe de 1 518 jeunes sujets de Marl (Wesphalie), compris entre 15 et 19 ans, tous catholiques.
[42] En effet une autre enquête effectuée par la Nordwestdeutscher Rundfunk, parmi les étudiants d'une même catégorie (15-24 ans), donnait respectivement 17 % qui répondaient « *selten* » et 5 % « *gar nicht* ». Pour la jeunesse rurale (E. WAGNER, U. PLANK, *Jugend auf dem Land*, Munich 1958) on avait des résultats quelque peu différents. Les catholiques fréquentaient dans la proportion de 81 % « *immer* »; 15 % « *häufig* »; 3 % « *selten* » et 1 % « *gar nicht* »; tandis que pour les protestants on avait 27 % « *selten* » et 10 % « *gar nicht* » (*op. cit.*, p. 166).
[43] Pour l'Allemagne des chiffres sont donnés en résumé par N. GREINACHER, *L'évolution de la pratique religieuse en Allemagne après la guerre*, dans *Social Compass*,

En dehors de l'Allemagne nous avons de Pologne des renseignements bien fondés, bien que limités à des secteurs.

Les statistiques effectuées par la Pawelczynska en 1958 [44] révèlent que 40,4 % des étudiants appartiennent aux catégories suivantes : croyants mais non-pratiquants : 9,7 %, agnostiques 7,4 %; indifférents 2,3 %; incroyants mais pratiquants en raison de l'influence du milieu 5,6 %; incroyants et non-pratiquants 12,3 %; ennemis déclarés de la religion 3,1 %.

Une analyse du comportement religieux actuel comparé avec celui d'il y a quatre ans manifeste un certain déclin de la religiosité. Cela est prouvé par l'accroissement en pourcentage des « croyants non pratiquants » (8,2 – 9,7), des « croyants et pratiquants irrégulièrement » (24,2 – 31,2), des « agnostiques » (4,3 – 7,4), des « indifférents » (0,5 – 2,3), des « incroyants et non-pratiquants » (7,3 – 12,3); cela est aussi prouvé par une lourde diminution des « croyants pratiquants » (de 12,1 à 8,6) et des « croyants et pratiquants systématiquement » (de 31,8 à 19,3); les pourcentages qui demeurent à peu près fixes sont ceux des « incroyants pratiquant en raison de l'influence du milieu » et des « ennemis déclarés de la religion » (respectivement de 5,8 à 5,6 et de 3,5 à 3,1).

En l'absence d'indices vraiment significatifs au sujet des modifications que nous avons notées, les chiffres ne conservent qu'un caractère indicatif mais non pour autant dépourvu de valeur.

Ce fait est confirmé, pour la Pologne, par les résultats des recherches de M. Szaniawska et S. Skorzynska [45]. On remarque que 35,8 % des garçons et 34,3 % des filles qui 4 ans plus tôt pratiquaient régulièrement étaient maintenant devenus « pratiquants irréguliers » et « croyants non pratiquants »; 5,4 % G. et 4,1 % F. des « pratiquants réguliers » étaient

10 (1963), pp. 345-355. A Dortmund on avait un pourcentage de pratique religieuse dominicale chez les catholiques de 46 % (14 à 19 ans) et de 23 % (20-29 ans); à Essen 47 % (14-19 ans) et 30 % (20-29 ans); à Mannheim 38 % (14 à 19 ans) et 22 % (20 à 29 ans); à Munich 38 % (14-19 ans) et 17 % (20-29 ans); à Bamberg 45 % (14-19 ans) et 30 % (20-29 ans). Remarquer la diminution constante des pratiques pour les sujets de 20 à 30 ans.

[44] A. PAWELCZYNSKA, *Les attitudes des étudiants varsoviens envers la religion*, dans *Arch. de Soc. des Rel.*, 12 (1961), pp. 107-132. Il s'agit d'un groupe de 733 sujets choisis au hasard dans un groupe plus étendu d'étudiants universitaires compris entre 18 et 30 ans (la plus grande partie à 20-22 ans). Méthode : enquête par le moyen d'un questionnaire.

[45] J. MAÎTRE, *Un sondage polonais sur les attitudes religieuses de la jeunesse*, dans *Arch. de Soc. des Rel.*, 12 (1961), pp. 133-143. Le groupe est composé de 2 746 sujets, compris entre 15 et 24 ans; méthode du questionnaire. Pour les recherches en Pologne comme dans celles que nous citerons plus loin en Yougoslavie, il faut tenir compte du facteur « pression sociale » qui peut avoir faussé les chiffres, car il s'agit de sujets encadrés dans un ensemble « officiellement » athée.

devenus franchement « incroyants » et « non pratiquants ». Une mutation de la pratique irrégulière à l'incrédulité et à l'absence totale de pratique religieuse s'était produite dans les proportions de 23,9 % (G.) et 27,7 % (F.); d'autre part les passages de l'incrédulité non pratiquante et de la pratique irrégulière à la pratique régulière étaient négligeables (valeurs oscillant d'un minimum de 1,8 % à un maximum de 11,4 %).

Les deux enquêtes justifient des considérations au sujet des différences de pourcentage dans la pratique religieuse, — différences qui dépendent aussi du niveau social et économique des sujets et de leur carrière universitaire.

Les autres secteurs ne nous donnent pas de nouvelles vraiment dignes d'intérêt en ce qui concerne le comportement religieux des jeunes : Des étudiants juifs de l'Université de Paris, d'origine diverse, ont été recensés en 1964 par G. Benguigui [46]; cette enquête révèle certains chiffres particulièrement significatifs, malgré le petit nombre des sujets examinés. De ces derniers 70 % affirment qu'ils *n'observent pas* le jour du Sabbat et 44 % qu'ils ne fréquentent *jamais* la synagogue. D'après l'auteur de l'enquête on peut considérer que 58 % des étudiants juifs recensés *ne sont pas pratiquants*.

Pour l'Italie, exception faite des statistiques partielles de certains diocèses et des résultats incertains de quelques enquêtes sur la jeunesse, nous avons un article de G. Zunini [47] sur les étudiants des Universités de Pavie et de Milan (Université Catholique). 27 % et 0 % (respectivement à Pavie et à Milan) des étudiants n'étaient *jamais* allés à l'église au cours des 6 derniers mois; 26 % et 0 % n'avaient, dans la même période, *jamais* prié. D'autres avaient fréquenté *rarement* l'église et pratiqué la prière; respectivement 8 et 2 %, et 6 et 2 %. Quant à la Messe, 25 % et 0 %, à Pavie et à Milan, la négligeaient *presque toujours* ou *régulièrement*.

b. *Enquêtes sur les opinions religieuses des jeunes*

Une seconde série de chiffres nous est donnée par des enquêtes sur les croyances religieuses des jeunes [48]. Eu égard à toutes les réserves que de telles opinions religieuses comportent pour ce qui concerne la réalité objective du degré d'irréligiosité ainsi manifesté, nous pensons pouvoir attribuer une grande valeur indicative aux chiffres qui se

---

[46] G. BENGUIGUI, *Pratique religieuse et conscience juive*, dans *Arch. de Soc. des Rel.*, 18 (1964), pp. 103-115.

[47] G. ZUNINI, *Sulle attitudini religiose di studenti universitori*, dans *Arch. di Psicol. e Psichiatria*, 15 (1954), pp. 205-219.

[48] H. CARRIER, *Psychosociologie de l'appartenance religieuse*, Rome 1960, pp. 42 ss.; 203 ss.; 211 ss.

rapportent à la « prise de conscience » des jeunes quant à leur situation religieuse.

Quelques résultats ont été donnés par des *enquêtes américaines*.

La double enquête de Nelson [49] présente des chiffres intéressants sur l'incrédulité des jeunes. Le sondage destiné à définir l'attitude du sujet envers Dieu révélait un pourcentage d'athées d'environ 7,3 % (dont 4,6 % représentaient un net « *disbelief in God* » et 2,7 % une attitude agnostique) [50]. Pour d'autres comportements religieux on avait aussi les mêmes pourcentages d'athéisme (6 % d'athées et 61 % de sujets ayant une foi « vive », celle-ci étant mesurée par l'échelle des attitudes de Thurstone).

Un contrôle des mêmes sujets 14 ans plus tard révélait un accroissement de la foi en Dieu pour 38 % des cas, et de la conviction de l'influence de Dieu sur la vie, de 37 % ; mais il ressortait aussi que chez 24 % des étudiants la foi était plus faible et que pour 31 % la conviction de l'influence de Dieu sur la vie de l'homme avait fortement diminué [51].

75 % des jeunes recensés par Ross croyaient en Dieu [52]; toutefois, au dire des enquêteurs, cette croyance, chez une grande partie des sujets, n'avait aucune influence sur leur vie et demeurait donc à un niveau purement cognitif, sans impliquer la moindre résonance émotive ou affective, ni aucune attitude active.

Carrier aussi [53], en donnant un résumé des recherches d'Allport, de Goldsen, de Brown et de Salisbury [54] trouvait un pourcentage de croyants parmi les étudiants respectivement de 70, 80, 86 et 87 %; mais il faisait remarquer, d'après les auteurs en question, le caractère conformiste de ce fort pourcentage de croyance en Dieu.

Kuhlen et Arnold [55] avaient remarqué un autre phénomène : la

---

[49] E. NELSON, *op. cit.*, cf. note 6.

[50] E. NELSON, *Students Attitudes toward Religion*, dans *Genet. Monog.*, 22 (1940), p. 385.

[51] E. NELSON, *Patterns of Religious Attitude Shifts from College to Fourteen Years later*, dans *Psychol. Monog.*, 70 (1956), pp. 8-10.

[52] Cf. note 9; données reportées par M. ARGYLE, *op. cit.*, p. 36.

[53] H. CARRIER, *op. cit.*, p. 96.

[54] G. W. ALLPORT, *The Individual and his Religion*, New York 1950, pp. 36-41. R. K. GOLDSEN, M. ROSENBERG, R. M. WILLIAMS, E. A. SUCHMAN, *op. cit.*, cf. note 13. W. S. SALISBURY, *Religion and the College Student*, New York 1957. Enquête sur 1 675 étudiants de Pédagogie à New York.

[55] R. G. KUHLEN, M. ARNOLD, *Age Difference in Religious Beliefs and Problems During Adolescence*, dans *J. Genet. Psych.*, 65 (1944), pp. 291-300; cité par M. ARGYLE, *op. cit.*, p. 64.

chute de ces forts pourcentages au cours des études et avec l'âge : à 12 ans, 94 % ont la foi, à 15 ans, 80 %, à 18 ans, 79 %. En face des forts pourcentages de croyants on a vu aussi des contingents importants d'*incroyants*. Beckmann [56] en 1947 n'a trouvé que 1 % de sujets se déclarant agnostiques, Gilliland [57] a enregistré, dans une étude datant de 1953, 4 % d'athées parmi les étudiants, tandis qu'Allport [58] en trouvait 12 % et 20 % d'agnostiques.

Parallèlement, dans une étude récente de Brown [59] sur les rapports entre croyance et incroyance on a 2,8 % des sujets qui se sont déclarés contraires à toute forme de religion *(intrinsic disbelief)* et 19,1 % qui professent une irréligiosité non motivée *(extrinsic disbelief)*.

Goldsen et ses collaborateurs [60] rapportent à leur tour les résultats obtenus dans 11 universités américaines pour 2 975 sujets dont 5 % se déclaraient « humanistes », 7 % « scientistes », 12 % « ne savent pas exactement ce qu'ils croient » et 1 % se déclarent athées. En outre 46 % de ceux qui « sentent le besoin de la religion » affirment qu'il suffit « *some sincere working philosophy or code of ethics, not necessarily a religious belief* » *(op. cit.*, p. 161).

Parmi les croyants 47 % seulement pensent que l'acceptation de la divinité est une composante des plus importantes dans un système religieux ou éthique *(op. cit.*, p. 165, tab. 7.3).

En plus de la tentative classique de Vetter et Green [61] d'expliquer le mécanisme d'apparition de l'athéisme des jeunes, nous en connaissons aussi une autre : une enquête faite par R. McCann [62] en 1955 révèle que 37 % environ de ses sujets étaient devenus athées au seuil de l'âge mûr; d'ailleurs dans tout le groupe examiné 18 % seulement admettaient de croire en un Dieu unique.

D'autres statistiques pour la plupart hétérogènes proviennent de certaines enquêtes anglaises.

[56] E. BECKMANN, *op. cit.*, cf. note 3.
[57] A. R. GILLILAND, *Changes in Religious Beliefs of College Students*, dans *J. Soc. Psych.*, 37 (1953), pp. 113-116. Cette enquête est faite sur une série de tests pris sur des groupes de 156, 180, 284 étudiants universitaires de Northwest en U.S.A.
[58] G. W. ALLPORT, *op. cit.*, p. 42.
[59] L. B. BROWN, *Classifications of Religious Orientations*, dans *J. f. Scient. Study of Rel.*, 4 (1964), pp. 91-99. Cette étude suit la ligne théorique de G. W. ALLPORT.
[60] R. K. GOLDSEN et collaborateurs, *op. cit.*, cf. note 13.
[61] G. B. VETTER, M. GREEN, *Personality and Group Factors in the Making of Atheists*, dans *J. Abn. Soc. Psych.*, 27 (1932), pp. 179-194.
[62] R. V. MCCANN, *Development Factors in the Growth of Mature Faith*, dans *Rel. Educ.*, 50 (1955), pp. 147-155. Le groupe était constitué par 200 sujets. Méthode : interview et questionnaire. Les sujets appartenaient à différentes confessions.

L'article cité de J. B. Brothers [63] sur la situation religieuse des étudiants universitaires anglais présente une vue panoramique à peu près complète de ce secteur.

A l'Université de Londres, 17 % des étudiants se déclarèrent, en 1962-1963, « athées »; le plus haut pourcentage — jusqu'à 40 % — fut celui des élèves de la *London School of Economic and Political Science*. A Cambridge, en 1959, 21 % avaient adhéré à différentes formes d'agnosticisme; à Oxford, en 1961, 23 % se déclaraient agnostiques et 11 % athées, humanistes et rationalistes. A Manchester, en 1963, on avait environ un tiers d'athées par rapport à Oxford (soit 4 %) et les agnostiques étaient au nombre d'environ 11-12 %. L'Université de Nottingham, en 1962, comptait 8,1 % d'athées et agnostiques (dont 10,3 % d'hommes et 3,8 % de femmes). De son côté Bristol, la même année, atteignait 22 % d'agnostiques, athées et « humanistes ». Une enquête de Poppleton et Pilkington [64] de 1963, d'une excellente valeur méthodologique, confirmait ces mêmes impressions. A Cardiff, en 1962, les agnostiques arrivaient à 15,3 % et les athées 8,9 %.

Impressions analogues *en France*.

L'enquête déjà citée de Duquesne dans l'étude de l'I.F.O.P. [65] de 1961 rapporte que 8 % des jeunes déclarent être « sans religion »; de plus, 20 % de ceux qui se disent « catholiques » ne fréquentent *jamais* l'église.

L'enquête précédente de Hourdin [66] effectuée en 1958 avait donné 18 % de sujets « n'appartenant à aucune religion »; cependant les 27 % qui se déclaraient « incroyants » donnaient des renseignements plus précis sur la conscience athée des jeunes.

En approfondissant ce sentiment de séparation nette de toute forme religieuse, on arrivait à conclure que la certitude de l'athéisme n'existait que pour 13 %, tandis que 2 % n'étaient pas sûrs du tout de leur athéisme; 12 % étaient dans l'incertitude à ce sujet. Une sorte de dynamique du doute avait déjà porté un coup, dans le passé, à la certitude de l'athéisme dans la proportion de 6 %, alors que 10 % étaient restés bien ancrés dans leur attitude négative.

La situation française est complétée par l'enquête sur les jeunes apprentis de Schiélé et Monjardet [67] ; cette étude ne donne pas une réponse

---

[63] J. B. Brothers, *op. cit.*, cf. note 34.
[64] P. K. Poppleton, G. W. Pilkington, *The Measurement of Religious Attitudes in a University Population*, dans *Brit. J. Soc. Clin. Psychol.*, 2 (1963), pp. 20-36.
[65] J. Duquesne, *op. cit.*, cf. note 21.
[66] G. Hourdin, *op. cit.*, cf. note 20.
[67] R. Schiélé, A. Monjardet, *op. cit.*, cf. note 22.

précise sur la foi en Dieu, mais indirectement elle en fournit une indication en signalant que 28 % (3 453) des sujets ne croient pas à l'immortalité de l'âme [68].

En plus des recherches françaises nous avons les enquêtes suisses. L'enquête de J. Oberwiler [69] sur la jeunesse féminine française et suisse des écoles catholiques note un pourcentage de doute religieux de 76,9 % ; toutefois l'auteur lui-même ne cache pas sa perplexité quant à la valeur de ce doute déclaré (*op. cit.*, p. 50).

L'enquête plus récente de L. Schmid [70] prouve qu'à la question « crois-tu en Dieu comme la Bible te l'apprend ? », 11 % environ des 610 sujets interviewés répondent « non » et 16 % donnent des réponses soit négatives, soit incertaines (*op. cit.*, p. 173).

A la demande plus précise « Dieu existe-t-il ? », 173 sur 612 jeunes gens, soit 26,5 %, répondent « non » ou restent indécis : de ces 163, guère plus d'un tiers peuvent donner des raisons de leur attitude. De même 14 % seulement des croyants savent donner la raison de leur foi (*op. cit.*, p. 175).

Pour *l'Allemagne* les enquêtes déjà citées donnent des informations relativement insuffisantes quant à la religiosité. De l'ouvrage de Wölber [71] il ressort que 56 % des sujets répondirent affirmativement concernant la « foi en un Dieu unique, Père céleste » ; 31 % croyaient en une « puissance transcendante » : on peut en déduire avec une certaine approximation que le pourcentage des athées, des agnostiques et des incroyants était à peu près de 10 % (*op. cit.*, p. 167). Il est intéressant de remarquer que sur 56 % des croyants en un Dieu unique, 43 % ne savaient pas donner une description ou une définition de Dieu *(ibid.)*.

En Italie nous n'avons pas de statistiques précises à ce sujet.

L'enquête déjà citée de Zunini [72] concernant les étudiants universitaires de Pavie et de Milan met en évidence, par deux questions différentes, l'existence d'un athéisme conscient chez les jeunes. 36 % à Pavie et 5 % à Milan ont une conception négative de la divinité ; plus exactement à Pavie 12 % des étudiants se déclaraient sceptiques et

---

[68] La croyance en l'immortalité est en étroite relation avec celle de la croyance en Dieu ; elle obtient en général un pourcentage d'adhésions légèrement inférieur à cette dernière. Elle peut donc être considérée comme un point de départ de déduction, faute d'autres données. Cf. *Une enquête internationale : la religion dans le monde*, dans *Sondages*, 1948, 10, pp. 31-33, où sont reportés à ce propos des résultats pour 12 Pays.

[69] J. Oberwiler, *op. cit.*, cf. note 28.
[70] L. Schmid, *op. cit.*, cf. note 29.
[71] H.-O. Wölher, *op. cit.*, cf. note 36.
[72] G. Zunini, *op. cit.*, cf. note 47.

agnostiques, 7 % « refusaient Dieu » et 5 % se déclaraient « athées ». Une enquête d'Alfassio-Grimaldi et Bertoni [73] posait simplement la question suivante : « Croyez-vous vraiment en Dieu ? » Les sujets répondaient : « Je crois en Dieu par conviction » = 62 %; « Je ne sais pas, je ne me suis jamais posé ce problème » = 34,5 %; « Je crois parce que la plupart en font de même » = 2,3 %; « Je ne crois pas en Dieu » = 1 %.

Si l'on enlève de l'ensemble des sujets un groupe particulièrement influencé par une instruction religieuse spéciale (école libre, tenue par des religieux), le pourcentage de ceux qui croyaient en Dieu « par conviction » descendait à 56,5 % et celui des « incertains » montait à 39,7 %.

De l'enquête déjà citée de Pawelczyunka, de 1958 [74], nous pouvons tirer des chiffres concernant la Pologne. L'ensemble des résultats nous permet de conclure qu'environ 30,7 % de la population considérée adhère grosso modo à des positions athées (agnostiques 7,4 %; indifférents 2,3 %; pratiquants par suite de pressions du milieu, mais incroyants 5,6 %; incroyants et non-pratiquants 12,3 %; adversaires déclarés de toute formule religieuse 3,1 %).

Les plus hauts pourcentages d'incroyants se trouvent chez les étudiants des facultés de lettres provenant de l'« *Intelligentsia* », ainsi que de la classe ouvrière; on en trouve aussi parmi les étudiants de matières techniques provenant de familles de l'« *Intelligentsia* » et de familles ouvrières, et chez les étudiants en sciences provenant de familles paysannes et intellectuelles. Le plus faible pourcentage d'irréligiosité se manifeste dans la classe moyenne (artisans et intellectuels moyens) (*op. cit.*, p. 112). Ce sont en général les étudiants des facultés de lettres qui ont le plus fort pourcentage d'incroyants (55 %), suivis des étudiants des écoles techniques (27 %) et des étudiants en sciences (18 %). (Le total est d'environ 31 %.)

L'autre enquête également effectuée en Pologne en 1959 par M. Szaniawska et S. Skorzynska [75] donne des résultats analogues : (cf. tab. II, *op. cit.*, p. 135). Il y a 4,3 % d'athées (dont 5,5 % d'hommes et 3,3 % de femmes) et l'allure est irrégulière au cours des âges (2,8 % à 15-18 ans, 5,0 % à 19-21, 4,8 à 22-24 ans).

---

[73] U. ALFASSIO-GRIMALDI, I. BERTONI, *I giovani degli anni sessanta*, Bari 1964. Le groupe était constitué par des jeunes sujets des deux sexes des écoles du deuxième cycle de Pavie et de Voghera (Lombardie), partagés en sous-catégories : une de 370 sujets recensés en 1953 et une de 389 sujets recensés en 1963. Méthodologie très sérieuse qui garantit une enquête valable.

[74] A. PAWELCZYNSKA, *op. cit.*, cf. note 44.

[75] J. MAÎTRE, *op. cit.*, note 45.

A ceux-ci il faut ajouter 5,5 % d'indifférents (7,1 G. et 3,6 F.) avec un pourcentage fixe pendant l'adolescence et 11,9 sans opinion (probablement agnostiques, dont 14,1 G. et 9,4 F.). D'autres tableaux montrent que les athées sont en plus grand nombre dans les petites villes; en revanche les agnostiques augmentent avec les dimensions des villes.

Une enquête en Yougoslavie auprès de la jeunesse universitaire [76] montre que 52 % des individus interrogés se déclarent athées. Remarquons qu'à l'occasion du recensement de 1953, 12 à 13 % de la population s'étaient déclarés athées; les pourcentages partiels sont les suivants, d'après les âges : 7-14 ans (10,3 d'athées), 15-19 ans (11,5 %), 20-33 ans (43,5 %). Il est difficile de connaître la valeur réelle des réponses, car il faut tenir compte d'une certaine pression exercée sur celles-ci par l'athéisme « officiel » de l'État et de la vie publique. Les sociologues yougoslaves eux-mêmes considèrent ces indices comme un point de départ assez « grossier » pour les recherches (op. cit., p. 145).

Des résultats semblables sur les déclarations d'athéisme nous sont fournis par des recherches sur le « doute religieux » et sur la consistance qualitative et quantitative de celui-ci.

Les enquêtes bien connues de Delooz [77] établissaient que 65 % des individus étaient plongés dans un doute sérieux et prolongé : 2 % de ceux-ci avaient « perdu la foi » à la suite de ce doute. Une enquête parallèle effectuée par Gouyon [78] en France et en Belgique donnait un pourcentage de 56 %, avec quelques variantes (de 46 % à 65 % suivant les sexes et les nations d'origine).

En Hollande une enquête de M. Van Doornik [79] révèle un doute sérieux dans 2,5 % des cas. Des enquêtes précédentes de E. T. Clark [80] donnaient un pourcentage de 2,5 % de « definite crisis »; celle de Fleege [81]

[76] J. FISERA, Religion et opinion chez les étudiants de l'Université de Sarajevo, dans Arch. Soc. des Rel., 12 (1961), pp. 145-155. C'est un résumé des recherches effectuées par A. Fiamengo sur l'influence de la religion dans les mariages mixtes. Les sujets étaient au nombre de 1 109, parmi les 3 550 de l'Université, et appartenaient à toutes les Facultés.

[77] P. DELOOZ, La foi des élèves de l'enseignement de l'État en Belgique, dans Nouv. Rev. Théol., 73 (1951), pp. 21-42. Groupe de 1 000 sujets environ appartenant à 17 écoles diverses, examinés à l'aide d'un questionnaire à choix multiple.

[78] P. GOUYON, La foi des lycéens catholiques en France, dans Nouv. Rev. Théol., 72 (1950), pp. 1028-1050. Groupe d'étudiants des écoles du second cycle, recensés à l'aide d'un questionnaire.

[79] M. VAN DOORNIK, Jeugd tussen God en chaos, La Haye 1948, p. 166.

[80] E. T. CLARK, The Psychology of Religious Awakening, New York 1929, p. 169.

[81] U. H. FLEEGE, Self-Revelation of the Adolescent Boy, Milwaukee 1945. Groupe de 2 000 sujets catholiques, âge : 15-19 ans.

en 1945 donnait 7,5 %, Nosengo [82] 36 %, Deloz [83] en 1949, 47 %, Vinacke et ses collaborateurs [84] en 1949, 48 à 49 %, Allport et collaborateurs [85], de 62 à 73 %.

Nous discuterons par la suite au sujet de ces résultats hétérogènes et contradictoires, car les directives suivies pour étudier le problème du doute n'ont pas été partout les mêmes. [86]

c. *Enquêtes sur les valeurs sociales et religieuses chez les jeunes*

Une troisième série d'indications conserve encore une grande importance pour tracer le cadre de l'athéisme juvénile : c'est l'ensemble des résultats des recherches faites sur le rapport entre religion et valeurs culturelles. Il s'agit de voir dans quelle mesure et à travers quel processus les valeurs religieuses s'associent aux valeurs profanes de la culture que les générations nouvelles intériorisent dans leur personnalité de base Cet indice de religiosité complète les précédents et acquiert un sens psychologique tout particulier. C'est en effet au niveau des valeurs (exprimées en schèmes de comportement idéaux et réels, dans leur structure et dans leur situation organique au niveau de la culture) que l'on peut établir un jugement définitif sur la religiosité foncière d'un sujet ou d'une catégorie ou classe sociale [87].

[82] C. Nosengo, *L'adolescente e Dio*, Rome 1953. Groupe de 200 sujets catholiques, âge : 15-20 ans.
[83] P. Delooz, *Une enquête sur la foi des collégiens*, dans *Nouv. Rev. Théol.*, 71 (1949), pp. 1045-1062. Groupe d'environ 1 000 sujets, belges francophones, appartenant à 26 Institutions diverses, recensés à l'aide d'un questionnaire. En 1964, P. Delooz effectuait une enquête de contrôle (P. Delooz, *Une nouvelle enquête sur la foi des collégiens*, dans *Nouv. Rev. Théol.*, 85 (1965), pp. 466-514, sur une population semblable à celle de 1949. Il s'agissait de 1 080 sujets appartenant à 43 Institutions diverses, francophones, et interrogés par le moyen d'un questionnaire. L'auteur trouvait un conformisme moins sensible chez les jeunes d'aujourd'hui, mais ne relevait dans l'ensemble du comportement religieux aucune variation notable. Le doute était toutefois en nette augmentation (61,8 % des sujets, contre 47 % en 1949) ; on notait aussi une augmentation des raisons « sociales » du doute religieux (défauts de l'Église : de 27,8 % à 42,2 % ; camarades : de 13,2 % à 27 %, etc.).
[84] W. E. Vinackle, J. Eindhoven, J. Engle, *Religious Attitudes of Students of University of Hawaii*, dans *J. Psychol.*, 28 (1949), pp. 161-179.
[85] G. W. Allport, J. M. Gillespie, J. Young, cf. note 4.
[86] D'autres chiffres et une bibliographie mise à jour sur le doute religieux se trouvent dans M. P. Castellvi, *Il dubbio religioso nella tarda adolescenza*, (enquête psychologique dans un milieu ouvrier de Rome), dans *Orient. Ped.*, 12 (1965), pp. 3-52 et 12 (1965), pp. 227-248.
Cette étude est particulièrement utile en raison de la richesse des techniques employées (tests d'intelligence : D 48 ; questionnaire et interview ; preuve objective de connaissances religieuses ; tests de Rorschach, T.A.T. ; et questionnaire M.M.P.I.).
Comparer aussi avec : G. C. Milanesi, *Insegnamento della religione e dubbio religioso nella tarda adolescenza*, dans *Orient. Pedag.*, 12 (1965), pp. 741-801.
[87] Il ne nous a pas été possible, pour cet indice comme pour les autres,

Les conclusions de Ross [88] sur la jeunesse américaine de la Y.M.C.A. (1950) mettent en évidence qu'une grande partie de la religiosité est un « fait séparé du reste de la vie »; il n'a pas d'influence sur les « décisions fondamentales » du sujet et est utilisé comme « réserve » pour les moments difficiles.

Également suivant les affirmations de Carrier [89], de nombreuses enquêtes américaines récentes confirmeraient l'impression de l'existence d'une religiosité juvénile surtout « privée », et d'une rupture entre l'attitude religieuse et toute la vie professionnelle, entre la foi et les opinions sociales, entre la foi (quand elle n'est pas vraiment intérieure) et la tolérance raciale [90].

de trouver des chiffres sur la situation des vastes régions socio-culturelles asiatiques et africaines; elles échappent encore en grande partie à un contrôle systématique et scientifique de la religiosité, et ceci pour différentes raisons, entre autres à cause de la difficulté d'adapter les catégories psycho-sociologiques occidentales à la religiosité particulière des peuples afro-asiatiques.

Nous nous bornons donc à reporter les résultats d'une étude de J. Stoetzel (J. Stoeltzel, *Jeunesse sans chrysanthème ni sabre*, Paris, Plon - UNESCO 1954) au sujet d'enquêtes effectuées au Japon par les soins de l'UNESCO; cet ouvrage nous a paru particulièrement intéressant.

Selon l'enquête de F. Vos, sur 130 jeunes sujets de Tokio, 31 % pratiquaient une religion. De *l'étude de T. Sofue* (tests de type T.A.T. appliqués à 63 sujets de milieu rural) on pouvait déduire que 86 % des jeunes gens et 90 % des jeunes filles n'avaient aucun intérêt pour une religion (toutefois 32 % et 13 % respectivement croyaient à la survivance personnelle); Stoetzel (*op. cit.*, p. 189) estime que ces chiffres ne sont pas très bien fondés.

Le questionnaire Allport-Gillespie appliqué à Kiôto et à Sapporo sur 231 étudiants universitaires, à la question : « Estimez-vous qu'une croyance religieuse est nécessaire pour vous donner une philosophie complète de la vie ? » enregistrait des réponses *positives* dans la mesure de 36, 37 et 47 % des 3 sous-groupes examinés, des réponses *négatives* en 26, 14 et 35 % des cas; *douteuses*, pour 38, 49 et 18 % respectivement (*op. cit.*, p. 190).

D'après une enquête effectuée encore par J. Stoetzel, sur 2 671 sujets pris dans un groupe stratifié, on pouvait déduire que la religion occupait une place marginale et tout à fait secondaire dans la composition de la personnalité des jeunes. Elle était considérée « la chose la plus importante de la vie » par 1 % des jeunes gens et 3 % des jeunes filles tandis que respectivement 4 et 3 % la plaçaient au second rang et 5 et 8 % au troisième. D'une façon générale la religion était mise après la profession, la famille, les amusements, la politique, etc. (*op. cit.*, pp. 166-167). Dans la répartition des personnalités des sujets suivant la classification de l'« étude des valeurs » d'Allport-Vernon, 1 % des sujets seulement pouvaient être considérés en possession d'une *personnalité religieuse* : de petites différences dans les sousgroupes (âge, ville-campagne) n'arrivaient pas à dépasser 3 % (*op. cit.*, p. 252). Ailleurs on enregistrait les expériences religieuses comme « occasions de bonheur » : 0,4 % des cas (*op. cit.*, pp. 241-242). La morale traditionnelle dépendant de formes de conduite religieuse pouvait elle aussi être considérée en crise (*op. cit.*, pp. 191-198).

[88] M. G. Ross, *op. cit.*, note 9, cité par Argyle, *op. cit.*, p. 36.
[89] H. Carrier, *art. cité*, p. 97.
[90] L'impression générale de l'existence d'une contradiction entre la grande pratique religieuse et la faible influence culturelle est affirmée par P. Goodman

Les enquêtes de Golden et de ses collaborateurs [91] sont riches de chiffres à ce sujet : elles tendent à confirmer une certaine « sécularisation » de la tradition religieuse américaine même parmi les jeunes. Seulement 17 % des jeunes qui ont été interrogés (2 975 sujets) attendent de la religion *les plus grandes satisfactions de la vie*, bien que 80 % sentent le *besoin de la foi* et que 48 % *croient en un Dieu unique* (*op. cit.*, p. 159).

L'engagement religieux est rare, malgré la croyance en Dieu : parmi ceux qui croient en Dieu, 46 % pensent que pour la vie peut suffire une certaine vision philosophique et morale, mais non nécessairement religieuse (*op. cit.*, p. 161). L'idée de Dieu n'est ainsi considérée comme nécessaire à un système religieux et moral que dans 47 % des cas (*op. cit.*, p. 165; cela est établi par les recherches faites à la Cornell University, 1952, p. 1571 ss.). Mais il s'agit d'une idée assez traditionnelle de Dieu, « *absolute traditional or ritualistic* » (*ibid.*).

En ce qui concerne certaines définitions, le choix de la foi en Dieu comme base d'un système religieux varie de 56 % (femmes protestantes) à 22 % (femmes juives). L'enquête de Goldsen arrive à la conclusion que ce n'est pas la teneur spécifiquement religieuse des comportements qui donne une assurance aux étudiants, mais la construction psychologique de la croyance, que celle-ci soit religieuse ou non (*op. cit.*, p. 75).

La religion n'est pas rattachée nécessairement aux causes de la conduite morale qui est plutôt considérée comme une affaire de « propreté » et de « politesse » (*op. cit.*, p. 177).

En venant à une autre sphère culturelle, nous notons que dans l'enquête polonaise de Szaniawska et de Skorzynzka [92] se manifestent de nombreuses discordances entre les jugements des catholiques déclarés et les opinions de l'Église sur des détails (par ex. 68,7 % de ces derniers ne condamnent pas l'avortement, etc.).

Nous pouvons trouver des résultats analogues dans les éléments présentés par Pawelczynska [93] sur les rapports entre la « représentation religieuse » et la morale.

Pour ce qui concerne l'*Allemagne*, les études que nous avons consultées donnent peu de renseignements à ce sujet. L'enquête de D. Bauscke sur les apprentis en Westphalie donne cependant des résultats assez précis.

dans son livre *Growing up Absurd. Problems of Youth in an Organized System* (que nous avons cité dans la traduction italienne, Turin 1964); cependant beaucoup de vues de l'auteur sur le sens et sur les développements de la religiosité juvénile américaine peuvent être fortement discutées. Cf. en particulier les chap. VII et XI.
[91] R. K. GOLDSEN et collab., *op. cit.*, cf. note 13.
[92] J. MAÎTRE, *art. cité*, note 45.
[93] A. PAWELCZYNSKA, *art. cité*, note 44.

Parmi les « problèmes posés et les plus urgents » du groupe de jeunes qui nous intéresse (tenir compte que 79 % des G. et 78,7 des F. ne répond pas), les problèmes religieux occupent une place importante (la quatrième pour les G. et la troisième pour les F.), bien qu'il s'agisse plutôt de problèmes « théoriques » (connaissances religieuses) que « de comportement ».

Les valeurs religieuses ne ressortent, parmi *les principaux désirs ou besoins* des jeunes, que sous une forme atténuée et modérée : pour les G. ils viennent après le « confort », le « sexe », le « bonheur », le « succès professionnel » et pour les F. après le « bonheur », le « sexe », le « succès professionnel », le « confort ».

S'ils pensent que les mariages mixtes sont à éviter, le « danger pour la foi » obtient un pourcentage de 11,7 % (pour les G. et les F.), et ce n'est que le dernier des motifs invoqués.

15,4 % des G. et 10,6 % des F. ajoutent que la Religion n'a aucune importance dans cette affaire (*op. cit.*, p. 100) [94].

En ce qui concerne la *France* nous avons des indications assez sûres dans les enquêtes déjà citées.

L'étude de Hourdin [95] en particulier fournit certains renseignements sur le degré de « sécularisation » du comportement des jeunes Français. A la 22ᵉ question par laquelle on demande quelle est « la chose la plus importante », 90 % répondent « réussir dans la vie », 88 % « se faire une situation », 86 % « se marier et assurer l'avenir de sa famille », 5 à 9 % « trouver un logement », 52 % « aider au progrès matériel du monde », 48 % « se préparer à la vie éternelle » (cette question est celle qui provoque le plus de refus, 29 %, et qui dans l'ensemble se place avant-dernière).

Parmi les « trois choses » les plus importantes ne figure pas le problème religieux (il est à la 4ᵉ place après le « mariage », la « réussite », la « situation »).

Il y a d'autres indications, mais moins nettes, concernant les rapports entre science et religion, l'éducation des enfants, etc.

Duquesne [96] révèle que les jeunes sont eux-mêmes convaincus (dans la mesure de 47 %) qu'aujourd'hui la religion a une moins grande importance que pour la génération passée et que, par suite, le processus de déchristianisation s'intensifie : ce phénomène est plus évident dans les grandes agglomérations urbaines où 59 % des jeunes pensent ainsi.

---

[94] D. BAUSCHKE, *art. cité*, note 41. Sur les mêmes sujets cf. les résultats pour la Yougoslavie dans l'étude déjà citée de J. FISERA (*art. cit.*, note 76).
[95] G. HOURDIN, *op. cit.*, note 20.
[96] J. DUQUESNE, *op. cit.*, note 21.

Il convient aussi de noter quelques influences plus évidentes de la religiosité sur certaines idées fondamentales de la conduite sociale : les catholiques « pratiquants » sont plus favorables à l'aide aux pays sous-développés que ceux qui n'ont pas de religion (62 % contre 53 %) ; ces derniers sont davantage convaincus du succès du communisme dans le monde (46 % contre 32 %).

En ce qui concerne au contraire la conduite sexuelle on n'a pas des différences notables entre les différents groupes au sujet des rapports libres entre garçons et filles.

Remarquer qu'à propos des rapports pré-matrimoniaux il y a bien 24 % des catholiques pratiquants qui les jugent sans gravité, 16 % « normaux » et 6 % « utiles », (contre 29 %, 35 et 15 % des incroyants) (*op. cit.*, p. 226).

Chez les filles un tel comportement a été jugé de façon différente soit par les pratiquants, soit par les incroyants (40 % et 19 % « répréhensible »), mais non par les incroyants et les non-pratiquants (respectivement 19 et 18 %). Ici on constate chez les jeunes gens l'existence de critères différents pour juger la conduite sexuelle des femmes : il y a davantage de rigorisme chez ceux qui sont le plus religieux (avec beaucoup d'exceptions cependant, aussi bien chez les pratiquants que chez les « incroyants » ; ces derniers, dans la proportion de 18 %, jugent cette conduite « normale » et 6 % « utile ») (*op. cit.*, p. 227).

Comme réponse à la demande pour savoir quel est l'élément le plus important pour le bonheur de l'homme, la « foi religieuse » occupe la dernière place (parmi les 8 alternatives proposées) pour les pratiquants « occasionnels », « non-pratiquants » et « sans religion » (pourcentages respectifs de 0 %, 1 % et 2 %) ; elle occupe la quatrième place (9 %, après la santé 45 %, l'amour 16 %, l'argent 13 %) pour les catholiques « pratiquants » (*op. cit.*, p. 229).

Sur les trois valeurs les plus importantes, la foi reste toujours à la dernière place dans les groupes cités plus haut ; elle tombe au 6ᵉ rang pour les catholiques « pratiquants » (29 % des préférences).

Duquesne estime que ce sont là les termes exacts de la déchristianisation : un simple calcul lui permet d'affirmer que 12 % seulement de la jeunesse actuelle française peuvent être considérés comme vraiment « convaincus » (*op. cit.*, p. 230).

Une enquête de E. Aver [97] sur les étudiants de Rouen en 1962-1963 montre que 45,8 % admettent avoir un idéal de vie fondé sur une religion.

---

[97] E. Aver, *Les étudiants de Rouen, religion, situation et attitudes socio-politiques*, dans *Arch. de Soc. des Rel.*, 18 (1964), pp. 83-102. Étude faite sur 700 questionnaires choisis parmi 3 000 sujets des écoles supérieures.

Parmi ceux-ci toutefois, une partie seulement se conforme « pratiquement » aux directives religieuses sur des questions fondamentales telles que le divorce, la régulation des naissances, la réussite professionnelle, etc.

Schiélé et Monjardet [98] révèlent à ce propos que sur 3 453 apprentis français, 25 % n'estiment pas indispensable de « pratiquer une religion pour réussir dans la vie » (*op. cit.*, p. 230) : ce fait concorde en grande partie avec les autres chiffres concernant la pratique religieuse (de ce 25 %, 90 % environ étaient pratiquants), mais on a certaines contradictions : ainsi il y a des pratiquants qui jugent la pratique religieuse nécessaire et d'autres non.

En *Suisse* les recherches de J. Oberwiler [99] comportent de nombreux sondages sur les rapports entre causes religieuses et aspects du culte chez les jeunes considérés.

Des considérations religieuses entrent aussi *dans le choix des amusements* : « toujours » dans 28,2 % des cas, « quelquefois » dans 27,9 % et « jamais » dans 20,2 % (*op. cit.*, p. 84).

A la demande plus explicite : « La religion occupe-t-elle une place dans votre vie sociale, culturelle, civique ? », 15,6 % répondent « oui », 20,2 % « quelquefois », 64,2 % « jamais » (*op. cit.*, p. 86).

La demande suivante a en revanche un autre résultat : « Pensez-vous que des considérations d'ordre religieux doivent intervenir dans le choix d'une profession ? » : 56,5 % répondent « oui », 27,2 % « non », 16,3 % sont « incertains ».

Interrogés sur le « sens de la vie », ils donnent des réponses diverses qui ne sont pas confrontables quantitativement.

Les enquêtes de L. Schmid [100] révèlent que sur 332 croyants qui admettent une certaine influence de la foi sur la vie, 70 (soit 21 %) estiment qu'elle donne le ton et la règle de la vie; 9 % la considèrent comme une « condition de grâces spirituelles », 15 % comme une « ressource » de la vie et 50 % comme une « aide dans nos besoins spirituels » (*op. cit.*, pp. 206 ss.).

Pour certains (5,1 %), et bien qu'ils soient croyants, la foi « ne signifie rien »; pour 12 % elle « signifie peu de chose » (*op. cit.*, pp. 210-211).

Des indications plus précises sont cependant données à d'autres questions plus détaillées.

A la question : « Quel est pour toi le sens de la vie ? », une petite minorité seulement invoque des motifs religieux (12 % veulent « trouver

---

[98] R. Schiélé, A. Monjardet, *op. cit.*, note 22.
[99] J. Oberwiler, *op. cit.*, note 28.
[100] L. Schmid, *op. cit.*, note 29.

la foi, aimer et confesser Dieu » et 4,4 % « se préparer pour l'éternité ») ; il reste encore un certain écart entre croyants et ceux qui donnent à la vie un sens religieux ; cette impression est confirmée aussi par le pourcentage des « croyants » qui donnent à la vie un sens matérialiste. Parmi les sujets qui se sont déclarés croyants, 16 % ont répondu « jouir de la vie », 25 % « travailler et gagner », etc. [101].

Une enquête conduite en 1960 par C. Le Lora [102] a donné un tableau suffisant de certains rapports entre religiosité et valeurs profanes en *Espagne*.

Que la religion doive dicter des règles en ce qui concerne les rapports homme-femme, cela est admis par 80 % des étudiants, 47 % des paysans et 59 % des travailleurs ; en revanche et respectivement 8, 16 et 48 % ne l'admettent pas. En outre on a 7, 28 et 16 % qui n'en savent rien et sont donc incertains (*op. cit.*, p. 145).

Quant aux rapports des jeunes avec l'autre sexe, ceux qui pensent qu'ils doivent être « beaucoup » influencés par la religion sont respectivement de 42, 20 et 29 % ; « un peu influencés » : 38, 32 et 37 % ; « peu influencés » : 16, 33 et 27 %. Une question sur le « nombre d'enfants désirés » nous donne la possibilité de confirmer les autres éléments : sur ce point le sujet espagnol est fort semblable à l'américain du nord de Goldsen [103] : 60 à 62 % désirent 2 ou 3 enfants. Toutefois les motivations religieuses sont encore très fortes puisque 72 % à 64 % accepteraient les enfants que Dieu leur donnerait et 15 à 17 % seulement chercheraient à les éviter ; d'autres : 15 %, ne se sont pas posé le problème (*op. cit.*, p. 150).

Le tableau des rapports entre religiosité et valeurs sociales et culturelles peut être achevé à l'aide d'une autre enquête espagnole [104] sur certaines attitudes religieuses des étudiants universitaires et pré-universitaires.

[101] D'autres indications sur l'Allemagne, dans ce secteur de recherches, se trouvent dans G. WURZBACHER, W. JAIDE, R. WALD, H. VON RECUM, M. CREMER, *Die Junge Arbeiterin*, Munich 1960³, pp. 127-132 ; G. BOHNE, *Religionspsychologie der Jugendlichen*, dans *Religion in Geschichte und Gegenwart*, Tübingen 1956 et 1959 ; H. HUNGER, *Evangelische Jugend und Evangelische Kirche*, Gütersloh 1960 ; H. RUSCHEWEYK, *Einstellung der Jugendlichen zu Glaubensfragen*, dans *Jugendliche heute*, Munich 1955.
[102] C. DE LORA, *Juventud española actual*, Madrid 1965. Enquête effectuée suivant une bonne méthode sur un groupe représentant la jeunesse espagnole : environ 2 000 sujets (1 500 G. et 500 F.) ; âge 16-20 ans ; appartenant aux catégories : étudiants, ouvriers, ruraux.
[103] R. K. GOLDSEN et coll., *op. cit.*, cf. note 13.
[104] E. MONCIA FUENTE, *La religiosidad de nuestros jovenes en un momento critico*, Madrid 1962. Il s'agit d'un groupe de pré-universitaires et d'universitaires recensés par un questionnaire soumis à l'analyse factorielle.

Bien que nous présentant ses résultats sous forme de valeurs moyennes de saturation de certains facteurs, l'auteur, E. Mencia Fuente, nous donne aussi des chiffres en pourcentages pouvant mieux être comparés avec les résultats des autres enquêtes.

D'après ceux-ci on constate que le rapport entre religiosité et vie est assez étroit lorsqu'il s'agit d'appréciations théoriques de valeurs, mais il tend à décroître au fur et à mesure qu'il implique un engagement pratique personnel.

Ceci se produit pour certaines catégories : 55 % croient avoir aussi une religiosité intérieure et non influencée par le milieu (tab. 16, *op. cit.*, pp. 166-167), 75 % soutiennent que la vie doit avoir une orientation religieuse, contre 20 % qui se contentent d'idéaux religieux « privés », détachés de la vie, (tab. 11, *op. cit.*, pp. 186-187) ; toutefois alors que 58 % admettent la nécessité de la religion dans la vie, 38 % tolèrent mal le poids de règles et de pratiques religieuses (tab. 8, *op. cit.*, p. 189). 23 % affirment que la religion a une influence « effective » dans leur vie ; 50 % n'admettent qu'une faible influence (tab. 2, *op. cit.*, pp. 191-192) ; ainsi pour les grandes décisions de la vie, 20 à 25 % environ des deux groupes considérés admettent une influence bien « marquée », tandis que 50 % admettent « quelques » influences, 20 % « peu » et 9 % « très peu ou aucune » (tab. 18, *op. cit.*, p. 193). Pour les spectacles, les lectures, etc. on a des indices d'influence bien inférieurs.

En revanche on note de forts pourcentages dans l'assistance aux pratiques religieuses non obligatoires (prière 40-50 % avec une participation moyenne et 30 % avec une forte participation ; pour les Sacrements : 74 % avec une fréquence hebdomadaire chez les étudiants pré-universitaires et 44 % chez les universitaires). On n'a pas d'indication en ce qui concerne l'assistance à la Messe dominicale.

Il a été fait aussi en Italie des efforts sérieux pour mesurer le degré de « religiosité » des valeurs sociales et culturelles.

Par son enquête sur un groupe de Gênes (étudiants) et sur un autre de Toscane (non-étudiants) R. Laporta [105] constate l'influence persistante de la religion comme source de moralité : elle domine dans la totalité des femmes et chez beaucoup d'hommes. Pareille influence est cependant en décroissance dans les familles qui sont passées du secteur des occupations primaires au secteur industriel où la tendance est de séparer la morale de la religion (60 % G., 40 % F.). Cette tendance se fait moins sentir chez les étudiants qui résistent mieux aux influences du milieu et aux changements de culture (*op. cit.*, pp. 94-105).

[105] R. LAPORTA, *Il tempo libero giovanile*, Bari 1964.

En plus de ces indications il y a le résultat d'autres recherches qui nous paraît particulièrement significatif : ce sont celles qui ont été effectuées dans la sphère des valeurs morales et sociales chez de jeunes étudiants italiens, par P. G. Grasso.

Dans une première étude [106] l'auteur met l'accent sur la continuité fondamentale entre les valeurs des jeunes italiens et les valeurs traditionnelles catholiques et latines; et il affirme la rupture de l'unité culturelle et morale, survenue particulièrement dans le secteur de la moralité sexuelle familiale qui aujourd'hui n'est plus influencée par des motivations religieuses; le même phénomène s'est produit dans le secteur des « valeurs de respect de la vie » et de la « justice ».

De telles valeurs pouvaient être considérées comme étant en période de nette « transition »; ce qui est confirmé en de nombreux cas de l'enquête par de forts indices de différence, très significatifs par rapport aux évaluations données par un groupe d'experts catholiques.

Une autre enquête, plus vaste que la précédente, sur l'orientation morale et sociale d'environ 1 000 étudiants italiens permettait de préciser ultérieurement les indications précédentes. Parmi les nombreux résultats envisagés dans cette enquête il nous semble nécessaire d'en noter quelques-uns. 26,47 % voient dans la « perte de la foi en Dieu et en eux-mêmes » le motif principal de leur propre pessimisme en face de la vie.

Le motif essentiellement religieux est au 7e rang (9,05 %) dans les idéaux de la vie, mais il est précédé par un fort pourcentage d'idéaux altruistes et spirituels (31,08 %). De cela l'auteur conclut que les idéaux de vie « matérialistes » et « athées » sont partagés globalement par 10 % des sujets.

Une étude plus approfondie du cadre des valeurs morales (étude effectuée à l'aide d'une échelle de jugement) [107] révèle l'accroissement

---

[106] P. G. Grasso, *Valori morali-sociali in transizione*, dans *Orient. Pedag.*, 8 (1961), pp. 233-268. Groupe de 768 élèves d'écoles du second degré, garçons et filles, appartenant à 16 institutions différentes, dont 12 à Rome et 4 en Piémont. Technique du questionnaire et échelle de jugement, le tout approfondi ensuite par l'analyse factorielle des résultats. Cf. P. G. Grasso, *La struttura della personalità morale-sociale dei giovani italiani*, dans *Orient. Pedag.*, 9 (1962), pp. 371-394.

Ces études et celle qui lui fait suite (cf. note 107) ont été rassemblées par P. G. Grasso, *I giovani stanno cambiando*, Zurich 1963, dont nous citons les chiffres. En confirmation de ces conclusions, cf. l'étude déjà citée d'Alfassion-Grimaldi et Bertoni.

[107] P. G. Grasso, *Livellamento e transizionalità nel quadro giovanile dei valori*, dans *Orient. Pedag.*, 8 (1961), pp. 1051-1076 et 9 (1962), pp. 3-38. Le groupe est composé de 1 015 sujets, étudiants du deuxième cycle, pris dans 30 Institutions scolaires de toute l'Italie; âge moyen 18-20 ans. Technique utilisée : le questionnaire et l'échelle des jugements.

des préférences qui ne sont pas clairement altruistes, ainsi qu'une détérioration ultérieure — dans l'évaluation des jeunes — des attitudes envers la pratique religieuse, la morale sexuelle familiale, la loyauté, en particulier celle envers la communauté.

« Le problème le plus angoissant » semble confirmer les recherches des autres auteurs : la question religieuse occupe la quatrième place dans l'ensemble, après la « réussite professionnelle », les « problèmes scolaires » et la « formation morale » personnelle. Ces trois derniers problèmes ont acquis en 10 ans « un caractère dramatique et un ton particulier par suite des facteurs sus-indiqués : extension de la dépression religieuse en général, relativisme culturel croissant et liberté accrue de la morale sexuelle publique et privée, circulation plus rapide et incontrôlée de modèles moraux qui sont déviants par rapport à la culture traditionnelle, chrétienne-catholique » (*op. cit.*, pp. 93 ss.).

Nous avons encore d'autres indices d'une certaine « sécularisation » de la mentalité de nos jeunes : l'appréciation religieuse de la réalité sociale ne trouve leur consentement que dans la mesure de 10,2 %. Ils reconnaissent d'autre part que l'ignorance religieuse est le facteur le plus agissant dans « l'écroulement de la jeunesse » (*op. cit.*, p. 103), et l'auteur voit dans cet aveu un symptôme de la conscience de la confusion actuelle chez les jeunes, à l'égard des valeurs religieuses qui indirectement sont rattachées aux valeurs morales (*op. cit.*, p. 104).

On rencontre les mêmes résultats, qui prouvent une tendance à la sécularisation, dans l'appréciation des qualités du maître « idéal » : la religiosité figure au dernier rang et la moralité au sixième; les qualités intellectuelles et culturelles priment nettement sur les autres (*op. cit.*, pp. 108-109).

Même les prévisions pour une « transformation de la société » sont incertaines. Interrogés à ce propos, les sujets ne placent qu'en 4e position la nécessité d'une dimension « religieuse » de la société, bien qu'ils lui préfèrent des motifs moralement et socialement sains (*op. cit.*, p. 115).

C'est une cause d'étonnement que de remarquer qu'au premier rang des causes de « l'universalisme politique » il y a une valeur religieuse : « Oui, Dieu n'a pas mis de frontières sur la Terre, et le Christ est mort pour tous » : avis partagé par 42,57 % des sujets (*op. cit.*, p. 119).

D'une façon analogue le motif religieux est invoqué comme fondement de la paix mondiale, après la réforme des mœurs (« il faut un lien et une garantie plus forte : le christianisme pur et intégral »).

L'attitude envers l'Église dévoile une faveur remarquable (50-60 %) à son égard, bien qu'elle soit en partie suscitée par des raisons humaines, sociales et historiques (la moitié environ des sujets). 30 % sont incertains et 15-20 % critiquent ouvertement l'Église.

Quelles conclusions peut-on tirer de cette seconde étude en ce qui concerne le degré de « sécularisation » de la culture?

L'auteur parle de l'existence de « tensions fortes et douloureuses dans toute l'étendue des valeurs religieuses, sexuelles, familiales et sociales (dans le vrai sens du mot) ».

On parle d'une « transformation pénible et laborieuse sur le plan religieux, moral... », comme s'il s'agissait du reflet d'un processus semblable de transformation culturelle de la société italienne, — labeur qui est la confirmation du caractère exceptionnellement transitionnel des valeurs religieuses. Le danger menace de la formation d'une nouvelle synthèse culturelle de laquelle de telles valeurs risquent d'être exclues, parce qu'elles ne sont pas capables de « conserver une liaison » avec les problèmes les plus actuels de la jeunesse, en particulier pour l'estimation de la réalité sociale (*op. cit.*, pp. 132-133).

Une enquête successive [108] permettait de préciser certaines caractéristiques que l'on peut considérer comme indicatives au sujet du degré d'intégration des valeurs religieuses dans la culture (ou sous-culture) des jeunes Italiens du sud.

Ils ne considèrent la religiosité, bien que présente, ni comme « une conception organique religieuse de la vie », ni comme valeur « centrale », ni encore pourvue d'un « rôle intégrateur de la personnalité »; cette religiosité, au lieu de constituer un fait spécifique qui aurait son poids psychologique dans le comportement général, reste « marginale » parce qu'elle est insérée dans le système individu-famille comme étant un facteur « fonctionnel » grâce à sa cohérence et à sa validité; elle est donc subordonnée à ce système. Cette religiosité est familiale plus qu'« ecclésiale », moraliste plus que dogmatique (*op. cit.*, pp.52-54; 74-75; 97-98; 202-203).

Cette hypothèse est confirmée par de sérieuses enquêtes sur le monde des valeurs morales et religieuses des sujets.

---

[108] P. G. GRASSO, *Personalità giovanile in transizione » dal familismo al personalismo*, Zurich 1964. C'est une étude approfondie, suivant la méthode clinique, d'un groupe restreint de jeunes émigrants italiens aux États-Unis. L'enquête tient compte des aspects psychologiques, des aspects sociologiques et est remarquable par la solidité de son cadre conceptuel et la technique de l'enquête : en plus du questionnaire et de l'interview il a été fait usage des tests T.A.T., Rorschach et Rosenzweig; l'élaboration statistique est vraiment exemplaire.

3. VALEUR MÉTHODOLOGIQUE ET CONCLUSIONS THÉORIQUES
DES ENQUÊTES ANALYSÉES

Une critique globale des recherches et des résultats que nous avons examinés devrait d'une part nous amener à mettre en lumière le chemin à parcourir dans l'analyse des phénomènes de l'athéisme et, d'autre part, devrait constituer l'introduction à une synthèse préliminaire ou provisoire des apports que l'on estime les plus valables.

Nous diviserons cette étude critique en deux parties en traitant en premier lieu de la valeur *méthodologique* des recherches, puis des indications théoriques.

a. *Valeur méthodologique des recherches*

1) Dans la plupart des enquêtes on remarque *l'exiguïté des échantillons examinés ;* il est donc possible que ceux-ci ne soient pas suffisamment représentatifs. De plus, alors que *les enquêtes sur des groupes d'étudiants abondent*, il y en a relativement peu sur des groupes d'ouvriers ou de paysans pour lesquels on peut présumer que l'athéisme des jeunes présente des problèmes particuliers. Cela a une valeur surtout dans le secteur ouvrier urbain, étant donné les liens étroits (réels ou supposés) entre d'une part les phénomènes d'urbanisme et d'industrialisation et d'autre part l'athéisme contemporain. La préoccupation d'isoler la composante « urbanisme » (même celui des étudiants) est manifeste dans la plupart des enquêtes, tandis que l'on se soucie peu de la variable « industrialisation » (à l'exception d'une ou deux enquêtes en Allemagne et en France). On remarque aussi, toujours au sujet du caractère représentatif des échantillons examinés, la *dispersion* exceptionnelle des *catégories d'âges :* dans leur ensemble ces enquêtes ne peuvent être comparées entre elles, car une définition unique de « jeunesse » fait défaut. Les limites chronologiques de cette période d'évolution varient elles-mêmes d'une enquête à une autre, depuis 12-13 ans jusqu'à 30 ans. En pareille situation les résultats ne sont utilisables que partiellement pour la construction d'un tableau assez complet de l'athéisme dans la jeunesse ; cette dernière se situe pour nous (un peu arbitrairement mais en partant d'un certain fondement psychologique et sociologique) dans *les années de la seconde adolescence et de la première maturité*, soit de 15-16 ans au mariage.

Parmi les enquêtes considérées, seules seront donc utilisables celles qui permettent une évaluation des résultats de sujets d'un âge compris dans la période définie plus haut : ces limites sont cependant très élastiques.

Toujours en ce qui concerne le caractère représentatif des échantillons considérés nous pourrions nous demander si, dans l'état actuel des recherches on peut au moins arriver à un certain *degré d'inférence statistique* permettant d'appliquer les résultats à une région géographique ou culturelle déterminée. Si nous suivons un critère strictement scientifique (celui des méthodes rationnelles de choix des échantillons) [109] il nous semble que peu de chose ait été fait d'une façon définitive au niveau des régions géographiques nationales (à part *quelques* heureux essais en France, en Allemagne, en Italie et aux U.S.A.); il existe en revanche quelques bonnes indications (d'une grande valeur indicative) dans certains secteurs délimités (diocèses, régions ou bien catégories surtout d'étudiants). Nous voudrions signaler aussi une certaine carence *d'études longitudinales* et *d'études cliniques profondes* : cela a une grande importance pour établir des données de base pour l'interprétation psychologique de l'athéisme des jeunes. Les recherches effectuées suivant la méthode longitudinale tendent à préciser les processus de développement psychologique tout au long du développement chronologique de l'individu. On doit reconnaître au contraire que dans notre enquête la possibilité d'établir un contrôle fréquent des variables touchant le phénomène (au niveau psychologique et sociologique) pour en reconstruire le développement manque presque complètement.

Les *recherches* — *toutes transversales* — fournissent d'abondants renseignements, mais ne suggèrent que bien peu d'idées qui se prêtent à l'explication de l'athéisme des jeunes.

De même le *défaut* à peu près total de *profondes études cliniques pour des cas normaux ou pathologiques* prive le psychologue d'éléments objectifs de départ et l'oblige à un travail de description intuitive essentiellement subjectif.

2) La rareté des enquêtes de caractère clinique rappelle *la pauvreté relative des méthodes de recherche*. Le *questionnaire* et l'*enquête* prévalent d'une façon absolue, ce qui nous oblige à considérer les limites de beaucoup d'enquêtes (limites qui s'identifient avec celles des méthodologies employées) [110].

On peut affirmer qu'en un très petit nombre d'enquêtes très importantes on a employé une méthodologie assez complète et telle qu'elle permet de pourvoir à l'élargissement des limites d'un seul instrument de recherche; elle peut ainsi servir indirectement à contrôler les éléments obtenus. Il est évident qu'il ne faut pas essayer de rapprocher les résultats

---

[109] Cf. par ex. M. B. PARTEN, *Pools and Samples*, New York 1950; J. SMITH, A. J. DUNCAN, *Sampling Statistics and Applications*, New York 1945; P. O. JOHNSON, S. R. MANAMARTY, *Modern Sampling Methode*, Minneapolis 1959.

[110] Cf. M. B. PARTEN, *op. cit.*, p. 624, surtout pour l'usage du questionnaire dans la recherche sociale.

atteints par des méthodologies différentes, alors que les échantillons choisis diffèrent entre eux, comme sont différentes toutes les autres variables qui caractérisent ces échantillons (zones sociales et culturelles, âge, éducation, religion, sexe, etc.).

La relative pauvreté méthodologique est directement solidaire de l'*inaptitude des critères choisis comme mesure* du phénomène de l'athéisme des jeunes. En plus de la pauvreté intrinsèque des résultats, cela provoque aussi le *manque de recherches utilisant simultanément plusieurs indices de religiosité*.

Ni la mesure de la pratique religieuse, ni la déclaration de foi au sujet de certaines croyances fondamentales, ni la considération de certaines attitudes religieuses, ni encore le relèvement de certaines composantes sociales et culturelles de la religiosité (tirées en général de la simple analyse subjective des individus interviewés) ne sont suffisants lorsqu'ils sont pris séparément.

Une méthodologie soignée, une quantité suffisante de variables ainsi qu'un choix plus adroit des échantillons donneraient des résultats — du moins par secteurs — fort valables : ces enquêtes sont à souhaiter.

3) L'élaboration statistique insuffisante des éléments est solidaire des déficiences dans le choix des échantillons et dans la méthode. Si l'on tient compte de quelques rares exceptions, on ne va pas au-delà d'une évaluation en pourcentage ; il aurait cependant été d'un grand intérêt scientifique de connaître au moins des corrélations entre les variables les plus intéressantes, des indices de significativité entre différences, des analyses factorielles.

Bien entendu l'insuffisance remarquée se reporte surtout sur l'analyse psychologique, mais aussi sur l'analyse sociologique. En effet il paraît évident — et ce n'est pas pour cela que nous devons oublier qu'il ne faut pas limiter les résultats à des chiffres — qu'une élaboration soignée des éléments présente déjà des orientations intéressantes pour une analyse plus précise de ces éléments : ceci est vrai même si ces derniers n'acquièrent un sens définitif qu'à la lumière d'un « cadre de référence » conceptuel.

En outre le manque relatif d'études consacrées aux problèmes de l'athéisme des jeunes entraîne le fait que les enquêtes déjà effectuées sont très souvent dépourvues de fondement théorique. L'intérêt des chercheurs ne tend, dans son ensemble, ni à la définition ni à la création éventuelle d'une typologie de l'athéisme des jeunes. D'où un certain caractère hétérogène dans ces recherches ; sous le même vocable on sous-entend souvent une réalité différente.

Ce qui fait surtout défaut, c'est une conception explicite du compor-

tement religieux et des processus spécifiques de la religiosité des jeunes dans lesquels on puisse encadrer les résultats quantitatifs des enquêtes. C'est pour cela que de nombreuses enquêtes se réduisent à un rassemblement de chiffres dont l'utilisation se révèle en partie irréalisable faute d'un bagage théorique convenable.

D'autres enquêtes sont limitées à de petits secteurs de l'ensemble des problèmes et, en l'absence d'une directive théorique commune, elles ne concordent pas : elles sont ainsi séparées les unes des autres et ne peuvent être unifiées en une vision générale du phénomène.

On peut cependant dire qu'on a essayé d'interpréter d'une façon convenable le phénomène de l'irréligiosité des jeunes et celui de la décroissance de la pratique religieuse, mais ces tentatives trop souvent s'arrêtent au niveau phénoménologique et font abstraction des apports de la réflexion psychologique et sociologique.

C'est à notre avis dans cette direction que doivent être faits les efforts les mieux organisés : le succès des enquêtes peut se réaliser dans la double direction de l'enquête par participation (plus précise au point de vue méthodologique) et de la réflexion sur les éléments obtenus (davantage fondée sur les résultats empiriques).

Mais au-delà de ces critiques, quelles conclusions valables peut-on en tirer? Ou, pour le moins, quelle doit être l'orientation des recherches ultérieures?

b. *Conclusions théoriques*

1) Les enquêtes effectuées donnent un tableau « approximatif » et essentiellement « probable » du degré de *pratique religieuse* de nombreuses zones ou secteurs limités de la population juvénile. Le degré d'irréligiosité qui ressort d'une foule d'indices est fort difficile à évaluer d'une façon globale, aussi bien en valeur absolue (c'est-à-dire par rapport à un « devenir » à délimiter philosophiquement et théologiquement), qu'en valeur relative (c'est-à-dire par rapport aux conséquences psychosociologiques que ce fait représente en tant que symptôme global de différentes formes d'athéisme des jeunes). Il est *tout à fait prématuré* de faire des illations sur la situation en de vastes régions culturelles, même pour la simple pratique religieuse. En outre les enquêtes que nous avons examinées reflètent la situation de l'Europe et des États-Unis; pour les autres régions, les renseignements font défaut ou sont moins valables.

Malgré la quantité croissante des éléments dont nous pouvons disposer, nous sommes encore à un niveau fragmentaire, même pour un simple relevé « quantitatif » de la pratique cultuelle.

2) Malgré toutes les réserves que l'on doit faire en raison des impersections méthodologiques que nous avons montrées, il est possible, en considérant les enquêtes que nous avons analysées, de confirmer qu'il existe chez les jeunes un certain degré d'athéisme conscient, ou déclaré, ou « théorique ».

Cela ne veut pas dire qu'on ait atteint des résultats vraiment concrets en ce qui concerne *le sens du comportement athée pour les jeunes ;* et cela permet encore moins d'avoir une idée générale sur *l'importance de la croissance progressive du phénomène de l'athéisme des jeunes.* A notre avis, en effet, il nous manque des points de référence qui nous permettraient de tirer des conséquences de ces deux faits, car les idées sur lesquelles on s'est basé dans la conduite des enquêtes et la rareté d'études sérieuses sur la consistance de l'athéisme dans le passé sont trop ambiguës.

Une certaine partie de la population juvénile est certainement athée. Mais nous ne possédons pas des indices sûrs qui nous permettraient d'affirmer que cet athéisme juvénile est un phénomène propre de notre génération, ni qu'il tend à s'étendre; nous n'avons pas non plus les éléments d'après lesquels nous pourrions préciser les composantes de ce phénomène, telles que les variables : *sexe, instruction, niveau social et économique, classe sociale, intelligence* et toutes les autres caractéristiques de la personnalité (émotivité, affectivité, motivations conscientes et inconscientes, etc.).

Il serait également prématuré d'essayer d'étendre des observations à de vastes zones culturelles.

3) On enregistre aussi la *confirmation d'une sorte de « sécularisation » des valeurs sociales et morales de la jeunesse.*

Les recherches faites sont aussi en trop petit nombre et insuffisamment sérieuses pour permettre de tirer des conséquences, ne serait-ce que dans certains secteurs particuliers (jeunesse ouvrière, scolaire ou rurale; première ou seconde adolescence; garçons et filles). On a obtenu toutefois des résultats d'une grande valeur indicative qui, à notre avis, pourraient être confirmés par des enquêtes sur ce que les jeunes lisent, pensent, disent et font, sur les schémas de comportement idéaux et réels de la jeunesse, sur les problèmes moraux les plus graves considérés dans une vision religieuse du monde.

* *

Ainsi, de la teneur purement indicative des trois conclusions auxquelles nous avons abouti peut-on déduire qu'il est prématuré de *faire le point* sur l'aspect « quantitatif » du phénomène de l'athéisme des jeunes; à plus forte raison est-il prématuré de le faire sur le degré de « *perte du sens du sacré* » de la culture des jeunes (et le problème du sens du sacré au niveau psychologique demeure toujours sans solution), et sur les *motifs conscients* de l'athéisme juvénile. En outre les enquêtes citées n'apportent qu'une faible contribution au sujet des processus d'instauration, du rythme de développement chronologique au cours des années d'évolution et du développement à prévoir de l'attitude athée au niveau psychologique et sociologique.

Il sera utile d'effectuer encore une étude étiologique plus approfondie de l'athéisme des jeunes en nous appuyant sur d'autres travaux de caractère surtout interprétatif.

II

SIGNIFICATION PSYCHO-SOCIOLOGIQUE DE L'ATHÉISME DES JEUNES

1. PRÉMISSES

Dans le cadre général d'un discours psychologique et sociologique sur l'athéisme se place une remarque spéciale sur le phénomène de l'athéisme des jeunes. En effet en plus du processus général justifiant l'athéisme de l'adulte, on rencontre des attitudes particulières de l'athéisme des jeunes qui se rattachent aux lois du développement de la personnalité de l'individu et de sa religiosité.

L'étude de l'athéisme des jeunes se développe d'une façon continue et conjointement avec les apports de la psychologie génétique et de la psychologie religieuse; ces apports doivent être complétés par les hypothèses interprétatives et les conclusions de la sociologie religieuse.

Pour cette recherche il faut donc partir d'une vue d'ensemble du développement général de la religiosité des jeunes; de là on tirera le processus psychique et les comportements sociaux qui provoquent une conduite religieuse déviante, laquelle contient les germes d'une marche vers l'athéisme.

Ce discours à la fois psychologique et sociologique se déroule à notre avis par approximations successives : ce sera d'abord une analyse des variables qui entravent la formation d'une religiosité mûre ou de toute façon normale et proportionnée au développement total de l'individu; cette religiosité se rattache aux dimensions sociologiques de la religiosité de sa région culturelle. Ce sera ensuite un approfondissement des composantes qui mènent de la rupture initiale du développement religieux à l'instauration d'un véritable athéisme des jeunes.

Le plan que nous proposons n'épuise certainement pas toutes les variétés phénoménologiques de l'athéisme des jeunes. On peut en effet supposer, aussi bien théoriquement qu'en se basant sur des faits et sur des expériences, que pour de nombreux jeunes l'athéisme n'est pas le fruit d'une longue évolution psychologique et sociologique partant d'une religiosité initiale, mais est un fait subit, ou encore la conclusion normale de toute une éducation a-religieuse [111].

[111] Cf. à ce propos le problème exposé dans R. V. McCann, *Development Factors in the Growth of Mature Faith*, dans *Rel. Educ.*, 50 (1955), pp. 147-155; l'auteur parle en effet de *deconversion* pour caractériser un athéisme dû à un fait

Toutefois la ligne de conduite que nous avons choisie représente à notre avis la façon la plus commune de l'instauration de l'athéisme des jeunes et elle suggère ainsi des catégories d'interprétation plus faciles à étudier et en même temps plus utiles, car ces dernières peuvent être étendues à un plus grand nombre de cas [112].

Le développement de la religiosité mûre, dans la seconde adolescence, est fonction de tous les facteurs psychologiques et sociologiques qui interfèrent dans l'accomplissement des processus de maturation de la personnalité, aussi bien dans ses composantes de *base* (processus d'acculturation) que dans ses *caractéristiques individuelles* (processus de structuration psychologique). Ces facteurs doivent à leur tour être interprétés à la lumière d'une théorie générale de la personnalité et de la société. A ce moment s'impose donc le choix de cadres de référence.

Du point de vue psychologique nous nous orientons vers une solution qui doit tenir davantage compte des apports des théories cognitives [113]; d'un point de vue sociologique nous ne possédons pas de références spécifiques; nous nous bornons donc à mettre en évidence chaque fois les causes inspiratrices de nos hypothèses, bien que l'on puisse soutenir que nous faisons surtout état des théories de Talcoot Parsons et de Robert K. Merton [114].

subit et traumatique d'ordre émotif et affectif; il recense aussi des cas d'athéisme « hérité » où entrent en jeu des facteurs du milieu familial et donc inconscients.

A noter toutefois qu'à notre avis ces études manquent de travaux plus approfondis dans le sens psychologique, assez courants dans ces formes d'athéisme « subit », bien qu'un nouveau problème ait été envisagé à la suite des nombreuses études faites sur la conversion dans les 30 premières années de l'histoire de la Psychologie religieuse. Cf. aussi G. W. ALLPORT, *The Individual and his Religion*, New York 1950, p. 103.

[112] Il est évident qu'une étude plus complète de l'athéisme des jeunes exige une considération « typologique » mieux construite du phénomène. On pourrait de toute façon aboutir à une typologie en choisissant l'un ou l'autre des divers facteurs que nous avons considérés et en développant de ce point de vue particulier (cognitif, émotif, tendanciel, ou du milieu) toute la série des autres variables. On peut en effet supposer que certaines formes de l'athéisme des jeunes sont surtout le résultat d'un ou de plusieurs facteurs et non celui de tout un système complexe comme celui que nous avons décrit. En pareil cas il faudrait étudier plus à fond les nombreux renvois que nous ferons dans le cours de notre étude à des formes particulières de l'athéisme des jeunes (protestation sociale, conflit de générations, rationalisation de conduites morales, etc.). Il serait possible, sans tenir compte de nos essais particuliers d'explication, de considérer chaque paragraphe ou chaque partie de notre analyse comme un problème isolé susceptible d'expliquer certaines formes particulières d'athéisme.

[113] Pour la psychologie de la personnalité, nous nous inspirons des théories de G. W. Allport, J. Nuttin, H. Thomas, C. Rogers, qui peuvent être dénommées « dynamico-intégratives » et « phénoménologiques » (cf., plus loin, les œuvres).

[114] Cf. T. PARSONS, *The Structure of Social Action*, New York 1937; T. PARSONS, *The Social System*, Glencoe 1951; T. PARSONS, E. SHILS, *Toward a General Theory*

Notre choix n'exclut pas l'utilisation de tous les apports théoriques que nous jugeons utiles, d'où qu'ils viennent.

Ceci posé, nous analysons les principaux processus psychologiques de la maturation religieuse et les causes de la faillite de leur développement.

2. RELIGIOSITÉ INTÉGRÉE ET RELIGIOSITÉ MARGINALE

a. *La religiosité, dans la seconde adolescence, devient intérieure*

Cela veut dire que se manifestent chez le jeune homme de nouvelles capacités *intellectuelles;* les *besoins,* les *intérêts,* les *valeurs* varient; les rapports avec les groupes familiaux ou scolaires ou récréatifs changent; l'équilibre émotif et affectif se modifie; à tout cela correspond l'apparition d'une nouvelle religiosité fondée sur *la compréhension et l'acceptation consciente* des notions et des normes religieuses dans leur valeur objective, suivant les capacités de l'individu [115].

Cette religiosité intérieure tend vers l'autonomie; en effet elle *tend à se détacher dans une certaine mesure de la religiosité des parents et des institutions.* L'attitude religieuse qui en découle a pour base la responsabilité d'une prise de position personnelle où sont engagés les mobiles les plus intimes du sujet. C'est là le premier pas vers une religiosité autonome et mûre [116].

of Action, Boston 1951; R. K. MERTON, *Social Theory and Social Structure,* Glencoe 1951. Pour la sociologie religieuse nous avons exposé la pensée de Le Bras, Hoult, M. Yinger, Vernon, Wach, etc.

[115] Cf. E. E. ALLEN et R. W. HITES, *Factors in Religious Attitude of Older Adolescents,* dans *J. Soc. Psychol.,* 55 (1961), pp. 265-273; G. C. NEGRI, *Considerazioni sul fenomeno della dissociazione tra sapere religioso e mentalità di vita,* dans *Orient. Ped.,* 8 (1961), pp. 269-298; I. E. BENDER, *Changes in Religious Interests; a retest after 15 years,* dans *J. Abn. Soc. Psychol.,* 57 (1958), pp. 41-46; E. HARMS, *The Development of Religious Experience in Children,* dans *Americ. J. Soc.,* 50 (1944), pp. 112-122; A. D. WOODRUFF, *Personal Values and Religious Background,* dans *J. Soc. Psych.,* 22 (1945), pp. 141-147; W. H. CLARK, *A Study of Some Factors Leading to Achievement and Creativity, with Special Reference to Religious Skepticism and Belief,* dans *J. Soc. Psych.,* 41 (1955), pp. 57-69; W. H. CLARK, *Religion as a Response to the Search for Meaning : its Relation to Skepticism and Creativity,* dans *J. Soc. Psych.,* 60 (1963), 88, pp. 127-138; H. S. TUTTLE, *Aims of Courses in Religion,* dans *J. Soc. Psych.,* 31 (1950), pp. 305-309.

[116] Il est évident que lorsque nous parlons de « maturité » nous nous référons ici à un concept surtout « fonctionnel », à un niveau psychologique et sociologique, bien que certains jugements sur la valeur, qui sont contenus implicitement dans une définition de la « maturité » inspirée par une conception philosophique de l'homme et de son « devoir être », ne soient pas étrangers à notre façon de voir. Du point de vue psychologique, en plus d'Allport et Nuttin il faudra voir P. A. BERTOCCI, M. R. MILLARD, *Personality and the Good, Psychological and Ethical Perspectives,* New York 1063 (en particulier le chap. VI).

En adoptant les idées de C. W. Allport on peut affirmer que ce travail intérieur s'effectue suivant les directives de l'*expansion*, de l'*objectivation* et de l'*intégration*. Par expansion on entend : l'extension des idées religieuses à des problèmes de la vie toujours plus larges et qui se rattachent aux processus de la formation du moi; par objectivation on entend : l'adaptation de la religiosité personnelle à des idées et à des règles religieuses détachées des intérêts du sujet; par intégration on entend : l'unification dynamique de tous les éléments de la conduite autour du comportement religieux [117].

Ce travail intérieur n'atteint pas toujours son développement total. Dans le cas positif on arrive à une attitude religieuse mûre : la dynamique et la faculté créatrice du moi sont mises à la disposition de la religiosité; simultanément le comportement religieux catalyse les ressources de l'esprit, aidant ainsi à la formation de la personnalité du sujet [118].

Dans la négative l'attitude religieuse et la ligne de conduite qui lui correspond sont dissociées des processus psychiques intéressés dans la formation de la personnalité; à ce moment on a la faillite de la religiosité, cause lointaine d'une désintégration ultérieure du comportement religieux [119].

En approfondissant les composantes de cette religiosité « extérieure », « marginale », on arrive à découvrir les *racines premières de*

---

[117] G. W. ALLPORT, *The Individual and his Religion*, New York 1950, pp. 52 ss. On remarquera toutefois que le concept d'« intégration » dont parle Allport se réfère au processus d'*absolutisation* de la religiosité, dont nous nous occuperons plus loin. Ici comme pour d'autres études il est difficile d'opérer une distinction nette entre les différents facteurs du phénomène de l'athéisme des jeunes; ils se présentent avec des fonctions différentes en des moments (logiques ou chronologiques) différents dans le cours de l'évolution totale de l'attitude examinée.
Cf. en outre : V. H. MCKENNA, *Religious Attitudes and Personality Traits*, dans *J. Soc. Psych.*, 54 (1961), pp. 379-388; M. H. SHERMAN, *Values, Religion and the Psychoanalyst*, dans *J. Soc. Psych.*, 45 (1957), pp. 261-269; E. ERIKSON, *On the Sense of Inner Identity*, dans R. P. KNIGHT et C. R. FRIEDMAN (eds), *Psychoanalytic Psychiatry and Psychology*, New York, 1954; C. S. BRADEN, *Why People are Religious : a Study in Religious Motivation*, dans *J. of Bible and Rel.*, 15 (1947), pp. 248-282; 16 (1947), pp. 78-108; H. CARRIER, *Psychosociologie de l'appartenance religieuse*, Rome 1960, pp. 135 et 264.
[118] H. CARRIER, *op. cit.*, pp. 135-136; W. H. CLARK, *A Study of Factors Leading to Achievement and Creativity*, dans *J. Soc. Psych.*, 44 (1955), pp. 57-69; E. M. LIGON, W. T. PENROD, *Religious and Character Formation as a Catalyzing Force in Personality*, dans *Charac. Potential*, 22 (1963), pp. 3-18; W. T. PENROD, *Youth can Decide : Whether Religion will become Integral to his Life*, dans *Charac. Potential*, 2 (1963), pp. 92-95.
[119] A. D. WOODRUFF, *Personal Values and Religious Backgrounds*, dans *J. Soc. Psych.*, 22 (1945), pp. 141-147; G. C. NEGRI, *art. cité*, note 115.

l'athéisme des jeunes; on détermine ainsi certaines lignes de force moindres dans le processus global de formation d'une religiosité, — processus en proportion avec le développement total de l'individu.

* * *

Du point de vue de la dimension cognitive on dirait que, dans le travail intérieur, certains minimums de quotient intellectuel jouent un rôle direct ; ces minimums suffisent pour une compréhension de base des idées et des règles religieuses ; mais on manque d'études suffisamment approfondies sur le rapport entre intelligence et religiosité [120] ; c'est pourquoi il est risqué de supposer comme cause d'irréligiosité une capacité intellectuelle amoindrie.

D'autre part il existe des études plus fécondes sur *l'importance de l'« information »* concernant la formation de l'attitude religieuse [121].
A notre avis le problème se pose sous différents aspects [122].

Ce qui semble particulièrement important, c'est le « *contenu* » des informations que le sujet fournit dans tout le processus d'acculturation et qui reflètent en grande partie les « valeurs religieuses » de la « culture » à laquelle il appartient. Il est important de remarquer qu'à partir de la pensée philosophique, psychologique et sociologique, de nombreux « schémas de comportement mental » négatifs par rapport à la religiosité sont passés dans un grand nombre de cultures ; par suite les jeunes individus de certaines régions culturelles sont exposés à l'influence (en grande partie inconsciente) d'« informations » dont le contenu a un pouvoir désagrégeant sur l'attitude religieuse. A ce propos il suffit de rappeler (même s'il est difficile de le prouver scientifiquement) le fort degré de « laïcisation » ou de « sécularisation » des valeurs de certaines cultures occidentales fortement soumises à l'influence de la critique philosophique, psychologique et sociologique contre la religion.

A cet état de choses contribuent certainement *les moyens de communication de masse;* les « messages » qui sont introduits dans la culture

[120] Cf. les indications données par M. ARGYLE, *op. cit.*, p. 92-96, et les tentatives partielles d'explication du rapport intelligence-religiosité. Plus récemment, se reporter par ex. à : F. VERHAGE, *Intelligentie en kerkelijke gezindte*, dans *Nederl. Tijdsch. v.d. Psychol.*, 19 (1964), pp. 247-254 et ses conclusions provisoires.

[121] H. CARRIER, *Psychosociologie de l'appartenance religieuse*, Rome 1960, pp. 126-152, 224-225 ; W. H. CLARK, *The Psychology of Religion*, New York 1958, pp. 112 ss. ; H. S. TUTTLE, *Aims of Courses in Religion*, dans *J. Soc. Psych.*, 3 (1959), pp. 305-309.

[122] Cf. au sujet des processus de formation de l'attitude : D. KRECH, R. S. CRUTCHFIELD, E. L. BALLACHEY, *Individual in Society*, New York 1962, pp. 181-213.

par le moyen de la presse, de la radio, de la télévision et du cinéma peuvent, en raison de *leur quantité, de leur instabilité et de leur caractère contradictoire*, accroître l'état de confusion culturelle dans lequel les jeunes se débattent ; à la longue cela met en crise toutes les valeurs. On constate en effet que la teneur de ces « messages » tend à solliciter surtout le changement culturel des valeurs (familiales et sexuelles) les plus étroitement dépendantes d'un fait religieux. D'où une influence directe sur la religiosité, aussi bien vers un nivellement des valeurs religieuses par rapport aux valeurs profanes que dans le sens d'une critique généralisée à leur égard [123].

Cet aspect particulier de la formation de l'attitude religieuse que nous avons exposé en fonction de l'« information », sera examiné plus loin sous l'aspect du rapport entre valeurs religieuses et valeurs profanes.

D'autre part il faut souligner que l'« information » donne sa composition à l'attitude religieuse, notamment d'un point de vue formel : c'est *le degré même de cette composition de l'« information »*, c'est *la « proportion » par rapport à la phase actuelle du développement de la personnalité* (c'est-à-dire exception faite des contenus), qui permettent la formation d'attitudes à la fois stables et dynamiques. De là découle l'importance énorme du facteur « instruction religieuse » au cours de la période délicate du passage de l'adolescence à l'âge adulte. Si auparavant la formation religieuse était surtout fonction d'un rapport émotif-affectif avec les personnes de la famille et les institutions religieuses, c'est la prise consciente de position personnelle qui maintenant prévaut [124].

Nous-mêmes avons déjà essayé de prouver que faute d'informations adéquates, ne serait-ce que sous la forme d'instruction religieuse, surgissent des doutes, des difficultés, des conflits religieux qui peuvent être le prélude de la désintégration du comportement religieux, car ce sont des processus et des phénomènes de tendance essentiellement contraire [125].

---

[123] P. G. GRASSO, *I mezzi audiovisivi e la famiglia*, in *Le incidenze sociali dei mezzi audiovisivi*, XXXV Settimana sociale dei Cattolici italiani, (Sienne, 24-29 septembre 1962), Rome 1962, pp. 107-130.

[124] Sur l'importance de l'enseignement religieux pour la formation d'une religiosité juvénile adaptée au développement total de la personnalité et ayant fonction « préventive » dans le processus de décadence religieuse, cf. l'article cité de G. C. NEGRI, et ce de G. C. MILANESI, *Insegnamento della religione e dubbio religioso nella tarda adolescenza*, dans *Orient. ped.*, (1965), pp. 741-801 ; et aussi G. C. NEGRI, *La « révision de vie » come metodo catechistico*, dans *Orient. Ped.*, 9 (1962), pp. 66-82 ; G. C. NEGRI, *Aspetti socio-culturali dell'insegnamento religioso-scolastico*, dans *Orient. Ped.*, 11 (1964), pp. 1292-1306.

Ces études soulignent la nécessité d'un enseignement sérieux du point de vue quantitatif (nombre suffisant de leçons, programmes complets) mais surtout qualitatif (composition du contenu, sensibilité psychologique et sociologique, méthodologie adéquate).

[125] G. C. MILANESI, *art. cité*, dans *Orient. Pedag.*, 12 (1965), pp. 741-801.

Remarquons comment la force de persuasion des modèles de comportement présentés par les *moyens de communication sociale* a une grande influence, en opposition à la faible structuration psychologique et sociologique du message religieux. Pour transmettre leurs « messages », la Presse, la Radio, la Télévision et le Cinéma exploitent systématiquement les techniques de persuasion et de propagande. Il en découle une pression sociale extrêmement forte, surtout si l'on tient compte de ce que ces modèles de comportement expriment en général les valeurs les plus appréciées de la culture et du milieu, et sont la plupart du temps « interprétés » par des « personnages » très suggestifs [126].

Il y a en outre un troisième aspect de l'« information » qui a une incidence sur la formation de l'attitude religieuse : c'est *le rapport qu'elle a avec le processus de satisfaction des besoins.* Ces derniers tiennent une grande place dans la dynamique complexe de l'esprit des jeunes et ils se manifestent avec des fonctions causales selon les différents stades de connaissance que le sujet est en train d'acquérir. Du point de vue de la religiosité, l'« information » religieuse tend à établir un cadre de référence qui permette de trouver une explication satisfaisante pour tout ce qui concerne les besoins des jeunes. Comme on le verra plus loin, sans ces cadres de référence que beaucoup appellent « conception de la vie, *philosophy of life* ») les besoins ne sont satisfaits que d'une façon fragmentaire ; cela provoque une déficience d'harmonie dans la maturité de l'individu religieux.

L'absence de cadres de référence est favorisée aussi par le « désordre » des valeurs religieuses, désordre issu de la pression des moyens de communication sociale, comme nous l'avons dit plus haut. Il convient cependant de souligner qu'à côté de ces effets directement négatifs sur la religiosité, il y en a d'autres qui ne se révèlent comme tels que par la suite. On a remarqué en effet que dans certains milieux la crise du système social et culturel pousse de nombreux sujets à la recherche d'une tranquillité dans la religion. On assiste ainsi aux nombreux mouvements de *revivals* religieux de l'Amérique du Nord, à la reprise de la pratique religieuse de la part d'un certain nombre de jeunes émigrés particulièrement « inadaptés » [127], et à des phénomènes plus ou moins étendus de conversion.

[126] Le culte des Stars comme phénomène psychosociologique a été étudié, par ex., par G. C. CASTELLO, *Il divismo*, Turin 1957 ; E. MORIN, *Les Stars*, Paris 1957 ; F. ALBERONI, *L'élite senza potere*, Milan 1963. Dans ce dernier sont particulièrement intéressants les chap. II (Conditions générales d'existence du phénomène, pp. 15-22) et III (Culte des Stars et grâce, pp. 23-30), qui peuvent suggérer certains rapports avec les problèmes des *remplacements absolus* dont le culte des Stars semble posséder quelques caractéristiques.

[127] P. G. GRASSO, *Personalità giovanile in transizione*, Zurich 1964, p. 142.

Nous pensons qu'une telle religiosité représente surtout une réaction et que l'on doit l'interpréter en tant que mécanisme de défense (fuite ?) contre l'insécurité d'un système social et culturel instable. A ces individus la religion offre une solide organisation hiérarchique et une certaine stabilité de valeurs et de règles. Il ne s'agirait cependant que d'un comportement religieux initialement « a-typique » qui en général manque de solidité psychologique, car il est séparé des motivations essentielles de la personnalité et se rattache aux mécanismes de défense.

De toute façon il est très probable, à notre avis, qu'une des causes de l'écroulement du comportement religieux et, par suite, d'une évolution probable vers l'athéisme juvénile est l'incapacité (en raison de la déficience des « informations ») d'élaborer une synthèse organique des valeurs religieuses par le moyen d'une révision critique de leurs fondements conceptuels et grâce à une autonomie progressive des motivations précédentes [128].

Ces assertions seront encore plus solides lorsqu'on les rapprochera de ce que nous allons dire au sujet de la religiosité des jeunes dans son processus d'absolutisation et de socialisation.

**

Du point de vue du développement des tendances, le fait que le comportement religieux n'est pas senti intérieurement est attribué principalement à un jeu de contrastes entre des besoins opposés, qui peut avoir plusieurs solutions [129].

A notre avis toutefois les phénomènes complexes à travers lesquels la religiosié vient en conflit avec la satisfaction d'autres besoins peuvent être ramenés au conflit entre besoins intégrateurs et besoins segmentaires [130].

Dans la période où la jeunesse évolue il manque encore une conception globale de l'existence propre du sujet, en particulier dans

---

[128] G. W. ALLPORT, *op. cit.*, p. 64.

[129] L. GUITTARD, *L'évolution religieuse des adolescents,* Paris 1952; à plusieurs reprises cet auteur souligne l'incidence négative de la conduite sexuelle sur la conduite religieuse. P. G. GRASSO, *Fondamenti sociologi e psicologici dell'educazione religiosa,* dans *Educare* (P. BRAIDO, édit.), Rome, 2 (1960), II, pp. 160-162. A. RONCO, *La realtà biologica e psicologica della sessualità umana,* dans *Orient. Pedag.,* (1964), pp. 551-577, et surtout pp. 570-572. Cf. aussi les articles de R. V. Cann et G. S. Braden.

[130] Pour ce point particulier que nous ne voulons pas traiter en détail nous renvoyons aux œuvres de G. W. Allport, J. Nuttin, H. Thomae, A. W. Combs et D. Snygg, R. Lewin, A. H. Maslow, S. Rosenzweig, S. Freud, P. M. Symonds.

sa dimension « prospective » [131] qui tient compte du futur et pas seulement de l'immédiat. En même temps font pression certains besoins (en partie déjà existants précédemment, en partie nouveaux) de caractère bio-psychique (le sexe, la santé, la beauté physique) ou de caractère psycho-social (besoin d'inclusion, d'indépendance, d'expérience, etc.). Ces besoins sont facilement satisfaits par des réactions quelque peu impulsives qui recherchent un plaisir immédiat, sans tenir compte de la place et de la fonction que ces agissements ont dans le cadre complet de l'existence.

Cette satisfaction fragmentaire de la conduite qui, comme nous l'avons vu précédemment, se rattache à toutes les autres phases du développement de la personnalité, et surtout aux phases cognitives, suscite des comportements sélectifs qui avec le temps modifient la structure des motivations ainsi que le sens de l'existence de l'individu.

Une telle sélection est particulièrement active lorsqu'un des pôles du conflit entre motivations est constitué par la conduite religieuse; cela est dû à ce que la conduite religieuse exacerbe le conflit car elle veut jouer un rôle intégrateur plus profond, et aussi au fait que la religion prévoit souvent de graves sanctions morales pour les tendances opposées [132].

On arrive ainsi à conclure que l'irréligiosité des jeunes trouve en grande partie son origine en des conflits entre motivations dans lesquels prévaut la satisfaction segmentaire de la personnalité; les sujets en oublient ainsi une satisfaction plus complète mais qui les engage davantage et les contente bien moins dans l'immédiat.

Cela semble confirmer l'impression qu'ont les éducateurs, directeurs de conscience, professeurs, *d'un certain lien entre « déchéance morale » et « déchéance religieuse »*, surtout pour ce qui concerne le comportement sexuel. Nous donnerons par la suite d'autres précisions sur ce point en nous plaçant à d'autres points de vue.

Si nous revenons à l'interprétation des conflits de motivations, nous sommes contraints à revoir sur un plan plus étendu l'irréligiosité et l'athéisme juvéniles en tant que « mécanisme de défense » contre les diverses frustrations que le jeune sujet subit dans les nombreux conflits de motivations propres à son âge.

Nous faisons ici allusion *non seulement aux frustrations causées par des conflits d'origine intérieure, mais aussi aux frustrations d'origine*

---

[131] Dans le sens que lui attribue H. THOMAE, *Der Mensch in der Entscheidung*, Munich 1960, dans la traduction italienne de A. RONCO, *La dinamica della decisione umana*, Zurich 1964.

[132] P. G. GRASSO, *Fondamenti sociologici...*, p. 161.

sociale; ces dernières proviennent des modifications profondes de la psychologie individuelle que provoquent les mutations de la société (au niveau structural et culturel) et qui ne peuvent pas toujours être assimilées par des jeunes d'une façon progressive, ni intégrées à leur système de valeurs [133]. Cela est valable pour les « échanges culturels » généraux de la société, qui ont déjà une influence sur les valeurs religieuses et morales qui font partie de cette culture; et cela vaut surtout pour les échanges de valeurs religieuses et morales en des conditions particulières historiques ou de milieu. Le fait de réagir contre une frustration insurmontable (confusion transitionelle des valeurs religieuses et morales) par différents mécanismes de défense (certainement négatifs du point de vue de la religiosité) tels que la fuite, l'agression, la négation, la rationalisation, la *reaction formation*, constitue un des moyens favorisant l'instauration de l'irréligiosité, puis de l'athéisme. En pareil cas le phénomène de l'irréligion doit être jugé dans le cadre sociologique où il a son origine et, au niveau psychologique, dans le cadre des caractéristiques des mécanismes de défense [134].

Les frustrations d'origine sociale semblent avoir une influence croissante sur la personnalité des jeunes, surtout *par rapport aux problèmes*

---

[133] Sur ce sujet comparer avec les études de H. Carrier sur l'influence des groupes de référence (ici intéressés indirectement), et avec S. B. WITHEY, *The Influence of the Peer Group on the Values of Youth*, dans *Rel. Educ.* (Suppl.), 1962, juillet-août, pp. 34-44. Il est aussi possible de tirer des indications utiles des conclusions auxquelles aboutissent les études de P. G. GRASSO dans : *I giovani stanno cambiando*, Zurich 1963.

[134] Le mécanisme de l'« agression transférée » est caractéristique et symptômatique : il consiste à attaquer une personne ou toute autre réalité qui se rattache de quelque façon avec la personne ou la réalité qui est à la base d'une frustration insurmontable. Certains ont attribué ce processus au vaste mouvement d'adhésion au communisme (athée) en différentes zones culturelles caractérisées par d'importantes frustrations sociales. Ce mouvement peut être interprété comme une protestation contre la classe dominante; et la dimension « athée » ou « irréligieuse » serait facilitée par la collusion, vraie ou imaginaire, de la religion avec la classe dominante. L'agression est reportée sur Dieu, sur la religion, même si à l'origine elle était dirigée vers de tout autres objets plus facilement reconnaissables. C'est en somme le refus de la religion des « oppresseurs ». Tel mécanisme pourrait avoir, pensons-nous, de nombreuses confirmations historiques; mais dans le secteur de l'athéisme des jeunes il n'a donné lieu qu'à bien peu de recherches jusqu'à présent. En somme il est difficile de dire jusqu'à quel point joue le mécanisme de défense par « agression transférée ».

Nous pensons en outre qu'une discussion sur le phénomène de l'athéisme juvénile — entendu au moins en partie, comme mécanisme de défense contre les frustrations personnelles et sociales — doit être complétée par d'autres considérations sur les modalités positives ou négatives que ces processus de « réadaptation » comportent. Ces derniers peuvent suggérer de nouvelles explications sur l'évolution possible de l'athéisme vers d'autres attitudes. Nous en reparlerons lorsque nous traiterons de la constitution de l'athéisme juvénile (§ 3).

de l'émigration et de l'immigration, de la *création ininterrompue de nouveaux rôles à jouer* en raison du progrès technique, et pour des raisons plus générales qui occasionnent une *incertitude dans le « statut » social des jeunes* [135]. A plusieurs reprises et au cours de nombreuses recherches il a été prouvé que ces facteurs ont une grande importance pour la religiosité : les enquêtes ont prouvé que les valeurs religieuses sont les premières qui subissent le contrecoup de la modification des valeurs sociales et morales; elles sont donc les premières responsables des conflits de mobiles et des mécanismes successifs d'adaptation auxquels les jeunes doivent se soumettre.

Un propos analogue peut être tenu quant à la formation et à la classification, suivant leur importance, des intérêts et des idéaux qui peuvent toucher un sujet (pour différentes raisons) dans un conflit avec les règles de la conduite religieuse et concurremment avec celles-ci.

Il est donc permis d'affirmer que la formation de la religiosité mûre (ou inversement d'une attitude religieuse dépourvue de base) est fonction du rapport entre le « *set* » de besoins, d'intérêts, d'idéaux et certains comportements religieux; il est aussi fonction de la possibilité concrète d'une synthèse organique entre ces divers éléments.

Nous renvoyons à plus tard l'étude de ce problème qui se rattache à des facteurs sociologiques de l'athéisme juvénile; et nous examinerons d'autres aspects de ce phénomène dans la sphère des tendances du développement personnel.

Le rapport entre les tendances de la personnalité et la religiosité a été étudié particulièrement par Freud. Ses considérations générales sur l'origine de la religion (aux niveaux individuel et social, tous les deux calqués sur le schéma du complexe d'Œdipe [136]) ont une certaine utilité pour éclairer aussi de l'intérieur quelques modalités du développement de la religiosité des jeunes, et par conséquent de leur athéisme [137]. Les

[135] Se reporter aux œuvres de D. Ausubel et F. Alberoni, citées plus loin.

[136] Il s'agit des thèses bien connues de Freud, exposées en particulier dans les ouvrages suivants : S. FREUD, *Totem und Tabu*, Vienne 1913, dans Gesammelte Werke, chronologisch geordnet, Imago Pub. Comp., Londres 1952, IX, p. 207; S. FREUD, *Zwangshandlungen und Religionsübungen*, dans Gesammelte Werke, XIV, pp. 393-396 (il date de 1928); S. FREUD, *Das Unbehagen in der Kultur*, dans Gesammelte Werke, XIV, pp. 419-506 (date de 1930).

[137] Cette dernière affirmation doit être précisée. Freud n'a certainement pas élaboré une théorie explicative propre de l'athéisme des jeunes, mais il a préparé, de son point de vue particulier, le problème de l'athéisme. Sa position, à ce propos, est amplement illustrée par d'autres collaborateurs dans ce même volume. Nous voulons seulement voir ici si l'hypothèse du conflit d'Œdipe que l'on met à l'origine de la religiosité peut justifier (par certaines de ses modalités) quelques caractéristiques de l'athéisme juvénile. L'évolution que nous supposons sort des vues de Freud :

affirmations de Freud complétées par d'autres études sur la sublimation de l'image du père [138] et encadrées dans leur exacte valeur épistémologique soulignent l'*importance des images parentales dans le processus de formation de la religiosité*. L'intégration manquée de la conduite religieuse dans le cadre général de la conduite de l'individu et en particulier les doutes, les conflits, les crises religieuses et l'abandon de la religion ont leur origine dans le problème familial qui n'a pas été résolu, dans la période précédente; il s'agit précisément de conflits avec images parentales sur le plan de la satisfaction de la « libido [139] ».

Cela évidemment ne ressort pas directement de l'œuvre de Freud, mais en est une conséquence directe possible et non unique : il y a aussi une autre conséquence de l'athéisme des jeunes en tant que dépassement de la religiosité considérée comme le comportement de l'homme inférieur, impuissant et puéril [140].

L'hypothèse envisagée peut être plausible et peut aussi être

celui-ci prévoit un passage de la religiosité à l'athéisme à travers d'autres processus et suivant d'autres modalités. Cf. à ce propos : S. FREUD, *Die Zukunft einer Illusion*, dans Ges. Werke, XIV, pp. 325-380 et S. FREUD, *Der Mann Moses und die Monoteistische Religion*, dans Gesammelte Werke, XIV, pp. 103-246.

[138] Nous pouvons nous référer aux apports de néo-freudiens sur le problème religieux, comme T. Reik, D. Forsyth, O. Pfister, O. Rank, E. Jones, J. C. Flugel; et d'autres en dehors du cadre conceptuel freudien, comme ceux que nous citons à la note 141.

[139] P. G. GRASSO, *Fondamenti sociologici e psicologici...*, dans *Educare*, II, Rome 1960², pp. 167 et 170.

[140] C'est une des positions de Freud sur le problème religieux. (Cf. en particulier *Die Zukunft einer Illusion*.) Elle est la suite d'autres théories de la religion qui en voyaient la source dans un sentiment de peur et de frustration devant les puissances déchaînées de la nature. A ce sentiment Freud ajoute celui de l'infériorité provenant des frustrations sexuelles continuelles : les deux mécanismes opèrent une régression vers l'état infantile et imaginaire (dans lequel Dieu est un protecteur tendre et secourable) qui sera surpassé, au seuil de la jeunesse, par la liberté sexuelle et la maturité de la pensée. Sous cet angle se dessine un athéisme juvénile qui est un mécanisme « nécessaire » de maturité et de dépassement de l'âge infantile, sans qu'il y ait un cadre de difficultés particulières affectives avec les parents. Cette hypothèse doit être contrôlée empiriquement bien qu'il soit déjà établi, non scientifiquement par une opinion répandue dans le monde des adultes, que la religion est une affaire de femmes et d'enfants, de personnes faibles et de vieillards.

Parallèlement à ce problème freudien et parfois identique à celui-ci, on trouve le problème marxiste dans lequel la religion est identifiée avec une sorte de conduite « aliénée », qui ne convient pas aux exigences d'un humanisme plus radical (du point de vue marxiste) : la religion serait donc destinée à être dépassée par une conduite a-religieuse et athée. Cette attitude marquerait un avancement de l'homme vers une sorte d'engagement plus ouvert sur la solidarité sociale, la justice, etc. Il n'est pas à exclure que ce raisonnement marque les jeunes quant à la loyauté qui doit régir les rapports entre groupes religieux et groupes engagés politiquement, socialement ou culturellement, et qui se servent de la solidarité humaine comme d'un levier.

confirmée également par l'expérience, en y ajoutant cependant tous les détails que l'on peut donner sur cette assertion. Étant donné comme acquis que les parents (indifféremment le père ou la mère, suivant d'autres enquêtes [141] effectuées en dehors du cadre théorique de Freud) ont une influence sur la formation de la religiosité, surtout dans la formation de l'idée centrale de Dieu, il n'est pas à exclure que des conflits émotifs et affectifs solidaires de la satisfaction de certains besoins de l'enfance, se manifestent après une période de latence et suivant un mécanisme en grande partie inconscient. Ce sont ces facteurs qui empêchent l'intériorisation d'une image adéquate de Dieu, devant servir d'axe à une religiosité bien conçue, et qui constituent une condition préliminaire de toute attitude athée subséquente [142].

[141] R. R. SEARS, *Survey of Objective Studies of Psychoanalytic Concepts*, New York 1943; O. STRUNK, *Perceived Relationships Between Parental and Deity Concepts*, dans *Psychol. Newsletter*, New York University, Tressell édit., 10 (1959), pp. 222-226; M. L. HOFFMANN, *The Role of the Parent in the Child's Moral Growth*, dans *Rel. Educ. Supplem.*, 1962; W. BITER (éd.), *Vorträge über das Vaterproblem*, Stuttgart 1954; A. GODIN, M. HALLEZ, *Images parentales et paternité divine*, dans *Lumen Vitæ*, 19 (1964), pp. 243-277; M. O. NELSON, E. M. JONES, *An Application of the Q-technique to the Study of Religious Concepts*, dans *Psychol. Reports*, 3 (1957), pp. 293-297; J. C. MOLONEY, *Mother God and Superego*, dans *J. of Americ. Psychoan. Assoc.*, 1954, 2, pp. 129-151; B. SPILKA, P. ARMATAS, J. NUSSBAUM, *The concept of God : a Factor-analytic Approach*, dans *Rel. Educ.*, 59 (1964), pp. 28-36; A. GODIN, *Le Dieu des parents et le Dieu des enfants*, Paris 1963; P. BOVET, *Le sentiment religieux et la psychologie de l'enfant*, Neuchâtel 1925; G. W. ALLPORT, *The Individual and his Religion*, New York, 1950, p. 103. De l'ensemble de ses études on peut déduire que les deux images parentales ont une grande importance pour l'intériorité du concept de Dieu.
Il est normal que l'expérience religieuse se base sur les expériences vitales les plus importantes de l'enfant, comme sont celles du rapport parental, et que de ces expériences dérivent toutes les conceptions religieuses jusqu'aux notions les plus transcendantes et spirituelles. Pour nous il est tout aussi nécessaire que dans cette élaboration se produise à un certain moment la maturation du processus que G. W. Allport appelle « autonomie fonctionnelle »; ce processus en effet assure une « continuité » d'origine avec les expériences en question et une « autonomie » causale, selon les nouvelles exigences de la personnalité en voie de développement.

[142] Il s'agirait, en somme, d'un athéisme qui aurait encore la possibilité de se développer vers une récupération de religiosité. Ces conflits ou réactions négatives auraient plutôt l'aspect de moyens tendant à refuser ou à dépasser une situation de rapports parentaux bivalents qui n'offrent pas de présuppositions pour une religiosité adéquate. En un tel cas de « réaction formation » (cf. G. W. ALLPORT, *op. cit.*, p. 104) certaines formes d'athéisme en liaison avec des rapports non satisfaisants avec les images parentales peuvent être vaincues par la normalisation de tels rapports. Noter en effet que, sur un plan strictement freudien, le dépassement de la bivalence œdipienne peut évoluer soit vers la religiosité (religion considérée comme la projection et la consécration du *status* de dépendance et d'amour), soit vers l'athéisme (comme prise de conscience définie du caractère névrosé de la conduite religieuse, à travers la psychanalyse).
Cette dernière perspective, la seule, selon Freud, authentiquement « humaine »,

En dehors d'un cadre étroitement freudien on peut penser à une autre explication de la religiosité comme conséquence du conflit dans la sphère des besoins par rapport aux images parentales.

L'adolescence et la jeunesse marquent le passage d'un état d'esprit en dépendance des images parentales vers une émancipation progressive et vers une autonomie : il s'agit d'un véritable refus de dépendance psychologique et sociologique vis-à-vis de la famille [143].

Ce processus *semble dépendre du besoin fondamental d'un statut primaire* et il est favorisé ou entravé par l'ensemble des attitudes éducatives des parents. On peut supposer que dans ce processus d'émancipation toutes les valeurs provenant du milieu familial subissent une révision profonde. Ne sont choisies, en vue d'une acceptation ultérieure, que les valeurs qui s'intègrent dans la nouvelle condition du jeune sujet qui s'achemine vers la maturité.

D'ailleurs lorsque les images parentales méconnaissent ou entravent le processus d'émancipation on peut avoir en plus de la révision des valeurs familiales, le refus de celles-ci ; ceci se produit dans la mesure où ces valeurs représentent le monde duquel le jeune sujet veut se libérer et *représentent la culture* des adultes qui s'opposent à l'autonomie [144]. Par-là on comprend pourquoi une grande partie de la *critique* violente, des *doutes*, de l'*abandon des pratiques religieuses*, etc. (qui sont le prélude potentiel à des attitudes plus nettes d'athéisme) n'a pas une origine essentiellement religieuse ; il s'agit plutôt de mécanismes de défense de la personnalité frustrée à un des moments les plus délicats de son développement. La « crise » religieuse prend l'aspect d'un symptôme superficiel et non pas « significatif » d'une opposition sur le plan des rapports avec les parents, rapports qui entravent la satisfaction de certains besoins fondamentaux de l'adolescent et du jeune homme. La révision critique des valeurs religieuses, reçues dans les rapports sociaux avec les parents, est donc différente : elle est réalisée dans le but d'atteindre une religiosité fondée sur de nouvelles bases — ce qui constitue le passage

est exposée dans Die Zukunft einer Illusion (Ges. Welke, XIV, pp. 325-380) et est reprise sous une autre forme dans Das Unbehagen in der Kultur (Ges. Werke, XIV, pp. 419-506). Nous nous référons au problème présenté par D. F. AUSUBEL, *Theory and Problems of Adolescent Development*, New York 1954. Cf. G. LUTTE, *Lo sviluppo della personalità*, Zurich 1963.

[143] Une discussion sur les rapports entre religiosité juvénile et religiosité parentale serait trop vaste et ne pourrait être faite ici. Des indications plus directes ne manquent pas dans certains articles que nous avons cités au sujet d'une corrélation étroite entre irréligiosité parentale et irréligiosité juvénile. Cf. par ex. R. V. MCCANN, déjà cité, H. CARRIER, *op. cit.*, pp. 107-125 ss.

[144] G. C. MILANESI, *Insegnamento della religione e dubbio religioso nella tarda adolescenza*, dans *Orient. Ped.*, 12 (1965), pp. 741-801.

obligatoire vers le comportement religieux de la maturité — en partant d'un refus a-critique, en grande partie inconscient, des attitudes religieuses que le sujet, à tort ou à raison, estime être des expressions d'une « culture » qu'il doit dépasser [145].

***

Du point de vue du développement émotif et affectif, la religiosité peut ne pas atteindre le niveau d'une attitude structurée à cause de raisons dépendant de la satisafction des besoins qui impliquent une plus grande participation émotive et affective.

A plusieurs reprises les enquêtes ont mis en évidence l'incidence des comportements sexuels (normaux et pathologiques, auto-érotiques et hétéro-sexuels) sur la diminution de la religiosité [146].

Sans avoir recours à une explication freudienne et post-freudienne [147] qui voit un rapport étroit et inversement proportionnel entre les deux

[145] M. POWELL, *Age and Sex Differences in Degree and Conflict within Certain Areas of Psychological Adjustment*, dans *Psychol. Monog.*, 69 (1955), pp. 1-13; R. G. ARMSTRONG, G. L. LARSEN, S. H. MOURER, *Religious Attitudes and Emotional Adjustment*, dans *J. Psychological Stud.*, 13 (1962), pp. 35-47; N. G. HANAWALT, *Feelings of Security and of Self-esteem in Relation to Religious Belief*, dans *J. Soc. Psychol.*, 59 (1963), pp. 347-353; R. A. FUNK, *Religious Attitudes and Manifest Anxiety in a College Population*, dans *Americ. Psych.*, 11 (1956), p. 376; O. STRUNK jr., *Relationship Between Self-reports and Adolescent Religiosity*, dans *Psychol. Reports*, 1958, pp. 683-686; W. H. CLARK, *The Psychology of Religion*, p. 117; G. W. ALLPORT, *op. cit.*, pp. 81-82; R. WILLOUGHBY, *Emotional Maturity of Some Religious Attitudes*, dans *J. Soc. Psychol.*, 1930, pp. 532-536.

[146] On remarquera que le problème des rapports entre sexualité et religiosité peut être traité sur d'autres plans : par rapport aux dimensions cognitives, tendancielles, opérationnelles ou d'opposition, auxquelles la personnalité peut s'adapter. Il s'agit ici de sa dimension émotive et affective qui semble être celle qui est engagée plus que toute autre dans le problème. Pour la position freudienne et néo-freudienne, on renvoie à J. C. FLUGEL, *Man, Morals and Society*, Londres 1945; O. FÉNICHEL, *The Psychoanalytic Theory of Neurosis*, New York 1945; O. PFISTER, *Christianity and Fear*, New York 1948; G. S. BLUM, *A Study of Psychoanalytic Theory of Psychosexuel Development*, dans *Gen. Psych. Monog.*, 39 (1949), pp. 3-39; B. A. FARRELL, *Psychological Theory and the Belief in God*, dans *Intern. J. Psychoan.*, 36 (1955), pp. 1-18; D. FORSYTH, *Psychology and Religion*, Londres 1935; E. JONES, *On the Nightmare*, Londres 1913. A un autre point de vue le problème est traité dans les œuvres déjà citées de L. Guittard, M. G. Ross, A. R. Gilliland, W. H. Clark, G. W. Allport, P. G. Grasso et dans J. NUTTIN, *Psychoanalyse et conception spiritualiste de l'homme*, Louvain 1950.

[147] Cette position a été soutenue par H. HALL : *Adolescence*, 2 vol., New York 1904, et par son école, en psychologie génétique et en psychologie religieuse, sur la base de considérations biologiques et évolutionnistes; celles-ci voient dans l'adolescence un fait étroitement lié à la puberté et au sexe, et dans les phénomènes de la religiosité de l'adolescence un mécanisme en antagonisme avec la sexualité juvénile, socialement inacceptable (cf. E. D. STARBUCK, *The Psychologie of Religion*, New York, 1899).

phénomènes, il semble que l'on puisse pour le moins affirmer que l'abandon ou la rupture de l'attitude religieuse est dû en ce cas à un processus de rationalisation d'une conduite parfaitement satisfaisante d'un point de vue émotif et affectif. Le problème est au fond celui qui a déjà été envisagé pour les mécanismes du choix dans la satisfaction des besoins : la religion est mise à part, car elle condamne les attitudes qui ont une fonction immédiate d'équilibre émotif et affectif et s'oppose directement à celles-ci. Un choix est effectué dans ce sens car la personnalité du jeune sujet n'est pas encore en mesure de préférer la satisfaction totale de sa personnalité à une satisfaction fragmentaire d'un besoin [148]. D'ailleurs les jeunes sentent davantage l'urgence d'un bon équilibre émotif et affectif aux heures historiques où l'« *anxiété de transition* » *des jeunes* devient plus aiguë; ceci est étroitement lié à la quantité croissante de frustrations provoquées par le processus d'émancipation de l'individu [149].

Il n'est donc pas étonnant que, dans les sphères culturelles où cette pression est plus forte, les jeunes emploient des moyens de refus et d'abandon de certaines règles religieuses qui s'opposent à des comportements ayant pour fonction de rétablir un certain équilibre (provisoire et partiel) émotif et affectif. Or cela ne veut pas dire que la religiosité soit repoussée en bloc, car il se trouve que l'on rencontre des tentatives faites pour harmoniser des portions de conduites opposées : ce processus prélude à une sécularisation plus radicale de la conduite, mais à ce point il est encore au niveau de la recherche d'une coexistence des deux attitudes [150].

b. *La religiosité des jeunes devient absolue*

Ce processus est en rapport avec celui que nous avons analysé précédemment : le processus de l'« intériorisation » de la conduite religieuse; on peut l'expliquer d'une façon nuancée dans le cadre de différentes définitions de la personnalité. A titre d'exemple nous nous référons à G. W. Allport, à C. Rogers, à H. Thomae.

---

[148] Cf. A. Ronco, *art. cité*, dans *Orient. Ped.*, 11 (1964), pp. 570-571; G. W. Allport, *Pattern and Growth in Personality*, New York 1961, pp. 100 ss.; G. W. Allport, *Becoming*, New-Haven 1955, § 14.

[149] P. G. Grasso, *I giovani stanno cambiando*, Zurich 1963, pp. 44-45, 129, 133; D. Ausubel, *op. cit.*, pp. 53 ss.

[150] G. C. Negri, *art. cité*, pp. 277 ss.; G. C. Negri, « *La révision de vie* »..., dans *Orient. Ped.*, 9 (1962), pp. 66-82. On y analyse le processus par lequel le sujet passe du conflit à une attitude de conformisme religieux formel, suivant les pensées de : Ausubel, Allport, Cole, Hurlock, Garrison, Kinney, Roberts, Schneiders et d'autres encore.

Suivant la *pensée d'Allport*[151] le processus tendant vers l'absolu peut être conçu comme une tendance à sélectionner, parmi les idées directives de l'existence, l'une d'elles considérée comme valeur suprême dépassant toutes les autres, et à placer cette idée comme trait cardinal ou central de la personnalité qui organise et oriente toute la ligne de conduite. Cet « absolu » est avant tout une valeur cognitive qui unifie la vision que l'individu a de lui-même et du monde en une perspective présente et surtout future. C'est en ce sens que certaines visions religieuses fondamentales de la réalité prennent dans le jugement de l'individu le sens du « sacré » et participent à la fonction exceptionnelle de ce concept par rapport à l'organisation de la conduite.

Un éclaircissement ultérieur de l'idée d'absolutisation de la religiosité nous vient de la *psychologie de la personnalité* de C. Rogers[152] d'inspiration phénoménologique. Du point de vue de cet auteur nous pouvons estimer comme « devenue absolue » une conception de vie qui arrive à façonner et à organiser le champ perceptif d'un individu en se plaçant dans la région centrale des perceptions qui intéressent le noyau fondamental du champ phénoménologique même que l'on appelle « le moi ». La religiosité devient alors la motivation consciente, centrale et actuelle du comportement parce qu'elle façonne le centre de tout le champ perceptif; en conséquence elle stimule les énergies tendant à conserver et à élargir ce noyau. Les évaluations contingentes dépendent donc de cette dimension cognitive fondamentale de l'individu et toute sa conduite en est conditionnée.

D'ailleurs cette façon de voir la centralisation des valeurs religieuses est aussi prévue *dans la pensée de Thomae*[153]. L'accomplissement de « l'absolu » dans la conduite religieuse se produit lorsque les motifs et les valeurs correspondantes viennent faire partie d'une façon déterminante du jeu des directives du développement total de la personnalité, que l'on appelle « le moi prospectif ». En somme ce « moi prospectif » est l'idée de soi-même qui se forme tout au long de la vie à la suite de décisions fragmentaires cohérentes et d'un choix définitif du fond : à son service

[151] G. W. ALLPORT, *Individual and his Religion*, New York, 1950, pp. 92-97; 79-83 ss.; G. W. ALLPORT, *Becoming*, New-Heaven 1955, § 21; G. W. ALLPORT, *Pattern and Growth, in Personality*, New York 1961, pp. 98-101.
[152] Cf. A. W. COMBS, D. SNYGG, *Individual behaviour*, New York 1959, pp. 16 ss.; G. V. RAMSEY, *Perception. An Approach to Personality*, New York 1951; A. RONCO, *Considerazioni sopra una teoria fenomenologica della personalità*, dans *Salesianum*, 22 (1960), pp. 326-349; R. ZAVALLONI, *Educazione e personalità*, Milan 1956, pp. 18-25. En outre on renvoie à l'œuvre de C. ROGERS, *Client Centered Therapy*, New York 1951; C. ROGERS, R. F. DYAMOND (éditeurs), *Psychoterapy and Personality Change*, Chicago 1954; C. ROGERS, *On Becoming a Person*, Boston 1961; cf. aussi K. LEWIN, *A Dynamic Theory of Personality*, New York 1935.
[153] H. THOMAE, *Der Mench in der Entscheidung*, Munich 1960.

se mettent les énergies du « moi propulsif » qui de cette façon seulement tirent une signification et une direction. Une religiosité de cette sorte devient un « absolu » psychologique d'une grande importance pour toute la conduite.

Le processus d'absolutisation ainsi compris n'arrive à son achèvement qu'en des cas déterminés [154]. Dans l'éventualité d'une insertion manquée des motivations religieuses au milieu des motivations centrales de la personnalité, a lieu un *processus progressif vers la marginalité* car d'autres valeurs tendent forcément à occuper une place centrale directive dans la personnalité de l'adulte ou du sujet en voie de formation. Les étapes de cette tendance centrifuge des motivations religieuses présentent un grand intérêt pour le développement de l'athéisme des jeunes, bien qu'il faille d'autres faits et d'autres explications supplémentaires pour aboutir au stade de l'irréligiosité la plus complète. A l'ordinaire, le jeu des motivations religieuses qui sont devenus marginales tend à trouver un équilibre stable avec les motivations centrales non religieuses ; il se borne à contrôler des régions segmentaires de comportement et, pour une durée limitée, dans le cadre d'ensemble du psychisme individuel [155].

Les caractéristiques de cette religiosité marginale par rapport à l'accomplissement manqué du processus d'intériorisation sont : une motivation au niveau du « super-moi » et non du moi profond, une attitude de défense plutôt que de création, une influence limitée sur le comportement, une certaine charge d'anxiété [156]. Ce sont des caractéristiques qui peuvent devenir utiles même pour éclaircir l'athéisme des jeunes qui en découle.

Dans le processus d'absolutisation de la religiosité, il faut non seulement signaler la possibilité d'évolution vers une *religiosité marginale*, mais aussi marquer le caractère surtout fonctionnel *de l'absolu religieux*. Les valeurs religieuses tiennent un rôle central non seulement parce qu'elles sont porteuses de contenus « objectivement » absolus, mais parce qu'elles « fonctionnent » comme absolus. On a en effet remarqué dans certaines enquêtes [157] que d'autres valeurs que l'on juge moins valables « objectivement » peuvent remplir les mêmes tâches que la

---

[154] On exige chez le sujet certains « minima » d'intelligence associés à des processus de satisfaction des besoins excités par de hautes aspirations. Cf. H. CARRIER, *op. cit.*, pp. 249 ss., p. 254.

[155] A. D. WOODRUFF, *art. cité*, dans *J. Soc. Psychol.*, 22 (1945), pp. 141-147. Se reporter en outre aux articles cités par C. C. Negri.

[156] Outre l'article cité de A. D. Woodruff, cf. W. H. CLARK, *A Study of Factors Leading to Achievement and Creativity*, dans *Soc. Psych.*, 41 (1955), pp. 57-69.

[157] P. C. GLICK, K. YOUNG, *Justifications for Religious Attitudes and Habits*, dans *J. Soc. Psychol.*, 17 (1943), pp. 45-68; T. H. HOWELLS, *A Comparative Study of*

conduite religieuse pour organiser et catalyser les processus psychiques de l'individu. On parle ainsi de valeurs religieuses « de substitution »; objectivement — c'est-à-dire sur la base d'évaluations philosophiques et théologiques — ces nouvelles valeurs sont « inférieures » à la religion, mais elles la remplacent suffisamment quant au caractère fonctionnel psychologique et sociologique. Bien que certains [158] parlent d'une supériorité fonctionnelle des idées et des conduites religieuses, il est clair qu'il existe la possibilité de considérer non essentielle une religiosité centralisée et rendue absolue pour un développement positif de l'esprit individuel. On peut donc admettre, de ce point de vue, une disparition progressive de la religiosité individuelle, sans que pour autant l'esprit de l'individu ait à en souffrir. Cette conclusion est en opposition avec de nombreuses affirmations de psychologues et de psychiatres, et elle rencontre des difficultés aussi d'un point de vue de la théorie *fonctionnaliste* de la religiosité [159]. Il ressort toutefois que de ce point de vue l'athéisme juvénile trouve une nouvelle possibilité d'explication; on peut le considérer soit comme le résultat progressif d'un processus de substitution des valeurs qui sont absolues objectivement et pas seulement fonctionnellement, soit comme valeur de substitution par lui-même.

Or, pour arriver à cet état de fait, d'autres faits doivent se produire conjointement avec d'autres dimensions du développement de l'individu : *les dimensions sociales de la personnalité religieuse.*

Les remarques faites pour le processus d'intériorisation sont valables également ici : les facteurs qui empêchent à tous les niveaux une centralisation de la conduite religieuse sont indirectement et de loin les facteurs d'une marche progressive vers l'athéisme qui devra toutefois faire l'objet d'une explication en introduisant d'autres variables.

those who Accept as Against those who Reject Religious authority, dans University of Jowa Studies, Studies in Character, First series n⁰ 167, II, 1928, pp. 1-80; J. M. YINGER, *Religion, Society and the Individual : an Introduction to the Sociology of Religion*, New York 1957, pp. 25 ss.; G. B. VETTER, M. GREEN, *Personality and Group Factors in the Making of Atheists*, dans *J. Abn. Soc. Psych.*, 1932, pp. 179-194; D. T. SPOERL, *Some Aspects of Prejudice as Affected by Religion and Education*, dans *J. Soc. Psych.*, 33 (1951), pp. 69-76; C. I. O'REILLY and E. J., *Religious Beliefs of Catholic College Students and their Attitudes toward Minorities*, dans *J. Abn. Soc. Psych.*, 49 (1954), pp. 378-380.

[158] G. W. ALLPORT, *Individual and his Religion*, New York 1950, pp. 67 ss.; M. H. SHERMAN, *Values, Religion and the Psychoanalyst*, dans *The Soc. Psych.*, 45 (1957), pp. 261-269; E. ERIKSON, *On the Sense of Inner Identity*, dans R. P. KNIGHT, C. R. FRIEDMAN (édit.), *Psychoanalytic Psychiatry and Psychology*, New York 1954; N. W. GRENSTED, *The Psychology of Religion*, Londres 1952; H. CARRIER, *op. cit.*, pp. 242-246.

[159] H. CARRIER, *op. cit.*, pp. 242-246, 256-261.

Nous ne croyons pas qu'il y ait lieu d'approfondir ici une par une toutes les causes de la réalisation manquée de l'absolutisation : elles sont analogues à celles que nous avons citées plus haut pour le processus d'intériorisation (c'est-à-dire des facteurs cognitifs, affectifs, émotifs, tendanciels, etc.), mais elles fonctionnent en conservant un rapport plus étroit avec les dimensions sociologiques de la religiosité juvénile. Le processus qui régit la tendance vers l'absolu se réalise sur la base de la dimension « valeur » de la religiosité ; à son tour celle-ci est déterminée à la fois par le degré d'intériorité et par le degré d'importance sociale que la religiosité assume dans un contexte culturel déterminé.

c. *Socialisation de la religiosité des jeunes*

La troisième caractéristique de la religiosité des jeunes est la socialisation. Elle est en rapport étroit avec les *processus d'acculturation* chez l'individu ; c'est à cet âge que l'homme devient « personne sociale », d'abord parce qu'il s'insère définitivement dans la société, ensuite parce qu'il fait définitivement siens les modèles culturels qui constituent le système des normes-valeurs [160].

De tels processus sont déjà en voie d'accomplissement aux âges précédents, mais ils arrivent maintenant à leur parfaite expression : à cet âge on constate combien est *abstraite la distinction entre personnalité individuelle* ou psychologique *et personnalité sociale* ou sociologique ; elles agissent l'une sur l'autre au niveau dynamique de formation, en donnant lieu à une personnalité unique.

La religiosité de l'individu a la même extension que les dimensions sociales de la personnalité du sujet. Tout d'abord la conduire religieuse individuelle vient en contact avec les modalités formatives et dynamiques du système social et culturel dans lequel elle est insérée ; elle ne peut donc pas se soustraire au jeu des influences mutuelles qui s'organisent avec ces modalités.

[160] C'est volontairement que nous n'avons pas voulu traiter les problèmes dépendant de l'insertion dans le groupe religieux (l'Église) qui représente un aspect de la socialisation de la religiosité individuelle. Nous remarquerons seulement que l'adhésion au groupe religieux, après avoir atteint une première étape positive pendant les années de la première adolescence, subit une crise pendant la seconde adolescence, crise qui résulte d'un conflit entre le travail intérieur et la socialisation de la religiosité ; (cf. : D. ELKIND, *The Child Conception of his Religious Denomination ;* I. *The Jewish Child*, dans *J. Gen. Psych.*, 99 (1961), pp. 209-225 ; II. *The Catholic Child*, dans *J. Gen. Psych.*, 1962, pp. 101, 185-193 ; III. *The Protestant Child*, dans *J. Gen. Psych.*, 103 (1963), pp. 291-304). On arrive ainsi à la formation d'une religiosité *personnelle*, souvent en contraste avec la religiosité *officielle* de la religion établie ; ce phénomène doit être placé dans le problème des doutes religieux, des conflits parentaux, de la concurrence avec des groupes de référence, etc.

On dirait que ce processus ne se produit pas chronologiquement
« après » le travail d'intériorisation et d'absolutisation, mais en même
temps ; le genre de religiosité qui en résulte est à la fois individuel et
social, intérieur et ouvert [161].

On reconnaît une importance prépondérante à l'*ensemble des modèles
formant la personnalité de base de l'individu* et qui reflètent hiérarchiquement et organiquement les valeurs de la culture de base dont l'individu participe [162]. Considérant le développement d'attitudes religieuses négatives qui préludent à l'irréligion et à l'athéisme, il n'est pas difficile de rencontrer une personnalité de base dépourvue ou peu dotée de valeurs sociales et morales, ouvertes à une corrélation positive avec la religiosité. C'est ici que se place tout le problème d'une société qui s'est peu à peu « sécularisée » et qui produit des individus munis d'une personnalité de base fermée aux valeurs religieuses.

A ce propos il faudrait tenir un raisonnement plus précis sur les modalités concrètes de l'influence exercée sur la psychologie des jeunes par les transformations sociales auxquelles on fait remonter le processus actuel de sécularisation de la culture occidentale. Le contrôle sur le plan psychologique des variables sociologiques prend en effet, au moment de l'évolution de la jeunesse, une importance particulière, pour les raisons que nous avons exposées. Les modifications envisagées sont attribuées par tous les auteurs dans leur ensemble à l'industrialisation et à l'urbanisation qui sur le plan psychologique provoqueraient par exemple des changements dans le rythme de la vie, dans la conception du temps, dans la sensibilité et la perception et dans la mentalité [163]. D'après d'autres auteurs de tels changements se produiraient aussi dans le rythme espace-temps de la vie, dans la sensibilité et la perception, dans l'attitude

---

[161] G. C. Negri, *Metodologia speciale della catechesi evolutiva*, dans *Educare* (par P. Braido), Zurich 1964³, IIIᵉ volume, pp. 441-443.

[162] Au sujet des nombreux problèmes sur la « personnalité de base », nous renvoyons à ce que dit R. Linton, dans l'introduction de l'ouvrage : A. Kardiner, *The Psychological Frontiers of Society*, New York 1945, et dans R. Linton, *The Cultural Background of Personality*, New York 1945. Cf. aussi A. Kardiner, *The Individual and his Society*, New York 1939 ; M. Dufrenne, *La personnalité de base ; un concept sociologique*, Paris 1953 ; P. G. Grasso, *Personalità giovanile in transizione*, Zurich 1964, pp. 2-6, 41, 79-80, 215-218. Notons ici la notion de « personnalité de base » énoncée par H. B. et A. C. English (*A comprehensive dictionary of psychological and psychoanalytical terms*, New York, Londres, Toronto, 1958, p. 60), et tirée de A. Kardiner : « C'est la configuration des caractéristiques de la personnalité auxquelles participe la majorité des membres d'un groupe social, en tant que résultat d'expériences communes, — les attitudes et les valeurs fondamentales et centrales de la majorité d'une société. »

[163] Selon Friedman et Mauss.

cognitive [164] ou aussi dans le déplacement de l'attention psychologique du système normes-valeurs vers le système moyen-but sur le plan de l'efficience technologique [165].

Les répercussions de ces mutations psychologiques sur la religiosité de l'individu et du groupe sont de natures diverses; ce sont : l'absence d'une « pause » permettant de réfléchir sur la religion, — la superficialité accrue des sentiments, — un « sens » diminué de la nature dû à la rationalisation excessive de la vie et au caractère technique des rapports de travail qui ne permet pas de saisir les dimensions « sacrées » de la nature, — la prépondérance des attitudes cognitives « quantitatives » sur les « qualitatives » qui tendent à « désacraliser » tout objet et à le projeter dans la pure dimension de la fonction pragmatique et à lui enlever toute dimension « intentionnelle », — la dépersonnalisation de l'homme qui est absorbé par l'organisation de la vie, ce qui lui ôte les énergies et les intérêts qui ne sont pas dirigés vers la connaissance des rôles nouveaux que la société produit continuellement, — le conditionnement de l'homme par le « machinisme » qui lui enlève toute initiative spirituelle personnelle, etc.

Ces orientations atteignent une importance psychologique quand elles passent du plan de la psychologie descriptive et intuitive à celui de la psychologie scientifique qui cherche à les encadrer dans des concepts et des processus que l'on peut observer, contrôler, dénombrer.

Nous croyons qu'un tel travail n'a pas encore été fait, en particulier dans le secteur spécial de la psychologie religieuse des jeunes. Il faudra donc orienter la recherche également dans cette direction, et se demander jusqu'à quel point il est possible de constater les mutations envisagées d'après des facteurs cognitifs, émotifs-affectifs, tendanciels, opératifs, etc.

Pour le moment *un contrôle du passage du plan sociologique au plan psychologique des mutations relatives au phénomène de l'athéisme des jeunes n'est possible à notre avis qu'à travers l'analyse des enquêtes sur les « valeurs » sociales et religieuses des jeunes.*

Il semble en effet que l'idée de « valeur » s'interpose entre, d'une part, la culture de base dans laquelle l'individu est inséré et qui est l'image de la société actuelle et, d'autre part, le reflet de nombreuses composantes psychologiques de la religiosité du sujet : la « valeur » prend l'aspect d'« attitude » et, comme telle, elle comprend les composantes cognitives,

---

[164] G. S. ACQUAVIVA, *L'eclissi del sacro nella civiltà industriale*, Milan 1961, pp. 176-198.

[165] F. ALBERONI, *Contributo allo studio dell'integrazione sociale dell'immigrato*, Milan 1960, pp. 102-109.

tendancielles, émotives, affectives; d'une certaine façon elle résume presque toute la personnalité.

Dans une autre partie de notre ouvrage nous avons examiné quelques enquêtes de ce genre. Il nous semble ici plus opportun de nous référer explicitement à certaines d'entre elles dont l'autorité méthodologique présente des résultats plus solides.

Nous nous bornerons à exposer les conclusions des études faites par P. G. Grasso [166] dont nous avons déjà signalé précédemment les résultats d'une façon analytique.

Ses conclusions sont schématiquement les suivantes :

1. Les mutations sociales et religieuses de la culture occidentale sont suffisamment mises en lumière par des « modèles concrets d'attitude religieuse, réels et mentaux » de la jeunesse d'aujourd'hui.

2. L'ensemble des modèles de comportement religieux mis en lumière, bien qu'étant en continuité avec la culture religieuse « traditionnelle », tend à devenir autonome : ils ne correspondent plus aux évaluations données à ce propos par des « experts » du groupe religieux auquel les sujets appartiennent.

3. Le changement des modèles de comportement religieux est fonction directe (sauf éclaircissements analytiques ultérieurs) des changements sociaux et culturels de notre époque; il se dirige vers les valeurs sociales mises en lumière par le genre de vie « organisé » et « rationalisé » de la culture occidentale industrielle et urbaine.

4. Les modèles de comportement religieux tendent, sous la poussée des valeurs socio-culturelles courantes, à se séparer des modèles de comportement moral : en effet les motivations de ces derniers sont de moins en moins de type religieux.

Ces conclusions ne servent qu'en partie à rendre compte des modalités psychologiques provoquées par les changements sociaux [167] : elles constituent cependant une indication précieuse car elles montrent le sens d'un certain processus de désacralisation en cours, sans empêcher

[166] P. G. GRASSO, *I giovani stanno cambiando*, Zurich 1963, pp. 41 ss., 129 ss.

[167] Une analyse davantage approfondie des résultats donnerait des indications utiles sur le degré de « religiosité » des valeurs dans les zones de la moralité « naturelle », « sacralisée », « sans faute », « sociale », « libérale », « défensive », « commutative », « tolérante ». En outre elle permettrait d'évaluer le « caractère sacré » des attitudes « en face de la vie », « en face de la société », « en face de soi-même ». Il est vrai que l'enquête ne concerne que la région culturelle italienne et qu'elle a besoin de confirmation ultérieure. Elle nous a cependant paru présenter un grand intérêt pour certaines situations telles que celles de l'Italie, caractérisées par la nature transitoire des valeurs à cause de la rapidité des transformations sociales.

pour autant d'autres prévisions dans les développements (positifs ou négatifs) du phénomène.

Quelles que soient les causes d'une telle sécularisation progressive, il est évident que les conditionnements sociologiques s'insèrent dans la psychologie religieuse individuelle juste au niveau de l'acculturation [168].

On comprend alors comment une religiosité individuelle ne trouve pas la façon d'atteindre sa pleine maturité lorsque les valeurs-base de la culture sont dans un sens a-religieux. Les différents processus d'adaptation de la personnalité au milieu joints à la satisfaction des besoins individuels et sociaux de l'individu provoquent un nivellement réciproque des valeurs religieuses et profanes, ainsi qu'un lent tarissement des premières qui sont isolées et neutralisées par les secondes [169]. On peut affirmer que le mécanisme par lequel la religiosité, au lieu de devenir le *set* central des décisions se place progressivement en marge de la personnalité, trouve son catalyseur le meilleur dans une culture exempte de toute valeur religieuse.

Il est possible de mettre en lumière des réactions analogues en se posant le problème du point de vue de l'insertion du jeune sujet dans la société. Il a été constaté que le jeu des « loyautés » multiples envers les groupes de référence auxquels le jeune sujet appartient introduit la nécessité d'un choix [170]. Ce choix se produit entre la loyauté envers le groupe religieux et la loyauté envers les différents groupes profanes; il est orienté dans le sens des « groupes de référence » auxquels le sujet appartient, car ceux-ci semblent offrir « hic et nunc » les plus grandes satisfactions émotives et affectives et contenter les besoins psycho-sociaux les plus urgents.

Les choix effectués dans le sens des loyautés de groupe concurramment avec le groupe religieux prennent parfois une signification éminemment polémique. Ils représentent en certains cas une « protestation » contre les incohérences et les déficiences, réelles ou prétendues

---

[168] Nous remarquerons ici incidemment que ce processus ne cesse pas avec les expériences de la première enfance; il se poursuit jusqu'à la maturité de l'individu. Cf. quelques détails dans P. G. GRASSO, *op. cit.*, pp. 41-42, note 1.

[169] Cf. plus loin pour le problème du nivellement des valeurs religieuses.

[170] H. CARRIER, *op. cit.*, pp. 228 ss. (avec sa bibliographie); H. CARRIER, *Le rôle des groupes de référence dans l'intégration des attitudes religieuses*, dans *Soc. Compass*, 1960, pp. 139-160. Les problèmes dépendant des groupes de référence sont proches (et souvent identiques) de ceux de la *peer culture* des jeunes pour laquelle on a une riche littérature. Cf. le récent J. B. WILTHEY, *The Influence of the Peer Group on the Values of Youth*, dans *Relig. Educ. suppl.*, 1962, pp. 34-44; H. CARRIER, *La désaffection religieuse des jeunes*, dans *Rev. de l'Action Popul.*, 149 (1961), pp. 677-689.

L'athéisme des jeunes

telles, du groupe religieux — d'une manière concrète : l'Église et le clergé — sur le plan des problèmes humains les plus urgents. Une telle protestation est soutenue en partie par perfectionnisme qui est le propre des jeunes et qui alimente les critiques de ces derniers envers le monde des adultes. A cette protestation s'ajoute parfois le choix positif d'un engagement (politique, syndical, culturel, assistantiel, etc.) qui représente pour le jeune sujet une véritable promotion dans le sens d'un humanisme plus riche et plus sincère. Il semble donc que l'athéisme, ou l'irréligion, soit placé au second rang par rapport aux besoins de satisfaire le sens de solidarité et d'identification avec des catégories sociales et des groupes particuliers qui incarnent des idéaux de vie concrète.

De toute façon le groupe des jeunes joue un rôle décisif dans la socialisation de la conduite religieuse aussi bien en tant que groupe type comme groupe réel d'insertion. Les groupes de jeunes (qu'ils soient constitués ou non) sont les dépositaires de la *peer culture* qui semble un fait maintenant acquis dans les régions industrialisées et urbanisées de l'Occident. Leur fonction consiste à conérfer aux jeunes le « *statut primaire* », à leur offrir des compensations pour les frustrations individuelles et sociales, à faciliter la solution de nombreux problèmes que le monde des adultes ne veut ou ne sait attaquer. C'est une fonction positive si l'on pense à la nécessité de remplacer par des groupes « intermédiaires » l'efficience diminuée des groupes « majeurs » (famille, école...). C'est une fonction négative si le groupe établit une « barrière culturelle », s'il ne permet pas l'insertion dans d'autres groupes (surtout dans les plus importants), portant ainsi atteinte à l'intégration socio-culturelle de l'individu.

Cela a également valeur pour la religiosité; le besoin qu'ont les jeunes de s'associer (même du point de vue confessionnel) a un double rôle par rapport aux valeurs religieuses. La fonction médiatrice du groupe pour atteindre une religiosité mûre et une adhésion cohérente au groupe religieux ne se réalise que si ce groupe est ouvert vers d'autres groupes et d'autres valeurs fondamentales du système socio-culturel. Cela permet un rapprochement direct et positif entre valeurs religieuses et valeurs culturelles profanes et facilite le processus de socialisation de la religiosité.

Dans le cas contraire la religiosité de l'individu n'arrive pas à s'insérer dans les valeurs vitales et elle court le risque de perdre son importance et de sortir peu à peu du cadre des modèles de conduite.

3. RELIGIOSITÉ MARGINALE, IRRÉLIGION, ATHÉISME

De tout ce que nous avons dit sur les caractéristiques de la religiosité juvénile et sur les motifs d'une intégration religieuse manquée au niveau social et individuel, nous n'avons pas vu ressortir de processus particuliers susceptibles d'expliquer isolément la naissance de l'athéisme juvénile. Tout au plus avons-nous mis en lumière des symptômes d'un passage progressif d'une religiosité normale à une religiosité déficiente et à une irréligiosité débutante.

Il faut cependant rappeler qu'une irréligiosité débutante ne contient pas forcément les prémisses d'un athéisme plus radical. Nous avons même essayé de prouver que bien souvent les jeunes ont tendance à se fabriquer un équilibre psychique plutôt stable dans lequel coexistent des motivations profanes de la conduite qui occupent une place centrale, et des motivations religieuses, séparées des premiers, et marginales. On constate en outre la survivance d'un comportement religieux partiel et du sens de dépendance; ceci même chez des jeunes que l'on peut définir définir « irréligieux » pour leur manque de pratique d'un culte.

Mais pour passer de ce stade à celui de l'athéisme, d'autres causes sont nécessaires, qui fassent précipiter la situation. Dans le cas en question nous pensons que les facteurs intéressants sont grosso modo les mêmes que ceux qui ont provoqué une religiosité marginale et une irréligiosité initiale [171].

Nous suivrons la marche de ce processus suivant les considérations d'H. Carrier [172] complétées par d'autres apports significatifs.

* *

Du nivellement des attitudes religieuses à l'abandon de la pratique religieuse, à la rupture de l'unité des croyances religieuses, puis à l'incrédulité et à la rupture de toute appartenance, telle semble être la marche d'une « mobilité négative » progressive de l'attitude religieuse [173], cette

---

[171] Cela pourra donner l'impression d'une répétition inutile des résultats déjà acquis au paragraphe précédent. Nous pensons cependant que l'on en tire une façon différente d'agir et d'influer, telle qu'elle justifie la distinction que nous avons faite des deux moments successifs.

[172] H. CARRIER, *op. cit.*, pp. 211-246.

[173] Les *patterns* envisagés par Carrier peuvent être compris soit dans le sens de modalités d'attitudes religieuses « isolées » chez des individus seuls ou chez des groupes; soit dans le sens d'étapes successives d'un unique processus psycho-sociologique vers l'irréligion et l'athéisme. A notre avis il est plus utile de tenir compte de la seconde hypothèse, lors même que la première se prêterait plus facilement à une considération typologique du problème.

marche est, à un certain point de vue psycho-sociologique, l'équivalent du processus de développement de l'athéisme juvénile.

L'intérêt de Carrier et sa ligne de raisonnement tournent plutôt autour de la dimension sociologique, mais offrent cependant de nombreuses idées pour une interprétation psychologique.

Nous n'exposerons pas toute sa pensée mais nous la commenterons dans les limites où notre propre pensée trouvera intérêt à le faire.

Quant au problème du nivellement des attitudes religieuses, nous partageons, certes, l'idée de Carrier en ce qui concerne la carence de recherches partielles sur ce phénomène; telles sont les études de Schmitt-Englin, Fichter, Telford, Nelson [174]; mais nous ajoutons que les hypothèses envisagées par ces derniers sont confirmées de plusieurs côtés par des enquêtes faites en des secteurs socio-culturels différents [175]. L'ensemble des enquêtes permet de constater le nivellement des valeurs religieuses, d'en découvrir les différents modèles (suivant le sexe, l'âge, l'éducation, le niveau social) et d'en étudier de près les processus. *Le phénomène du nivellement devient important pour le problème de l'athéisme juvénile quand il est relié à une grande série d'autres phénomènes qui sont cités comme condition sociologique et psychologique de l'athéisme lui-même.* S'il semble toutefois qu'il y ait une certaine liaison logique progressive entre le nivellement et les modèles successifs (abandon de la pratique, rupture des croyances, incrédulité, et rupture d'appartenance), il ne semble pas que les raisons sociologiques d'un tel passage (et encore moins les raisons psychologiques) soient toujours évidentes.

Par exemple l'abandon de la pratique religieuse joue certainement un rôle important, soit en lui-même, soit en union avec un nivellement éventuel des valeurs, soit encore en liaison avec un autre modèle de rupture de croyance.

Le fait de l'abandon ne peut être généralisé : Carrier le remarque et nous-mêmes sommes arrivés aux mêmes conclusions après l'analyse de nombreuses recherches qui chez Carrier ne sont présentes qu'implicitement [176]. Mais lorsque cela se produit, on peut supposer, à notre avis, que c'est en relation étroite d'interdépendance avec le phénomène de nivellement; les « causes » de l'abandon de la pratique décrites par Carrier sont aussi à la base du phénomène de nivellement et aussi d'autres *patterns*.

L'absence d'instruction religieuse et morale [177] est en effet un

[174] H. CARRIER, *op. cit.*, pp. 217-221.
[175] Nous ne nous arrêterons qu'aux études déjà citées de P. G. Grasso et de G. C. Negri, ainsi qu'à la récente étude américaine faite par le *National Opinion Research Centre* (Univ. of Chicago Press, 1965).
[176] H. CARRIER, *op. cit.*, pp. 221 ss.
[177] H. CARRIER, *op. cit.*, pp. 224 et 126 ss.

facteur décisif à la fois du nivellement (parce qu'il ne permet pas une intégration solide des valeurs religieuses dans la personnalité et exposent plus facilement celles-ci au tarissement lorsqu'elles sont en contact avec d'autres valeurs profanes) et de l'abandon (parce que les motivations les plus impératives pour la pratique religieuse viennent à faire défaut en même temps qu'une attitude plus stable d'appartenance religieuse). C'est ainsi que les causes les plus explicitement « psychologiques »[178]« telles que le refus de l'autorité familiale et de la religiosité afférente, ainsi que le fait que les valeurs religieuses sont mises de côté, expliquent le nivellement et l'abandon : car ces causes favorisent la « rupture » entre religiosité de l'enfance et religiosité de l'adulte, sans que soit permise une explication progressive et autonome de la nouvelle religiosité du jeune sujet [179].

Les causes « socio-culturelles », telles que la situation confuse du rôle et du « statut » social du jeune sujet et la concurrence des groupes auxquels on se réfère, sont encore plus convaincantes : elles prouvent une étroite unité des deux variables de la mobilité religieuse négative.

Si l'on établit une certaine liaison causale entre abandon du comportement religieux et « rupture » d'unité des croyances [180], comme il semble que cela se passe pour certaines communautés religieuses particulières qui professent des synthèses doctrinales « unitaires », les trois phénomènes pourront à la fois mieux expliquer l'affirmation de l'athéisme.

Il est possible d'envisager d'autres facteurs en plus des précédents qui sont étroitement liés entre eux. *Une étude approfondie de « pattern » particulier représenté par la rupture de l'unité des croyances ne peut négliger le problème du doute religieux.* Le doute religieux est évidemment une modalité de la rupture des croyances; par certains auteurs il est considéré comme un passage obligatoire vers une forme d'athéisme pratique et théorique des jeunes [181].

[178] H. CARRIER, *op. cit.*, p. 225.
[179] Comparer l'analyse des développements cités dans les pages précédentes.
[180] H. CARRIER, *op. cit.*, pp. 236 ss.; J. W. LIEBERMAN, *The Relationship of Religious Observance to Faith; an Attempt of a Developmental Interpretation*, dans *Relig. Educ.*, 59 (1964), pp. 253-257; B. LASERWITZ, *Some Factors Associated with Variations in Church Attendance*, dans *Soc. Forces*, 39 (1961), pp. 301-309; J. KOSA, C. O. SCHOMMER, *Religious Partecipation, Religious Knowledge and Scholastic Aptitude; an Empirical Study*, dans *J. f. Scient. Stud. of Rel.*, 1 (1961), pp. 96 ss. Il manque en revanche de sérieux contrôles statistiques sur le rapport entre pratique religieuse et adhésion aux croyances. Seules quelques études parmi celles dont on a parlé dans la première partie de cet article font systématiquement ce rapprochement en aboutissant à des résultats non parfaitement homogènes.
[181] C'est dans ce sens qu'a écrit L. Guittard; on en parle aussi dans les enquêtes déjà citées de Delooz, Gouyon, Javaux et autres. En tenant compte des réserves

Pour Allport en particulier on peut parler d'un double genre de doute : il y a le doute de l'homme mûr (déjà en possession d'une religiosité intégrée) qui est un *pattern* normalement positif ouvert sur le consolidement global de la croyance à travers une critique des aspects partiels de la croyance-même ou à travers la révision des motivations de certaines croyances en particulier [182]. Mais il y a aussi un doute essentiellement ambigu et qui engendre donc un développement négatif quand il part d'une croyance non basée sur une motivation rationnelle [183]. C'est le doute de l'adolescent et des jeunes (comme de l'adulte non mûr du point de vue religieux); il évolue dans un sens positif ou négatif suivant la quantité et la qualité des informations supplémentaires qui sont fournies à l'intéressé et qui ont pour but de vaincre les contradictions théoriques, émotives ou impulsives que de tels doutes impliquent.

C'est donc en substance un phénomène bivalent; il n'a une signification précise qu'en union avec toutes les autres variables de l'attitude religieuse et d'une façon plus générale avec les variables du développement psychique [184].

La phénoménologie du doute de l'adolescence semble arriver à la conclusion que l'attitude n'est pas toujours orientée vers une révision réelle des croyances religieuses mais qu'elle représente plutôt un mécanisme exempt de toute théorie, en grande partie inconscient, — mécanisme de défense et d'adaptation dans certaines situations de frustration pas toujours d'origine religieuse [185].

En somme le problème du doute religieux peut être considéré comme intéressant aux fins de la détermination de l'évolution vers l'athéisme uniquement si on le rattache à d'autres *patterns* négatifs de l'attitude religieuse (tels que le nivellement, l'abandon de la pratique, le défaut d'une religiosité intégrée, etc.).

C'est dans ce sens que le doute tiendrait une place intermédiaire entre *belief* et *disbelief* : le doute et le *disbelief* auraient en commun comme unique point de départ une religiosité marginale et non intégrée qu'Allport appelle *primitive credulity* [186].

qui y sont faites, cf. aussi G. NOSENGO, *L'adolescente e Dio*, Rome 1953 et G. NOSENGO, *La vita religiosa dell'adolescente*, Rome 1944; R. V. MCCANN, *Development Factors in the Growth of a Mature Faith*, dans *Relig. Educ.*, 1955(50), pp. 147-155.

[182] G. W. ALLPORT, *The Individual and his Religion*, New York, 1950; pp. 72-73; 99-121.
[183] G. W. ALLPORT, *op. cit.*, pp. 101-102; 105.
[184] G. C. MILANESI, *art. cité*, pp. 786 ss.
[185] G. C. MILANESI, *op. cit.*, pp. 793 ss.
[186] G. W. ALLPORT, *op. cit.*, p. 100.

Dans le cadre conceptuel du doute présenté par Allport, on souligne la *prééminence des composantes cognitives*, comme le fait par la suite W. H. Clark. Pour ce dernier aussi le doute religieux reste un mécanisme de défense et d'adaptation de tout l'individu : il exprime le mécontentement envers une religiosité qui n'est pas en proportion avec les nouvelles aspirations de la personnalité juvénile (cela comporterait le risque d'une « fixation » au niveau infantile) et il se manifeste comme une attitude ambiguë [187]. Il évolue ensuite vers des *patterns* positifs s'il s'ajoute à un fort *search for meaning* qui amène à la construction d'une solide conception ou philosophie de la vie envisagée comme expression de personnalité créative et dynamique. Le doute religieux serait le premier pas vers une réponse plus concrète au besoin exploratif maximum sur le plan existentiel [188].

Le doute religieux évoluerait au contraire vers des *patterns* négatifs de la religiosité et même vers l'athéisme dans le cas où il manquerait de ce fort stimulant pour se créer une conception de vie, et serait au contraire inséré dans une personnalité religieuse non mûre, autoritaire, dogmatique ou affectée de préjugés [189].

[187] W. H. CLARK, *The Psychology of Religion*, New York, 1958, chap. VII *(Doubt and Conflict)*, pp. 137-153.

[188] W. H. CLARK, pp. 138-139. Cf. à propos de la religion comme réponse au besoin de « *search for meaning* » : W. H. CLARK, *Religion as a Response to the Search for Meaning : its Relations to Skepticism and Creativity*, dans *J. Soc. Psych.*, 60 (1963), pp. 117-138; A. J. UNGERSMA, *The Search for Meaning*, Philadelphie, 1961; S. DONIGER, *The Nature of Man in Theological and Psychological Perspective*, New York, 1962; J. M. YINGER, *Religion Society and the Individual; an Introduction to the Sociology of Religion*, New York 1957 (chap. I, IV, V).

[189] Les nombreuses recherches que l'on a faites récemment sur certaines caractéristiques psychologiques de la religiosité telles que l'autoritarisme, le dogmatisme, l'ethnocentrisme, etc., ont à notre avis une très grande importance pour un tableau théorique de l'athéisme des jeunes. On a déjà beaucoup écrit sur les rapports qu'il y a entre ces caractéristiques et l'installation possible d'une religiosité efficiente du point de vue psychologique et sociologique. Il resterait à faire une analyse systématique des rapports entre personnalité dogmatique, autoritaire, etc. d'une part et athéisme de l'autre. On a déjà noté, au niveau des hypothèses, la facilité avec laquelle de telles personnalités passent d'une religiosité rigide, fermée, conservatrice, à des formes également absolues d'athéisme. Consulter à ce sujet : L. W. FERGUSON, *Sociopsychological Correlates of the Primary Attitude Scales; I : Religionism*, II : *Humanitarism*, dans *J. Soc. Psych.*, 19 (1944), pp. 81-98; T. W. ADORNO, et coll., *The Authoritarian Personality*, New York 1950; T. A. SYMINGTON, *Religious Liberals and Conservatives*, dans *Teach. Coll. Contr. Educ.*, n° 640 (1935); F. KNOPFELMÄCHER, D. B. ARMSTRONG, *Authoritarianism, Ethnocentrism and Religious Denominations*, dans *Amer. Cath. Soc. Rev.*, 24 (1963), pp. 99-114; J. WEIMA, *Authoritarian Personality, Anticatholicism and the Experience of Religious Values*, dans *Soc. Comp.*, 11 (1964), pp. 13-26; M. ROKEACH, *The Open and Closed Mind*, New York, 1960; J. D. PHOTIADIS, A. L. JOHNSON, *Ortodoxy, Church Participation and Authoritarianism*, dans *Americ. J. Soc.*, 69 (1963), pp. 244-248; H. J. EYSENCK, *General Social*

L'athéisme des jeunes 363

De ces considérations de Allport et de Clark on peut déduire une suite plus longue de « causes » de l'athéisme des jeunes, causes qui se rattachent au phénomène du doute [190].

D'après d'autres enquêtes sur le doute nous aurions des indications utiles pour reconstruire la « signification » de l'athéisme chez les jeunes qui le pratiquent [191].

La rupture des croyances considérée soit comme refus partiel de certaines croyances, soit comme doute religieux, est jugée par Carrier comme le pas qui précède immédiatement l'athéisme *identifié avec l'incrédulité et avec la rupture du lien d'appartenance.*

Ayant posé une prémisse sur l'existence de différences assez sensibles entre les individus par rapport à l'attitude commune et générale d'irréligion ou d'athéisme, l'auteur étudie la liaison entre incrédulité et certains facteurs personnels et collectifs [192].

L'analyse est effectuée surtout d'après les enquêtes de Vetter et Green [193] et l'enquête française de l'I.F.O.P. [194]. On en déduit, sur

Attitudes, dans *J. Soc. Psych.*, 19 (1944), pp. 207-227; G. W. ALLPORT, *Religion and Prejudice*, Crane Rev., 2 (1959), pp. 1-10; W. C. WILSON, *Extrinsic Religious Values and Prejudice*, dans *J. Abn. Soc. Psych.*, 60 (1960), pp. 287-288; D. T. SPOERL, *Some Aspects of Prejudice as affected by Religion and Education*, dans *J. Soc. Psych.*, 33 (1951), pp. 69-76. Il est superflu de faire remarquer que bien que ce sujet reflète surtout la situation en Amérique, il offre par lui-même un grand intérêt.

[190] La typologie des doutes proposée par Allport peut aussi servir à une interprétation de l'athéisme des jeunes dans la mesure où, à partir de doutes (concurremment avec d'autres facteurs), naissent d'autres attitudes athées. Pour Allport, en plus du doute *primarily reactive and negativistic* qui s'identifie déjà en grande partie avec une attitude athée, on a le doute *associated with violations of self-interest* (désillusion pour une vie religieuse égoïstement concentrée, *op. cit.*, p. 105), — un doute provoqué par *shortcomings of organized religion* (l'hypocrisie visible et les déficiences des religions gouvernées par une institution, *op. cit.*, p. 105), — un doute provoqué chez une personne cultivée par le dégoût pour une conception trop anthropomorphique de Dieu (*God in Man's Image*, *op. cit.*, p. 106), — un doute joint à la psychologisation de la religiosité (*op. cit.*, pp. 107-110), — un doute « scientifique » provenant du conflit entre la mentalité scientifique et l'attitude religieuse en face de la vie et du monde (*op. cit.*, pp. 110-117), — un doute provenant de l'impression de disproportion des formes et du contenu de la religion à l'égard de la vie de l'homme moderne (dépendant du *scientific doubt*); — tel est le *referential doubt*, *op. cit.*, pp. 117-121, qui d'après Allport est le plus répandu. Cf. le récent J. A. T. ROBINSON, *Honest to God*, Londres 1963.

[191] Les enquêtes sur le doute religieux, telles que celles citées par Delooz, Gouyon, Javaux, Castelvi, etc. mettent toujours en valeur les « motifs » et les « occasions » du doute religieux.

[192] H. CARRIER, *op. cit.*, pp. 238 ss.

[193] G. B. VETTER, M. GREEN, *Personality and Group Factors in the Making of Atheists*, dans *J. Abn. Soc. Psych.*, 27 (1932), pp. 179-194.

[194] Il s'agit de l'enquête de 1958, utilisée ensuite par G. HOURDIN, *La nouvelle vague croit-elle en Dieu?*, Paris 1959.

la base de plus vastes observations concernant le rôle formatif de l'éducation dans la première enfance, l'importance des attitudes religieuses négatives des parents et d'une enfance qui a manqué d'affection. On constate en revanche qu'il n'y a pas concomitance (il y a donc une certaine « indépendance ») entre abandon de l'Église et abandon de la foi, sauf chez certains groupes religieux qui ont des croyances bien composées et qui « sentent » plus que tous autres l'appartenance [195].

Il nous reste à préciser le *sens concret de l'abandon de l'Église* : est-ce seulement une décadence de la pratique religieuse ou comporte-t-il d'autres *patterns* négatifs ?

* * *

Comme conclusion de cette dernière analyse des modalités suivant lesquelles l'athéisme juvénile s'établit, on peut penser qu'aucune d'elles ne peut expliquer seule le phénomène, mais que toutes sont mutuellement en rapport : on pourrait ainsi penser que le processus de développement, partant d'une « intégration religieuse manquée » initiale, s'établirait grâce à un jeu simultané et complexe de processus psychiques tels que ceux que Carrier a décrit séparément.

Cette hypothèse est plausible ; elle est fondée sur certaines recherches partielles sur ce sujet. Mais elle n'explique pas encore le motif spécifique qui d'une religiosité initiale (même non intégrée) conduit à l'athéisme en passant par le cheminement que nous avons suivi plus haut et qui englobe toutes les modalités de transformation psycho-sociologiques analysées jusqu'ici.

Certains ont parlé de bases « constitutionnelles » conduisant au développement de l'athéisme [196] ; mais nous ne croyons pas qu'il ait été fait des recherches intéressantes sur ce point. Pour notre compte nous verrions une possibilité de solution à ce problème, *cœteris paribus*, dans le processus de canalisation des comportements provenant de choix librement faits dans la satisfaction des besoins, comme Nuttin l'a envisagé [197]. Mais ici encore il faudra d'autres enquêtes plus précises sur place.

L'analyse de l'athéisme juvénile ne s'arrête pas toutefois aux causes de sa formation. *Nous pouvons nous demander quelles sont, du point de vue psychologique et sociologique les prévisions concernant son développement après sa stabilisation.*

[195] Cf. H. CARRIER, *op. cit.*, *ibid.*
[196] Cf. au moins l'article cité de Mc Cann.
[197] Cf. J. NUTTIN, *Psychanalyse et conception spiritualiste de l'homme*, Louvain 1950.

Les statistiques de la pratique religieuse et des « déclarations » d'athéisme avaient mis en lumière une stabilité relative des indices après la jeunesse et pendant l'âge adulte, avec quelques légères reprises pendant la vieillesse.

Certains auteurs voient aussi la possibilité d'une « mobilité religieuse » également pour l'athéisme juvénile, aussi bien sur le plan individuel que sur celui du groupe.

Carrier (*op. cit.*, pp. 244 ss.) énumère les auteurs qui pensent que l'athéisme est une valeur de substitution de la religiosité authentique : se basant sur les idées de Allport, Grensted, Sherman, Erikson et Jung, il affirme que la supériorité fonctionnelle de la religiosité assure l'intégration personnelle de l'individu. Une telle affirmation basée sur les constatations des auteurs cités est indirectement la preuve qu'une nouvelle dynamique existe dans l'athéisme : aucune valeur de substitution, du point de vue psychologique, n'est tout à fait satisfaisante, de sorte qu'elle laisse la porte ouverte à une nouvelle recherche d'un « absolu » qui ait un rôle intégrateur plus grand.

Le problème est posé; d'autres contributions plus précises pourront être apportées, qui diront le sens de l'influence « psychologique » de la conduite religieuse, surtout dans le cas de conditions « sociologiques » adverses. Il semble en effet que pour être à même de jouer le rôle de facteur intégrateur de la personnalité, une religiosité mûre doit parallèlement être aidée par un certain sens du sacré dans le milieu.

La possibilité d'une évolution individuelle de l'athéisme vers des formes progressivement religieuses exige une évolution semblable de la situation « sociologique » vers des formes plus favorables.

Mais avant d'attaquer ce deuxième aspect de la question, nous voudrions faire remarquer qu'il semble possible d'entrevoir le dépassement de l'attitude athée à d'autres points de vue psychologiques en dehors de ceux présentés par Carrier.

Tout d'abord nous nous référons aux schémas qui permettent d'interpréter les théories générales dynamiques et intégratives de la personnalité suivant lesquelles une caractéristique fondamentale du psychisme de l'individu, même adulte, est sa possibilité de restructuration intérieure : l'individu peut toujours réaliser de nouvelles intégrations de sa personnalité, même en profondeur; cela peut être réalisé aussi bien de la façon dont Allport l'a envisagé (autonomie fonctionnelle des motivations que de la façon de C. Rogers (restructuration du champ perceptif) ou de J. Nuttin (restructuration générale des motivations), ou de H. Thomae (renouvellement continu de la région propulsive du moi par rapport à l'enrichissement de la région prospective).

W. H. Clark et d'autres encore [198] prévoient une dynamique ininterrompue dans les jeux cognitifs de la conduite religieuse, poussés par le besoin fondamental de répondre au *search for meaning*, c'est-à-dire de reconstituer une conception plus satisfaisante de la vie au service de l'individu.

Dans ce sens l'athéisme peut être dépassé conjointement à des interventions éducatives spécifiques tendant à réveiller les régions cognitives et d'une façon plus étendue, conjointement à la sacralisation des valeurs culturelles de base.

Cela implique un deuxième aspect de la question. D'après les enquêtes sur les causes générales du processus de déchristianisation et sur les causes spécifiques de l'irréligiosité des jeunes, *on peut avoir une première impression d'irréversibilité du phénomène considéré sous son aspect sociologique.*

Certains chiffres concernant la pratique religieuse des jeunes et certaines modalités de la « sécularisation » de leur culture peuvent nous amener à un certain pessimisme [199].

De plusieurs côtés toutefois on fait des hypothèses sur une évolution positive du phénomène. D'une part on prévoit une amélioration progressive des conditions exceptionnelles de difficulté dans lesquelles se débat la société occidentale dans la période actuelle de passage d'une culture rurale à une culture urbaine et industrielle [200].

Quand les nouveaux rôles seront normalement acquis et que les valeurs nées de la civilisation nouvelle se seront purifiées, des conditions devront se réaliser qui seront favorables à un nouveau type de religiosité des jeunes de l'avenir [201].

[198] Cf. note 117.

[199] Les œuvres de E. DE MARTINO, *Sud e Magia*, Milan 1959, — *Mito, scienza religiosa e civiltà moderna*, dans *Nuovi Orizzonti*, 37 (1959), pp. 1-48, — tendent à montrer la « disparition » définitive de la religiosité, plus encore que l'« éclipse » de celle-ci. Cf. aussi à ce sujet : *La terra del rimorso*, Milan 1961.

[200] DE MARCHI, *Religione e urbanizzazione*, dans *Riv. Soc.*, 2 (1964), pp. 126-142, critique l'importance excessive que l'on donne à l'urbanisme comme cause déterminante de déchristianisation.

[201] Cf. les conclusions où aboutissent non seulement les auteurs que nous avons cités le plus souvent, mais aussi : G. BAGLIONI, *I giovani nella società industriale*, Milan 1962; D. TRIGGIANI, *Inchiesta sulla gioventù bruciata*, Bari 1957; W. DURSI, *Giovani soli*, Bologne 1958; R. RUMI, *Questa gioventù*, Rome 1953; J. JOUSSELIN, *Jeunesse, fait social méconnu*, Paris, 1959; J. VIEUJEAN, *Jeunesse aux millions de visages*, Tournai 1961; H. PERRUCHOT, *La France et sa jeunesse*, Paris 1959; A. FLITNER, *Glaudensfragen im Jugendalter*, Heidelberg 1961; G. FRIEDRICHS, *Die Religiosität der Grosstadtjugend*, Berlin 1961; F. KÜNKEL, *Ringen um Reife*, Constance 1962; W. MENGES, *Glaube und Unglaube in ihrer Beziehungen zur sozialen und Wirtschaftlichen Umwelt.*, dans *Anima*, 13 (1958),

Nombreux sont ceux qui pensent que le malaise actuel, dû surtout au « désordre transitionnel des valeurs et des rôles », sert de « purification » de la religiosité des jeunes et prélude à la possibilité d'une reprise aussi bien de la pratique religieuse que de l'intégration religieuse socio-culturelle.

Un certain « sens du sacré » demeure toujours vivant, même par delà les comportements apparemment « a-religieux » et « irréligieux [202] »; il se manifeste par une sensibilité renouvelée de la part d'élites toujours plus vastes de jeunes pour les valeurs d'une « moralité naturelle » et d'un « solidarisme social » qui ont des caractéristiques communes avec le « sacré » traditionnel [203].

On pense aussi que l'athéisme dans ses aspects sociologiques peut être dépassé par *une éducation et une instruction progressives* [204] qui élèveraient le niveau critique des individus en face des pressions de groupes, car celles-ci semblent être vraiment déterminantes d'une grande partie de l'irréligion actuelle.

Enfin l'hypothétique *disparition du prolétariat* ôterait aux masses l'occasion et le prétexte d'adhérer à des mouvements politiques et sociaux associés à des positions athées.

Les hypothèses peuvent être multipliées selon les lois générales de la mobilité sociale, mais elles doivent être rigoureusement contrôlées par de nouvelles recherches afin d'éviter de tomber dans un optimisme superficiel tout aussi négatif qu'un pessimisme mal fondé et indûment généralisé.

pp. 52-56; A. RICH, *Christliche Existenz in der industriellew Welt*, Zurich-Stuttgart 1964²; H. LOUKES, *Teenage Religion*, Londres 1962; A. J. BEERKMAN, *Youth and Religion in a Changing World*, dans Soc. Compass, 8 (1961), pp. 447-468.

[202] Le problème est relié à la question — bien plus vaste — de la signification psychologique du « sacré » dans une société sécularisée; il est par suite également relié au sens que doit avoir le processus de « sécularisation ».

Nous pensons que le débat doit s'élargir vers un horizon philosophique et théologique — avec toutes les précautions épistémologiques nécessaires — auquel on pourrait emprunter des critères permettant de se former une opinion sur la persistance du « sens du sacré » chez les jeunes, au-delà des apparences « areligieuses » de nombre de leurs actes.

Ce problème, qui n'est pas seulement d'ordre sémantique, doit être précédé d'éclaircissements épistémologiques. Nous renvoyons à : S. S. ACQUAVIVA, *La crisi del sacro nella civiltà industriale*, Milan 1961; F. CRESPI, *Crisi del sacro, irreligione, ateismo*, dans *Riv. di Sociol.*, 3 (1965), pp. 33-84; C. DAWSON, *Progress and Religion*, New York 1938; J. HÖFFNER, *Industrielle Revolution und religiöse Krise*, Cologne et Opladen 1961; N. BIRNBAUM, *Säkularisation, Zur Soziologie der Religion in der heutigen Gesellschaft des Westens*, dans Monat. f. Pastoral theol., 48 (1959), pp. 68-84; A. DESQUEYRAT, *La crise religieuse des temps nouveaux*, Paris 1955.

[203] Cf. P. G. GRASSO, *op. cit.*, pp. 130-132.

[204] S. S. ACQUAVIVA, *op. cit.*

Il nous reste à faire une courte synthèse des conclusions auxquelles nos réflexions nous ont amené et à faire le point sur la situation de la recherche sur l'athéisme des jeunes.

CONCLUSIONS

1. La nécessité s'impose de préparer de *nouvelles techniques d'enquête* sur l'athéisme des jeunes, dans ses aspects qualitatifs et quantitatifs; elles devront tenir compte de toutes les méthodes psychologiques les plus utiles (notamment la méthode longitudinale, transversale, statistique et clinique) et de toutes les techniques d'observation (interviews, questionnaires, matériel autobiographique, échelles d'attitudes, tests divers, etc.) ainsi que des théories sur les phénomènes de l'athéisme des jeunes du point de vue psychologique et sociologique.

2. Il semble que dans certaines régions culturelles importantes de l'Occident on manque des conditions nécessaires pour évaluer la consistance quantitative du phénomène de l'athéisme juvénile dans chacune de ses dimensions. Toutefois les indices sociologiques analysés permettent de mettre en lumière *certains résultats partiels et indicatifs*, de grande valeur pour la recherche théorique interprétative.

3. L'ensemble des enquêtes examinées montre qu'il serait utile méthodologiquement d'étudier le sens de l'athéisme des jeunes (origine, facteurs, stade de développement, etc.) suivant le développement de la religiosité normale et d'un point de vue surtout psychologique qui devra être complété par l'aspect sociologique du phénomène.

La ligne méthodologique choisie semble mettre en évidence *quelques facteurs proches et éloignés* de l'athéisme juvénile (tels que les rapports conscients et inconscients avec les images parentales, l'insuffisance des « informations » religieuses, le conflit et les frustrations dans la satisfaction des besoins, les doutes religieux, le « tempérament » autoritaire ou dogmatique, etc., les difficultés de socialisation, la confusion des valeurs, etc.), facteurs qui représentent d'autres *champs possibles* pour de nouvelles enquêtes; celles-ci sont nécessaires avant que ne soit tentée une synthèse.

4. Il n'en résulte pas des faits suffisants pour établir une *typologie de l'athéisme des jeunes*, bien qu'il soit possible de dessiner quelques-uns de ces types d'après certains critères psychologiques et sociologiques (d'après les « facteurs » principaux qui l'engendrent? d'après le degré

de formation ? d'après le sexe ? d'après sa caractéristique psychologique ou sociologique principale ?...). Il ne semble pas utile de reporter dans la pensée psycho-sociologique certains « types » d'athéisme d'origine philosophique, ou plutôt cela n'est plausible que sur le plan de la psychologie phénoménologique et intuitive-descriptive.

5. Bien que l'on ait des indications déjà nombreuses pour une explication de l'origine et de la structure psychologique et sociologique de l'athéisme juvénile, des indices ne manquent pas pour une *prévision au sujet de l'évolution du phénomène, aussi bien au niveau individuel que social*.

Bien que ces indices soient encore en grande partie hypothétiques et aléatoires, ils confirment, semble-t-il, la réversibilité de l'attitude et préludent à de nouveaux *patterns* dans le comportement athée d'individus et de groupes après la période de formation de la jeunesse.

* * *

Nous arrêterons ici notre compte rendu.

Les études que nous avons analysées et très probablement toutes celles dont nous n'avons pas parlé donnent un tableau incomplet mais significatif de l'athéisme chez les jeunes. Les résultats obtenus et les tentatives faites pour une meilleure compréhension psychologique et sociologique du phénomène ne permettent à notre avis ni un optimisme superficiel qui sous-évaluerait les données sous le prétexte de lacunes dans les études faites jusqu'à présent, ni un pessimisme injustifié qui s'arrêterait aux chiffres bruts et serait fermé à la « compréhension » de la dynamique du phénomène.

L'athéisme juvénile, d'après ce que nous en savons, est certainement un fait préoccupant, même si l'on pouvait en montrer l'exiguïté numérique : c'est un fait suffisant pour que soit éveillée l'attention des psychologues, des éducateurs et des sociologues, ne fût-ce qu'en raison de la quantité et de la complexité des problèmes que l'athéisme soulève et des perspectives qu'il annonce chez les individus et les groupes sociaux. Ce n'est donc pas seulement dans l'espoir d'une simple acquisition scientifique que l'on souhaite voir s'accroître l'intérêt pour l'étude du problème de l'athéisme des jeunes ; c'est aussi en vue des conclusions méthodologiques, éducatives et pastorales qu'attendent tous ceux qui se préoccupent du sort de la jeunesse d'aujourd'hui.

CHAPITRE V

L'ATHÉISME DES « CROYANTS »
par
ROBERT O. JOHANN

professeur de Philosophie à la Fordham University, New York

INTRODUCTION — I. *Description générale du croyant athée.* II. *Les trois types d'athées :* 1. L'athée pratique; 2. L'athée spéculativo-pratique; 3. L'athée spéculatif. III. *Foi véritable et possibilités latentes d'athéisme.*

INTRODUCTION

Lorsqu'ils prennent une conscience nouvelle du champ et de l'étendue de l'athéisme dans le monde d'aujourd'hui [1], tôt ou tard l'attention des croyants est attirée inévitablement sur la présence paradoxale d'une incroyance radicale dans leurs propres milieux. Comme William Luijpen le fait remarquer, le moment est venu où l'on doit cesser de tenir pour croyants implicites les athées (ce refus de les prendre au sérieux ne peut que les blesser), et où l'on doit commencer à démasquer l'athéisme authentique derrière ce qui se présente souvent comme la foi [2].

Il est cependant toujours délicat de démasquer le faux. Pour que l'opération soit utile, il ne suffit pas de relever simplement une incohérence; il faut un effort pour la comprendre. C'est d'ailleurs là que se trouve la difficulté. Car, au premier abord, l'expression de « croyant athée » est contradictoire dans les termes. Qu'on le présente comme un vrai croyant, qui agit pourtant comme s'il ne croyait pas, ou comme un homme vraiment dépourvu de foi, qui cependant agit comme s'il croyait, la contradiction supposée dans sa vie entre théorie et pratique est d'une espèce si radicale qu'elle semble exclure jusqu'à la possibilité d'une explication cohérente. Sa pensée et son agir sont si complètement disjoints en logique que leur conjonction de fait semblerait ne pouvoir être attribuée qu'à une capacité illimitée en l'homme d'inconséquence et de déraison [3].

C'est là étendre l' « humaine faiblesse » au delà de ce que la notion peut inclure. Car, tout en impliquant que le comportement en cause est réellement inexplicable, une telle présentation de ce qui se produit le rend en fait inhumain. Que l'homme soit capable d'une grossière inconséquence et qu'il agisse bien souvent autrement qu'il croit devoir le faire, personne ne le niera. Il est également incontestable que les vrais motifs de son comportement peuvent différer de ce qu'ils lui semblent être [4].

---

[1] Cf. M. MARTY, *Varieties of Unbelief* (New York, 1964), particulièrement le chapitre sur « l'originalité de l'incroyance moderne », où la conscience de l'extension de l'incroyance est donnée comme la première caractéristique de l'expérience moderne de l'incroyance.

[2] W. LUIJPEN, *Phenomenology and Atheism* (Pittsburgh 1964), p. XIV.

[3] Cf. notamment la distinction entre « théorie » et « mentalité » faite p. 69, dans G. GIRARDI, *Pour une définition de l'athéisme* (Salesianum XXV, n. 1 (1963), pp. 47-74 et aussi ci-dessous, note 11.

[4] Cf. I. LEPP, *Psychanalyse de l'athéisme moderne*, Paris 1961.

Mais que ses actes demeurent inchangés par ce qu'il croit ou que sa foi n'ait aucun effet sur ses actes, est humainement impossible. Ou bien les actes en question ne seront pas intentionnels (c'est-à-dire absolument ni *siens* ni *humains*) ou bien il ne croit pas aux « croyances » qu'il est censé tenir. Car, d'une part, un acte humain est, par définition, un acte qui reçoit sa forme d'une croyance [5], et, d'autre part, une « croyance » n'est vraiment objet de foi que dans la mesure où elle modifie la vie et le comportement d'une personne. Les croyances diverses tenues par un individu peuvent ne pas former un ensemble logique. Ces croyances et les actes qui les incarnent peuvent, à vrai dire, manquer de cohérence les unes par rapport aux autres. Mais les actions concrètes et la véritable foi d'une personne ne peuvent être disjointes qu'en se détruisant mutuellement.

Il s'ensuit que l'on se trompe si l'on conçoit le « croyant athée » comme une sorte de contradiction ambulante. Comme pour tout autre, ce qu'un tel homme fait prend forme dans sa pensée, et sa pensée paraît dans ce qu'il fait. Loin d'être incohérentes l'une par rapport à l'autre, sa foi et sa pratique forment un tout consistant. L'objet de notre étude devra donc être de comprendre chacune de ces composantes à la lumière de l'autre, pour montrer comment, en dépit des apparences contraires, elles s'adaptent vraiment l'une à l'autre, et, puisqu'après tout elles ne sont qu'une caricature de la foi et de la pratique authentiques, d'indiquer comment la distorsion se relie à ce qui est véritable et peut en surgir et s'épanouir sans que la conscience de la personne en soit jamais troublée [6].

Au départ, donnons une brève description du « croyant athée » à des fins d'identification. Avec de légères modifications (dont les raisons apparaîtront progressivement), nous adopterons pour nous orienter les indications fournies par P. Girardi [7].

---

[5] Nous utilisons ici le mot « croyance » dans le sens général (non religieux) d'une interprétation tenue pour vraie. Pour le lien entre une telle croyance et une action responsable, cf. H. NIEBUHR, *The Responsible Self*, New York 1963, pp. 55-65.

[6] GIRARDI (*art. cité*, p. 54) souligne la conscience nette de l'athée croyant, et c'est en effet un point crucial pour comprendre son comportement.

[7] *Ibid.*, pp. 71-72.

I

DESCRIPTION GÉNÉRALE DU « CROYANT ATHÉE »

L'athéisme du « croyant » peut revêtir trois formes : *théorique, pratique* ou *spéculativo-pratique* (cette dernière forme étant une théorie de la pratique, par opposition à une théorie de l'être). Le croyant est un athée théorique quand il n'y a pas une affirmation de Dieu efficient dans son interprétation générale de la réalité (sa vision du monde). Comment on peut encore qualifier cet homme de « croyant », nous le verrons plus loin. Qu'il suffise de dire ici que l'absence d'une telle affirmation peut être ou ne pas être saisie et analysée de façon réflexive. En outre, même s'il est directement conscient de son manque de conviction sur Dieu, il peut ou non avoir formulé les raisons pour lesquelles un tel manque n'est pas en dernier ressort incompatible avec son statut de croyant. Le point important est que cela n'est pas saisi comme lié, de sorte que la conscience de notre « croyant » est nette.

L'athéisme du « croyant » est pratique quand, malgré l'affirmation de Dieu dans sa vision du monde, il n'en tient pas habituellement compte dans les décisions qu'il prend pour conduire sa vie (ou bien absolument, ou pour une large part). Le point décisif est, ici encore, qu'un tel homme n'a pas l'idée qu'il a le devoir d'agir d'une manière différente de ce qu'il fait. Comme son homologue sur le plan théorique, il a, lui aussi, bonne conscience. Mais il y a une différence : tandis que le croyant qui est un athée théorique peut ou non exprimer sa non-croyance en Dieu, l'athée purement pratique n'exprime ni n'analyse l'absence de lien entre Dieu et ses décisions, ou son devoir. Car affirmer cette non-relation avec Dieu ferait aussitôt du sujet un athée spéculativo-pratique.

L'athée spéculativo-pratique est, par conséquent, celui dont la vision du monde inclut une affirmation de Dieu, mais qui, en même temps et de bonne foi, nie qu'il soit lié à la détermination du devoir (ici encore, ou bien absolument, ou pour la plus grande part).

Il a été avancé que, pour comprendre le « croyant athée », il est nécessaire de considérer sa croyance et sa pratique à la lumière l'une de l'autre, dans un tout cohérent. En d'autres termes, son comportement est fonction de ce qu'il croit, et ce qu'il croit se manifeste dans son comportement. Nos raisons d'y insister, déjà abordées ci-dessus, seront développées en détail à mesure que nous avancerons dans le discernement de ce qui se passe au juste dans nos trois types de croyance athée. Pour la

L'athéisme des « croyants »

commodité de notre discussion et afin d'éviter d'inutiles retours en arrière, nous commencerons par considérer le « croyant » dont l'athéisme est purement pratique. Car, ainsi que nous le montrerons, de même que le croyant athée, en général, représente une dégradation du croyant authentique (dont la possibilité s'enracine dans la nature même de la foi véritable), de même le croyant qui est un athée théorique représente un développement ultérieur ou un raffinement (ou encore une corruption) de l'athée pratique plus commun. Comprendre ce dernier fournira une base utile pour comprendre le premier.

II

LES TROIS TYPES D'ATHÉES

1. L'ATHÉE PRATIQUE

Nous avons dit que l'athée pratique est un homme que son affirmation de Dieu n'influence en aucune manière dans la détermination de son comportement. Pour exprimer ceci autrement, nous pourrions dire qu'il n'affirme pas Dieu comme lié en aucune façon à sa conduite pratique quotidienne, comme le prouve précisément sa bonne conscience. Car, si l'athée pratique reconnaissait à son affirmation de Dieu une portée sur ses décisions pratiques, il ne pourrait alors pas, en fait, ignorer cette portée sans être en même temps conscient d'agir mal. En d'autres termes, il serait au moins conscient de ne pas se comporter comme il le devrait. Ainsi G. C. Colombo, critiquant l'interprétation de la foi à partir du seul comportement donnée par le Professeur Ryle, fait observer : « On peut... imaginer aisément un homme qui, bien que croyant sincèrement certaines propositions, se comporte exactement dans certaines conditions comme quelqu'un qui n'y croit pas, non seulement dans son action extérieure, mais dans ses réactions psychologiques également, *avec la seule différence qu'il garde la conscience de son inconséquence de sang-froid, ou presque. En langage théologique, les gens de cette sorte sont appelés pécheurs...*[8] » (c'est nous qui soulignons). Mais si une mauvaise conscience résulte nécessairement de ce qu'on reconnaît Dieu comme lié à une action particulière et de ce qu'on agit ensuite comme s'il ne l'était pas, il est clair que l'athée pratique, qui n'est conscient d'aucun désordre quand il laisse Dieu étranger à ses délibérations pratiques, ne peut en même temps l'affirmer comme concerné par elles.

Néanmoins, cette description négative de l'affirmation de Dieu chez l'athée pratique, bien qu'elle semble découler nécessairement de son comportement d'ensemble, ne fournit pas une image exacte de ce qui se produit. Non seulement il est nécessaire de la caractériser en plus de manière positive, mais le négatif doit être vu à la lumière du positif pour être convenablement compris. Expliquons-nous sur ce point.

Il a été dit plus haut qu'une croyance ne devient réellement foi que

---

[8] G. C. COLOMBO, *The Analysis of Belief* (The Downside Review LXXVII (1959), pp. 18-37); cf. p. 25. Pour l'interprétation « behavioriste » de la foi de G. RYLE, cf. son livre *The Concept of Mind*, Londres 1949.

dans la mesure où elle modifie la vie et le comportement d'un homme. Autrement dit, il n'y a pas de foi, entretenue authentiquement, qui ne modifie au moins en quelque manière la vie de la personne qui la possède. Une « foi » qui n'exerce aucune influence n'est pas une foi du tout. Car croire quelque chose, c'est tenir qu'une certaine interprétation de la situation générale où nous nous trouvons et à laquelle notre vie rationnelle constitue notre réponse personnelle, est juste ou vraie. C'est donc tenir que cette situation présente un caractère bien précis tel que toute réponse possible ne serait pas également appropriée. En d'autres termes encore, croire quelque chose est tenir que, dans des conditions convenables, une certaine réponse est attendue comme rationnellement appropriée, et une autre ne l'est pas. C'est alors exister subjectivement comme *quelqu'un qui est appelé*, précisément par sa foi, à agir d'une certaine manière quand l'occasion convenable (c'est-à-dire celle que la foi concerne) survient. Si ce n'était pas le cas, si croire ne devait exercer aucune influence dans l'orientation des comportements d'un être rationnel, alors, non seulement la distinction entre tenir une interprétation pour vraie et ne pas la tenir pour vraie serait éliminée, mais l'interprétation supposée s'effondrerait elle-même dans le non-sens.

Mais si ceci est vrai en général, c'est aussi vrai de l'athée pratique. En d'autres termes, on ne peut dire que l'affirmation de Dieu chez l'athée pratique n'a aucun effet sur sa vie, ou qu'elle n'est pas saisie comme entrant en quelque manière en ligne de compte dans son comportement. Non moins que pour tout croyant, pour lui, tenir une interprétation théiste de l'univers pour vraie, est, dans son propre esprit, exister comme quelqu'un qui est appelé, dans des conditions appropriées, à agir d'une certaine manière. Non moins que pour qui que ce soit d'autre, sa foi implique nécessairement une modification dans l'orientation de ses réponses. Cependant, du moment que, comme nous l'avons déjà souligné, sa manière de réagir aux situations quotidiennes, auxquelles il est affronté et qui appellent sa réponse, demeure inchangée, il faut rechercher la modification ailleurs. Cela signifie qu'il ne suffit pas de décrire l'affirmation de Dieu chez l'athée pratique comme une affirmation saisie sans rapport avec ses décisions pratiques. On doit aussi, si la question d'une affirmation authentique se pose, indiquer la ou les manières particulières dont elle est saisie dans ce rapport. Si l'athée pratique ne se conduit pas dans les affaires de la vie quotidienne un tant soit peu différemment de celui qui ne pose aucune affirmation de Dieu, et si, plus encore, il n'a conscience d'aucune inconséquence dans sa vie, en quel point précis sa vie est-elle affectée par sa foi?

Il y a peut-être à cette question diverses réponses plausibles. Sans prétendre être exhaustif, esquissons brièvement deux d'entre elles, et donnons la conclusion qu'on peut en tirer.

De ce que nous avons déjà dit, il ressort que, pour l'athée pratique, l'incidence dans sa vie de son affirmation de Dieu doit être à la fois réelle et fort limitée. L'orientation de ses comportements doit être modifiée par sa foi mais en partie seulement. Cette double condition, néanmoins, se trouve assez facilement respectée et il n'est donc pas surprenant que les athées pratiques abondent. Par exemple, supposons que je croie simplement en un « Dieu explicatif » ou en un « Dieu des vides », comme on l'appelle parfois [9] : ce Dieu est affirmé simplement pour satisfaire les exigences d'ordre et d'intelligibilité de la raison. C'est un Dieu fonctionnel — dont la fonction est de maintenir les réalités dans un ensemble, de les faire paraître convenablement et de rendre compte de ce que je ne puis comprendre autrement. S'il en est ainsi, il est clair qu'il n'a aucune incidence sur les décisions qui motivent mon action tous les jours. Quand la tragédie apparaît dans ma vie, je peux sans doute l'appeler à l'aide, ou bien si quelque chose de « mystérieux » se produit, je puis considérer qu'il en est l'origine. Mais tant que tout va bien, je n'ai pas besoin de lui. Je me situe en face du monde, non pas dans l'anxiété envahissante de l'existentialiste, mais comme quelqu'un qui a « une réponse » à tout. Et cette satisfaction ressentie est le résultat direct de ma foi : « Dieu est dans son ciel ; tout va bien dans le monde. »

Inutile de le dire, ce genre de « foi en Dieu » n'est pas rare parmi ceux qu'on appelle les catholiques non pratiquants. Mais, même avec une pratique régulière, il n'est pas nécessaire de changer notablement le tableau. Car le catholique pratiquant peut être un homme dont le Dieu n'est rien de plus qu'un Dieu auquel on doit l'accomplissement de certaines observances religieuses. Il peut être un Dieu de la vie d'outre-tombe, avec qui l'on se doit raisonnablement d'être en bons termes si l'on ne veut pas tout perdre à jamais. Dans ces conditions, s'accommoder de certaines lois et règles religieuses devient une sorte de passeport pour cette vie future — et on ne demande rien de plus. Ceci représente un second type de croyant, dont la vie est assurément modifiée par son affirmation de foi, mais pour qui la prise en considération de Dieu est strictement limitée. La religion est importante, mais elle constitue une dimension de la vie distincte et séparée, nettement coupée des décisions pratiques courantes.

Il est clair maintenant que l'un et l'autre croient en un Dieu qui

---

[9] Le rejet de tels « dieux » fonctionnels est l'une des caractéristiques essentielles du laïcisme moderne. Cf. H. Cox, *The Secular City*, New York 1965.

L'athéisme des « croyants »

correspond à la description donnée par Girardi; c'est-à-dire qu'ils croient en un Être transcendant, au plan noétique et au plan ontologique (au-delà de l'expérience sensible et dont la nature est différente de celle du monde et lui est supérieure), qui agit sur le monde [10]. Mais il est clair aussi qu'ils n'en sont pas moins des athées pratiques et que leur athéisme, non seulement n'est pas incompatible avec leur foi, mais qu'il est en réalité son corollaire logique. En d'autres termes, on s'égare complètement si l'on décrit l'athée pratique — catholique ou non catholique — comme quelqu'un qui croit que Dieu existe et cependant se comporte habituellement comme s'il n'existait pas. Au contraire, *l'athée pratique croit en un Dieu qui a sur sa vie une incidence limitée et se comporte en conséquence avec bonne conscience* — c'est-à-dire d'une manière précisément proportionnée à cette foi [11].

2. L'ATHÉE SPÉCULATIVO-PRATIQUE

De ce point de vue, il est facile de comprendre la situation de l'athée spéculativo-pratique. Un tel homme est simplement un athée pratique qui a pris une conscience réfléchie du genre de Dieu qu'il affirme et qui analyse son absence de liens avec le monde de tous les jours. Il *ne nie pas* qu'un Dieu universellement efficient puisse exercer une influence sur la vie pratique de l'homme. Simplement, il nie qu'un Dieu d'une efficience partielle puisse dépasser sa propre sphère d'influence. Quelle que soit la place accordée à Dieu dans l'ordre des choses, cela n'a rien à voir avec notre ligne de conduite, et toute tentative pour modifier cette situation est non seulement inutile, mais peut être véritablement destructrice, parce qu'elle ne convient pas à la nature des choses.

3. L'ATHÉE SPÉCULATIF

Venons-en maintenant au croyant dont l'athéisme est théorique (ou spéculatif) : notre tâche est de comprendre comment il se peut qu'une absence de conviction à propos de l'existence de Dieu n'exclue pas absolument la possibilité de se considérer en même temps comme croyant. Car il faut noter ici, comme dans les cas précédents, que l'homme en cause ne ressent aucun malaise au sujet de son statut de croyant. Il pense être

---

[10] GIRARDI, *art. cité*, p. 71.

[11] Il convient de noter que, dans notre manière de traiter cette question, la distinction faite par GIRARDI entre « théorie » et « mentalité » (cf. ci-dessus, note 3) ne ressort pas. Pour nous, la théorie n'est pas réellement crue tant qu'elle n'exerce pas une influence sur la vie de l'homme, et alors elle coïncide avec la mentalité. Une mentalité athée est celle qui entretient une théorie *déficiente*, soit sur Dieu, soit sur la foi elle-même (cf. ci-dessous).

croyant, et cependant ne croit pas en Dieu — c'est-à-dire qu'il n'y a pas d'affirmation certaine de Dieu efficient dans son interprétation générale du réel. Nous avons déjà exposé comment cela était possible et en rapport avec certains états d'esprit.

Nous avons fait remarquer précédemment qu'une foi n'est vraie que dans la mesure où elle modifie la vie et le comportement d'un homme. On peut dire que son authenticité réside dans son influence sur la vie de celui qui la tient. Et ceci, je pense, fournit un fil directeur pour comprendre ce qui se produit dans le cas présent. Car, du fait que la foi vraie provoque nécessairement une modification de celui qui l'embrasse, il est aisé (bien que non garanti) de conclure que la foi elle-même *est* la modification que sa présence provoque. Autrement dit, la foi s'identifie dans l'esprit du « croyant » avec ses conséquences normales. Au lieu d'être une interprétation (théiste) du monde appelant certaines réactions rationnellement proportionnées, elle devient elle-même un comportement d'un genre défini (c'est-à-dire religieux).

Croire ainsi en Dieu revient à se comporter d'une certaine manière — à savoir la manière dont se comportent ceux qu'on dit croyants. La foi s'extériorise entièrement. Par contraste avec l'athée pratique, dont on dit qu'il agit comme si Dieu n'existait pas bien qu'il y croie, le croyant qui est théoriquement athée agit comme si, pour lui, Dieu existait, bien qu'il pense que non, ou, du moins, n'en soit pas sûr. Non seulement un tel homme va régulièrement à l'église et même fréquente les sacrements, mais encore il répond affirmativement et sans hésiter quand on lui demande s'il croit en Dieu. Car, pour lui, aller à l'église etc... c'est précisément ce que « croire en Dieu » signifie. Tout comme dans les cas précédents, la foi et la pratique de cet homme forment un tout cohérent. Il pense que « croire en Dieu » signifie « se comporter religieusement » (confusion dont il faut situer l'origine dans la poussée de toute croyance vers une extériorisation pratique, et qui, comme nous le verrons, est particulièrement susceptible de surgir là où il est question précisément de croire en Dieu); et il croit, en outre, pour une quantité de raisons que nous allons évoquer maintenant brièvement, qu'il est bon pour lui de se comporter religieusement.

Il n'est pas difficile de faire apparaître des motifs plausibles à un comportement religieux, en l'absence de foi en Dieu [12]. Un motif courant, renforcé en outre par l'enseignement catholique sur la vie après la mort, est celui de la crainte. Un homme élevé dans la tradition catholique, qui met fortement l'accent sur la pratique institutionnelle, (le « bon » catho-

---

[12] Cf. les analyses de I. LEPP dans *Psychanalyse de l'athéisme moderne*, Paris 1961.

lique est celui qui assiste à la messe le dimanche et observe l'abstinence du vendredi, etc...) et qui tend à considérer une telle pratique comme un passeport pour le ciel, peut facilement n'avoir aucune conviction sur Dieu et cependant persévérer dans l'observance extérieure simplement pour le cas où, après tout, le ciel et l'enfer se révéleraient vrais. Cet homme n'est pas sûr du tout que Dieu existe, et, si ce n'est dans la mesure où cela peut l'affecter lui-même, n'attache pas d'importance particulière au fait qu'il existe ou non. L'essentiel, s'il y a un Dieu qui récompense et punit, est d'être en bons termes avec lui, et il suffira pour cela de suivre les préceptes de l'Église. Les observances religieuses deviennent ainsi une sorte de police d'assurance contre une éventuelle vie après la mort, et le croyant devint simplement celui qui y a souscrit.

Se soumettre aux gestes, se comporter religieusement, agir *comme si* Dieu existait en fait, cela peut aussi être jugé bon pour des motifs essentiellement a-religieux. Quelle que soit la vérité de son objet, il est bon de professer (en paroles et en actes) la foi en Dieu pour des raisons sociales. Écrivant à propos des milieux américains, le Dr Martin Marty a remarqué que dans notre culture, « seule l'incroyance « ne fait pas bien »; toute espèce de foi est acceptable [13] ». Un peu dans la même veine, Will Herberg a fait remonter la poussée de pratique religieuse en Amérique pour une large part au rôle joué par la religion institutionnelle dans le pays pour donner une position sociale [14]. Ce qui compte, c'est garder les formes, non adhérer au contenu. Que Dieu soit vrai ou non, la religion compte pour quelque chose, et il est important de professer la foi.

Ou encore, s'il ne s'agit pas de s'adapter à un milieu social, un comportement religieux peut être considéré comme une exigence d'équilibre personnel et psychologique. Cela devient une technique plus ou moins satisfaisante pour faire face à notre propre ignorance et à notre impuissance, une manière de se mettre en face de la grande inconnue. En effet, une fois que la religion est considérée, non de l'*intérieur* comme la réponse que je Te donne, mais de l'*extérieur* comme un certain type de comportement entraîné par les exigences et les pressions diverses de la situation concrète, alors il n'y a pratiquement pas de limite aux raisons, parfaitement indépendantes de la *réalité* de Dieu, d'adopter la « religion » et d'y persévérer. Que Dieu existe ou non, cela perd toute importance. Car, bien que le comportement religieux, même ici, implique une interprétation théiste de l'univers, l'adoption d'un tel comportement aura son origine

[13] M. Marty, *op. cit.*, p. 156.
[14] W. Herberg, *Protestant, Catholic, Jew; An Essay in American Religious Sociology*, New York 1955.

non dans la vérité reconnue de cette interprétation, mais dans les pressions ressenties de toute une série de facteurs profanes agissant indépendamment. La pratique religieuse, au lieu d'être une réponse à l'appel de Dieu, devient une réponse à un besoin ressenti. Et, au lieu de fonder rationnellement le comportement religieux, l'interprétation théiste, tenue par hypothèse, en devient elle-même partie intégrante.

Dans ces conditions, ce que Girardi fournit comme explication de ce type d'athéisme est irrécusable. Il dit que cela provient du peu d'importance que les « croyants » de cette espèce attachent à l'élément doctrinal dans le domaine religieux et, en particulier, à une certitude objective en cette matière [15]. Pourtant, que la certitude de la doctrine religieuse ne constitue plus le fondement d'un comportement religieux, ceci est certainement vrai. Mais il est important de le comprendre correctement. La certitude n'est pas dépourvue d'importance pour ces gens au sens où elle serait en elle-même sans importance ; ce n'est pas qu'ils soient indifférents à la certitude, qu'ils n'*aimeraient* pas être sûrs. C'est plutôt que la certitude n'a pas l'importance d'un objet de préoccupation personnelle ou de recherche, car on n'a pas l'impression qu'il dépend de l'individu de l'avoir ou de ne l'avoir pas. La certitude objective n'est pas affaire de volonté, mais d'évidence. S'ils sont incertains au sujet de Dieu, c'est parce que l'évidence de Dieu n'est pas contraignante — et à qui le reprocher? En outre, comme nous l'avons souligné, c'est la manière dont ils comprennent la foi qui rend la question de la certitude pratiquement sans importance. Si croire c'est s'engager à agir comme si Dieu existait, alors quelle importance cela peut-il avoir dans le domaine de la conduite si on est sûr ou non de son existence? C'est là la raison pour laquelle cette catégorie d'athées — à savoir le « croyant » qui n'est pas certain de l'existence de Dieu — n'éprouve aucun doute sur son statut de croyant. Il a le sentiment qu'il fait tout ce que quiconque — même Dieu, s'il existe — peut raisonnablement attendre de lui. Et le fait qu'il procède ainsi, sans la sécurité d'une évidence contraignante et la certitude qu'elle engendre est méritoire à ses yeux, loin d'être une faute. Il a opté, non sans risques, pour l'hypothèse religieuse et c'est pour lui ce que la foi signifie.

Ce genre de « croyant » agnostique est, je pense, bien plus courant que l'autre type d'athée théorique reconnu par Girardi dans les rangs des croyants — à savoir celui dont la conception de la foi est radicalement subjectiviste [16]. Pour ce dernier, la foi ne se ramène pas à se comporter comme si Dieu existait. Elle consiste plutôt à adopter une série personnelle

---

[15] GIRARDI, *art. cité*, p. 54.
[16] *Ibid.*, pp. 53-55.

de symboles appropriés pour penser le monde environnant et pour entrer en relation avec lui. Quand le subjectiviste dit qu'il croit en Dieu, il n'hésitera pas plus à le faire que notre « croyant » agnostique; il veut dire qu'il accepte le discours théologique comme un moyen satisfaisant, bien que non exclusif, d'exprimer les aspects profonds de l'existence humaine [17]. « Dieu » ne signifie pas l'Autre transcendant, qui (selon l'agnostique) peut exister ou non; « Dieu » est un terme qui désigne les profondeurs mystérieuses de l'homme lui-même, qui existent certainement, mais que d'autres peuvent préférer (avec le même bien fondé) décrire en langage non théologique.

Cependant, précisément parce que cette position va à l'encontre de la pente naturelle de l'esprit qui n'est rien d'autre qu'incurablement objectiviste dans son orientation, elle n'est pas de celles où quelqu'un risque de glisser sans le remarquer, et elle ne trouvera pas beaucoup d'appuis dans la culture ambiante. La conception de la « foi » du subjectiviste est trop élaborée pour qu'on la tienne sans l'avoir cultivée délibérément. Il sera non seulement conscient du fait que son usage de ce mot en rapport avec Dieu est ésotérique et susceptible d'être mal compris; mais, comme « catholique », la différence entre la position qu'il a choisie et celle de son Église est trop explicite pour laisser sa conscience en paix. Tandis que le « catholique » agnostique est tellement accordé avec son milieu — culture pluraliste qui l'encourage à fréquenter « l'église de son choix », pourvu qu'il ne prenne pas cela trop au sérieux, et une Église fortement structurée dont la routine objective le pourvoit, pour ainsi dire, d'une religion toute faite — qu'il peut rester placidement inconscient de son manque de conviction sur Dieu, le « catholique » subjectiviste est si en dehors de la ligne qu'il prend inévitablement conscience de sa révolte.

On en a dit assez pour montrer comment l'athéisme des « croyants » ne se situe pas en opposition à leur foi, mais plutôt s'ensuit comme une sorte de corollaire. L'athéisme pratique vient de la foi en un Dieu d'une efficience limitée; l'athéisme théorique des « croyants » découle de leur conception de la foi.

---

[17] La question, à la Feuerbach, de savoir si les affirmations sur Dieu ne sont pas des affirmations sur le stade ultime des relations personnelles est revenue au grand jour dans l'effort pour adapter la religion à l'homme contemporain. Cf. e.g. J. ROBINSON, *Honest to God*, Londres 1963; (tr. française: *Dieu sans Dieu*, Nel, Paris 1964).

III

FOI VÉRITABLE ET POSSIBILITÉS LATENTES D'ATHÉISME

Ce qui nous reste à montrer, c'est la manière dont ces deux distorsions de la vraie foi ont leurs racines précisément dans la foi authentique, et sont toujours présentes à titre de possibilités latentes, mais réelles, partout où se développe la vraie foi.

Le trait central de l'expérience humaine qui rentre en ligne de compte pour permettre n'importe quel athéisme est le caractère caché de la transcendance [18]. Le transcendant, bien que part intégrante de notre expérience [19], est également par essence impossible à objectiver. Sa présence constitutive peut être saisie réflexivement, non directement, mais seulement par la médiation de signes et de symboles significatifs. Et le danger partout présent est que ces signes et symboles qui se réfèrent, non à quelque chose d'absent, mais à une Présence qui excède les possibilités de représentation directe et conceptuelle, commencent à être pris pour une représentation adéquate de la Réalité elle-même. Alors notre attention, au lieu d'être dirigée sur cette Présence cachée, qui est l'élément constitutif corrélatif du moi, se concentre sur des idoles [20]. Ce qui était présent, mais caché, devient aussi absent. Dieu devient un être particulier dont l'existence est problématique.

En fait, ce qui se produit ici est analogue aux erreurs et à la conscience de soi déformée qui ne résulte que trop fréquemment des efforts du moi pour se saisir directement. Car le moi est, lui aussi, par essence impossible à objectiver [21]. Comme puissance active d'être, il transcende toute représentation qui peut en être formée. Et pourtant il ne peut se passer de telles représentations et images de soi. Du moment que la

---

[18] Il n'est pas exact, à mon avis, que l'homme sans Dieu apparaisse en premier lieu, comme le suggère J. MURRAY (*On the Structure of the Problem of God*, Theological Studies 23 (1962), pp. 1-26), à partir d'une *décision* d'ignorer *Dieu*. Rester sans Dieu aujourd'hui, cela provient davantage, en général, d'une incapacité à concevoir comment les conceptions populaires de Dieu ne sont pas vraiment anti-humaines que d'un rejet délibéré de la Transcendance elle-même. Cf. A. DONDEYNE, *Les leçons positives de l'athéisme contemporain*, in *Il Problema dell'Ateismo*, Brescia 1962.

[19] Cf. K. RAHNER, *Christianisme et Idéologie*, dans *L'Église et le Monde* (Concilium, Vol. 6), Paris 1965.

[20] Cf. M. D'ARCY, *No Absent God; The Relation Between God and the Self*, New York 1962.

[21] Cf. S. STRASSER, *The Soul in Metaphysical and Empirical Psychology*, Pittsburgh 1957.

manière dont on se réfère à d'autres affecte inévitablement l'issue des relations avec eux, le moi ne peut faire autrement que de chercher à évaluer et contrôler la figure qu'il présente au monde. L'erreur, cependant, est d'identifier l'image ainsi formée de soi, qui n'est destinée qu'à être un facteur de médiation dans le processus de relation de soi aux autres, avec le moi véritable. Quand ceci se produit, la personne devient distincte de son identité réelle et de sa vocation réelle et constitue son projet à partir des apparences. Au lieu de promouvoir la réalisation de soi, cette préoccupation de son moi projeté rend impossible toute réalisation de cet ordre.

Quelque chose de similaire se produit quand nous identifions Dieu avec nos représentations limitées de lui. Nous avons besoin de représentations si nous voulons entrer en relation avec lui *délibérément* et *socialement* [22]. Mais il nous faut aussi constamment les dépasser si notre relation à lui ne veut pas être faussée. Trop fréquemment cependant, ce dépassement n'est pas effectué. En effet, on est amené à dire que l'élaboration intellectuelle requise pour cela est si grande qu'elle empêche presque la masse de l'humanité même de comprendre ce qui est impliqué. Le résultat en est que l'Autre transcendant est réduit à ce qui peut être saisi conceptuellement; Dieu est particularisé et notre relation à lui, au lieu d'être vue comme le fondement même de notre moi, devient quelque chose d'extrinsèque et de surajouté. Sa réalité n'est pas considérée comme antérieure à notre choix personnel, mais comme en dépendant.

La voie est ainsi ouverte aux types d'athéisme que nous avons exposés. Dans le cas de l'athéisme pratique, il est facile de faire le pas de la particularisation de Dieu à son incidence limitée. Tandis que l'Autre, dont la présence est saisie comme constitutive de mon moi, est naturellement impliqué dans tout ce que je fais et ce que je ne réussis pas à faire, un Être, suprême mais considéré néanmoins comme extrinsèque à moi-même, n'est impliqué que dans la mesure où il a émis des commandements spécifiques en ce qui concerne ma conduite. Un domaine non atteint par ses règles est religieusement indifférent, c'est-à-dire qu'on peut y agir comme si Dieu n'existait pas. Que les catholiques considèrent souvent leur religion simplement comme une question de se conformer à certains commandements, montre l'extension de l'athéisme pratique parmi eux.

La particularisation de Dieu prépare aussi la voie à l'athéisme théorique. En tant que particularisé, Dieu ne peut être saisi comme le fondement général de notre vie personnelle, et en tant que Dieu, il est

---

[22] Autrement, une insistance sur la « transcendance » reste, au mieux, quelque chose de vide et de formel; cf. RAHNER, *art. cité*, p. 43.

écarté de la zone des rencontres quotidiennes. Il devient un Dieu non seulement caché, mais absent. Alors, le comportement religieux cesse d'être vu comme la réponse appropriée à sa présence, quelque chose qui lui soit dû en raison de notre relation à lui, a priori et reconnue, — et on considère en lieu et place ce comportement comme une manière d'établir une telle relation. N'étant plus la reconnaissance réfléchie de la présence de Dieu, la foi devient affaire de s'engager à un certain type de comportement, pour agir comme si Dieu existait. Un tel engagement, il est vrai, n'exclut pas une affirmation ferme de cette existence, mais est compatible avec son absence. Un homme peut adopter une allure religieuse pour n'importe lequel des motifs évoqués plus haut (croyant toujours que c'est là le sens de la foi); cependant, conscient de ce que Dieu n'est pas évident d'une manière qui force l'assentiment général, et incapable de réfuter les positions contradictoires qui ont cours autour de lui à son sujet, il peut rester sérieusement dans le doute sur son existence [23].

Les athéismes pratique et théorique, par conséquent, ne sont pas totalement intrus dans le royaume de la vraie foi. Ils sont enracinés, comme des possibilités toujours présentes et réelles, dans le besoin même que la vraie foi connaît de s'exprimer et de se représenter, combinés avec l'impossibilité de le faire d'une manière adéquate. A ce point de vue, le fait qu'il y ait des croyants athées ne devrait pas nous surprendre. Ce qui est surprenant, c'est qu'il n'y en ait pas davantage.

---

[23] L'effet d'une pluralité de conceptions religieuses, comme cela existe dans la société américaine, sur la fermeté de la foi est bien esquissé dans MARTY, *Varieties of Unbelief;* cf. en particulier le chapitre sur « Les variétés syncrétistes de l'incroyance ».

BIBLIOGRAPHIE

HERBERG, W., *Protestant, Catholic, Jew; An Essay in American Religious Sociology*, New York 1955; le précurseur classique de beaucoup d'interprétations analogues.

COLOMBO, G. C., *The Analysis of Belief*, The Downside Review LXXVII (1959), pp. 18-37; une bonne critique de l'interprétation purement « behavioriste » de la foi.

LEPP, I., *Psychanalyse de l'athéisme moderne*, Paris 1961; une analyse de l'incroyance, proche de la vulgarisation, par un psychanalyste converti.

Il Problema dell' Ateismo, Atti del XVI Congegno del Centro di Studi Filosofici tra Professori Universitari (Gallarate 1961), Brescia 1962; un bon ensemble de points de vue d'une grande variété.

D'ARCY, M., *No Absent God; the Relations Between God and the Self*, New York 1962; excellente analyse de l'influence de la « foi en Dieu » sur le concept du moi.

MURRAY, J. C., *On the Structure of the Problem of God*, Theological Studies 23 (1962), pp. 1-26; interprétation de l'athéisme dans une large mesure comme antithéisme.

GIRARDI, G., *Pour une définition de l'athéisme*, Salesianum XXV (1963), pp. 47-74; étude préliminaire du concept d'athéisme, qui a fourni utilement des points de repère pour le présent article.

LUIJPEN, W., *Phenomenology and Atheism*, Pittsburgh 1964; large étude historique et spéculative du problème.

MARTY, M., *Varieties of Unbelief*, New York 1964; étude profonde de l'incroyance dans le milieu américain, avec une mine de renseignements bibliographiques dans ses admirables notes.

COX, H., *The Secular City*, New York 1965; étude féconde de la nouvelle mentalité laïque (par opposition à « laïciste »), avec de bonnes données bibliographiques.

CHAPITRE VI

« CONVERSIONS » DU CHRISTIANISME A L'ATHÉISME

par

GEORGES HOURDIN

directeur des Informations Catholiques Internationales

INTRODUCTION — I. *Condition historique du passage à l'athéisme.* II. *Études de sondages, d'enquêtes et de témoignages contemporains :* 1. Enquêtes sur la perte de la foi chez les jeunes Français; 2. Enquêtes de sociologie religieuse : *a.* Les tendances naturelles de l'homme, *b.* L'ignorance, *c.* L'attitude des chrétiens; 3. Interviews particulières; 4. Le problème du mal; 5. Témoignages sur la conversion des ouvriers; 6. Témoignages sur la conversion à l'athéisme en raison de la non-historicité des Évangiles. III. *Le passage à l'athéisme étudié dans les biographies d'hommes représentatifs :* 1. Les philosophes et les savants; 2. L'audace de Diderot; 3. Le XIXe siècle et le socialisme; 4. Les écrivains. *Conclusions.*

INTRODUCTION

Le développement de l'athéisme dans les pays chrétiens de l'Europe et de l'Amérique du Nord est un fait sans précédent dans l'histoire de l'Église. Il se traduit, en termes de sociologie religieuse, sous la forme suivante.

Chaque jour, autour de nous, un certain nombre de chrétiens abandonnent, pour affirmer leur athéisme, les Églises chrétiennes dans lesquelles ils avaient grandi. Cette affirmation est plus ou moins militante, plus ou moins catégorique. Ce qui est incontestable, c'est leur détachement à l'égard de l'Église et leur refus de reconnaître l'existence de Dieu ou la possibilité de démontrer celle-ci. Ils nient qu'il y ait une réalité surnaturelle. Ils ne croient plus, notamment, au surnaturel chrétien. Le cardinal Newman parlait en termes admirables des « réalités invisibles ». Ces réalités sont rejetées à chaque instant par des hommes et des femmes, jeunes et vieux, qui, quoique ayant été élevés dans la foi chrétienne, se décident, pour des raisons diverses, avec des déchirements plus ou moins grands, à limiter le destin humain à l'étendue de ce qui se voit, de ce qui se touche, de ce qui est matière.

Ce phénomène de la conversion par passage du christianisme révélé à la négation de l'existence de Dieu n'a pas fait jusqu'ici, à notre connaissance, l'objet d'étude approfondie. L'attention des théologiens, des historiens, des sociologues et des psychologues s'est davantage portée sur la forme extrinsèque et collective du phénomène. Celui-ci est difficile, en effet, à analyser dans son importance précise comme dans ses motivations individuelles. Il faudrait, pour mener à bien l'étude dont il s'agit, que les spécialistes de la sociologie religieuse aillent plus loin qu'ils ne le font actuellement dans le dépouillement des statistiques ayant trait à la non-pratique religieuse, qui ne suppose pas forcément l'incroyance. Il faudrait que des recherches soient faites, en outre, sur la vie des athées contemporains, ou sur celle des incroyants ayant vécu depuis trois siècles, qui n'appartenaient pas, par leur naissance, à une famille incroyante et qui ont, de ce fait, pratiqué la foi chrétienne avant d'abandonner celle-ci.

En résumé, pour obtenir les conclusions que nous cherchons à dégager, il faudrait que des enquêtes systématiques soient menées auprès de nos contemporains incroyants et que le dépouillement des biographies consacrées aux athées célèbres ou de la correspondance laissée par eux soit entrepris régulièrement. Analyses sociologiques, enquêtes de motivation, biographies écrites dans cette perspective existent en très petit nombre. Elles n'ont pas encore été complètement dépouillées. Le sujet que nous proposons de traiter ici est donc neuf. Les lignes qui vont suivre ne peuvent, en conséquence, constituer qu'une première approche.

La méthode suivie ici consiste à essayer de déterminer d'abord l'importance du phénomène collectif en face duquel nous nous trouvons, à préciser les raisons de sa manifestation et sa nouveauté historique. Nous étudierons ensuite les cas particuliers aux différents niveaux sociaux auxquels on peut les atteindre et dans la mesure où nous avons des documents pour le faire. Nous dépouillerons d'abord les enquêtes qui ont été faites par les sociologues ou par les Instituts d'Opinion Publique et qui nous donnent quelques informations, et nous étudierons ensuite un certain nombre de biographies d'athées célèbres qui ont été élevés dans la foi chrétienne, pour voir à quels moments et pour quelles raisons ils se sont détachés de l'Église. Nous grouperons ces études de biographie d'hommes connus suivant les grands courants de l'athéisme moderne. Nous espérons pouvoir donner ainsi quelques premiers éléments sur le phénomène que nous nous proposons d'étudier.

I

CONDITION HISTORIQUE DU PASSAGE A L'ATHÉISME
IMPORTANCE DU PHÉNOMÈNE. DIFFICULTÉS DE SON ÉTUDE

Il faut présenter une première considération. Le fait de l'athéisme est historiquement beaucoup plus ancien que ne l'est la civilisation chrétienne. Il a une autonomie. Certains philosophes de l'Antiquité comme Épictète et Épicure étaient athées. D'autre part, le fait de l'athéisme est géographiquement plus largement répandu que ne l'a été la connaissance de l'Évangile. Ce que l'on a coutume d'appeler, par exemple, les religions d'Extrême-Orient : Bouddhisme, Confucianisme, sont souvent et simplement des sagesses et des rationalismes. Le Christ, Fils de Dieu s'est donc incarné alors qu'il y avait déjà des athées. Les Églises qui le continuent n'ont pas mis fin à l'athéisme.

En fait, depuis la conversion officielle de l'Empire Romain au Christianisme en 313 jusqu'à la réforme de Luther en 1520, quand celui-ci brûle la bulle papale qui le condamnait, l'occident chrétien a connu une relative unité de foi. Le régime Constantinien d'abord, le régime de Chrétienté ensuite et surtout, ne permettaient guère à l'athéisme de se manifester.

Il faut apporter à une affirmation aussi brutale les nuances nécessaires. Il reste que, pendant cette période de 12 siècles et notamment pendant le moyen âge chrétien, les structures de l'Église et de l'État étaient très semblables. Elles étaient établies en fonction les unes des autres. Ce qui avait de nombreuses conséquences. Les grandes vérités avaient été officiellement reconnues par tous. Un certain nombre de grands services publics, l'enseignement notamment, étaient assurés par l'Église. Les actes de l'État Civil, enfin, étaient établis par le clergé au moment où les sacrements qui rythment la vie humaine : naissance, mariage et mort, sont reçus. On peut porter le fait au bénéfice de l'Église car il n'y a pas de société digne de ce nom sans acte de l'État Civil. « Les registres paroissiaux étaient de vrais livres de comptes, les plus anciens remontent au milieu du XIVe siècle. Le Concile de Trente en 1563 en normalise la tenue [1]. »

La Réforme avec Luther et Calvin fit apparaître une confession chrétienne nouvelle qui, non seulement rejetait les structures de l'Église

---

[1] BRISSAUD, *Manuel d'Histoire du Droit Privé*, p. 833, Paris 1935.

« *Conversions* » du christianisme à l'athéisme

romaine mais qui, encore, utilisait de nouveaux termes de distinction entre l'Église et la société temporelle. En tout cas, les protestants réformés dont les Églises s'emparèrent en Europe, en quelques siècles, d'une partie des esprits croyants, notamment en Europe centrale, en Europe du Nord, en Angleterre et en Scandinavie, soulevèrent par leur existence même le problème de l'unité de la foi et de la légitimité des actes de l'État Civil.

En France, à partir de 1685, l'Édit de Nantes fut révoqué et les protestants obligés d'abjurer ou d'être hypocrites s'ils voulaient faire reconnaître leur état civil. L'Édit de 1787 mit fin à cet état de choses. La loi du 28 Pluviôse an VIII confia aux municipalités le soin de tenir les registres de l'État Civil. Le divorce était autorisé. Une société laïque faisait son apparition.

Si nous rappelons ces faits c'est pour faire comprendre que, aussi longtemps que la chrétienté exista, aussi longtemps ensuite que les grands actes de la vie humaine furent, dans les royaumes officiellement catholiques, liés à l'accomplissement des rites religieux, il était difficile à l'athéisme de se manifester tel que nous le connaissons actuellement. La France fut le premier État catholique où la liberté de conscience fut admise. Il fallut attendre 1875 pour que l'Allemagne et la Suisse laïcisent leur État Civil. Il en fut de même pour les autres États d'Europe. A partir de la Révolution de 1789 et comme suite aux travaux des philosophes anglais et français du XVIIIe siècle, le passage à l'incroyance d'une partie importante de la population était devenu légalement et idéologiquement possible. Le phénomène de déchristianisation des sociétés occidentales apparaissait. Il ne devait cesser de se développer. Il atteint aujourd'hui un volume considérable. Les hommes qui vivaient dans les régimes libéraux et laïcisés ont peu à peu abandonné la pratique religieuse régulière. Il reste — et c'est cela qui est étonnant et qui rejoint le sujet qui nous occupe — qu'ils sont tout de même en grande quantité baptisés à leur naissance et mariés à leur Église. En France, toutes les enquêtes faites par l'Institut Français d'Opinion Publique en 1957, 1960 et 1964 ont révélé qu'il existe 85 à 90 % de baptisés dont 4 % le sont dans la foi protestante. 70 à 80 % de baptisés se marient à l'église ou au temple. Les chiffres sont sensiblement les mêmes dans les autres pays d'Europe convertis autrefois à l'Évangile et non soumis à un régime socialiste totalitaire et incroyant.

Si nous comparons la pratique religieuse dans les villes, qui représentent actuellement plus de la moitié de la population dans tous les pays d'Europe, nous constatons que cette population officiellement chrétienne est en réalité non pratiquante et sans doute incroyante. Un passage s'est donc fait de la foi à l'incroyance, dont il est difficile de déterminer le volume et qui est certainement considérable à chaque génération.

La transformation de la société avec la disparition des structures de chrétienté, l'apparition du libéralisme laïc en Occident, du communisme athée en Europe centrale et en Russie, la libération politique des États du « tiers monde » où il y a — si l'on tient compte de l'Amérique latine — 300 millions de chrétiens baptisés, ont provoqué le passage massif à l'incroyance d'une partie des hommes élevés dans les vérités de la foi.

Il est impossible d'entrer dans le détail de ces conversions à l'athéisme. Signalons une autre difficulté pour faire l'étude de ce phénomène sociologiquement et psychologiquement. Le baptême et l'éducation chrétienne que l'enfant n'a pas choisi de recevoir, dans les pays où le catholicisme est la religion de la majorité, mettent le jeune chrétien en question, au moment où il sort de l'adolescence, débouche dans la vie adulte et compare avec ses yeux à lui, avec son jugement personnel, le contenu de ce qu'on lui a dit avec la réalité du monde. C'est, en général, à ce moment que se fait le choix décisif, que les abandons sont consentis et les conversions à l'incroyance voulues. Il est rare que les intéressés fassent des confidences. Peut-on, en outre, parler de trahison ou d'abandon alors que la croyance des premiers âges avait été imposée? Il s'agit d'une sorte de choix qui est d'autant plus délibéré que les pressions familiale et sociale s'étaient exercées jusqu'à ces dernières années dans le sens de la religion traditionnelle.

II

ÉTUDES DE SONDAGES, D'ENQUÊTES
ET DE TÉMOIGNAGES CONTEMPORAINS

I. ENQUÊTE SUR LA PERTE DE LA FOI CHEZ LES JEUNES FRANÇAIS

Les chrétientés sont mortes et ne revivront pas. Avec elles a disparu cette quasi-impossibilité qu'avaient les hommes de ne pas croire à Dieu. Nous le constatons facilement quand nous nous posons le problème du passage du christianisme à l'athéisme. Nous découvrons alors qu'un certain nombre d'hommes, qui sont considérés comme chrétiens et qui, à l'occasion, disent qu'ils relèvent du catholicisme ou du protestantisme, sont en réalité athées. Ils jouent d'un malentendu sur le contenu des religions auxquelles ils prétendent adhérer. L'acceptation d'un certain nombre de pratiques cultuelles et de démarches, à la rigueur la reconnaissance de la valeur morale des préceptes évangéliques, ne les ont pas empêchés de glisser insensiblement à l'athéisme. Ils ne croient pas au surnaturel.

Comment s'est produit chez eux ce passage de la foi reçue dans l'enfance à un athéisme en partie avoué? Il est difficile de le dire avec précision. Nous nous trouvons en effet en face de personnalités à la foi positivistes et conformistes. Alors qu'ils étaient enfants, ces hommes et ces femmes qui avouent ne pas croire au surnaturel n'ont jamais pris au sérieux les vérités qui leur étaient enseignées au cathéchisme. Ils ont considéré qu'il s'agissait de fables, d'une sorte de mythologie traditionnelle, que le prêtre avait pour mission d'enseigner afin qu'il existât dans la société un minimum d'ordre. D'autre part, comme ces jeunes Français avaient accepté assez volontiers l'enseignement de l'Église tel qu'il est fait, ils n'ont jamais eu la volonté d'aller jusqu'au bout de leur absence de foi en Dieu, et ils ont continué de se comporter, dans les grandes circonstances de la vie, comme il était convenu de le faire et comme une partie de leur famille leur demandait de se comporter, c'est-à-dire qu'ils se sont mariés à l'église et qu'ils font baptiser leurs enfants, sans penser que ces sacrements les mettent en rapport avec les réalités surnaturelles. En ce qui concerne leur mariage religieux, nous avons relevé quantité de leurs témoignages. Les motivations données sont toujours celles-ci : « *c'est la coutume — cela faisait plaisir à mes parents ou à mes beaux-parents*, etc. » En réalité, le passage du christianisme à un athéisme à moitié avoué s'est fait insensiblement, aussitôt que la personnalité s'est affirmée et qu'elle a pris conscience de la réalité du monde sensible qui sous la forme que lui donne l'histoire moderne, lui a masqué toute autre réalité.

2. ENQUÊTES DE SOCIOLOGIE RELIGIEUSE

Dans certaines *enquêtes de sociologie religieuse* faites depuis 15 ans, notamment en France, des questions ont été posées sur ce problème de la perte de la foi, du passage d'une croyance révélée à la négation de cette croyance. Le dépouillement des réponses faites nous donne certaines indications sur les motivations collectives. Un livre du Père Émile Pin, « *Pratique religieuse et classes sociales* », est consacré à la sociologie religieuse dans une paroisse urbaine (Saint-Pothin à Lyon) [2].

Quand l'auteur analyse les questions qui ont été posées sur la perte de la foi et sur le passage à l'athéisme, il distingue trois sortes de raisons : les tendances naturelles à l'homme, l'ignorance et l'attitude des chrétiens.

a. *Les tendances naturelles de l'homme*

Un certain nombre de paroissiens lyonnais ont perdu la foi devant les exigences trop dures de la religion, en raison aussi des malheurs et des difficultés de la vie. Ces dispositions naturelles peuvent être éveillées ou renforcées par des influences extérieures : l'importance du souci du gain dans les milieux commerçants, les lectures d'auteurs incroyants ou athées, le laïcisme et le scientisme ambiants. « Je n'ai jamais eu, dit une éducatrice, l'occasion de voir des gens hostiles à la religion mais surtout des gens qui estiment que le stade religieux est dépassé et que ceux qui s'y attardent sont des êtres inoffensifs et pas très évolués. Si la foi des chrétiens éclatait, ils ne penseraient sans doute pas ainsi. »

Le naturalisme sexuel et sentimental développé par le cinéma et les journaux du cœur, l'immoralité de certains lieux de travail, viennent aussi renforcer les tendances naturelles de l'homme moderne, qui n'accepte pas volontiers une dépendance et une discipline.

b. *L'ignorance*

La deuxième raison à la perte de la foi est l'ignorance, l'absence de formation. On peut dire, d'une façon générale, que l'instruction religieuse poussée est pratiquement inexistante actuellement en France. Voici ce que dit notamment une employée des P.T.T. :

> La plupart de mes collègues de travail ont été baptisés mais ils ne croient plus parce que leur instruction religieuse est insuffisante. Ils ne comprennent pas l'utilité des prêtres, qui feraient bien

[2] Éd. Spes, Paris 1956.

mieux de travailler comme les autres, car la religion n'est plus de ce temps et est trop compliquée. Voici des réflexions entendues : la messe, je n'ai pas le temps d'y aller, je n'y comprends rien...

c. *L'attitude des chrétiens*

La troisième raison qui vient expliquer la perte de la foi, si l'on tient compte des réponses fournies par les paroissiens de Saint-Pothin, c'est l'attitude des chrétiens. Ce sont les ouvriers, surtout, qui font cette réponse. « L'ouvrier est éloigné de la foi d'abord par le manque de charité des chrétiens » dit l'un d'entre eux. Une ouvrière ajoute : « les pratiquants ne sont pas meilleurs que les autres. La religion, c'est de l'argent, de l'hypocrisie. Les pratiquants sont partisans du capitalisme... »

Une veuve de classes moyennes précise enfin : « Les riches disent : « notre vie privée nous appartient », les milieux moyens et ouvriers : « le prêtre est pour les riches et le sort de l'ouvrier ne l'intéresse pas! »

3. INTERVIEWS PARTICULIÈRES

Les sondages et enquêtes faites, qui étaient accompagnés d'interviews et d'enquêtes approfondies, ont permis de recueillir les confidences de beaucoup de jeunes convertis à l'athéisme. Nous en donnons ici quelques-uns. A entendre parler eux-mêmes des jeunes qui ont choisi l'athéisme après une éducation chrétienne, volontairement, en connaissance de cause et de façon décisive, nous commençons de mieux cerner ce fait social si important des temps modernes : la conversion à un monde sans Dieu.

Voici d'abord le texte d'une lettre écrite par un chirurgien-dentiste et que nous avons reçue au moment où nous avons publié les résultats du premier sondage fait par nous en 1957 sur l'attitude de ce qu'on appelait alors « la nouvelle vague » en face de la foi. Ce texte a l'avantage de fournir une explication aux situations pleines de contradictions inavouées que nous venons de décrire.

Il est étonnant qu'un homme sensé attache autant d'importance au fait que 85 % de jeunes Français se prétendent encore catholiques. Quand je songe au *courage* qu'il m'a fallu à vingt et un ans pour briser des liens tenaces et tentaculaires avec l'Église, je conçois que 85 % de jeunes Français hésitent à en faire autant. On peut toujours dire que l'on est catholique même si cette affirmation ne correspond à rien. On y gagne une certaine tranquillité. Votre Nouvelle Vague est très sensible à l'opium.

L'Église et les soi-disant chrétiens s'essoufflent à rattraper leur retard par rapport aux théoriciens du socialisme. La surenchère vous sert à vous maintenir en place ou à convertir des naïfs.

On voit bien ce qui est à l'origine de cette lettre : la découverte du socialisme scientifique et sa prétendue avance sur la doctrine de l'Église, Il y a là un malentendu que nous ne cesserons de rencontrer et qui est celui-ci : la foi en Dieu n'est pas aujourd'hui présentée et vécue par les chrétiens telle qu'elle est, ce qui est sans doute à l'origine de ces conversions constantes à l'athéisme.

4. LE PROBLÈME DU MAL

Pour ceux qui ont le « courage » de rompre avec leur milieu d'origine, la conversion à l'athéisme se fait au moment où ils découvrent le problème du mal et du malheur dans le monde. Que le monde social soit mal fait, qu'il comprenne des injustices, des inégalités, des infirmités physiques et morales, que les bons ne soient pas toujours récompensés et les méchants toujours punis, est, pour un adolescent, une source permanente de scandale. Au moment où le passage de l'enfance à l'âge d'homme crée beaucoup d'inquiétudes chez les écoliers des classes terminales et chez un grand nombre d'étudiants, ils sont amenés à remettre en question la vision du monde qui leur a été proposée par leurs parents et leurs éducateurs. Les études philosophiques et scientifiques auxquelles ils se livrent les y poussent d'ailleurs également. C'est à ce moment-là de la vie que naissent beaucoup de vocations chrétiennes, mais également que se décident beaucoup de passages à l'athéisme.

Voilà un jeune homme, avec lequel nous sommes resté en rapports épistolaires, et qui nous décrit en quelques lignes la crise qui l'a mené à l'athéisme.

Je viens d'avoir 18 ans, dit-il. Je suis athée et je pense posséder assez de recul pour analyser l'évolution de mes idées religieuses. J'ai été élevé chrétiennement, mais j'ai peu à peu réfléchi aux vérités toutes faites qui m'avaient été enseignées. Je les ai comparées, depuis quelques années que je suis mêlé au monde des hommes, avec la réalité telle qu'elle m'apparaît maintenant. Les vérités de la foi sont en contradiction avec ce que je vois autour de moi. Elles ne m'apparaissent pas vraies. Je ne peux rester fidèle à la foi de nos parents. Je refuse l'existence de Dieu, maître de ces hommes, désirant le bonheur de ce monde et ne faisant rien pour empêcher le malheur.

Un autre étudiant, en sciences celui-ci, est arrivé à la conclusion réfléchie, à propos de ses études, que Dieu n'existait pas. Il en énumère ainsi les raisons :

Si Dieu avait existé, le monde aurait été ordonné. En effet, tout ordre suppose une intelligence. Donc, si le monde est ordonné, il résulte d'une intelligence. Comme il y a du désordre dans le monde, c'est que Dieu n'existe pas d'une façon absolue. Et il ajoute : J'ai reçu jusqu'ici une formation essentiellement scientifique, ce qui ne m'a pas conduit au scientisme, mais m'a donné l'habitude de tout remettre en question et de discuter toute chose avant de l'admettre. Or, si l'on veut croire à la religion chrétienne, il faut accepter Dieu et tous les autres principes sans les discuter.

Voici un autre témoignage de conversion à l'athéisme. Il s'agit d'une lettre écrite par un étudiant en médecine, né dans une famille chrétienne et soumis pendant dix ans aux influences religieuses les plus intelligentes :

J'aborde mes études de médecine, écrit-il, passionné de culture générale; je découvre avec étonnement l'athéisme tranquille, pas du tout complexé, pas du tout « futur damné », de Sartre, le détachement avec lequel, au détour d'une phrase, Sartre dit : « Nous, existentialistes athées », dans une totale indifférence du châtiment, qui devrait l'attendre, me fit découvrir un monde que j'ignorais.

Dès lors, par ma prise de conscience de l'existence et des réalités à l'hôpital, dans la vie, au fil de mes lectures, j'ai acquis le sens de l'absurdité de la condition humaine, de la malfaçon de ce monde si mal édifié que j'ai souhaité qu'il n'y eût jamais existé quelqu'un pour le faire aussi mal, que, quelle que soit la cause initiale, à supposer qu'il y en eût une, rien ne pourrait expliquer toute la douleur du monde, qu'aucun salut non plus ne pouvait être payé de ce prix de sang et de larmes.

Bien sûr, cela ne s'est pas fait sur un chemin de Damas mais, peu à peu, sur un plan de mon esprit.

Sur un autre plan, et dans le même sens, m'est apparue l'impossibilité d' « utiliser » une religion qui ne faisait pas tout pour aider les pauvres hommes à vivre le plus heureusement possible... je sais... les consolations de la religion... mais je n'admettais pas (et bien sûr pas plus à présent) que, sous prétexte de ne pas attenter à la vie, on laisse mourir la mère ou naître un infirme, voire un monstre, en interdisant tout avortement thérapeutique; de même, je ne comprenais pas le silence assez général de l'Église devant les atrocités nazies, que la protestation n'eût été le fait que de quelques prélats et de quelques résistants, que l'Église, comme tout autre groupe social, et plus encore puisque étant le défenseur de toute vie, ne se fût pas, quel que soit le risque pour sa chair, tout entière engagée dans ce combat. Pour me résumer sur ce point, j'étais blessé dans ma foi qu'une religion d'amour ne le fût pas totalement et à tout instant.

Encore un point à définir : ma position à l'égard de l'Église? Une indifférence assez totale, sauf vis-à-vis des prêtres-ouvriers, ou des militants, de la sympathie parce qu'ils remuent, et du regret à cause de l'impression qu'ils se fichent dedans pour ce qui est de la foi.

L'avenir de l'Église ? Une décomposition plus ou moins lente selon les événements et qui sera accélérée s'il y a extension du marxisme, bien sûr, mais qui sera inexorable dans le monde occidental où tout y aura sa part, y compris l'abêtissement par les illustrés et la presse du cœur. La pratique, le dogme s'en allant par petits bouts hors de la vie des gens : n'avez-vous pas vu que les évêques ont autorisé leurs ouailles à ne pas jeûner ni faire abstinence le mercredi 24 décembre 1958, vigile de Noël... De même que le roi fit ambassadeur le petit Prince qui, de toutes façons, s'en allait.

— *Ménages d'athées* — Voici également, pris dans cette série d'enquêtes faites il y a sept ans maintenant, le témoignage d'une très jeune mère de famille :

J'ai vingt et un ans, écrit-elle. Je suis mariée et j'ai un enfant. J'ai fait trois ans de Sciences Politiques et je travaille maintenant dans un collège de jeunes filles comme surveillante d'externat. Par ailleurs, j'essaie de préparer un certificat de psychologie sociale.

J'ai été élevée dans la religion catholique. Mes parents sont baptisés, mon père croit en Dieu sans pratiquer, mais estime une éducation catholique presque nécessaire. Ma mère est pratiquante. J'ai donc été baptisée. J'ai suivi les classes primaires dans une école de religieuses. Ensuite, je suis allée au Lycée où, automatiquement, j'ai suivi assidûment les cours de catéchisme et où j'ai adhéré au mouvement jéciste, puis au mouvement scout. Malgré tout, je n'ai jamais été un monument de piété fervente... Je n'ai jamais trouvé le réconfort véritable dans la religion catholique. Je me rappelle même avoir attendu « ce quelque chose » dont me parlaient mes camarades au moment de la communion, et être revenue toujours plus déçue de la Sainte Table.

J'ai fini par m'ennuyer à la messe et je me suis ingéniée à la sécher le plus souvent possible. A partir de quatorze ans, la rupture a été complète, ma mère ayant enfin compris qu'il valait mieux me laisser faire à mon gré plutôt que de me forcer à assister aux offices pendant lesquels je m'imaginais des tas d'histoires pour me distraire. A cette époque, Gérard Philippe était au centre de mes préoccupations. Même en classe de philosophie le problème de Dieu ne se posait plus. Depuis longtemps je n'y ai pensé. Pour moi, c'est un anachronisme. Et ma formule est celle-ci, que je répète à tous les croyants qui me posent des questions sur mon état d'athée : si Dieu existait, on ne se le demanderait même pas.

Je me suis mariée à un garçon dont le grand-père même n'a pas été baptisé. Il en est très fier et je dois dire que j'aimerais à me prévaloir d'une ascendance athée. Le problème ne s'est pas posé pour nous, ni pour le mariage, ni pour la naissance de la petite fille : mariage civil et pas de baptême. Nous entendons élever notre fille en dehors de toutes les religions comme de toutes les superstitions. Pour nous, il n'y a pas de différence entre les religions anciennes et les religions actuelles, sinon que ces dernières ont supprimé ce qu'il avait de trop choquant devant les idées nouvelles. J'envisage la disparition des religions, au moment où l'homme n'aura plus à espérer d'être heureux dans un autre monde, ayant le bonheur sur la terre. Car je crois que l'existence des religions est due aux malheurs endurés sur la terre : à mon avis c'est l'espoir né du désespoir de ne voir jamais le bonheur ici-bas. Comme l'idée du bonheur est indispensable à l'homme, si l'homme ne l'entrevoit pas sur la terre, il la place dans une vie postérieure. La religion, pour moi, est une faiblesse, c'est le refus de voir les choses en face. C'est pourquoi j'estime qu'elle est un frein vers le progrès. Toutes les adaptations du catholicisme au cours des siècles n'y feront rien. L'Église catholique ne fait que les adaptations sans lesquelles elle mourrait. Elle est obligée de suivre le progrès des esprits humains, elle le fait, mais après des luttes et toujours très en retard sur l'évolution générale.

Ces quelques témoignages contemporains nous font assister à la conversion de chrétiens à l'athéisme en milieu étudiant, pour les anciennes raisons qui ont toujours tourmenté les esprits qui se posent les « maudites questions » dont parle quelque part Dostoïevski : le sens de la justice, une conception trop rigoureuse de la science, des considérations existentielles et morales, sont à l'origine de la décision prise par tant d'hommes et de femmes jeunes de rejeter aujourd'hui le christianisme pour construire eux-mêmes un monde meilleur.

Ces témoignages sont incomplets. Ils proviennent de milieux dont les conceptions de vie sont faciles. Ils ne tiennent pas compte — nous n'en avons pas rencontré au cours de nos enquêtes — des objections historiques. Nous allons donc les compléter sur ces deux points.

5. TÉMOIGNAGES SUR LA CONVERSION DES OUVRIERS

Nous prenons, dans l'ouvrage consacré par M. Ignace Lepp à la psychanalyse de l'athéisme, l'exemple qu'il donne d'un ouvrier chrétien qui s'est converti à l'athéisme marxiste après avoir été militant d'Action catholique. Son cas, analysé avec précision par l'auteur, qui a fait le chemin contraire et s'est converti de l'athéisme marxiste au catholicisme, est significatif et valable. Nous le reproduisons ici tel qu'il a été transmis.

De tous les militants ouvriers communistes que je connais, Francis est le seul à dire que, jusqu'à l'âge de vingt-sept ans, il avait vraiment la foi. Contremaître dans une usine d'automobiles, il est secrétaire de la cellule d'entreprise du parti communiste. Son père, d'origine italienne, était incroyant ; sa mère, corse, avait par contre été très pieuse. A sa foi de petit enfant il n'attache aucune importance ; il dit que lui aussi mettait alors « dans le même sac » le Père Noël, le Petit Jésus et le Loup-garou. Le grand tournant fut, à l'âge de huit ans, son entrée dans un groupe de « louveteaux ». Il ne tarda pas à devenir un fervent admirateur de l'aumônier, un jeune prêtre aussi pieux que dynamique et bon. Grâce à lui, Francis dit avoir fait, à onze ans, une communion solennelle « en pleine connaissance de cause ». Surtout il l'a faite avec une exceptionnelle ferveur. Sur le moment et pendant des années encore, il avait été persuadé d'avoir fait une expérience vraiment personnelle de la présence divine dans l'Eucharistie. Il manifeste une visible tendance à la mystique. Sans être conscient d'aucune pression familiale ou sacerdotale, à douze ans Francis entre au petit séminaire de L., avec la ferme intention de devenir prêtre. Ses maîtres et supérieurs n'ont que des paroles d'éloge pour sa piété et sa bonne conduite.

Les études réussissent malheureusement moins bien et, après un essai de deux ans, Francis les abandonne avec regret. Il entre comme apprenti dans une usine d'automobiles. Son ambition est de vivre à fond ses deux amours, celui de la classe ouvrière et celui du Christ. Il apprend assidûment son métier et consacre son temps libre à militer dans les rangs de la J.O.C. Puis ce fut la résistance et les combats de maquis, auxquels Francis participe avec sa générosité habituelle. Dans le maquis, il doit bien se rendre compte que la plupart de ses camarades sont dépourvus de tout idéal, qu'ils sont là uniquement par goût de l'aventure ou, encore plus souvent, pour échapper au travail obligatoire en Allemagne. Il y a entre eux des bagarres et quelques-uns commettent même des rapines dans les fermes d'alentour. Seuls les communistes semblent conscients des combats qu'on mène, eux seuls observent une discipline rigoureuse. Tout naturellement Francis se sent plus proche d'eux que des autres. Peu à peu, presque sans s'en rendre compte, il adopte leur vocabulaire, puis se fait à leur manière de penser et de juger les événements. La libération venue, Francis ne voit aucun motif de se séparer de ceux avec qui il avait si fraternellement combattu dans la clandestinité. Il adhère donc à la C.G.T. et à diverses autres organisations dirigées par les communistes. Il se veut toujours chrétien ; il fréquente assidûment l'église et communie chaque dimanche. Cela durera plusieurs années.

Entre-temps, Francis s'est marié avec une fervente militante communiste et est devenu père de famille. Les difficultés que son engagement lui vaut auprès de la hiérarchie catholique et du monde chrétien en général, ne font qu'exalter sa foi. Il voudrait que sa vie témoignât de la possibilité pour un chrétien d'être aussi un authentique révolutionnaire sur le plan social. Puis vient la condamnation des prêtres-ouvriers, en même temps tombent en disgrâce auprès du Vatican les théologiens qui ont exercé la plus profonde influence sur les jeunes générations catholiques en France. Comme tant d'autres, Francis s'indigne et proteste contre ce qui lui semble une terrible injustice. Ses camarades communistes, à commencer par son épouse, ont beau jeu de lui dire : « Tu vois bien que l'Église est toujours du côté des riches et des réactionnaires. En refusant aux prêtres la permission de travailler et de vivre parmi nous, elle montre bien qu'elle n'aime pas le peuple. » Le coup le plus dur pour lui sera la rupture d'avec l'Église du prêtre qui, pendant des années, avait été son guide spirituel et qu'il avait tous les motifs d'estimer.

Un dimanche, à l'église, alors que le prédicateur commente trop complaisamment l'encyclique *Humani Generis* et fulmine contre les prêtres-ouvriers et « autres chrétiens aveugles qui se font les complices du communisme athée », Francis n'est plus à même de se maîtriser. Il se lève et sort démonstrativement de l'église, avec la ferme intention de ne plus jamais y remettre les pieds. Dès le lendemain, il sollicite son admission au parti communiste.

Pendant quelques mois, Francis se dit encore chrétien et critique le comportement réactionnaire de l'Église en tant que tel. Puis il cesse de parler en chrétien et, à peine un an plus tard, il doit s'avouer à lui-même qu'il ne croit plus. Entre-temps, il a étudié sérieusement le marxisme-léninisme et affirme que l'explication que celui-ci donne de l'univers le satisfait parfaitement.

M. Mury, membre du parti communiste français, cite un cas semblable dans son livre : *Essor ou Déclin du Catholicisme Français ?* [3] : celui de Roland Talleux, qui est lui-même l'auteur d'un livre *les Problèmes du Catholicisme Français* [4].

Roland Talleux entre à la J.O.C. dit M. Mury. Par souci d'efficacité, l'Église, en effet, a décidé de grouper les jeunes par milieu. Mais, du même coup, la solidarité entre travailleurs se manifeste, quoique à un stade élémentaire : celui de la spontanéité pure. La J.O.C. guide Talleux jusqu'en 1947 et lui suggère alors de poursuivre son action chrétienne, syndicalement (C.F.T.C.), familialement (M.P.F.) et politiquement (M.R.P.).

Deux ans se passent ; le jeune homme entre chez Renault et s'aperçoit d'abord que 75 % des travailleurs font confiance à la C.G.T., ensuite, que seule cette centrale lutte réellement pour la libération ouvrière. Élu délégué, il découvre dans l'action la justesse de la ligne de son syndicat, chaque fois qu'il y a une revendication à défendre. Arrive août 1950, la direction refuse tout et n'importe quoi, lance la police armée de mousquetons et la garde mobile sur des femmes, des enfants, des hommes aux mains nues. La défense contre ces attaques sauvages, porte la conscience de classe de Talleux à un niveau supérieur à celui qu'il avait vécu dans la revendication quotidienne. Mieux ou pis : malgré ses adjurations, il voit des « jaunes » s'efforcer de pénétrer dans l'usine aux côtés des policiers. Puisque ses efforts de persuasion ont échoué, il ne lui reste plus qu'à s'opposer par la force, avec les piquets de grève, à cette

[3] Éd. Sociales, 1960.
[4] Éd. Julliard.

trahison. Laisser triompher cette fausse liberté du travail pour quelques-uns, ce serait la fin de la vraie liberté revendicative pour tous.

Il n'est pas utile de faire ici un long commentaire. M. Ignace Lepp, dans le livre que nous avons cité plus haut, remarque notamment que la vérité du christianisme ne dépend pas du comportement de tel ou tel prélat, de telle ou telle décision ecclésiale. Seul l'Évangile, interprété à la lumière des décisions conciliaires pour les Églises catholique et orthodoxe, à la lumière paroissiale pour les protestants, contient l'énoncé des vérités de la foi. Il est difficile toutefois aux militants ouvriers de bonne volonté de ne pas juger l'arbre à ses fruits et de ne pas croire, au vu des résultats obtenus, que l'arbre communiste ait sa valeur. Quoi qu'il en soit, nous n'empêcherons pas les chrétiens qui sont dans une situation de pauvreté et qui subissent l'injustice, de demander à leurs frères et à leur Église un minimum d'authenticité. Je veux dire une relation de cause à effet entre leurs actes personnels, leur comportement social et les exigences de leur foi.

Le chemin parcouru par l'ouvrier français l'est, parallèlement, chaque jour, en France et dans plusieurs pays occidentaux, par des intellectuels qui abandonnent l'Église pour se convertir à l'athéisme marxiste. Ici ce n'est pas l'injustice personnellement subie qui est à l'origine de la démarche et de la rupture. C'est le développement de l'esprit critique et la connaissance intellectuelle des situations sociales inéquitables.

Nous pourrions citer le nom de beaucoup de professeurs, militants communistes ou tout au moins marxistes, qui furent d'abord, en France, militants d'Action catholique.

M. Mury, dont nous avons déjà parlé, était lui-même — avant d'entrer au parti communiste — membre de l'Action catholique et agrégé de l'Université. Il montre, dans l'introduction à son livre comment ce sont les luttes dans la Résistance qui l'ont amené à se poser la question de l'authenticité de la foi chrétienne et comment un incroyant a le droit de chercher au-delà du signe de la foi quelle est la valeur de contenu de celle-ci. Il ajoute :

> En ce qui me concerne l'argument me paraît d'autant plus faible que j'ai abordé les recherches philosophiques et sociologiques dans un climat de ferveur religieuse et même mystique. Le marxiste que je suis devenu n'a pas surgi du néant. Il s'est formé dans l'action militante à partir d'une confrontation durable entre ses aspirations chrétiennes et les nécessités du combat pour l'indépendance nationale dans la Résistance. Certes, il est possible de se séparer totalement de son point de départ, mais non de l'anéantir, de faire que

le passé n'ait pas existé. Si je nie aujourd'hui ce que j'étais hier, cette négation elle-même enveloppe ce qu'elle supprime. N'être plus chrétien, ce n'est pas n'avoir jamais été chrétien.

Je sais la grande paix que le croyant découvre dans la promesse intérieure de son Dieu et, tout ensemble, l'exaltation collective jaillie du plus profond des rites, la patiente solidarité de la vaste société catholique. Je me retrouve parfois impuissant, comme naguère, à démêler le sens des vastes conflits, à découvrir par quels chemins de raison les hommes marchent vers le progrès. Sans doute suis-je alors tout proche de Péguy ; celui-là n'en pouvait plus de la misère humaine et de la lente, de la calme, de la durable ténacité d'une bataille obstinée contre le mal. Impatience ou lâcheté, il lui fallait non la lucidité inlassable du socialisme scientifique, mais la foi comme un coup de canon.

Car l'homme de la foi peut encore combattre : la bataille est déjà gagnée. Dieu a pipé les dés pour que le meilleur l'emporte dans un univers soigneusement agencé. Et je garde le souvenir non des dogmes desséchés, mais de l'espérance chrétienne, de la communion avec l'amour divin, du corps mystique où se rejoignent les vivants et les morts.

Je n'entends nullement tirer profit d'une quelconque équivoque : ce n'est pas dans la foi que je parle, seulement dans son souvenir. Du moins en devenant marxiste, n'ai-je miraculeusement cessé de savoir que tous les croyants véritables portent en eux non des abstractions, des conclusions métaphysiques, des constructions idéologiques mais la certitude intime, chaleureuse, vivante d'une présence de justification rationnelle sur une expérience affective vécue. Il importe de ne pas la déformer ou l'oublier, de la connaître pour en ressaisir la source, la puissance constitutive, dans la réalité objective.

Mais il faut faire un pas de plus : cette expérience religieuse qui fut la mienne n'était pas indispensable à ma recherche sur le christianisme. Chacun est maître d'examiner scientifiquement les formes extérieures de la pratique ou même d'analyser historiquement, par référence à la pensée contemporaine, le contenu d'une philosophie d'orientation théologique.

Certes il ne suffit pas d'expliquer une idéologie, de l'insérer dans l'histoire sociale ; Jean Desanti l'a bien montré : le moment arrive toujours de l'effort inévitable pour remonter du signe à l'intention de signification. La Psychologie sociale n'est pas seulement utilisée par une école américaine dont les travaux sont de qualité discutable : elle est une nécessité de fait dont témoignent déjà les œuvres de Plékhanov. Au fond, lorsque Durkheim nous demande de « traiter les faits sociaux » c'est-à-dire l'ensemble des faits spirituels, « comme des choses », il commet une erreur : les faits — de quelque ordre qu'ils soient — ne sont jamais des choses, mais des interactions dialectiques et (en particulier lorsqu'il s'agit de faits humains) l'interaction d'un « dehors » et d'un « dedans ».

La psychologie, fût-elle sociale, est inséparable d'une connaissance concrète — ce qui ne signifie pas existentielle ou complaisante — de ce « dedans ».

6. TÉMOIGNAGES
LA CONVERSION A L'ATHÉISME EN RAISON
DE LA NON-HISTORICITÉ DES ÉVANGILES

Pour terminer la série de ces témoignages contemporains, nous signalerons que les conversions à l'athéisme peuvent encore avoir des motivations historiques. Voici ce que nous voulons dire. Un grand nombre de chrétiens qui fréquentent encore l'Église renoncent à croire en Dieu parce qu'il leur paraît que les textes sacrés de la religion révélée ne peuvent pas être interprétés comme ils le sont par les chrétiens.

Il y a quelques semaines, nous acceptâmes de recevoir, sur la recommandation d'un ami, un visiteur qui nous demandait audience. L'homme qui entra dans notre bureau était un homme d'une quarantaine d'années. Il était à la recherche d'une situation dans l'édition. Nous le fîmes parler. Il nous dit assez vite qu'il était prêtre mais que, d'accord avec son évêque, il venait de quitter l'Église. Il hésitait à faire l'aveu de cette rupture avec le christianisme :

> Chaque fois qu'un prêtre annonce qu'il a rejeté son sacerdoce, disait-il, ceux auxquels il s'adresse songent tout de suite à une histoire de femme. Ce n'est pas le cas pour moi. J'ai fait dix ans d'exégèse et d'études bibliques à Rome... Ces travaux m'ont conduit à l'athéisme. Je considère le Christ comme le chef d'une très modeste secte religieuse en Judée, qui n'avait point les intentions ni la volonté qui lui ont été prêtées par les chrétiens des premiers siècles. Ce sont les premières communautés chrétiennes qui ont fait du Christ un Dieu, qui lui ont prêté les paroles qu'il ne prononça pas, les actes qu'il ne fit pas.

Mon visiteur conclut en disant :

> J'ai voulu continuer d'honorer mon engagement sacerdotal et, pendant six ans, je suis monté en chaire chaque dimanche pour enseigner aux autres des vérités auxquelles je ne croyais plus. Ma persévérance n'a pas été récompensée. Ma foi en Dieu n'est pas revenue. Je suis bien obligé d'être vrai avec moi-même. J'ai donc décidé de renoncer au sacerdoce et de chercher à gagner ma vie de la même façon que font tous les autres hommes.

Nous pourrions citer beaucoup d'exemples de ce que nous venons de dire. Nous renvoyons notamment au livre publié par Roger Martin du Gard, *Jean Barois* [5]. Dans ce roman, l'auteur a prêté à son personnage

---

[5] « Nouvelle Revue Française », éd. Gallimard, Paris.

« *Conversions* » *du christianisme à l'athéisme* 407

les raisons de son évolution vers l'athéisme. Après une enfance pieuse il a cessé de croire lorsqu'il a découvert que les Évangiles rendaient compte, non pas directement de la vie du Christ, mais de la foi des premières communautés chrétiennes.

Nous trouvons les mêmes considérations, et nous pourrions citer beaucoup d'autres exemples, dans « *les Carnets* » d'Antoine de Saint-Exupéry[6]. Antoine de Saint-Exupéry avait été élevé dans un collège religieux. Il fut refusé au concours d'admission à l'École Navale, entra dans l'aviation civile, devint écrivain célèbre et perdit peu à peu la foi. Dans les « Carnets » publiés après sa mort on trouve l'explication de son passage à l'athéisme. C'est une page dans laquelle il s'en prend au Père Sertillanges. Celui-ci dans « Les sources de la croyance en Dieu » avait divisé les hommes en croyants et en incroyants. Voici le texte du commentaire que la lecture de ce livre inspira à Saint-Exupéry.

Père Sertillanges, comment prétendez-vous nous séduire en nous injuriant? Comment prétendez-vous nous convaincre en nous traitant d'emblée comme des enfants que l'on morigène? Du haut de votre orgueil vous taxez d'orgueil ce qui établit notre dignité. D'orgueil et de désir de stupre. Ignorez-vous donc que les conditions de nos connaissances, depuis le moyen âge, ont changé?

Ignorez-vous donc que nous considérons comme un lâche, dans la démarche scientifique, quiconque, pour sauver une théorie qui lui est chère, refuse de la soumettre à une critique serrée des faits et de l'histoire? Nous savons être probes, même s'il en coûte à notre paix. Nous avons accepté pour discipline de toujours distinguer le légendaire de l'authentique, et le document de l'hypothèse. Les adversaires de Pasteur, vous les avez reniés avec nous. Et brusquement, dans l'ordre des choses qui touche non seulement les commodités de notre vie mais son sens même, qui engagera tous nos actes et presque nos mouvements les plus intimes, vous tonnez contre nous lorsque nous hésitons, gênés, au seuil de votre église, désireux à la fois de servir encore la vérité et de rester enchantés par les fables.

Vos preuves, qu'en feriez-vous? Fondés par le christianisme — et nous le savons — nous le sommes pour le christianisme. Nous savons que nous retrouverons Dieu dans nos besoins, notre morale en apparence spontanée, sur nous-mêmes, sur l'univers. Et en analysant votre pensée, nous savons bien que nous retrouverons, si nous avons le don de voir, les concepts mêmes qui la dirigent. Et nous l'appelons vérité. Oui, mais vérité en dedans et non en dehors. Dieu est vrai, mais créé peut-être par nous.

Ce sont nos inquiétudes qu'il eût fallu calmer, Père Sertillanges. Elles sont le fruit non de nos vices, mais de notre noblesse même.

[6] Éd. Gallimard, Paris.

La contrainte morale ne nous gêne point, nous l'appelons de tous nos vœux, nous savons bien qu'il faut de dures lois pour pétrir des êtres forts. Cela nous aiderait pour nous y soumettre que l'on inventât un Dieu. Non tant à cause des récompenses promises — car la première, la seule qui pour nous compte est de grandir — mais pour donner avec amour, pour encenser, de nos sacrifices nécessaires, l'idole dont nous sommes privés. Trop tôt sevrés de Dieu à l'âge où l'on se réfugie encore, voici qu'il nous faut lutter pour la vie en petits bonshommes solitaires.

Il eût fallu, puisque vous accordez à la révélation tant d'importance, nous dire pourquoi vous n'en accordez plus aucune aux témoignages qui seuls nous l'ont transmise. Pourquoi il faut croire à la résurrection sur des documents dont les auteurs sont inconnus et dont pas un n'a vécu du vivant du Christ. Pourquoi, quand votre Église insiste tant sur l'histoire, sans importance, de Jacob, elle insiste si peu sur la genèse des Évangiles, le choix qui a présidé à leur sélection, les mobiles de certains refus. Puisque cette authenticité même est la clef de voûte de votre Église, il eût fallu dire pourquoi la « pétition de principe » que partout ailleurs nous considérons comme indigne d'un homme qui respecte la pensée, et qui vous indigne autant que nous quand vous la démasquez chez vos adversaires, devient, dans votre Église, si brusquement une qualité faite d'humilité et d'obéissance? « Le choix des Évangiles est certain parce que les conciles qui y présidèrent étaient infaillibles. » Ils étaient infaillibles parce que parlant au nom du Dieu des Évangiles. Et ce Dieu-là n'est démontré qu'autant que ce choix fut certain.

Et que faites-vous des contradictions (visitation, résurrection, etc...) qui, tout au moins, entachent de faiblesses humaines un document d'ordre divin. Et que faites-vous des citations de mauvaise foi et destinées à faire cadrer après coup le Christ avec celui qu'annonçaient les prophètes?

Un autre exemple est celui de M. Prosper Alfaric qui fut professeur d'histoire des Religions à la Faculté de Strasbourg. Celui-ci naquit en France à Livinhax-le-Haut au sein d'une famille modeste et croyante. Il fut séminariste, prêtre, professeur de séminaire. La lecture des philosophes, comme il l'a dit lui-même [7], notamment celle de Herbert Spencer, lui fit entrevoir sous une forme nouvelle les rapports de la Science et de la Foi. Son besoin de rigueur intellectuelle le fit se séparer de l'Église au moment où le modernisme fut condamné. Il édita « l'Histoire des Religions » et publia, en 1956, un livre sur « les Origines sociales du Christianisme » qui tend à nier l'historicité du Christ. Cette étude prouve que l'auteur a été rejeté de la foi non seulement par les études historiques

---

[7] « De la Foi à la Raison », Publications de l'Union Rationaliste, Paris.

qu'il a été amené à faire, mais encore par le fait que l'Église du Christ refusait de reconnaître pour vrai ce qui lui paraissait, à lui, comme étant incontestable.

La crise du modernisme, qui fit tant d'apostats pour des raisons historiques, est passée. Elle a perdu de sa virulence. Elle n'a pourtant pas perdu toutes ses raisons d'être. Les noms de Renan et de Loisy viennent inévitablement sous la plume. Leur aventure spirituelle qui fut, il y a cent ou cinquante ans, significative, continue pourtant de se produire chez un certain nombre d'hommes qui refusent de croire à Dieu, non parce que le monde est mauvais, non parce que l'Église ne leur paraît pas logique avec les exigences de la foi, mais simplement parce qu'il leur apparaît que les livres qui contiennent la révélation de la Parole de Dieu ne sont pas historiquement exacts ou parce qu'ils rapportent des faits qui ne sont pas historiquement vrais.

III

LE PASSAGE A L'ATHÉISME ÉTUDIÉ
DANS LES BIOGRAPHIES D'HOMMES REPRÉSENTATIFS

L'étude d'un certain nombre de témoignages contemporains nous a amenés à voir comment se produit collectivement ou individuellement le passage de la foi à l'athéisme et pour quelles raisons. Nous voudrions maintenant reprendre le même problème, comme le fit Camus dans « l'Homme révolté », en étudiant, en quelque sorte, historiquement les passages à l'athéisme qui font figure de symboles.

I. LES PHILOSOPHES ET LES SAVANTS

Le besoin de certitudes rationnelles en matière de foi a poussé un certain nombre d'hommes, philosophes ou savants, à abandonner la foi chrétienne. Leur pensée est l'aboutissement des philosophes anglais du XVIIe siècle et des encyclopédistes. Voici, par exemple, ce que dit Bertrand Russell dans le livre *Histoire de mes Idées Philosophiques*, Gallimard — Paris. Russell est un philosophe qui s'est servi de l'analyse mathématique pour essayer de connaître la vérité dans un certain nombre de directions. Une de ces directions était la croyance religieuse. Il en vient à ne plus croire à la libre volonté, à l'immortalité de l'âme et enfin à Dieu. Dans les pages 33 à 42 de cette biographie intellectuelle, il publie un journal de son adolescence.

Voici la conclusion à laquelle il aboutit :

> Extraordinaire comme il est peu de principes et de dogmes dont je sois parvenu à me convaincre. L'une après l'autre, je vois mes anciennes croyances m'échapper pour tomber sous le coup du doute. Par exemple, jamais je n'avais un seul instant douté que ce me fût une bonne chose que de connaître la vérité. Mais j'ai aujourd'hui les plus grands doutes à ce sujet. Car la recherche de la vérité m'a conduit à ces résultats que j'ai consignés dans mon cahier, tandis que, si je m'étais contenté d'accepter les enseignements de ma jeunesse, je vivrais encore dans le confort intellectuel. La recherche de la vérité a ébranlé la plupart de mes anciennes croyances et m'a sans doute fait commettre ce qui est probablement des péchés que j'aurais autrement évités. Je ne pense pas que cela m'ait rendu plus heureux; bien sûr ça m'a donné un caractère plus profond, le mépris des bagatelles et des railleries, mais en même temps ça m'a retiré toute gaieté et rendu plus difficile d'avoir des amis

intimes, et, pire encore, m'empêche d'avoir de libres entretiens avec mes parents, et de la sorte les rend étrangers à quelques-unes de mes pensées les plus profondes; si par malchance je les laissais paraître, elles deviendraient l'objet de moqueries qui, même non mal intentionnées, me seraient inexprimablement pénibles. Ainsi, dans mon cas individuel, je dirais que les effets de la recherche de la vérité ont été plus mauvais que bons. Mais on peut me dire que la vérité que j'accepte comme telle n'est pas la vérité et que si je parviens réellement à la vérité, elle me rendra plus heureux, mais c'est là une proposition très douteuse. De ce fait, j'ai de grands doutes quant aux purs avantages de la vérité. Certainement, en biologie la vérité abaisse l'idée que l'on se fait de l'homme, ce qui doit être pénible. En outre, la vérité éloigne de vous les anciens amis et vous empêche d'en faire de nouveaux, ce qui est aussi une mauvaise chose. On devrait peut-être considérer tout cela comme un martyre, puisque très souvent la vérité qu'atteint un homme peut entraîner l'accroissement du bonheur de beaucoup d'autres, mais pas du sien. D'une manière générale, je suis enclin à poursuivre la vérité, bien que je n'aie aucun désir de répandre une vérité de l'espèce que l'on trouve dans ce cahier (si c'est bien la vérité). Je désire plutôt l'empêcher de se répandre.

La recherche de la vérité absolue chez ce philosophe, le mène dès son adolescence à l'athéisme et il fait cette découverte au détriment de son bonheur personnel.

On peut dire que, chez certains savants, la même affirmation d'agnosticisme ou d'athéisme, est, elle aussi, le résultat de la recherche de la vérité. Jean Rostand, dont l'œuvre de vulgarisation scientifique est grande, écrit les pages qui suivent dans un livre intitulé *Le droit d'être naturaliste* [8].

En bref, si je jette un coup d'œil sur la courbe de mon activité d'écrivain, je dirai que je fus d'abord provoqué par l'observation critique du milieu social; puis, de la société, je passai à moi-même; de moi à la science; puis, de la science, je revins à l'homme.

Ce qu'il y a, je crois, de commun à ces diverses tentatives, c'est une certaine attitude d'esprit; attitude de curiosité, d'objectivité et indépendance intellectuelles.

Je crois, en effet, être en droit de dire que, jamais — qu'il s'agisse de moi, de la société, de science ou de philosophie — je n'ai détourné le regard devant ce qui eût pu me sembler une vérité gênante ou déplaisante. Je crois n'avoir jamais distordu un fait, exposé tendancieusement une opinion, modifié ce que j'avais à dire par crainte de donner des armes à ceux qui pensent différemment de moi. Je crois n'avoir jamais dit qu'on savait quand on ne savait

[8] Paris, éd. Stock.

pas, et même si l'aveu d'ignorance pouvait se laisser exploiter par des gens qui n'eussent pas eu les mêmes scrupules de l'esprit.

Ai-je besoin de dire que je me sens incapable de céder à des préoccupations d'ordre tactique, fussent-elles au service de fins nobles et désintéressées ? Certains hommes, par ailleurs respectables, n'hésitent pas à adultérer la vérité scientifique parce qu'ils la subordonnent à certaines exigences sociales ou morales ; je serais inapte à ces pieux mensonges : ils me resteraient dans la gorge, et je pense qu'il est bon que survive par quelques-uns cette « race d'hommes » — comme disait Benda — qui place la vérité au-dessus de tout.

Sur ce mot de vérité, il faut d'ailleurs s'entendre. La vérité que je révère, c'est la modeste vérité de la science, la vérité relative, fragmentaire, provisoire, toujours sujette à retouche, à correction, à repentir, la vérité à notre échelle ; car tout au contraire, je redoute et je hais la vérité absolue, la vérité totale et définitive, la vérité avec un grand V, qui est à la base de tous les sectarismes, de tous les fanatismes et de tous les crimes.

Oui, mon grand ennemi, et je dirais même volontiers mon seul ennemi, c'est bien le sectaire et le fanatique.

Tout homme qui pense par lui-même, librement, sans mot d'ordre, sans consigne, tout homme qui cherche loyalement, en quelque direction que ce soit, de quelque manière que ce soit, celui-là, je ne saurais le considérer comme un ennemi, ni même comme un adversaire, ni même comme un homme d'en face.

Nous avons le visage tourné du même côté, vers l'inconnu, et nous serons des alliés tant qu'il ne prétendra pas, lui, qu'il possède la Vérité.

2. L'AUDACE DE DIDEROT

Ces conversions à rebours se multiplient dans la société occidentale contemporaine. Il n'en était pas de même pendant les dix-sept premiers siècles de l'Église où lorsqu'un chrétien n'était pas d'accord avec les vérités qui lui étaient enseignées il devenait hérétique sans cesser pour autant de croire à Dieu. C'est au dix-huitième siècle que la lutte contre la religion catholique est apparue sous sa forme nouvelle et négatrice en même temps d'ailleurs que le développement des sciences. On ne peut pas dire que les grands écrivains et penseurs de cette époque aient été formellement athées. Il a fallu beaucoup de temps pour qu'un homme, se détachant de l'Église, ose affirmer que le ciel était vide et que le monde était réduit à la matière. Parmi les écrivains qui menèrent la lutte contre le christianisme, Diderot est un de ceux qui à cette époque-là, est allé le plus loin. Son histoire vaut la peine qu'on s'y arrête.

Diderot fut élevé par les Jésuites de Langres et tonsuré par eux en 1726. Il portait alors un cilice, nous dit sa fille. Il fut emmené au collège

« *Conversions* » *du christianisme à l'athéisme*

d'Harcourt à Paris en 1728. Il est reçu docteur ès arts de l'Université de Paris en 1723. Il appartient à ce petit peuple de province qui est artisanal, qui est proche des métiers, qui a perdu les grandes disciplines de la société paysanne traditionnelle et qui cherche à préparer l'avenir.

Diderot, lorsqu'il a terminé ses études, entre dans le vagabondage intellectuel et moral auquel le poussaient son intelligence, ses extraordinaires facultés d'adaptation, son inlassable curiosité, sa gourmandise charnelle. Il eut l'idée de publier un Dictionnaire Encyclopédique, naturellement, en quelque sorte, pour faire vivre la femme qu'il avait épousée en 1743 et les enfants qu'il avait eus d'elle. Cette idée, d'ailleurs, correspondait à une partie de son génie naturel.

Ce qui poussa Diderot vers une affirmation de l'athéisme, c'est le sens qu'il avait de la réalité du monde industriel, alors à l'état naissant, et de la dépendance dans laquelle il croyait qu'étaient les idées à l'égard de la matière. Diderot avait une vie désordonnée et pauvre, toute consacrée à la satisfaction de sa curiosité intellectuelle et de ses amours humaines. Il était au sein d'une société dont les cadres craquaient. Il découvrait avec un inlassable intérêt l'importance des sciences mathématiques et physiques comme de leurs applications techniques, dont il voyait bien qu'elles allaient changer le monde social. Il écrivit la *Lettre sur les aveugles à l'usage de ceux qui voient*. Ce volume, dont la publication devait envoyer son auteur en prison, était un reportage de génie. Il y affirmait que les croyances métaphysiques que nous professons sont déterminées par l'état de notre santé ou par notre intégrité physique. La protestation de Voltaire contre cette thèse ne lui arracha qu'une rétractation embarrassée et hypocrite. Diderot répondit à Voltaire : « Je pense comme vous, je n'éprouve pas les sentiments des aveugles dont je raconte l'histoire. Il est vrai que c'est peut-être parce que je vois. » Cette affirmation de théisme est, malgré tout, une assez jolie confirmation de l'athéisme de Diderot.

Les découvertes des merveilles de l'industrie et des métiers, la moquerie contre toutes les structures qui, dans l'Église catholique du temps, étaient vieillies, le goût pour la liberté des mœurs et l'indépendance de la pensée, le déterminisme philosophique ont mené Diderot à l'affirmation progressive de la non-existence de Dieu. Sans doute, n'était-il pas le seul à penser ainsi, mais il y avait danger, dans l'Europe du XVIIIe siècle, à conduire jusqu'à son ultime conséquence la révolte contre les institutions religieuses. Peu d'hommes se sont alors risqués à le faire officiellement, nettement, continûment. Le groupe constitué par Holbach, Helvetius et La Mettrie fut le seul à dire à peu près ce que beaucoup à cette époque pensaient tout bas, à savoir qu'il n'y a qu'un élément : la matière, et que la matière est tout. Ces écrivains ajoutaient que l'on peut faire la société telle qu'on la veut en agissant sur l'homme. Les autres écrivains du XVIIIe siècle, quels que soient leur cheminement intellectuel et les conséquences spirituelles qu'ils en tirent, se contentent de s'acharner à décrier le christianisme, puis à créer l'indépendance de pensée dont les générations suivantes useront et abuseront.

Avec le XIXe siècle l'affirmation de l'athéisme va se faire bien plus nette. Il faudra tout de même attendre le milieu du siècle pour que les nouvelles doctrines se déclarent avec éclat et fassent tache d'huile dans les consciences comme dans les cœurs. Les hommes de la Révolution, dirigeants politiques et doctrinaires, sont presque tous théistes. Les grands écrivains laïques du XIXe siècle, qui prennent la suite — avec plus de sentimentalité — des encyclopédistes, seront anticléricaux, incroyants, et désireux d'assurer l'autonomie des disciplines intellectuelles, ils ne seront pas athées. Taine adopte à la fin de sa vie le protestantisme. Il est difficile de savoir si Renan avait encore la foi en Dieu et il n'est pas sûr que lui-même l'ait jamais su. La question sociale va provoquer les grandes ruptures...

3. LE XIXe SIÈCLE ET LE SOCIALISME

L'injustice sociale apparut d'une façon flagrante pendant les premiers temps de la société industrielle. Elle donna naissance à cet athéisme qui est la forme de l'incroyance moderne. D'autres motivations viennent peut-être s'ajouter au désir de lutter contre les injustices sociales dans le cœur des grands hommes qui se font alors athées. Il n'en reste pas moins que c'est à partir du moment où le problème de la liberté collective et de l'égalité dans la répartition des biens produits est posé qu'un certain nombre d'esprits seront entraînés à décider qu'il n'y a pas d'autre réalité que la réalité matérielle et qu'il appartient à l'homme de faire seul et sans appui son destin.

Il faut situer l'athéisme de Feuerbach, de Engels et de Marx dans l'histoire de la société allemande. Il y a, à ce moment-là, au-delà du Rhin, la misère ouvrière. Les premiers « prolétaires » ne sont pas nombreux, ni en Allemagne, ni en France d'ailleurs, 4 à 10 % de la population sans doute. Leur détresse pose un problème que personne ne sait résoudre, même pas les intéressés, car ceux-ci regrettent, comme il est inévitable, les sécurités perdues de l'artisanat, de l'agriculture, des corporations. Ils travaillent dans les fabriques, mal payés, mal logés, 12 à 15 heures par jour, et les mois de chômage sont nombreux.

Le libéralisme économique bat son plein. Le libéralisme politique ne parvient pas à prendre forme. Il y a là une première et grave contradiction. A Paris, la monarchie est dite censitaire parce que 2 à 300.000 électeurs riches sont seuls admis à voter. En Allemagne, les principautés existent encore sans que le régime parlementaire ait été instauré. Les principes répandus à travers toute l'Europe par la Révolution française et l'exemple anglais n'ont pas été reçus. Les résultats des soulèvements de 1848 seront sans lendemain. La réaction triomphera et aboutira au pouvoir personnel en France avec le second empire, à l'établissement en Allemagne du règne de Bismarck et de la Prusse.

Cependant, la grande industrie et la finance se développent. Cependant, encore, les jeunes intellectuels bourgeois qui, au sortir de l'Université, n'ont ni le goût, ni la possibilité de participer au mouvement économique nouveau, trouvent que ce monde-là est détestable. Il est pourtant béni officiellement par les prélats de l'Église catholique. Il suffit de lire les Correspondances de ce temps, celles de Marx ou de Engels, celle d'Ozanam ou de Buchez, pour comprendre ce que nous voulons dire. Il y a un problème social qui est évident pour celui qui étudie, mais qui n'atteint pas encore l'ensemble de l'opinion publique. Le développement historique commence à s'accélérer. Les crises politiques se succèdent. Une société nouvelle à l'intérieur de laquelle les disciplines intellectuelles réclament et prennent leur autonomie apparaît. Des esprits jeunes, inquiets, fervents et généreux, quelle attitude vont-ils adopter pendant ces années qui vont de 1830 à 1860?

Les jeunes chrétiens en France, en Italie, en Angleterre, en Allemagne, vont chercher à répondre aux exigences sociales que leur impose leur foi. Ils vont créer des œuvres de charité ou chercher à transformer des institutions économiques et politiques. Ils vont assurer, en tout cas, une présence des chrétiens dans ce monde moderne qui fait ses premiers pas. D'autres jeunes hommes, et c'est le cas pour les jeunes intellectuels allemands, vont découvrir l'athéisme intégral derrière Feuerbach dans le sillage de la pensée hégélienne.

Feuerbach — Marx — Engels. Feuerbach était bavarois et fils d'un célèbre juriste. Il fit ses études de philosophie à Berlin et de théologie à Heidelberg. Il enseigna de 1829 à 1832 à Erlangen. Il dut quitter l'enseignement après avoir publié des pensées sur la mort et l'immortalité. Il était hégélien. Il était un pur philosophe, mais il s'insérait dans une tradition de dialectique idéaliste et participait aux soucis de son époque. Chassé de l'Université, il s'isola dans un village de Bavière et développa son accusation contre la religion. Il écrivit notamment *L'essence du christianisme*. Pour lui, les dogmes de la religion comme les vérités de la foi ne sont que des projections, en dehors de nous, de nos pensées et de nos préoccupations. Parce que nous trouvons en nous le goût du bien et de la vérité et que nous ne parvenons pas à réaliser l'un et l'autre totalement et facilement nous imaginons qu'il existe quelque part quelqu'un qui est tout-puissant et qui est le bien et la vérité absolue. Feuerbach affirmait ainsi la théorie de l'aliénation spirituelle de l'homme. Ses camarades hégéliens profitèrent largement de sa théorie.

Marx n'avait guère été chrétien dans sa jeunesse. Il était de race israélite et la conversion de son père au luthéranisme avait été une conversion de circonstance qui ne pouvait pas ne pas blesser son esprit épris d'absolu. Marx n'était pas sectaire et il accepta plus tard de se marier à l'Église. Marx, jeune étudiant, tout débordant de dons intellectuels, ne trouvait pas l'emploi de son talent dans cette société européenne qui commençait de devenir une société industrielle. Il avait l'âme noble, le goût de la recherche intellectuelle et de la systématisation. Il se trouvait dans la même situation que les ouvriers. Pour lui aussi l'avenir était bouché par les mêmes hommes qui voulaient maintenir les salariés des premières fabriques dans leur dépendance. Comment n'aurait-il pas rejeté avec violence la religion et cette idée de Dieu qui, telle qu'elle était alors présentée aux hommes de son temps, semblait destinée à leur faire accepter leur situation de dépendance sociale grâce à la promesse d'une compensation céleste.

Aussitôt qu'il est journaliste à la *Gazette rhénane*, Marx s'élève contre cette image d'un Dieu rémunérateur dont l'amour rend passif et socialement obéissant. Pour lui, le christianisme est le mal absolu. On ne peut pas dire en lisant ses premiers écrits s'il a voulu la libération sociale pour détruire la religion, ou s'il a voulu détruire la religion pour aboutir au socialisme. Son athéisme fut aussi total et radical que son christianisme individuel et familial avait été faible. Il rencontrait en face de lui, lorsqu'il luttait pour libérer la société, l'état chrétien prussien. Il ne pouvait tolérer cela. Il adoptait sans réserves les thèmes de Feuerbach. Il annonçait avant Nietzsche, et sans aucune nostalgie que Dieu était mort. Il disait : « Je préfère être attaché à ce rocher comme Prométhée plutôt que d'être le valet docile de Zeus le Père. » Pour lui, le christianisme est en plénitude la religion de la transcendance, une transcendance irréelle dont il ne veut à aucun prix.

Engels, né en 1820, était le fils d'un riche industriel du textile. Il fut sincèrement luthérien. Il fut hégélien, ce qui, étant donné les idées de la jeunesse généreuse du temps, le conduisit au socialisme. Lui aussi participait à l'esprit de son époque. Il se détacha donc de la religion, et la conversion à l'athéisme fut douloureuse. Il écrivait à un ami : « Je prie chaque jour. Je prie même pendant presque toute la journée pour connaître la vérité. Je l'ai fait depuis que j'ai commencé à douter et je ne

« *Conversions* » *du christianisme à l'athéisme* 417

puis pourtant retrouver votre foi... Les larmes me montent aux yeux tandis que j'écris cela. Je suis bouleversé, mais, je le sens bien, je ne me perdrai pas, je parviendrai à Dieu que tout mon cœur désire ardemment et cela est encore une preuve de l'esprit divin pour lequel je suis prêt à vivre et à mourir. » Le vœu de Engels ne fut pas exaucé. Il fut pris peu à peu par l'élaboration d'un système athée : celui du socialisme scientifique.

Lénine et Proudhon. La génération de jeunes Russes qui devait transformer le marxisme en communisme et faire franchir à l'athéisme une étape importante réalisa cette conversion à rebours cinquante ans plus tard environ dans des circonstances analogues. La lecture attentive des biographies écrites sur Lénine, Staline et Trotsky nous prouve ceci. Chacun de ces hommes, qui jouèrent un rôle si important dans l'histoire des idées, perdit la foi dès son adolescence. L'influence religieuse, exercée inégalement sur eux par leur famille et les écoles orthodoxes dans lesquelles ils grandirent, se révéla moins importante que le choc qu'ils éprouvèrent à la découverte de la situation temporelle faite à la Russie par le Tsar qui était en même temps chrétien.

C'est dans la famille de Lénine que l'influence religieuse semble avoir été la plus vigoureuse et la plus véridique. Elle ne tint pas et ne fixa pas l'intelligence et le cœur de l'enfant très remuant et très curieux qu'était Lénine quand celui-ci découvrit ce qui se passait autour de lui avec l'approbation officielle de l'Église orthodoxe. Lénine a été très discret sur le cheminement de ses pensées. Il a été très précis sur la date à laquelle il a cessé de croire en Dieu. Il avait, dit-il, 16 ans, ce qui confirme la relation sérieuse faite plus tard par sa sœur aînée. Sa conversion à l'athéisme a été liée dans le temps à l'arrestation et à la pendaison de son frère Alexandre, pour participation à un complot politique. Si Lénine, arrivant à l'âge de la jeunesse, regardant ce qui se passait autour de lui, voulait condamner le régime social et politique dans lequel il allait être appelé à vivre il lui fallait en même temps condamner l'Église. C'est ce qu'il fit. Il cessa de dire ses prières et ne porta plus la croix qui était attachée à son cou. Si nous insistons sur cette constante que nous rencontrons dans toutes les conversions à l'athéisme ayant eu lieu à cette époque, c'est parce qu'elle nous apparaît révélatrice.

En France, au XIXe siècle, dans une tradition qui était plus sentimentale, et peut-être plus profondément enracinée dans un passé chrétien, les jeunes hommes qui élaborèrent l'idée socialiste, restèrent pour la plupart théistes. Nous pensons que cela n'est pas vrai, quoi qu'en ait dit Marx, pour Proudhon. Certes, Proudhon va moins loin que Marx dans la négation de Dieu. Il y a apporté moins de fureur. Disons pour être plus exact qu'il ne met pas cette préoccupation là au premier plan. Il fait passer la justice avant tout, il lui semble qu'il n'y a pas de justice sociale positive, totale, si on y mélange la foi en Dieu. Il est amené à rejeter celle-ci. Le cheminement de sa pensée, ce qui le mène au positivisme et au matérialisme, c'est toujours la même opposition à la liaison faite par les chrétiens entre deux plans qu'il faut maintenir séparés.

Proudhon avait pourtant l'âme religieuse. Il était le fils d'un artisan du Jura français, qui « père de trois garçons ne put jamais faire les frais de trois apprentissages ». Proudhon fut placé comme élève externe gratuit au lycée de Besançon. Il fit toutes ses études sans dictionnaire et sans livres. Il traduisait le latin de mémoire, laissait des blancs sur la copie, allait de bonne heure à l'école et attendait l'arrivée de ses premiers camarades pour leur emprunter leur dictionnaire et compléter à la hâte le devoir inachevé. Il a écrit : « J'ai subi cent punitions pour avoir oublié mes livres. C'était que je n'en avais point. Tous mes jours de congé étaient remplis par les travaux des champs et de la maison afin d'épargner une journée de manœuvre. Aux vacances j'allais moi-même chercher la provision de cercles qui devaient alimenter la boutique de mon père, tonnelier de profession. » Plus tard, il dut vendre les livres de prix qu'il avait gagnés, car il avait tout de même des prix, pour se faire quelque argent. Il les recopia avant de les porter chez le revendeur parce qu'il les aimait. Proudhon fut typographe, ce qui lui permit en composant les livres des autres de compléter son éducation. Sorti du peuple, Proudhon ne pouvait pas ne pas désirer la justice. Il constatait, comme pouvait faire chacun à cette époque, que l'Église officielle bénissait et encourageait ceux qui le maintenaient dans la pauvreté. Proudhon travailla, lutta, développa son système social. Il poursuivait toujours avec ténacité la recherche d'une institution positive qui permettrait de faire régner la justice. Il ne pensait pas que cela fût possible avec la religion. « Ce que je conteste à la croyance, c'est qu'elle vienne appuyer de ses hypothèses le commandement de la raison pratique, expérimentale et positive dont les révélations me sont données directement en moi-même et par le témoignage de mes semblables. »

4. LES ÉCRIVAINS — CAMUS ET SARTRE

Un demi-siècle après que le socialisme a été transformé en communisme par la volonté de quelques jeunes étudiants russes, on rencontre à nouveau des conversions retentissantes à l'athéisme le plus total, cette fois en France. Nous rencontrons ici des écrivains comme Camus, Sartre, Simone de Beauvoir, qui devaient servir d'exemple justificatif à leur tour à beaucoup de jeunes hommes et de jeunes femmes que le communisme ne tentait point.

« *Conversions* » *du christianisme à l'athéisme* 419

Le cas de Camus apparaît simple. C'est celui de beaucoup d'habitants des rivages méditerranéens auxquels le contact avec un ciel ensoleillé, un paysage aux contours nets, et le va-et-vient tranquille de la mer, interdit l'accès au mystère. Il est parfois impossible à des hommes qui grandissent dans ces pays d'imaginer ou d'accepter le surnaturel. Il y a là un seuil de pensée qu'ils ne peuvent franchir. Au-delà de ce seuil les idées se brouillent. On est en face de vérités infinies. Ils se sentent dépaysés et en pays hostile. S'ils ont de l'inquiétude et une certaine grandeur d'âme comme c'était le cas d'Albert Camus ils renoncent à la foi. Ils essaient, toutefois, de trouver une explication philosophique et morale à la condition humaine. Ils refusent pourtant d'adhérer à Dieu.

Albert Camus était né à Alger dans le quartier Belcourt d'une mère espagnole. Son père avait été tué lors de la première guerre mondiale. Camus alla à l'école primaire, puis au lycée d'Alger où l'influence de Grenier, son professeur incroyant, se fit sentir sur lui.

Il tomba malade de tuberculose, ne put faire son agrégation, gagna sa vie comme acteur et journaliste à la Radio. Il adhéra un moment à la cellule communiste du pays. Il était passé de la foi de son enfance à l'athéisme, insensiblement, sous l'influence de ses maîtres et de l'admirable ville où il vivait, pleine de rires, étagée au bord de l'Océan, au pied des montagnes sans bavure.

Il avait passionnément le goût de vivre. Il trouvait absurde la condition humaine qui conduit l'incroyant à la mort. Il décida d'accepter cette absurdité et de s'appuyer sur elle pour faire la vie à chaque instant plus intense. Il refusa l'appui que lui aurait apporté la religion parce qu'il lui semblait que cela n'était pas honnête. Il voulait affronter seul l'absurdité de la condition humaine.

Il apparaissait à Camus que la solution chrétienne, mal comprise d'ailleurs par lui, était trop facile, qu'elle était ambiguë et qu'il devait la repousser. Il demeura athée toute sa vie, même quand il eut dans les luttes de la Résistance et dans l'étude des systèmes politiques contemporains découvert la valeur universelle de la révolte. Il se fixa un but : empêcher que d'autres hommes tuent inutilement, monstrueusement. Ceci l'amena à étudier et à écrire l'histoire de *l'homme révolté*, c'est-à-dire de l'athéisme. Dans ce livre Camus tente de ramener la révolte de l'homme sans Dieu vers ses origines afin de lui faire retrouver sa noblesse. Il s'élève contre le stalinisme et le fascisme.

Pour Sartre et Simone de Beauvoir le passage, j'allais écrire le glissement, s'est fait différemment. Nous nous trouvons avec eux en face de conversions individuelles faites en réaction contre la manière inauthentique dont leur milieu familial pratiquait la religion. Jean-Paul Sartre a raconté lui-même longuement les dix premières années de son enfance et comment il perdit la foi en Dieu. L'histoire est significative. Elle est confirmée par la version qu'en donne Simone de Beauvoir.

Jean-Paul Sartre a été élevé à Meudon et à Paris par un grand-père, Schweitzer, frère du médecin de Lambaréné, et par une grand-mère catholique, rendue sceptique par son inadaptation à la vie conjugale. Sa mère était une veuve courageuse certes, mais incomplètement sortie de l'enfance, et qui subissait avec lui, à côté de lui, l'impérieuse originalité des grands-parents chez lesquels ils étaient venus se réfugier.

Karl Schweitzer semble avoir été un personnage tout en couleur, puritain et sensuel, aussi vivant que sa femme était finement réaliste et repliée sur elle-même. Les grandes personnes qui entouraient Jean-Paul Sartre enfant étaient ainsi divisées sur la formulation de leur foi. Ils étaient en outre hypocrites dans leur façon de la vivre. Ils ne savaient pas faire voir à l'enfant qui les regardait et les jugeait la part d'authenticité de leur vie si tant est qu'il y en eut une. Le bien était pour eux idéal et sans ombre. « Un baiser sans moustache, disait-on alors, rapporte Sartre, c'est comme un œuf sans sel », et l'auteur de conclure : « comme le bien sans mal, comme la vie entre 1906 et 1914 ».

Jean-Paul Sartre fit la rencontre de la mort au moment du décès de sa grand-mère paternelle. La transformation de cette vieille dame, qui était si peu une personne, en cet objet qu'est une dalle anonyme dans un cimetière lui semblait naturelle et le laissa indifférent. Sa vraie terreur était ailleurs : « dans l'envers horrible des choses », dans ces bouches d'ombre qui peuvent s'ouvrir à chaque instant sous nos pas et nous engloutir même par une journée de printemps ensoleillé alors que les oiseaux pépient doucement sur les rameaux des arbres poudrés par les premiers bourgeons.

L'auteur ajoute : « Dieu m'aurait tiré de peine, j'aurais été chef-d'œuvre signé, assuré de tenir ma partie dans le concert universel, j'aurais attendu patiemment qu'il me révélât ses desseins et sa nécessité. » Il précise plus loin les croyances de sa famille :

> ... Il me fallait un Créateur, on me donnait un Grand Patron, les deux n'étaient qu'un mais je l'ignorais, je servais sans chaleur l'Idole pharisienne et la doctrine officielle me dégoûtait de chercher ma propre foi. Quelle chance! Confiance et désolation faisaient de mon âme un terrain de choix pour y semer le ciel : sans cette méprise, je serais moine. Mais ma famille avait été touchée par le lent mouvement de déchristianisation qui naquit dans la haute bourgeoisie voltairienne et prit un siècle pour s'étendre à toutes les couches de la société : sans affaiblissement général de la foi, Louise Guillemin, demoiselle catholique de province, eût fait plus de manières pour

épouser un luthérien. Naturellement, tout le monde croyait, chez nous : par discrétion. Sept ou huit ans après le ministère Combes, l'incroyance déclarée gardait la violence et le débraillé de la passion, un athée, c'était un original, un furieux qu'on n'invitait pas à dîner de peur qu'il ne « fît une sortie », un fanatique encombré de tabous qui se refusait le droit de s'agenouiller dans les églises, d'y marier ses filles et d'y pleurer délicieusement, qui s'imposait de prouver la vérité de sa doctrine par la pureté de ses mœurs, qui s'acharnait contre lui-même et contre son bonheur au point de s'ôter le moyen de mourir consolé, un maniaque de Dieu qui voyait partout son absence et qui ne pouvait ouvrir la bouche sans prononcer son nom, bref un monsieur qui avait des convictions religieuses. Le croyant n'en avait point : depuis deux mille ans les certitudes chrétiennes avaient eu le temps de faire leurs preuves, elles appartenaient à tous, on leur demandait de briller dans le regard d'un prêtre, dans le demi-jour d'une église et d'éclairer les âmes, mais nul n'avait besoin de les reprendre à son compte ; c'était le patrimoine commun. La bonne société croyait en Dieu pour ne pas parler de Lui.

Comme la religion semblait tolérante! Comme elle était commode : le chrétien pouvait déserter la Messe et marier religieusement ses enfants, sourire des « bondieuseries » de Saint-Sulpice et verser des larmes en écoutant la Marche Nuptiale de Lohengrin ; il n'était tenu ni de mener une vie exemplaire ni de mourir dans le désespoir... Dans notre milieu, dans ma famille, la foi n'était qu'un nom d'apparat pour la douce liberté française ; on m'avait baptisé, comme tant d'autres, pour préserver mon indépendance ; en me refusant le baptême, on eût craint de violenter mon âme ; catholique inscrit, j'étais libre, j'étais normal : « Plus tard, disait-on, il fera ce qu'il voudra. » On jugeait alors beaucoup plus difficile de gagner la foi que de la perdre.

Il y avait tout de même un point sur lequel toute cette bourgeoisie conformiste, divisée et idéaliste était d'accord : c'était sur l'importance de la littérature, de l'humanisme écrit, des livres et des mots qui transforment le monde.

Jean-Paul Sartre qui, dans cette famille, ne sentait pas bien la réalité de son être, s'abandonna pour mieux exister à la fureur d'écrire. La fréquentation de l'école l'en corrigea momentanément. Il garda toujours sa vision du salut par les mots, et un amour immodéré du romanesque. Il ne croyait pas en Dieu dont l'existence lui semblait incompatible avec l'exercice de sa propre liberté. Il parvint à être l'écrivain qui atteint la notoriété en révélant à tous que la contingence se trouve au cœur des choses, que la liberté de l'homme et le néant de la condition humaine se livrent un combat sans espoir : « l'homme est une passion inutile », devait-il écrire un jour.

Sartre avoue ne plus croire aujourd'hui à la systématisation de l'incroyance. Il était entré dans la littérature, dit-il, comme on entre dans les ordres. Il se croyait chargé d'une mission. Il était prédestiné. Il avait transféré sur le concept d'humanisme lettré toutes les vérités du christianisme. Il est devenu désormais plus modeste : « l'illusion rétrospective est en miettes, écrit-il dans *Les Mots*. Martyre, salut, immortalité, tout se délabre. L'édifice tombe en ruine. J'ai pincé le Saint-Esprit dans les caves et je l'en ai expulsé. L'athéisme est une entreprise cruelle et de longue haleine. Je crois l'avoir mené jusqu'au bout ». Jean-Paul Sartre affirme avoir consenti désormais les renoncements définitifs. Il veut seulement être un homme comme les autres hommes, perdu au milieu d'eux.

Simone de Beauvoir. L'aventure familiale et religieuse de Simone de Beauvoir n'est pas tellement différente. Elle est, elle aussi, la conséquence logique d'une situation d'inauthenticité en ce qui concerne la manière dont la foi était vécue au début du XXe siècle dans les milieux bourgeois occidentaux.

Le père de Simone de Beauvoir n'était par ses ancêtres qu'une moitié d'aristocrate. Il exerçait la profession d'avocat mais n'avait pas réussi. Il cherchait l'évasion dans le théâtre. Il était bien-pensant, incroyant, léger, cultivé, intelligent, épris de littérature.

Madame de Beauvoir, au contraire, était une authentique conformiste, si tant est qu'on puisse associer ces deux mots. Elle était fille d'un banquier de Verdun, qui avait eu des difficultés financières. Elle était intègre, passionnée, rigoureuse. Elle ne connaissait pas le goût de vivre car, élevée dans une pension religieuse, elle avait adhéré entièrement à ce Bien idéal et à la mythologie sociale qui étaient alors la pensée commune de la société, mais qui, l'un et l'autre, bridaient ses désirs.

Monsieur de Beauvoir était incroyant, sa femme était pratiquante. Ils se retrouvaient tout de même d'accord pour dénoncer et condamner les périls qui menaçaient alors l'ordre bourgeois. Ils les identifiaient au mal absolu. L'Église était par eux engagée ainsi dans l'aventure d'une classe sociale. Ce qui n'était pas sans provoquer chez la jeune Simone, plus lucide et plus généreuse que ses parents, mais aussi passionnée que sa mère, des réactions violentes.

La foi, qui était proposée à l'enfant, était une fausse foi, une croyance qui n'était ni évangélique, ni incarnée, qui ne tenait compte ni de la Bible, ni de la condition humaine, qui reposait sur une série d'a-priori ou d'intérêts idéalisés.

Le cours Désir où elle fit ses études et où elle dominait facilement ne lui donnait pas une nourriture religieuse plus réelle. Le confesseur qui recevait l'aveu des fautes commises par Simone de Beauvoir ne voyait pas les choses autrement et se livra même, semble-t-il, à quelques indiscrétions ressenties exagérément par cette jeune fille solide, exigeante, absolue, intelligente et impérieuse.

Il faut ajouter, mais on peut trouver tous ces détails dans *Mémoires d'une jeune fille rangée*, que Simone de Beauvoir était une orgueilleuse et voulait avoir un grand destin.

Aussi longtemps qu'elle fut croyante elle songea à se faire carmélite et, naturellement, à être une sainte. Elle ne pouvait supporter l'idée d'un avenir médiocre. Lorsqu'elle découvrit les imperfections de son entourage, les indiscrétions de son confesseur, et que la sainteté telle qu'elle la concevait était impossible, parce qu'incompatible avec la condition humaine, elle cessa de croire — elle avait 15 ans — et continua de pratiquer pendant quelques années.

Simone de Beauvoir abandonna ainsi le christianisme. Le Dieu dont son entourage lui parlait n'était pas le vrai Dieu, celui de la Bible et des prophètes, celui dont le Fils s'est incarné pour sauver le monde. L'Église, dont ceux qui l'entouraient lui offraient une présentation concrète, est corps de vérité à travers les vicissitudes de l'Histoire et l'inlassable volonté d'hommes pécheurs. Cette Église-là, ce Dieu-là, jamais Simone de Beauvoir ne les a vraiment connus. Elle a dénoncé la foi de son enfance comme n'étant pas véridique. Nous en sommes bien d'accord avec elle. Elle rencontra le vide au moment où elle voulut approfondir les affirmations qui lui étaient quotidiennement apportées. Sa mère, les demoiselles du cours Désir et son confesseur avaient placé devant son esprit un décor religieux de carton-pâte, qui ne pouvait pas entraîner l'adhésion d'une intelligence affamée de vérité, qui désirait rencontrer des résistances. Il y avait malentendu.

Nous pourrions multiplier les exemples en ce qui concerne cette forme de passage du christianisme à l'athéisme. Prenons simplement, pour achever cette partie de notre travail sur les écrivains représentatifs qui font figure de chef de file, l'exemple de Ernest Hemingway.

Hemingway. L'auteur de l'admirable récit : *Le vieil homme et la mer* est, à sa façon, un des écrivains les plus grands que nous ayons eu sur le plan international depuis un demi-siècle. Son œuvre est toute pénétrée par la lecture de la Bible. Il se présente à nous comme une sorte de Kipling inquiet et qui aurait introduit une arrière-pensée désespérée dans sa description du monde.

Hemingway est né en 1899 à Oak Park, un « village » de la Banlieue de Chicago, peuplé de familles bourgeoises et puritaines. Son père avait une sensibilité frémissante et maladive. Il était médecin puritain et homme de devoir. Sa mère, Grace Hall, avait une personnalité bien différente. C'était une femme solide, d'une inépuisable vitalité, artiste et gaie. Elle aimait follement la musique et elle entreprit de se mettre à la peinture à 52 ans. Elle était optimiste, menait sa maison avec décision et disait : « Dieu est au ciel. Tout va bien pour le monde. »

Le docteur Hemingway avait, lui, l'âme plus compliquée. Il multipliait auprès de ses fils les interdictions sexuelles les plus étonnantes. Il ne se délivrait vraiment de lui-même que lorsque toute la famille partait à 400 kilomètres de Chicago pour passer les vacances à Walloon Lake. La maison de la famille Hemingway avait été construite en bois blanc dans l'interminable forêt de sapins et de bouleaux. Elle était au bord d'un grand et calme lac, près d'un village d'Indiens. Ayant retrouvé la nature le père chassait et pêchait avec ses enfants. Il s'épanouissait. C'était pour tous le retour à la vie simple. Les interdictions étaient levées.

Ernest Hemingway a décrit cette période de sa vie dans un certain nombre de contes admirables. Il découvrit à ce moment-là sa vocation de naturiste dont il resta marqué pour toujours. La maison de bois et le lac de Walloon Lake représentaient pour lui le paradis sur terre. Il y franchit le seuil de la sexualité presque naturellement avec une jeune Indienne au pied des sapins alors que les écureuils jouaient au-dessus de leur tête. Il a raconté lui-même tout cela. Il était délivré de son père par son père lui-même. Ses parents retrouvaient leur accord. C'était pour lui l'Eden. Tout était pur et simple, même la vie charnelle. Il semble qu'à ce moment-là Hemingway ait pratiqué la religion protestante.

L'entrée à l'Université, la découverte du monde des adultes et de la civilisation moderne lui causèrent un choc. Il décida de tenter de recréer le paradis perdu. Il s'y employa en adoptant un certain style de vie et en écrivant un certain type de livres. Il rencontra très vite l'idée de la mort. Il n'est pas interdit de penser qu'elle blessa en lui profondément l'idée qu'il se faisait d'une création éternelle. L'homme des bois et des champs qu'il était ne pouvait se résigner à l'idée que les joies de la chasse ou de la pêche, que les plaisirs simples de la vie dans la nature prendraient fin un jour. Il était sans péché, ce monde de l'Amérique du Nord où il avait connu de si belles vacances. Pourquoi fallait-il que le mal et le malheur viennent en ternir l'image ? Le sombre thème de l'absurdité, de la mort, se mêla en lui très vite à celui de la pureté de la création. Hemingway avait perdu la foi, et à quiconque lui demandait s'il croyait en Dieu, il répondait : « c'est la nuit complète ». Sa mort volontaire vint confirmer son agnosticisme total, son refus de la souffrance, de l'absurde et de la déchéance physique.

Conversions collectives. On peut parler enfin, et c'est un dernier aspect de cette étude sur le passage du christianisme à l'athéisme, de conversions collectives. Dans le monde moderne, ce ne sont pas seulement des millions d'hommes et de femmes qui refusent de croire individuellement à Dieu, ce sont des régions entières qui passent à l'athéisme. La pression exercée par les découvertes scientifiques qui déplacent les frontières du sacré sans diminuer l'importance de celui-ci, la nécessité de répartir équitablement à tous les biens que la technique moderne est capable de produire, l'usage dans une partie du monde d'un confort que nos parents n'auraient pas osé imaginer, tout cela déprécie fortement les formes anciennes de la religion et de la société. Chaque fois que celles-ci ont été défendues ou maintenues injustement en faisant appel aux droits de Dieu qui n'ont rien à voir en la matière, des groupes sociaux entiers se sont détournés des Églises du Christ et ont abandonné collectivement, massivement, la pratique du culte et de la croyance en Dieu. C'est ridicule, dira-t-on. C'est ainsi. Les dirigeants communistes, en outre, ont tout fait, font encore tout dans les pays où ils sont au pouvoir, pour accélérer ce processus de détachement à l'égard des réalités surnaturelles. Il n'est qu'un moyen, peut-être, pour les chrétiens d'éviter ces désertions collectives : c'est de reconnaître la légitimité économique du processus de développement socialiste et de le placer à un niveau différent de celui où se trouve la foi en Dieu.

Quoi qu'il en soit, il est certain que, dans les démocraties populaires, des centaines de millions d'hommes pris entre le refus par l'Église de reconnaître le socialisme et la volonté affirmée par les dirigeants communistes de nier la légitimité de la foi, se détachent de l'Église et se dirigent vers les terres arides et neuves de l'incroyance. Comment feraient-ils autrement ?

Il y va de la tranquillité de leur vie personnelle et de leur possibilité de faire carrière. De même, dans certaines régions des pays occidentaux, dans certaines classes sociales, chez certaines élites intellectuelles, le même phénomène d'acceptation collective d'un monde sans Dieu, d'une vie limitée aux seules frontières du sensible, se produit pour des raisons similaires.

Nous retrouverons ainsi les observations que nous présentons au début de ce travail sur l'adhésion à l'athéisme par contamination. Au lieu de la constater dans des groupes d'âges, nous la constatons dans certains pays, dans certaines banlieues, dans certains groupes sociaux qui sont profondément pénétrés. Ceci nous conduit à tenter de dégager les leçons que l'on peut tirer de l'examen auquel nous venons de nous livrer.

CONCLUSIONS

Les exemples que nous venons de donner ne sont pas limitatifs. Ils sont des exemples, c'est-à-dire des cas plus ou moins représentatifs, plus ou moins collectifs, plus ou moins significatifs de ce grand passage, auquel nous assistons depuis quatre siècles, de la foi chrétienne vers ce qui n'est pas seulement l'incroyance et l'athéisme mais qui, chez des hommes comme Gorki, est aussi l'attente d'une autre foi [9].

Il est difficile de tirer d'une première étude, qui devra être poursuivie et dont nous avons déjà dit la nouveauté et la difficulté, des conclusions incontestables.

Nous proposons, toutefois, à titre de conclusions provisoires, les constatations suivantes qui ne nous semblent pas dépasser les limites de l'analyse à laquelle nous venons de nous livrer.

1º Le phénomène est neuf pour une raison très simple c'est que, aussi longtemps que le système de chrétienté dura, il était difficile à l'athéisme de se manifester en raison de la législation civile ou publique à laquelle étaient soumis les états de type constantinien. Il fallut, en Europe occidentale tout au moins, la rupture entraînée par la Réforme d'abord, celle provoquée par les Révolutions de la fin du XVIIIe siècle en France et aux États-Unis, pour que, dans des États à structure pluraliste et laïque, le passage à l'incroyance se développe [10].

2º Lorsqu'on cherche, en partant des enquêtes sociologiques faites sur la pratique religieuse ou en étudiant les biographies de certains individus, à dégager les traits qui sont communs à toutes les pertes de la foi chrétienne, on aboutit aux constatations suivantes : les transfuges du Christianisme ont généralement abandonné la foi au moment où mis au contact du monde intellectuel ou social dans lequel ils débouchaient, ils constatèrent ceci : les affirmations intellectuelles ou sociales qui leur avaient été apportées pendant leur éducation et auxquelles ils avaient adhéré se révélaient soudain à eux comme pouvant paraître inexactes. Ils se trouvent en face d'une situation d'inauthenticité de la part de la communauté des croyants dans laquelle ils avaient grandi et à laquelle ils appartenaient. Ils refusent alors de continuer d'y vivre. Ils en tirent la

---

[9] *Gorki par lui-même*, éd. du Seuil, Paris.
[10] Dans son livre sur *L'incroyance au XVIe siècle*, M. FEBVRE prouve qu'il était pratiquement impossible à Rabelais de cesser de croire. Éditions Albin Michel, Paris.

conclusion, erronée certes, que Dieu n'existe pas. Il leur faut se contenter de trouver en eux-mêmes et autour d'eux les raisons d'être et de se comporter suivant certaines règles. Autrement dit, ils constatent dans le comportement de leurs éducateurs ou de certains membres de leur Église une atteinte consciente ou non à la vérité. Ils se révoltent et se détournent.

Ceci est le cas pour les écrivains comme Sartre ou Simone de Beauvoir constatant, au moment de l'adolescence, que le comportement de leurs parents n'est pas conforme à la foi chrétienne qu'on essaie de leur inculquer. C'est le cas pour Wells, l'écrivain anglais qui se révolte et rejette la religion au moment où on l'oblige à recevoir la confirmation anglicane dans le collège où il va continuer ses études.

De même, des savants de toutes sortes (médecins, naturalistes, historiens) abandonnent la foi chrétienne lorsqu'ils constatent, en accomplissant leurs études ou en exerçant la discipline intellectuelle à laquelle ils se sont voués, que les vérités naturelles auxquelles leurs recherches aboutissent sont niées par la majorité des chrétiens au nom d'un enseignement secondaire et suranné. Ils font comme Galilée, ils affirment : « Et pourtant, elle tourne. » C'est le cas d'écrivains comme Saint-Exupéry ou Roger Martin du Gard en France, de Bertrand Russell en Angleterre, de tant d'autres.

Il apparaît enfin que pour un certain nombre de types humains préoccupés de l'aménagement politique correct de la Cité ou de la juste répartition des biens, la constatation que les communautés ou les Églises chrétiennes sont liées à la défense d'un état de fait social périmé les entraîne à rejeter la foi. C'est le cas, non seulement des fondateurs du socialisme français ou du socialisme scientifique allemand; c'est aussi le cas des ouvriers dont nous avons cité plus haut les témoignages, d'intellectuels comme M. Mury, de beaucoup d'autres.

Il faut ajouter, pour tenir compte de toutes les réalités sociologiques, les deux observations suivantes :

La première est celle-ci. Si une majorité de chrétiens n'ont pas su à temps voulu, au moment où l'Église du Christ entrait dans la période contemporaine de l'Histoire, faire les distinctions de plan nécessaires et accepter les reconversions temporelles utiles, un certain nombre de savants et de philosophes ont systématiquement mené le combat contre la foi en Dieu au nom de la liberté de pensée, de l'indépendance de la recherche et du bonheur matériel de l'humanité. Les forces mauvaises ont été objectivement au travail dans l'Histoire. Il serait injuste de rendre les membres des Églises chrétiennes seules responsables du clivage brutal qui s'est produit depuis 4 siècles. Il est vain, en outre, de regretter l'Histoire déjà accomplie autrement que pour en tirer des leçons afin de rendre le comportement des croyants dans le monde moderne aussi authentique que possible.

Ceci amène à présenter une dernière observation. Cet ajustement est en cours si l'on tient compte des textes votés par le Concile Vatican II sur « l'Église médiatrice entre Dieu et *tous* les hommes », ainsi que des conclusions qui en sont tirées dans la « Constitution pastorale sur l'Église de ce temps », notamment dans les passages concernant l'athéisme. Du côté des incroyants, un certain ajustement se fait aussi, tant en raison des désillusions apportées par l'impossibilité dans laquelle se trouve l'athéisme à répondre à toutes les questions que se pose l'humanité [11], qu'en raison du jugement porté par les incroyants sur les Églises chrétiennes qui, dans certains textes comme celui cité plus haut par nous, acceptent de considérer que la foi au Christ n'est pas une idéologie semblable à n'importe quelle philosophie.

---

[11] Voir notamment « le rapport Illitchev », Informations Catholiques Internationales, n° 211.

BIBLIOGRAPHIE

LIVRES GÉNÉRAUX

HOURDIN, G., *La nouvelle vague croit-elle en Dieu?* Paris, éd. du Cerf, 1959.

HOURDIN, G., *Les Informations Catholiques Internationales*, n° 86 (1958) qui rend compte de l'enquête : « La nouvelle vague croit-elle en Dieu? »

LEPP, I., *Psychanalyse de l'athéisme*, Paris, éd. Grasset.

BORNE, E., *Le problème du mal*, Paris, P.U.F., 1963.

LACROIX, J., *La signification de l'athéisme*, Paris, P.U.F.

BORNE, E., *Dieu n'est pas mort*, Paris, éd. Fayard.

ATHÉISME DES SOCIALISTES FRANÇAIS ET POST-HÉGÉLIENS

SERREAU, R., *Hegel et l'hégélianisme*, Paris, P.U.F., 1962.

GARAUDY, R., *Dieu est mort. Étude sur Hegel*, Paris, P.U.F., 1962.

COTTIER, M., *L'athéisme du jeune Marx*, Paris, 1959.

LEFEBVRE, H., *Le marxisme*, Paris, P.U.F., 1955.

GARAUDY, R., *Karl Marx*, Paris, éd. Seghers, 1964.

LEFEBVRE, H., *La pensée de Lénine*, Paris, éd. Bordas, 1957.

MURY, G., *Essor ou déclin du catholicisme français*, Paris, éd. Sociales, 1962.

ATHÉISME DES HOMMES DE LETTRES

HEIDEGGER, M., *Nietzsche*, Pfullingen, 1961.

DELEUZE, G., *Nietzsche*, Paris, 1965.

CAMUS, A., *Le mythe de Sisyphe*, Paris, Gallimard, 1942.

SARTRE, J. P., *L'existentialisme est un humanisme*, Paris, Nagel, 1946.

HENRY, P., *Simone de Beauvoir*, Paris, éd. Fayard, 1962.

HOURDIN, G., *Simone de Beauvoir et la liberté*, Paris, éd. du Cerf, 1962.

ATHÉISME ANGLO-SAXON

HUTIN, S., *La philosophie anglaise et américaine*, Paris, P.U.F., 1951.

L'ATHÉISME DU XVIIIe SIÈCLE FRANÇAIS

HAZARD, P., *La crise de la conscience européenne*, Paris, éd. Fayard, 1964.

Jean Meslier ou un curé du XVIIIe siècle, Paris, 1964.

CHAPITRE VII

INTERPRÉTATIONS PSYCHOLOGIQUES DU PHÉNOMÈNE RELIGIEUX DANS L'ATHÉISME CONTEMPORAIN

par

ANTOINE VERGOTE

professeur de Philosophie et de Psychologie religieuse à l'Université de Louvain

EXPOSÉ — *Introduction.* I. *La psychologie science de l'homme.* II. *L'optique propre du psychologue* : 1. Le phénomène religieux, objet de la psychologie descriptive et de l'observation technique; 2. La psychologie, étude des motivations du comportement et de l'attitude religieuse. III. *L'interprétation psychologique des phénomènes religieux dans l'athéisme contemporain* : 1. Précurseurs modernes de la critique psychologique de la religion; 2. La psychologie du « sentiment religieux »; 3. Les tentatives d'explication psycho-physiologique ou biologique des sentiments religieux; 4. La critique freudienne de la religion; 5. Critique de la religion dans l'école psychanalytique; 6. La psychologie analytique devant le phénomène religieux; 7. Un mot sur le behaviorisme.

DISCUSSION — I. *Les dimensions psychologiques de la religion et sa transcendance* : 1. Neutralité méthodologique et risques de scientisme psychologique; 2. L'exigence de purification; 3. Rapports circulaires entre psychologie et philosophie. II. *La psychologie des sentiments religieux* : 1. Le Dieu de l'homme psychologique; 2. Le parti pris de l'intériorité dans la psychologie analytique; 3. La projection religieuse. III. *La psychanalyse devant la religion* : 1. La religion facteur d'humanisation et d'aliénation; 2. Le symbole paternel et le Dieu chrétien. *Conclusion : L'originalité de l'attitude religieuse.*

EXPOSÉ

INTRODUCTION

Au niveau de l'articulation conceptuelle les interprétations critiques du phénomène religieux expriment les mêmes motifs qui amènent l'homme à prendre une position antireligieuse. Elles prolongent l'athéisme psychologique que nous avons étudié plus haut.

Dans cet athéisme, on voit culminer le mouvement humaniste qui, dans l'Occident chrétien, a pris son essor au XVIe siècle. L'humanisme en effet, se définit par l'affirmation d'une certaine suffisance de l'homme. Il estime que par son intelligence, l'homme peut parvenir aux vérités essentielles concernant sa nature et le destin du monde, et que par sa volonté raisonnable, il est capable de réaliser le bien éthique. Les sciences de l'homme ont puissamment contribué à renforcer le courant humaniste en lui imprimant souvent une orientation athée. C'est ce que nous commencerons par montrer dans un premier paragraphe.

Il importe de bien voir comment, naturellement agnostique en tant qu'étude positive de l'homme, la psychologie se prête souvent à une critique de la religion. C'est que l'appel à l'authenticité humaine, qui fonde les jugements psychologiques, imprime facilement un caractère militant à certains athéismes psychologiques, tels que celui de S. Freud, par exemple.

Les psychologues se gardent souvent de prendre position sur la vérité ultime des comportements religieux qu'ils analysent, tout en leur appliquant les schèmes d'explication psychologique, qui, pour d'autres psychologues, justifient un athéisme humaniste. C'est le cas de plusieurs disciples de Freud, dont nous présenterons les arguments (Jones et Flügel par ex.). Leur distinction se justifie d'un point de vue méthodologique. En fait, la psychologie n'est pas en mesure d'analyser les possibilités et les conditions essentielles des diverses visées religieuses; un tel discernement appartient en propre à la philosophie; la psychologie doit se contenter de les étudier dans leurs singularités, dans leurs structures objectives et dans leurs conditions de fait. Il n'est pourtant pas possible de séparer radicalement les conditions de fait et les conditions essentielles. En pratique, et malgré leur mise entre parenthese de la vérité métaphysique de la religion, ces systèmes d'explication psychologique sapent les bases psychologiques de la religion. Aussi n'avons-nous pas hésité à les exposer dans notre aperçu sur les théories psychologiques qui critiquent la religion, tout en notant la restriction méthodologique qu'elles sont les premières à formuler.

Certains des psychologues qui figurent dans cet article se déclarent religieux, tel est le cas de Jung, d'Allport, et, en un certain sens, de Spranger et de Sierksma. Si, malgré tout, nous nous décidons à les étudier ici, c'est que leurs théories psychologiques présentent une conception relativiste, « psychologiste », de l'homme et de sa religion, qui, tout en valorisant cette dernière, la réduit, à nos yeux, à une immanence psychologique ou terrestre, qui résorbe en elle l'altérité de Dieu. Sans être athées, ces conceptions psychologiques tendent à méconnaître la réalité spécifique de la religion, qui est d'être relation à l'Autre. Elles illustrent une ontologie implicite qui sous-tend bien souvent la psychologie, et qui en diminue d'autant l'objectivité méthodologique. A ce titre, elles nous font comprendre quels germes d'athéisme la science psychologique risque de développer dès qu'on l'applique au phénomène religieux.

I

LA PSYCHOLOGIE, SCIENCE DE L'HOMME

La psychologie a une courte histoire, mais un long passé, a dit Ebbinghaus. Dans toutes les cultures en effet, il y eut toujours quelques hommes à se passionner pour les aspects subjectifs de la conduite humaine, et à analyser leurs sentiments et leurs mobiles. Un intérêt moral ou religieux orientait le plus souvent cette exploration de l'homme intérieur. Dans les temps modernes, par contre, c'est la curiosité intellectuelle qui domine l'analyse psychologique.

Le XVIIe et le XVIIIe siècle s'engagent avec frénésie dans la découverte de la subjectivité, toujours plus complexe à mesure que l'homme se dégage de ses liens avec la nature. L'étude proprement scientifique de la conduite humaine et de ses mobiles est pourtant de date récente. La psychologie est la dernière née des sciences. Actuellement, elle connaît un progrès explosif. La fondation récente des nombreux instituts de psychologie en témoigne.

Ce déferlement de recherches psychologiques ne peut pas manquer de mettre en question la religion et la théologie. Et cette interrogation ne concerne pas seulement la pédagogie religieuse et les applications de la morale chrétienne (la psychologie pastorale), mais les fondements mêmes de la croyance en Dieu et en sa révélation.

Certes, la psychologie n'est pas une philosophie et il pourrait sembler que son caractère positif la préserve de toute interférence avec la théologie.

Cependant, en tant que science de l'homme, au même titre, et plus encore, que toutes les sciences dites anthropologiques, elle a un droit de regard sur tout l'homme et sur toutes ses œuvres et conduites. Elle fait précisément partie de ce groupe de sciences nouvelles écloses dans les temps modernes, et qui ont si radicalement renouvelé notre image de l'homme, et, du même coup, nos perspectives théologiques. Pour bien saisir la portée des questions que la psychologie pose à la philosophie de la religion et à la théologie, il nous faut donc d'abord brièvement la situer dans ce courant nouveau des études anthropologiques.

L'anthropologie, au sens que lui a conféré la fin du XIXe siècle, est l'étude de l'homme dans sa totalité et dans ses rapports avec le reste de la nature. Cette définition contient un programme et une optique nouvelle : L'homme prend sa place dans l'enchaînement des êtres vivants; il émerge de leur série évolutive, avec ses caractéristiques anatomiques et biologiques propres. Il est un être vivant, appartenant à un monde qui est régi par les lois biologiques; mais en tant qu'être qui parle et qui institue une civilisation, il y introduit un élément radicalement original.

L'anthropologie considère l'homme à la fois comme un être de nature et comme un être de culture [1].

Qu'on ne se méprenne pas sur le sens de cette optique; sa nouveauté réside précisément dans le lien établi entre les deux moments. C'est aussi en tant qu'être de nature qu'à l'intérieur de cette nature, l'homme crée la civilisation. La culture est pénétrée de nature; mais c'est en la transformant qu'elle en tire sa substance.

Au début des sciences anthropologiques, l'accent porte sur le lien de l'homme avec la nature. Une mentalité « naturaliste » marquait donc l'anthropologie. Les anthropologues concentraient leurs recherches sur les lois qui commandaient la transition entre nature et culture, et souvent ils travaillaient avec le postulat que les conditions matérielles de la vie et ses propriétés physiologiques pouvaient rendre compte du passage de la nature à la culture. A l'époque contemporaine l'anthropologie est devenue l'étude des propriétés générales et des lois de la vie sociale et de la culture, en tant que par elles l'homme transforme le monde et se transforme lui-même dans ce même processus. Le langage est le principal instrument par lequel se fait, à l'intérieur de la nature, cette évolution originale qu'on appelle culture [2].

L'anthropologie envisage donc l'esprit humain d'un double point de vue : celui de la nature qui le précède, l'entoure et le sous-tend, et celui de la rupture qu'il introduit en la dépassant. Le problème éthique fondamental par exemple, qui se pose dans l'optique anthropologique, est celui de l'explication de l'interdit de l'inceste [3]. Cette question a de quoi dérouter le philosophe, habitué à traiter les valeurs ou les lois morales pour elles-mêmes, selon leurs propres finalités. Pour l'anthropologue, l'interdit de l'inceste est la loi fondamentale, parce que partout et toujours elle caractérise le passage de la nature à la culture. Et l'un des grands anthropologues, Kroeber, reconnaît finalement que seule la psychologie freudienne donne une réponse suffisante au problème de l'universalité de cette loi.

[1] Voir l'Introduction de A. L. Kroeber, à l'ouvrage dirigé par lui : *Anthropology Today. An Encyclopedic Inventory*, Chicago, The University of Chicago Press, 1953, XIV.

[2] *Ibid.*

[3] Voir A. L. Kroeber, *Totem and Taboo in Retrospect*, American Journal of Sociology (Chicago), 1939, XLV, pp. 446-451.

La religion, qui elle aussi est œuvre culturelle, n'échappe évidemment pas à la considération anthropologique. On la juge favorablement ou défavorablement, selon qu'on estime devoir la situer ou bien comme un achèvement de l'évolution qui se transmue et se parfait dans et par l'homme, ou bien comme une forme de pensée non scientifique. Certains, tel Julian Huxley, en récusent la vérité pour des motifs proprement anthropologiques [4]; selon lui, l'Évolution assume maintenant les tâches autrefois attribuées à Dieu. D'autres, tels Bergson et Teilhard de Chardin, reconnaissent en la religion la pointe du progrès et le nouveau « centre de jaillissement [5] » d'une histoire qui se dépasse infiniment. Un texte du socialiste Jean Jaurès illustre parfaitement cette considération anthropologique qui s'élargit jusqu'à inspirer toute une conception de l'homme et du monde :

> ...La science semble démontrer de plus en plus que l'univers est tout ensemble infinité et unité ; ...qui dit unité infinie dit par là même conscience infinie, c'est-à-dire Dieu, la conscience n'étant que la puissance suprême d'unité. En outre, par cette doctrine même de l'évolution, Dieu n'est plus une abstraction solitaire. Il est mêlé au mouvement même et à la vie du monde... Il agit dans le temps, il se manifeste dans l'Histoire [6].

L'anthropologie a profondément influencé notre vision de l'homme, et elle a puissamment contribué à faire passer la philosophie de l'étude de la conscience humaine à celle de l'échange entre la conscience et le monde. Descartes avait centré de façon décisive l'interrogation philosophique sur l'homme envisagé selon l'ordre de la conscience. Il posait la conscience comme le lieu de la certitude, le foyer du miroir où convergent les vérités de l'univers. L'on a poursuivi depuis lors ce retour au sujet, et on a élaboré des philosophies de la subjectivité, de types divers certes, mais qui avaient en commun l'idée que la conscience du sujet humain est la mesure et la forme de l'être. De Descartes ou de Pascal à Kant et à Hegel, l'être de la conscience apparaissait à travers de multiples discordances, comme la norme et la vérité de l'être, de sorte que l'on peut englober ces multiples visions de l'homme et de l'univers, sous la dénomination commune de : philosophie de la conscience. Il revenait à l'anthropologie moderne, née avec l'évolutionnisme, le marxisme et la psychanalyse, de décentrer le sujet de lui-même et de chercher

---

[4] *Religion without Revelation*, Londres, New York, Harper and Brothers, 1927.

[5] H. BERGSON, *Les deux sources de la morale et de la religion*, Paris, P.U.F., 1932, p. 243.

[6] *La question religieuse et le socialisme*, Paris, éd. de Minuit, 1961, pp. 45-46.

sa vérité dans la conscience telle qu'elle est traversée et travaillée par la nature. Le *cogito* ne fait plus fonction, directement du moins, de point d'Archimède, puisque ce *cogito* ne subsiste plus en lui-même.

Par là s'achève et se transforme le mouvement séculaire du retour au sujet. Mais ce mouvement a amené les penseurs à dépasser le sujet vers lequel ils se retournaient. Dans ces optiques nouvelles, en effet, la conscience n'a plus son foyer en elle-même. Elle l'a comme en deçà d'elle, « derrière son dos ». Elle est traversée par une nature, à laquelle elle participe. Portée par les multiples vecteurs de la nature, elle va son chemin sans trop savoir où il la mène. Au lieu de se situer au foyer de la conscience pour mesurer l'être, le penseur, à présent, se situe d'abord à l'origine des vecteurs qui se rejoignent obscurément en lui, pour conquérir, par un travail systématique d'interprétation de son propre comportement, quelques rayons de lucidité sur lui-même et une parcelle de liberté qui lui permette de s'orienter.

Par la religion l'esprit dépasse la nature, et même la culture. En elle, l'homme accède à un ordre autre. Aussi longtemps que l'esprit est le centre de l'homme, la religion ne pose pas de problème urgent. Mais à partir du moment que l'homme se trouve inséré dans la *physis* qui se fait histoire en lui, la religion devient un problème bien plus crucial que celui du passage de la nature à la culture, tel qu'il s'effectue par exemple dans l'interdit de l'inceste. La tentation est grande alors de dénier à la religion toute consistance propre, et de la réduire à une fonction passagère de la culture. De toute façon, l'exigence est posée de comprendre comment, par quelles lois, l'homme, être de nature et de culture, passe de la direction horizontale de son être au monde, à l'orientation verticale de l'être à Dieu.

La question religieuse, dans la perspective anthropologique, n'est plus celle de l'affirmation métaphysique de l'Être suprême, ni celle des qualités de Dieu. Elle est devenue celle de l'être humain religieux. Le problème des qualités divines et de leur accord avec la nature humaine, s'est transformé en celui de la signification de l'affirmation religieuse pour l'être de l'homme : qu'est-ce qui, dans son être de nature et de culture, le prépare et le dirige vers cette affirmation ? Et quelle en est la valeur, jugée selon le critère de l'homme qui fait son histoire humaine ?

L'on comprend que dans cette optique, l'athéisme sera rarement neutre. Puisqu'il s'agit de l'homme qui se fait et qui construit son histoire par ses orientations culturelles, une religion reconnue fausse, ou simplement non vraie, prendra la figure d'un élément perturbateur dans le devenir humain. Dans l'optique anthropologique, l'athéisme est une critique de l'attitude religieuse, en vertu des principes d'humanisation. Rien d'étonnant que cet athéisme soit militant, c'est dire : antithéisme. L'attitude de la science psychologique à l'égard du théisme présente des parallèles frappants avec celle qu'on rencontre dans diverses formes de pensée suscitées par les courants anthropologiques : Feuerbach, Marx, Nietzsche, J. Huxley... La psychologie, en effet, fait partie de ce vaste mouvement d'étude de l'homme. Elle y occupe même une place privilégiée, en ce qu'elle s'attache à l'étude de l'humain comme tel, en ce qu'il est un être de besoins, de pulsions, d'intelligence, de sentiments et de désir. Comme science de l'homme, elle cherche à expliquer ses comportements, à la fois selon leur insertion dans la nature et selon leur originalité. Elle en fait une étude qui est en même temps de l'ordre causal, et de l'ordre du sens. Le causalisme psychologique est donc bien spécifique. Ce point délicat, il faut l'approfondir maintenant.

Mais auparavant, situons brièvement la critique psychologique de la religion dans l'ensemble des mouvements scientifiques. La logique du mouvement athée, en effet, permet de saisir l'acuité de la critique psychologique.

L'homme a d'abord conquis la nature cosmique sur le sacré : dans l'astronomie, la biologie, et la médecine. Cette désacralisation de l'univers, le XVIIIe siècle l'a vu s'achever avec un sentiment de triomphe. Ce fut ensuite à l'histoire d'être soustraite au sacré, pour être rendue à l'homme. Un texte de Engels l'affirme dans le même esprit de conquête : « Nous faisons notre histoire nous-mêmes, mais, tout d'abord avec des prémisses et des conditions fermement déterminées [7]. »

Dernière née enfin des sciences de l'homme, la psychologie a cherché à déterminer les lois des réalités reconnues jusque-là comme sacrées, et que la religion avait léguées à la philosophie : l'âme, la conscience, la subjectivité. Elle prétend en faire une étude scientifique, sans plus les tenir pour des mystères transcendants. L'histoire des religions, qui permet de situer les divers cultes et croyances dans leur contexte social et économique, lui a prêté main forte.

Voyons maintenant quelle peut être la teneur d'une explication psychologique scientifique de l'homme et de sa religion. Cet aperçu nous permettra ensuite de comprendre les athéismes et les antithéismes psychologiques et il nous fournira les principes nécessaires pour les juger.

---

[7] *Lettre à Joseph Bloch*, Londres, pp. 21-22, septembre 1890, publiée pour la première fois dans le *Socialistische Akademiker*, (Berlin), 1895, I, p. 352.

II

L'OPTIQUE PROPRE DU PSYCHOLOGUE

1. LE PHÉNOMÈNE RELIGIEUX, OBJET DE LA PSYCHOLOGIE DESCRIPTIVE ET DE L'OBSERVATION TECHNIQUE

Science positive, la psychologie fournit d'abord un immense effort pour bien observer. Dans ce but elle élabore des techniques très poussées, et utilise des ressources très diverses : statistiques, méthodes d'interview, analyses codifiées de documents, échelles d'attitudes, échelles d'analyse sémantique, tests projectifs et psychanalyse. Cette élaboration méthodologique s'accompagne d'une différentiation toujours plus fine des phénomènes religieux à connaître : comportements, opinions, jugements de valeur, croyances, expériences, attitudes, rites. Comme en toute science, le progrès de la technique d'observation et d'expérimentation entraîne une délimitation plus nette des facteurs qui composent son objet. On est déjà loin, dans la psychologie contemporaine, du temps des études macroscopiques, encore qu'il se trouve toujours des chercheurs qui en restent à l'époque du simple microscope et des macromolécules.

Au stade de l'observation, la psychologie n'énonce pas de jugement de vérité sur le phénomène religieux. Elle assume la même fonction que la phénoménologie à son niveau descriptif. A ce moment de son exercice d'ailleurs, elle est inséparable de la phénoménologie, et c'est à tort que parfois on oppose psychologie positive et psychologie phénoménologique. La psychologie descriptive, en effet, selon les termes de Husserl, concerne « la pure sphère des expériences *(Erlebnisse)*, selon leur contenu réel *(nach ihrem* reellen Gehalt) [8] » c'est-à-dire selon leur contenu de *res*, d'objet de la conscience, abstraction faite de leur portée réelle *(real)*, qui est mise entre parenthèses. Le psychologue phénoménologue ne se prononce pas, lors de ses analyses du phénomène religieux, sur l'existence effective du Dieu auquel se rapportent les expériences et autres faits psychologiques. Cette mise entre parenthèses n'implique non plus aucun préjugé épistémologique, et elle n'enferme pas la conscience dans un *cogito* fermé (thèse de Brentano, à laquelle Husserl s'est opposé). La conscience, à quelque moment qu'on la considère, est toujours intentionnelle : elle vise un objet, un *noema*, en face d'elle. Seulement, le

---

[8] Texte inédit de 1907, cité par W. BIEMEL, dans l'Introduction à *Die Idee der Phenomenologie*, 1950, p. IX.

phénoménologue, dans son analyse des phénomènes psychologiques, ne porte pas de jugement d'existence sur ce *noema* lui-même.

Psychologie phénoménologique et psychologie positive se tiennent, et doivent être en permanent échange [9]. Les techniques positives permettent des analyses affinées et répondent au désir d'observation qui anime le phénoménologue. D'autre part, ces faits observés sont des phénomènes psychologiques qui exigent d'être compris comme tels, dans leur teneur d'expérience et d'attitude humaine; ils postulent donc une lecture (phénomén*ologie*) appropriée de leur sens. Les deux disciplines, en va-et-vient l'une avec l'autre [10], pour être objectives, supposent ce que Max Scheler appelle : le *Nacherleben*, participation intérieure au phénomène rencontré chez autrui, ou le *Nachfühlen*, sympathie affective, endopathie [11]. C'est la saisie émotionnelle des attitudes, valeurs et tendances humaines qui nous apparaissent objectivement, et devant lesquelles nous ne prenons pas position. Croire ou ne pas croire est secondaire pour le psychologue ou le phénoménologue; il sait observer avec compréhension aussi bien le théisme que l'athéisme. Ce qui importe, c'est de reconnaître la spécificité du phénomène religieux.

Cependant, par sa vocation, la phénoménologie doit dépasser cette première attitude que Husserl appelle « naturelle » ou « dogmatique [12] »; elle doit examiner les conditions *a priori* des phénomènes, par une analyse transcendantale. La psychologie, science positive, par contre, s'attache à un tout autre type d'explication : celui de la motivation. Nous l'exposerons dans le paragraphe suivant.

Au premier niveau descriptif la psychologie fournit déjà une certaine compréhension du phénomène religieux. Elle ne se contente pas, en effet, d'observer les composantes du phénomène religieux. Elle en étudie aussi la cohérence et la structure. Comme l'histoire des religions, elle est une étude morphologique. Sans rechercher des causes explicatives, elle met en lumière le rapport entre le comportement et son objet (par ex. le rite et la conception de Dieu); elle décrit l'évolution de l'attitude religieuse, en corrélation avec l'âge, le milieu social, la culture, ou d'autres facteurs psychologiques encore, tels que le caractère, le sexe, etc... En résumé, elle étudie le phénomène religieux tel qu'il apparaît en liaison avec tous

[9] Sur cette problématique, cf. S. STRASSER, *Fenomenologie en empirische menskunde*, Arnhem, Van Loghum-Slaterus.

[10] Cf. M. MERLEAU-FONTY, *Les sciences de l'homme et la phénoménologie. Les Cours de Sorbonne*, Paris.

[11] *Wesen und Formen der Sympathie*, Bonn, Verlag von Cohen, 1922, pp. 3-4.

[12] *Phaenomenologische Psychologie, Husserliana IX*, La Haye, Martinus Nijhoff, texte de 1925, pp. 46-47.

les facteurs humains. De cette façon, elle prépare l'étude proprement explicative du phénomène religieux, qui doit conclure à un jugement *psychologique* de vérité. Ce jugement peut être négatif, donc antithéiste; ou bien positif : laissant à l'attitude religieuse la chance d'une vérité pour laquelle la psychologie ne dispose plus des critères appropriés.

2. LA PSYCHOLOGIE, ÉTUDE DES MOTIVATIONS DU COMPORTEMENT ET DE L'ATTITUDE RELIGIEUSE

Comprendre un comportement signifie tout autre chose pour le psychologue que pour le philosophe, encore que finalement ces deux modes d'intelligibilité doivent s'intégrer dans les régions encore lointaines d'une anthropologie philosophique. Non pas qu'une synthèse ultime puisse assumer toute vérité. Aucune science, ni la philosophie ni la théologie, ne constitue la clef de voûte des diverses constructions théoriques. Mais la psychologie demande et prépare une élaboration de ses vérités par la discipline philosophique; celle-ci de son côté, reçoit de la psychologie les certitudes et les *a priori* qui donnent à penser philosophiquement. Le rapport entre les deux sciences est circulaire [13].

Comprendre, pour le psychologue, c'est d'abord voir le rapport entre les différents facteurs qui structurent le champ des attitudes humaines. Ensuite, c'est connaître leur pourquoi psychologique, c'est dire : leurs motivations [14]. L'explication motivationnelle comporte l'appel à un concept de finalité, puisque le motif humain est toujours : une tendance qui donne au comportement son sens. Cependant l'intelligibilité propre de la psychologie à l'opposé de la phénoménologie, ne poursuit pas l'analyse de cette visée intentionnelle de l'acte humain. Elle procède en sens inverse. Elle étudie la tendance et le mobile qui sous-tendent l'acte. Elle accomplit donc une analyse régressive et non pas une élaboration téléologique.

L'ancienne psychologie, celle de Külpe par exemple, était statique et atomiste. Elle analysait les états de conscience, leurs éléments constitutifs, et le lien entre eux. Elle les prenait à leur état accompli, comme des états de conscience. Son problème était de savoir selon quelles lois les éléments composaient les synthèses mentales. Cette problématique, elle l'avait héritée de l'associationnisme, qui traite les faits psychologiques comme des enchaînements de représentations. La psychologie moderne

[13] Nous avons élaboré ces principes dans : W. HUBER, H. PIRON, A. VERGOTE, *La psychanalyse, science de l'homme*, Bruxelles, Dessart, 1964, pp. 149-162.

[14] Cf. p. ex. l'essai de synthèse de D. C. Mc CLELLAND, *Personality, an Integrative View; Psychology of Personality, Six modern approaches*, New York, Grove Press, 1956, pp. 321-363.

s'intéresse à la conduite humaine : à son action globale et orientée. Elle veut en connaître la source et la raison, c'est dire : les motivations. La psychologie clinique, freudienne surtout, a donné cette orientation nouvelle à la psychologie. Le psychologue clinicien se trouve confronté avec l'homme, dans sa totalité, l'homme qui engage dans sa maladie toutes ses facultés et tout son passé qu'il cherche obscurément à prendre en charge. La psychologie clinique elle aussi est une analyse (d'où le terme psychanalyse), et elle veut comprendre comment les ensembles psychiques résultent de leurs éléments constitutifs plus simples. En cela elle s'inscrit dans le mouvement de toutes les sciences modernes. Mais contrairement à l'ancienne psychologie académique, elle n'est pas une chimie mentale. Et cela pour trois motifs. Elle prend pour objet de ses analyses la totalité du dynamisme comportemental du sujet. Elle introduit des concepts structuraux [15] (par ex. ses concepts topologiques); eux seuls expliquent comment les éléments se transmuent dans leurs synthèses. Enfin, la psychologie clinique est une psychologie du devenir humain, et, en quelque mesure, elle explique les processus plus compliqués par les éléments plus originaires.

C'est la nécessité clinique de comprendre corrélativement comment l'homme devient normal ou malade, qui a suscité cette nouvelle orientation de la psychologie [16].

Mais pour sa part, la psychologie clinique a reçu des sciences anthropologiques qui la précédèrent, les concepts et les hypothèses de travail nécessaires à son élaboration. Le darwinisme a exercé une influence prépondérante sur Freud, et, par son intermédiaire, sur toute la psychologie contemporaine [17].

La motivation est le concept opératoire essentiel de la nouvelle psychologie dynamique. Le motif peut se définir à la fois comme la force qui produit l'activité humaine et l'oriente vers un but déterminé, et comme un manque spécifique et actif; autrement dit : il est la présence en creux, dans le désir du sujet, des valeurs qui l'attirent. Force et attirance spécifiques sont les deux moments qui composent indivisiblement les motifs humains.

A première vue il pourrait sembler que cette problématique n'a aucun rapport avec les croyances religieuses. Peut-on invoquer un motif du comportement religieux, qui ne serait pas lui-même religieux? Est-il

---

[15] Cf. *La Psychanalyse*, 6, *Perspectives structurales*, Paris, P.U.F., 1961.

[16] S. FREUD, *Zur Geschichte der psychoanalytischen Bewegung* (1914), *Gesammelte Werke*, Londres, Imago X, p. 76.

[17] E. BORING, *A History of Experimental Psychology*, New York, Appleton - Century - Crofts, 1950².

permis d'évoquer une tendance qui serait préliminaire à la tendance religieuse et qui en serait la source? Peut-on concevoir un Dieu qui précède Dieu? Que pourrait faire d'autre la psychologie appliquée à la question religieuse, que de constater la présence ou l'absence du désir naturel de Dieu, et d'en serrer de plus près les traces et les effluves?

Et n'est-ce pas là un thème permanent en philosophie et en théologie? Certains psychologues, dont nous sommes obligés d'accuser le penchant positiviste, ont cru donner une réponse commode : parmi les tendances, ou les motivations fondamentales de l'homme, ils réservent une place pour le « besoin religieux ». Il serait un des 16 ou 17 besoins auquel l'homme normal doit satisfaire pour l'épanouissement de sa personnalité. L'homme est habité par le besoin de nourriture, de tendresse, de connaissance, de contact social..., et finalement par le besoin de religion. Rien de plus rassurant. L'athéisme, dans cette perspective, ne peut être qu'un oubli, ou une malencontreuse méconnaissance, ou une franche mauvaise volonté!

Il nous semble qu'une telle psychologie des motivations n'explique rien, pas plus que l'ancienne théorie de la *vis dormitiva* ne permet de comprendre le phénomène du sommeil. En fait, la vraie psychologie de la motivation part du principe heuristique qu'un ou plusieurs motifs fondamentaux, plus ou moins préconscients ou inconscients, sous-tendent toute intention vécue, justement parce que les intentions humaines s'élaborent au cours d'une histoire qui est faite de conflits dépassés et de sédimentations toujours actives.

Une comparaison avec la phénoménologie peut utilement introduire à la question de la motivation en psychologie. Le phénoménologue lui aussi s'efforce de pénétrer, à travers les manifestations intentionnelles conscientes, jusqu'aux couches plus profondes de la personnalité. Comme tout homme de science, il est convaincu que les phénomènes sont des symboles à déchiffrer, et qu'ils cachent le projet existentiel de l'homme, autant qu'ils le révèlent. La phénoménologie elle aussi est une herméneutique. Elle comprend les manifestations humaines apparentes à partir de la situation fondamentale de « l'homme au monde ». Nous pouvons citer ici trois exemples célèbres : l'analyse de la colère faite par Sartre; celle que Scheler donne du ressentiment; ou celle des symboles de chute et d'ascension chez Binswanger. Ces analyses phénoménologiques établissent souvent un lien fonctionnel de substitution entre deux phénomènes. La colère, par exemple, peut être une solution pour la peur ou pour la timidité, en tant qu'elle s'y substitue et résout magiquement les problèmes posés. La colère se comprend par référence à la timidité, ou à l'impuissance, dont elle tire sa raison d'être et son intelligibilité.

Le motif travaille comme derrière le dos du phénomène apparent. Le rapport du motif au phénomène apparent n'est pas celui de la structure au phénomène partiel, mais de quelque façon, celui de la cause à l'effet.

Le motif est donc le non phénoménal qui se fait valoir dans ce qui se manifeste (le psychologique phénoménal).

Notons que cette explication causale reste psychologique. L'extra-phénoménal qui fonde la manifestation psychologique n'est pas d'ordre biologique; il est une réalité psychique. Ceci ne fait d'ailleurs pas problème aussi longtemps qu'il s'agit de motifs préconscients. En effet, bien qu'ils échappent à la conscience actuelle, leur présence virtuelle à la frange de la conscience rend possible leur actualisation par une réflexion systématique. Ainsi la mauvaise foi, selon Sartre, se dissipe par une réflexion éthique sur soi-même. Par contre, l'inconscient au sens propre du terme échappe à une réflexion immédiate aussi bien qu'à la phénoménologie directe. C'est une des raisons pour lesquelles la psychanalyse continue de rebuter beaucoup d'esprits. Bien souvent le philosophe, le médecin et même le psychologue, récusent comme contradictoire ce concept d'un motif proprement inconscient. Et de fait il y a un paradoxe à poser des tendances, des souvenirs, des sentiments qui sont bien de l'ordre de la conscience et qui cependant lui échappent entièrement et restent inaccessibles à toute approche introspective directe.

De toute façon, le rapport motivationnel est un rapport psychique entre deux tendances psychiques qui procèdent l'une de l'autre; l'un des sens fonde l'autre. Ainsi nous pouvons donc parler d'une genèse de sens. Le psychique prend son origine dans le psychique. La psychologie de la motivation est une psychologie génétique. Son intellection propre réside dans l'établissement du lien causal-génétique entre deux tendances et deux sens vécus.

Le bon sens applique quotidiennement cette psychologie, lorsqu'il constate, par exemple, que la mélancolie du deuil est due à la perte d'un être cher. Nul besoin d'invoquer ici un trouble somatique, comme dans la mélancolie endogène. A première vue le seul lien psychique entre deux événements vécus suffit à rendre raison du phénomène de la mélancolie du deuil. Seulement le bon sens en reste à cette première constatation, et récuse volontiers une psychologie qui, dans ce deuil de mélancolie, dégage un enchaînement psychologique proprement inconscient : perte d'un être qui était objet d'amour, remplacement par amour d'identification, culpabilité (c'est-à-dire agressivité destructrice tournée contre soi-même), et perte de soi remplaçant la perte de l'objet [18].

[18] Nous résumons ici l'étude de S. FREUD, *Trauer und Melancholie* (1916), *Gesammelte Werke* X, Londres, Imago.

Muni de ces indications, voyons à présent comment se pose la question de la motivation en matière de comportement religieux. L'invocation du besoin religieux est trop courte. D'abord, nous ne savons pas comment il faut comprendre ce terme, aussi longtemps que nous ne voyons pas se rejoindre en lui les divers processus qui constituent l'attitude religieuse et qui prennent leur départ dans ce « sens religieux » fondamental et se fondent en lui. Ce besoin religieux n'est pas phénoménal, et le poser d'emblée comme un désir à l'œuvre à l'intérieur de toutes les coordonnées religieuses, c'est se contenter d'une réponse verbale. De plus, ce besoin lui-même requiert, aux yeux du psychologue, une explication motivationnelle. Si l'on prétend qu'il est un facteur dernier, il faut au moins en démontrer l'irréductibilité. Et cette preuve ne pourra jamais être donnée, si l'on ne parvient pas à le situer à son point d'insertion propre, dans l'ensemble des dynamismes psychiques, au point précis où il s'ajuste aux autres, et où il s'oriente à partir d'un espace qui s'ouvre à lui.

La phénoménologie, et la philosophie tout court, mettent en lumière la spécificité de la tendance religieuse fondamentale, et des diverses possibilités qu'elle ouvre dans l'homme. La tâche propre de la philosophie est en effet, de poursuivre la visée du mouvement religieux par la réduction à l'intention fondamentale, et d'élaborer le remplissement qui l'achève dans la plénitude de son objet (le Transcendant personnel). Au contraire, le mouvement de la psychologie est régressif et non pas téléologique. Elle s'emploie à délimiter le point d'insertion de ce mouvement spécifiquement reconnu (« le besoin religieux ») ; elle le situe dans la trame des dynamismes psychiques plus généraux et plus fondamentaux, à partir desquels il s'oriente.

Quelques éléments fournis par l'étude psycho-sociale de certaines sectes eschatologiques peuvent éclairer la portée de cette recherche régressive et psychologiquement causaliste. Observations et enquêtes [19] nous apprennent que les sujets qui s'affilient à ces sectes sont souvent des gens déracinés socialement, des émigrés isolés, des pauvres déçus, des gens qui ont échoué dans leur travail et dans leur vie familiale. La secte leur fait découvrir ce que la société ne leur a pas donné : une fraternité, la promesse d'un monde nouveau et meilleur et des principes qui condamnent leur milieu actuel.

---

[19] Parmi les nombreuses recherches, on peut consulter sur ce point précis : W. R. CATTON, *What Kind of People does a Religious Cult attract ?*, American Sociological Review (New Haven) 1957, XXII, pp. 561-566 ; W. E. GREGORY, *The Orthodoxy of the Authoritarian Personnality*, Journal of Social Psychology (Provincetown) ; 1957, XLV, pp. 217-232 ; J. LABBENS, *Le « Sectaire »*, Chronique sociale de France, Paris, 1952, LX, pp. 513-515.

A elles seules, ces corrélations psycho-sociales prouvent qu'une foi intensément eschatologique n'a pas son sens en elle-même; l'objet intentionnel de la foi n'est visé qu'en réaction à un échec humain déterminé. L'objet religieux s'est substitué à l'objet premier des désirs humains; pour des raisons d'échec, le sujet veut écarter l'objet propre de ses aspirations, et le remplacer par un objet sur-naturel. Le comportement religieux de ces sectaires doit donc être appelé *fonctionnel*. Il n'a pas son sens en lui-même, de par un dynamisme téléologique qui lui serait propre; il reçoit son sens par la voie détournée de la dénégation, et du remplacement par le contraire. Telle foi eschatologique s'explique donc, comme pour la colère, par la réaction contre son contraire : le monde réel désiré et toujours hors de prise.

Un *jugement de vérité* s'impose, sur la base de cette analyse psychologique : la foi religieuse qui procède de la dénégation du réel premier sera considérée comme illusion [20], dans la mesure même où elle dénie le réel effectif et tend à s'y substituer. Cette foi religieuse a un sens pour le sujet, en fonction de la détresse *humaine*; elle n'a pas son sens en elle-même, pour se prononcer sur la vérité de la religion, le psychologue dispose donc de critères qui lui sont propres. A la différence du philosophe il n'énonce pas de jugement sur la réalité de l'objet religieux, sur l'existence de Dieu. Ses critères ne concernent, en fait et en droit, que l'attitude des sujets religieux qu'il étudie. Son jugement de vérité est donc un énoncé sur la *véracité* ou sur l'authenticité d'une attitude et d'un comportement.

Le terme d'illusion n'est d'ailleurs pas d'ordre purement épistémologique. Certes, il se situe au plan de la vérité. Mais la non-vérité qu'il vise résulte d'un rapport de dynamismes psychologiques, rapport que Freud appelle *économique*.

Nous rappelons ici ce que nous avons exposé sur le décentrage de la conscience humaine qu'opèrent les sciences anthropologiques. La raison, faculté de vérité, se trouve insérée dans un ensemble qui la détermine en grande mesure. L'erreur n'a pas sa seule source dans le non-savoir théorique; elle émane autant du vouloir, pour autant qu'il est traversé par les besoins, les pulsions, et les mouvements affectifs.

La dénégation est une des formes du lien causal qui peut se nouer entre la foi religieuse et les désirs psychologiques. Il en est d'autres : rationalisation, sublimation, défense, projection... Ainsi la psychologie creuse la question du *cogito* et du doute. Le *cogito*, reconnu par Descartes

---

[20] C'est le titre d'un ouvrage de S. FREUD sur la religion : *Die Zukunft einer Illusion* (1927), *Gesammelte Werke* XIV, Londres, Imago.

comme lien du doute et de la vérité, se révèle aussi être pouvoir d'illusion et de projection.

Dépassant les exemples des religions dont l'inauthenticité se manifeste dans leur apparition psycho-sociale, le psychologue doit aller à la question fondamentale : toute religion ne dérive-t-elle pas d'un processus de substitution ou de projection? N'est-elle pas toujours affectée du coefficient d'illusion? Freud a posé la question avec la plus extrême exigence. D'autres psychologues posent des questions plus limitées et s'interrogent par exemple, sur les motivations psychologiques d'une religion dogmatique. Mais leur jugement de véracité dépend toujours du lien génétique et motivationnel qu'ils croient pouvoir établir entre les phénomènes religieux et les tendances humaines.

Aussi nous faut-il nous renseigner sur quelques théories psychologiques et sur les types de genèse qu'elles nous proposent si nous voulons être en mesure de comprendre et de juger les différentes critiques psychologiques de la religion.

Nous nous contenterons ici de les esquisser. La simple ébauche des dynamismes constitutifs de la personne humaine nous révélera les multiples attaches psychologiques de la religion. Elle fera comprendre l'extraordinaire complexité de l'évolution religieuse que l'homme peut traverser au cours de son développement psychique. Cette esquisse nous permettra également de situer les diverses tentatives de réduire la religion à un phénomène humain sans consistance de vérité.

III

L'INTERPRÉTATION PSYCHOLOGIQUE
DES PHÉNOMÈNES RELIGIEUX
DANS L'ATHÉISME CONTEMPORAIN

1. PRÉCURSEURS MODERNES DE LA CRITIQUE PSYCHOLOGIQUE
DE LA RELIGION

L. FEUERBACH (1804-1872) opère la transition de l'idéalisme hégélien en un humanisme radical et matérialiste. Pour Feuerbach « le secret de la théologie est l'anthropologie ». Feuerbach est un des pères de l'humanisme athée moderne. Et son athéisme militant et éthique se fonde sur une critique proprement psychologique de la religion. Chez lui, les objections contre le théisme ne sont, certes, pas encore élaborées en des concepts et en des lois psychologiques systématiques; cependant l'optique est essentiellement psychologique. La réalité de la religion et la valeur de l'attitude religieuse sont examinées et jugées par rapport à l'homme. Feuerbach veut que l'homme se comprenne lui-même, dans les attitudes qu'il se donne à lui-même, dans les sentiments et les désirs qui l'habitent. Ce n'est pas la théologie objective qui peut juger de la vérité des thèses religieuses; les concepts, en effet, expriment seulement les sentiments et les désirs de l'homme.

Feuerbach veut accomplir la recherche de Hegel, et faire triompher le retour sur soi et l'effort pour se ressaisir soi-même. Sa critique anthropologique de la religion s'inscrit dans le vaste mouvement anthropologique qui, depuis le moyen âge, meut la pensée occidentale, et progresse, à travers Luther, Descartes, Kant, Hegel, Nietzsche... vers une interrogation radicale du sujet sur lui-même et sur ses attitudes, interrogation qui culmine dans le marxisme, dans la psychanalyse et dans certaines formes d'existentialisme.

> Le sentiment est l'essence humaine de la religion... Le sentiment est le cœur de votre être, et en même temps, il est une puissance distincte et indépendante de toi; il est en toi au-delà de toi : il est ton être le plus propre, mais qui se saisit comme un être autre, en bref, ton Dieu. Alors pourquoi veux-tu distinguer de cet être en toi encore un autre être substantiel? Comme au-delà de ton sentiment [21]?

---

[21] FEUERBACH, *Sämtliche Werke*, Leipzig, 1846 ss., band VII, *Das Wesen des Christentums*, « Das Gefühl ist das menschliche Wesen der Religion... Das Gefühl

Ce texte capital présente bien la découverte moderne de la subjectivité. L'homme est un être d'affectivité et de désir, autant que de raison. La religion, qui concerne son être intime et dernier, a son lieu de naissance et son poids d'existence dans l'affectivité. Les penseurs croyants de la même époque et les premiers psychologues de la religion partagent la même conviction et cherchent à cerner ce même centre vital de la religion. Beaucoup penchent finalement vers le même athéisme, comme nous verrons dans les paragraphes qui suivent. Car, comme le dit Feuerbach, le sentiment n'est-ce pas notre autre subjectivité en nous ? La religion est sentiment et le sentiment est, de sa nature, religion. N'est-elle donc pas une réalité très humaine ? La religion est-elle plus que l'être humain profond en nous et cependant séparé de nous, et donc à reconquérir pour nous ?

L'étude du sentiment religieux, telle que l'instaure Feuerbach, revendique pour l'homme cette tâche de la conquête de son être aliéné.

Dans la religion l'homme poursuit l'épanouissement de ce qui fait le cœur de son être : ses sentiments. Mais il le fait par la voie de l'illusion et de la tromperie de soi-même. Aussi, au lieu de se réaliser selon son être intime, il s'aliène à lui-même jusqu'au moment où il découvre que le Dieu auquel il se rapporte pour devenir homme n'est qu'un faux reflet de l'humanité. « La question de l'existence ou de la non-existence de Dieu (...) est pour moi la question de la non-existence ou de l'existence de l'homme [22]. » La vérité de la religion est de se dépasser elle-même en un humanisme radicalement athée. « La foi n'est que la foi en la divinité de l'homme [23]. »

Le cœur de l'homme est habité par des sentiments nobles : la recherche de la vérité, la volonté d'agir selon les lois de la conscience, et surtout la tendance à aimer les autres hommes. L'homme désire être savant, saint et bienveillant. Ce sont là des qualités divines [24]. Elles constituent pour l'homme son bonheur. Seulement il ne les possède pas à l'état de perfection. C'est pourquoi, dans l'impatience d'aboutir au

---

ist deine innigste und doch zugleich eine von Dir unterscheidene, unabhängige Macht, es ist *ein* Dir *über* Dir : es ist Dein eigenstes Wesen, das Dich aber als und wie ein *anderes Wesen* angreift, kurz Dein *Gott* - wie willst Du also von diesem Wesen in Dir noch ein anderes gegenständliches Wesen unterscheiden ? wie über Dein Gefühl hinaus ? »

[22] I, p. xv : « Die Frage nach dem Sein oder Nichtsein Gottes ist eben bei mir nur die Frage nach dem Sein oder Nichtsein des Menschen. »

[23] *Das Wesen des Christentums*, VII, p. 180 : « Der Glaube ist nichts *Andres als der Glaube an die Gottheit des Menschen*. » Pour le texte français nous suivons la traduction de J. Roy : *Essence du Christianisme*, Paris, Lacroix, 1864.

[24] VII, p. 26.

bonheur, l'homme cherche à se diviniser par le détour d'un Être divin qui aurait ces qualités en plénitude. Par la participation aux qualités divines, que cet être lui offre gratuitement, l'homme se voit déjà divinisé [25].

En réalité, les qualités divines, l'homme les a prises en lui-même, c'est lui qui les cède à Dieu, dont il fait un être parfait. Il substantifie en Dieu la perfection d'humanité à laquelle il aspire. Et pour y parvenir, il s'en prive lui-même : il s'estime ignorant, faible, mauvais, pour mieux projeter en Dieu ce qu'il est et ce qu'il désire être parfaitement. Il crée donc Dieu de son désir [26].

Cette dépossession de lui-même peut le satisfaire un certain temps. Elle est néfaste et moralement fausse; et elle l'aliène donc doublement à lui-même. La religion est nocive, d'abord parce que, par elle, l'homme reporte ses intérêts et son amour sur l'au-delà, et néglige l'humanité. Il n'aime pas vraiment l'homme pour lui-même et dans le fond, il lui est même hostile. Les réalités humaines, la science, la culture, l'amour, se trouvent dévalorisées du moment que l'homme n'a plus qu'un seul objet d'effort et de bonheur : la perfection humaine reportée dans un transcendant et substantifiée en Dieu. L'idée d'une humanité à faire doit donc remplacer l'idée de Dieu [27]. Elle ne représentera jamais la même perfection absolue de bonheur. Mais la grandeur de l'homme est aussi d'accepter sa condition dans un réalisme viril [28].

Par cette consécration à l'humanité en devenir, l'homme recouvrera les vraies attitudes éthiques. Son amour du prochain sera vrai. En même temps, il sera vraiment religieux; ce qui est divin en vérité, c'est l'amour réciproque entre les membres de l'humanité. « Dieu, c'est l'union du toi et du moi [29]. »

De même l'humilité de l'athée sera authentique. Celle du croyant est nécessairement fausse : il est humble pour trouver sa récompense dans des attentions spéciales de son Dieu à son égard, et pour se récupérer dans une divinisation reçue de ce Dieu [30]. L'athée par contre accepte de servir et d'aimer les immenses possibilités qui s'accomplissent progressivement dans l'humanité. Sa fin dernière est dans l'achèvement de lui-même, homme, dans les autres, dans l'humanité.

---

[25] VII, pp. 55-63, 250-253.
[26] VII, pp. 58-65.
[27] VII, pp. 147-183, 220-221.
[28] VII, pp. 147-183.
[29] II, *Gründsätze*, p. 344 : « ...die Einheit von Ich und Du ist Gott. »
[30] VII, p. 61.

La religion ne présente donc que l'illusion et que l'avantage sentimental de recevoir d'un autre ce qu'on ne réalise pas soi-même :

> Il est plus agréable et plus commode de souffrir que d'agir, plus agréable d'être délivré et sauvé par un autre que de se délivrer soi-même,... de se savoir aimé de Dieu que de s'aimer soi-même...; plus agréable et plus commode en général, de se laisser diriger par son propre cœur comme si c'était le cœur d'un autre, au fond pourtant le même que nous, que de se diriger soi-même par l'intelligence et la raison... [31]

L'athéisme est l'appropriation, par l'homme, de tout ce qui fait son humanité :

> Dans la systole religieuse, l'homme repousse loin de lui sa propre nature, il se rejette lui-même; dans la diastole religieuse, il reprend dans son cœur cet être qu'il avait rejeté... La marche du développement de la religion consiste plus précisément en ce que l'homme ôte de plus en plus à Dieu pour s'attribuer de plus en plus à lui-même [32].

La critique de Feuerbach est vraiment d'ordre anthropologique, et elle a une grande portée psychologique. Elle marque un moment de prise de conscience de soi-même, où l'homme émerge de sa dépendance servile. Nous pouvons dire que le théisme tel que le décrit Feuerbach est ce que les psychologues appellent l'infantilisme religieux. Les motifs dynamiques qui fondent l'attitude religieuse se ramènent à une idéalisation narcissique du désir (la substantification dans l'absolu des qualités humaines désirées). Par l'acceptation du réel limité mais riche de possibilités, et par le rapport vrai à l'autre, l'homme se retrouve lui-même, dans son autonomie expansive. Tous les processus analysés par Feuerbach évoquent des processus dynamiques dégagés par la psychologie de la personnalité.

L'athéisme de MARX n'est pas de nature métaphysique et psychologique comme celui de Feuerbach. Marx ne s'interroge jamais sur les sentiments d'absolu qui habitent l'homme. L'univers divin n'est pour lui que le reflet de certaines structures sociales, et le christianisme, religion absolue qui achève toutes les autres dans une plénitude de transcendance, est la plus profonde perversion de l'esprit humain. Dieu n'est qu'un

---

[31] VII, p. 197. « Es ist gemütlicher, zu leiden, als zu handeln, gemütlicher durch einen Andern erlöst und befreit zu werden als sich selbst zu befreien... gemütlicher, sich von Gott geliebt zu wissen, als sich selbst zu lieben..., gemütlicher überhaupt, *sich von seinem eignen Gemüte als von einem andern, aber doch* im Grunde demselbigen Wesen bestimmen zu lassen, als sich selbst durch die Vernunft zu bestimmen. »

[32] VII, pp. 62-63.

visage sans consistance aucune. « La religion, vivant de la terre et non du ciel, n'a en soi aucun contenu et se dissout dès qu'on abolit la réalité (sociale) absurde dont elle est la théorie [33]. » La quatrième thèse de Marx sur Feuerbach dénonce abruptement la théorie de celui-ci sur l'auto-aliénation religieuse de l'homme. Le dédoublement de l'homme en des fondements terrestres et un monde religieux comme royaume autonome, ne s'explique par aucune tension intérieure, pour Marx, mais par les seules contradictions terrestres. L'athéisme de Marx est donc plus radical, en ce qu'il refuse même *l'ouverture* à l'appel religieux que Feuerbach reconnaît à l'intériorité affective de l'homme.

L'homme total que Marx projette dans un avenir mythique, n'engendrera plus le concept de Dieu. Mais sur cet homme accompli, qui ne sera que pure positivité terrestre, les élucidations marxistes sont fort indigentes. La critique de Feuerbach préfigure un tout autre type d'athéisme, celui que nous appelons psychologique, parce qu'il se mesure à l'homme, à ses sentiments et désirs, à l'homme qui est intérieurement engagé dans le processus de son humanisation. A la même époque, Nietzsche intente lui-aussi, un procès à Dieu; il imagine le même argument humaniste et psychologique, affirmant que seule la mort de Dieu permet à l'homme d'accomplir son humanité. Nous renvoyons le lecteur au chapitre sur Nietzsche,

2. LA PSYCHOLOGIE DU « SENTIMENT RELIGIEUX »

La découverte de la subjectivité, aux temps modernes, a profondément marqué les recherches sur la religion, et la psychologie comme science de l'homme y trouve son essor. Rien d'étonnant que de nombreux psychologues, aux premières décades de cet essor (début du XXe siècle jusque vers 1930) manifestent pour le phénomène religieux un intérêt qui disparaîtra pour ne reprendre, sous d'autres formes et avec d'autres méthodes, qu'après la dernière guerre mondiale. L'éclosion et la disparition rapide des revues de psychologie religieuse témoignent de cette poussée subite d'intérêt, et de son lien avec une problématique assez particulière et passagère.

Les textes de Feuerbach ont au moins rendu manifeste l'ambiguïté de l'enracinement affectif de la religion. L'histoire de la première psychologie religieuse la confirme. Pour les uns, la réduction de la religion à la subjectivité affective, est la seule manière de la ramener à sa terre

---

[33] *Lettre du 30 novembre 1842 à Arnold Ruge.* Éd. Mega I, 1/2, 1929, p. 286 : « ...da die Religion an sich inhaltlos nicht vom Himmel, sondern von der Erde lebt und mit der Auflösung der Verkehrten Realität, deren *Theorie* sie ist, von selbst stürzt. »

natale; pour d'autres, cette réduction en fait éclater le caractère aléatoire et illusoire. Cette problématique ne lâchera plus les psychologues. Elle ira s'approfondissant, à travers la psychanalyse du désir, chez Freud; à travers la psychologie analytique de l'âme et de la projection, chez Jung. La question de la vérité et de l'illusion de l'affectivité et du désir restera toujours pendante.

Ce sont les penseurs piétistes qui ont inauguré cette problématique. L'un des premiers, Lessing oppose à la foi dogmatique, à la religion de la raison, l'expérience religieuse intérieure, qui est la seule vérité de la religion : « En quoi le chrétien s'intéresserait-il à l'opinion des théologiens, quand il se sent sauvé [34]? »

Mais c'est F. SCHLEIERMACHER qui, le premier, a puissamment élaboré les principes d'une philosophie de la religion comme sentiment. « En son essence, écrit-il en 1799, elle (la religion) n'est ni pensée, ni action, mais contemplation intuitive et sentiment [35]. » Cette *Anschauung* (vision, contemplation), liée au sentiment, consiste à se représenter toutes les données du monde comme des actions de Dieu. Et la représentation de l'univers s'accomplit dans l'intériorité. Étant représentation intérieure de l'univers, et sentiment, présence à soi immédiate, la religion appartient fondamentalement à une intériorité qui n'est médiatisée ni par la raison ni par la volonté. En 1821, Schleiermacher l'affirme avec netteté : La religiosité, considérée en elle-même, n'est ni un savoir ni une action, mais une détermination du sentiment ou de la conscience de soi immédiate [36]. La vérité des représentations religieuses ne réside pas dans leurs objets, mais dans les états d'âme qu'elles expriment. Certes, Schleiermacher ne conteste pas toute vérité à la religion. Elle est la conscience de notre unité avec l'Infini qui se reflète dans la nature. Elle est « le sens et le goût de l'Infini [37] », le sentiment de l'absolue dépendance.

La réduction de la religion au sentiment, opérée par Schleiermacher, a profondément marqué la première psychologie religieuse. Elle lui délimite une région propre, celle de l'intériorité, et par là elle permet à la psychologie de la religion de se constituer en science spécifique.

---

[34] G. E. LESSING, *Axiomata, Wenn es deren in dergleichen Sachen gibt. Sämtliche Werke*, Gosche, B. VIII, p. 407.

[35] « Ihr (der Religion) Wesen ist weder ein Denken, noch Handeln, sondern Anschauung und Gefühl. » *Ueber die Religion. Reden an die Gebildeten unter ihrer Verächtern*, SCHLEIERMACHER, *Ausgewählte Werke*, B. IV, Leipzig, F. Meiner 1913, p. 241. Nous reproduisons la trad. franç. de I. J. REUGE, *Discours sur la religion*, Paris, Aubier, 1944, p. 151.

[36] Cf. *Der Christliche Glaube*, § 3 et § 4, dans vol. III.

[37] « Religion ist Sinn und Geschmack für das Unendliche. » *Ueber die Religion*, Band II, p. 242. Discours, p. 152.

Mais en même temps, elle oriente cette psychologie sur une voie en partie erronnée, dont il lui sera difficile de sortir. En plus, cette réduction lui donne le principe d'une critique négative de la religion; car une religion enfermée dans l'immanence subjective, se prête directement à une compréhension axée sur l'opposition entre le subjectif et le réel ontique. Certaines formules de Schleiermacher nous annoncent d'ailleurs étrangement celles de Feuerbach. Ainsi, quand il affirme que l'existence de Dieu ne peut pas nous être donnée, et que nous n'avons un concept de Dieu que pour autant que nous sommes Dieu, c'est-à-dire que nous l'avons en nous [38]. Il suffit de très peu pour considérer Dieu seulement comme notre propre substance, encore étrangère à nous-mêmes. L'affirmation de cette dualité purement intérieure ouvrira rapidement la porte à une critique motivationnelle qui tente de réduire cette distance intérieure, pour faire accéder l'homme à sa propre autonomie intégrée.

De nombreux psychologues ont adopté les vues de Schleiermacher, et ont poursuivi l'étude psychologique de l'expérience religieuse, ou du sentiment religieux. Par l'analyse des documents personnels, W. JAMES essaya de dégager les types d'expérience religieuse, ses rapports avec la psychopathologie, et surtout sa spécificité essentielle [39].

K. GIRGENSOHN [40] utilisa la méthode des libres associations (suscitées par des lectures de textes religieux). Au terme de ses analyses, il aboutit à une définition de l'essence de la religion dont il constate lui-même qu'elle s'apparente étroitement aux thèses exposées intuitivement par Schleiermacher.

G. WOBBERMIN [41] élabore toute une théologie psychologique. Fidèle à la visée de Schleiermacher, il s'efforce de rapporter les vérités religieuses, les contenus dogmatiques, aux différents états d'âme qui leur correspondent, et qui en constituent le contenu vécu et le noyau de vérité. Le dogme de la Paternité de Dieu, par exemple, exprime notre sentiment de dépendance du Seigneur absolu. Par le concept du Fils nous désignons notre sentiment d'être hébergés *(Geborgenheit)* dans un univers gouverné

---

[38] *Dialektik*, Kritische Ausgabe von J. Halpern, Berlin, 1903, p. 224; *Ausgewählte Werke*, Band III, p. 78.

[39] *The Varieties of Religious Experience. A study in Human Nature*, New York, Longmans Green, 1902. Trad. franç. par F. Abeuzit : *L'expérience religieuse. Essai de psychologie descriptive*, Paris, Alcan, 1906.

[40] *Der seelische Aufbau des religiösen Erlebnis. Eine religionspsychologische Untersuchung auf experimenteller Grundlage*, Gütersloh, Berlersmann, 1921.

[41] Cf. e.a. *Die Methoden der religionspsychologischen Arbeit*, dans *Handbuch der biologischen Arbeitsmethoden*, abt. VI. el, Berlin-Wien, Urban & Schwarzenberg, 1928, pp. 1-44.

par la puissance divine. Les énoncés concernant le Saint-Esprit disent notre union personnelle à Dieu.

Les recherches psychologiques n'aboutissent pas à l'athéisme. Elles rejettent toute vérité objective des contenus religieux, et sont donc, pour un croyant chrétien, antidogmatiques. Elles décrivent les formes de religion du point de vue de l'immanence du sujet. Et, pour autant qu'en cette intériorité elles surprennent une expérience ou un sentiment religieux, elles concluent à sa vérité. Elles ne posent pas la question d'une explication qui dépasse le plan du sentiment religieux. Pour cette raison, leur tendance n'est que partiellement réductrice. Elle est cependant « psychologiste », pour autant qu'elle reconduit toute vérité de la religion aux ressources affectives de l'homme. Son optique est celle de l'homme comme *homo psychologicus*.

Cette considération s'est maintenue, et s'est enrichie de multiples inventions méthodologiques et de nombreuses expériences cliniques. Si elle ne satisfait pas l'esprit qui pose la question de la vérité philosophique ou théologique de la religion, elle a permis d'étudier les corrélations qui existent entre les divers mouvements affectifs et les formes de croyance et de pratique religieuse. Citons, comme modèle d'une telle étude proprement psychologique, au sens limité que nous venons de dire, le livre de G. W. ALLPORT [42]. Un de ses chapitres étudie les « origines de la quête religieuse ». Allport en montre la variété et il relie les expressions ou croyances théologiques aux diverses sources affectives, telles l'expérience de la puissance (d'où l'idée de la toute-puissance divine), le besoin d'affection (d'où le Dieu-amour), le besoin de paix (source de l'idée du Dieu-consolateur), le besoin de direction (qui s'exprime dans la croyance en l'Esprit Saint) [43]...

La religion est à comprendre par la psychogénèse. Dieu est finalement l'expression suprême de la personnalité, la valeur finale qu'exigent, pour s'expliquer et pour se conserver, toutes les autres valeurs de soi-même. Allport semble admettre la possibilité d'une révélation par laquelle Dieu se fait connaître lui-même en un langage humain et en des symboles empruntés à notre monde sensible [44]. Mais pour lui les rapports entre l'homme psychologique religieux et la présence divine personnelle, ne sont pas eux-mêmes un fait psychologique. Il n'y a pas de dialogue, et la parole de Dieu ne semble pas modifier le cours des sentiments

---

[42] *The Individual and his Religion. A Psychological Interpretation*, New York, Macmillan, 1953.
[43] *Ibid.*, pp. 13-14.
[44] P. 139.

religieux. L'homme est essentiellement religieux par une variété de sentiments qui lui présentent le divin dans une perception immédiate. Et la vérité des sentiments religieux se mesure aux normes qui définissent *l'homo psychologicus* : la personnalité adulte, autonome, indépendante des conformismes, capable d'autocritique respectueuse de la liberté d'autrui. A la psychologie il attribue pour objet la fonction du sentiment religieux dans l'ensemble de la personnalité de l'individu [45]. Et il définit la personnalité selon des critères psychologiques assez fonctionnels : ceux qui composent l'idéal de la personne dite adulte.

Nous avons montré au § 1 que Feuerbach, en vertu de ses exigences d'autonomie, dénonce la religion comme perte d'humanité; dans les termes de la psychologie en question comme immaturité inconsciente. Nous verrons plus loin que Freud détruit cet idéal de *l'homo psychologicus* par l'appel à la raison et à la vérité. L'optique de *l'homo psychologicus* est donc insuffisante, parce que celui-ci ne porte pas en lui ses propres coordonnées.

3. LES TENTATIVES D'EXPLICATION PSYCHO-PHYSIOLOGIQUE OU BIOLOGIQUE DES SENTIMENTS RELIGIEUX

Les premiers psychologues qui abordent la question de l'*explication* psychologique des phénomènes religieux, en appellent à des facteurs biologiques et physiologiques. D'emblée, leur tendance est nettement plus réductrice. L'effort même d'expliquer la religion, en réduit presque nécessairement la vérité à ses causes humaines.

G. S. HALL [46], le premier psychologue à appliquer sur une large échelle la méthode positive des questionnaires, constate le lien entre développement religieux et formation de l'âge adulte. Il en étudie particulièrement le tournant décisif, à l'adolescence. Il conclut à l'universalité de la conversion à cet âge et à la grande parenté qu'elle présente avec la révolution sexuelle, préparant elle aussi l'âge adulte. Et l'auteur d'en appeler à ses connaissances biologiques et physiologiques, pour expliquer ces deux formations parallèles.

E. D. STARBUCK [47] fait sur le thème de la conversion, une étude encore plus strictement empirique. Il l'explique par des causes avant tout physiologiques. La conversion est une forme condensée du déve-

---

[45] P. x.

[46] *Adolescence, its Psychology and its Relations to Physiology, Anthropology, Sociology, Sex, Crime, Religion and Education*, Appleton, 1904.

[47] *The Psychology of Religion. An Empirical Study of the Growth of Religious Consciousness*, New York, Ch. Scribner's Sons, 1899.

loppement de l'adolescent vers une vie hétérocentrique. Elle prend un caractère religieux quand le sujet attribue ce changement à une aide divine : dans ce cas les forces nouvelles « sont objectivées, et deviennent l'influence qu'exerce une personnalité spirituelle extérieure [48] ». La conversion n'est donc en fait qu'une évolution intérieure, commandée par des processus physiologiques. On serait en droit de conclure que l'idée de Dieu n'est qu'une attribution nominale, une projection selon le langage des psychologues actuels, sans valeur d'existence réelle.

J. H. LEUBA [49], a fini par énoncer cette conclusion. Il décrit comment la religion a d'abord été bannie de la cosmologie et de l'historiographie, pour se reclure dans l'intériorité de l'homme. Or la nouvelle science psychologique qui, pour Leuba également est la science de l'intériorité, nous explique Dieu comme une instance psychique. Mais si Dieu n'a d'existence que subjective, et si la foi religieuse n'est qu'un processus psychique, ne faut-il pas leur dénier toute valeur et toute prétention d'objectivité ? Conséquent avec son principe méthodologique Leuba est effectivement passé à une prise de position athéiste. Il a fini par expulser la religion du refuge intérieur où il l'avait enfermée. Son livre plus récent sur le phénomène mystique répète d'ailleurs la même critique athéiste : Le mystère s'explique par des processus proprement psychologiques et physiologiques (tendance à l'affirmation de soi et besoin d'estime; besoin de soutien moral, de tendresse, et de paix; socialisation de la volonté individuelle; et impulsions sexuelles) [50]. L'inanité de l'expérience mystique, qu'il pense avoir ainsi démontrée, enlève aux croyants le dernier argument de leur foi en un Dieu personnel, et elle doit détruire une foi religieuse jugée malfaisante [51].

Il n'est plus de saison de souligner le manque radical de rigueur scientifique dont souffre le biologisme psychologique de J. Leuba. Qu'il nous suffise de le situer brièvement dans le mouvement d'une psychologie religieuse en train de se chercher. J. Leuba illustre la position athéiste qui résulte de la rencontre d'une conception psychologique immanentiste et d'un projet d'explication.

Certes tous les psychologues de la religion n'ont pas dégagé de leurs recherches explicatives de tels jugements portant sur l'en-soi de la religion. Th. FLOURNOY, de Genève, s'en tenait à un point de vue purement empi-

[48] P. 161.
[49] *The Psychological Origin and the Nature of Religion*, Londres, Archibald Constable, 1909. Trad. franç. par L. CONS : *La Psychologie des phénomènes religieux*, Paris, Alban, 1914.
[50] *La psychologie des phénomènes religieux*, pp. 175-188.
[51] P. 390 ss.

rique [52]. Il élabore les deux principes que l'école française a longtemps considérés comme la charte de la psychologie religieuse : l'exclusion méthodologique du Transcendant et l'explication biologique. Protestant libéral et piétiste, il est à ranger parmi les psychologues que nous avons mentionnés au § 2. Mais on peut se demander si son double principe directif n'implique pas nécessairement une prise de position athéiste résolue et non plus seulement méthodologique. On ne voit pas bien ce qui subsiste de la religion après sa réduction à l'affectivité, et après l'explication biologique de celle-ci.

4. LA CRITIQUE FREUDIENNE DE LA RELIGION

Il est particulièrement difficile de présenter en quelques pages la psychanalyse de S. Freud et ses applications aux phénomènes religieux. Alors que toutes les psychologies s'efforcent d'examiner la vie de la conscience concrète, et peuvent donc assez directement entrer dans une anthropologie philosophique, la psychanalyse s'occupe des formations psychologiques n'appartenant pas au registre de la conscience, et qui cependant la conditionnent et la déterminent pour une large part. Aussi l'histoire des rapports de la psychanalyse avec les autres sciences de l'homme est avant tout un tissu de malentendus. A diverses reprises psychologie, philosophie et sociologie ont essayé de s'assimiler la psychanalyse, mais en la dépouillant de ses lois fondamentales. La thèse d'un inconscient psychologique demeure le scandale fondamental qu'on essaie toujours d'éliminer à nouveau, en faisant basculer l'inconscient dans le préconscient. Il ne nous revient pas ici de discuter ou de justifier les thèses freudiennes sur la formation de l'inconscient et la genèse de la personnalité. Nous commenterons les écrits de Freud sur la religion en nous situant dans l'optique freudienne. Nous voulons conserver tout son tranchant au concept de l'inconscient tel qu'il se trouve structuré par le complexe d'Œdipe, et nous accueillons avec sympathie les expériences, les structures et les interprétations que l'œuvre de Freud nous laisse. A notre sens, il ne saurait être question de trier dans les concepts freudiens les données qui semblent *a priori* recevables d'après les critères d'intelligibilité psychologique, philosophique ou théologique. C'est le droit strict de chacun d'adopter les théories psychologiques de ses convictions ; mais il faut savoir qu'on ne peut juger les théories scientifiques qu'à l'intérieur des expériences sur lesquelles elles prétendent se fonder. Philosophie et psychologie doivent donc se laisser mettre en question

---

[52] *Les principes de la psychologie religieuse. Archives de psychologie,* Paris 1903, II, pp. 37-41.

par l'expérience psychanalytique comme elles le doivent pour n'importe quel type d'expérience scientifique.

Nous supposerons connues les acquisitions freudiennes, dans leur teneur authentique [53]. Et nous suivrons Freud dans ses études des phénomènes religieux. Ensuite, en nous installant sur le terrain même de Freud, nous discuterons brièvement ses thèses sur le théisme.

Un bref rappel de la dimension propre de la psychanalyse paraît néanmoins indispensable pour introduire à la psychanalyse de la religion. Nous avons montré, dans le chapitre introductif, que la dimension des profondeurs dont se réclame la psychanalyse, réside dans l'action que des structures et des significations, demeurant dans le corps vécu et dans le langage inconscient, exercent sur le comportement de l'homme, sur ses pensées et sur ses œuvres. La clinique a révélé que le moi psychologique, la conscience en première personne, est doublée à l'intérieur, portée et traversée par des sens vécus et par des intentions *(Absichten)* qui échappent à toute prise de conscience directe. Ces sens et intentions se sont formés par les structures que les expériences infantiles ont nouées dans les pulsions, qui sont l'étoffe première de la vie psychique. Pour cette raison, la psychanalyse nous oblige à un doute beaucoup plus radical que le doute Cartésien. La conscience, en effet, n'est plus seulement exposée à l'erreur épistémologique; elle est soumise aux leurres que le langage archéologique des désirs et des symbolismes corporels peut introduire dans le discours de la raison. Le passé, qui demeure présent et agissant dans l'inconscient, pèse sur la volonté délibérée et sur les œuvres de la conscience. Les figures de l'esprit prennent le relais de la protohistoire infantile. La conscience peut en déployer les possibilités; elle peut aussi, malgré elle et à son insu, la répéter. Dans ce cas, le contenu substantiel de ses pensées et de ses œuvres n'est en grande partie que le masque des désirs, des angoisses et des culpabilités refoulées. La psychanalyse révèle donc des motivations qui sont proprement des explications causales d'un ordre tout à fait particulier et fondamental. Comme nous l'avons dit, le terme d'explication psychologique causale reçoit ici sa pleine application.

---

[53] Qu'il nous soit permis de signaler un ouvrage, fait en collaboration, que nous avons consacré à l'ensemble de la psychanalyse freudienne (concepts et technique, anthropologie philosophique et psychologie) : H. PIRON, A. VERGOTE, W. HUBER, *La psychanalyse, science de l'homme*, Bruxelles, Ch. Dessart, 1964. (Traductions en préparation en néerlandais, espagnol et anglais.) — Le lecteur trouvera une bonne initiation dans : R. WAELDER, *Basic Theory of Psychanalysis*, New York, Int. University Press, 1955. Trad. franç. : Les fondements de la Psychanalyse, Paris, Payot, 1962. — A. GOERRES, *Methode und Erfahrungen der Psycho-analyse*, Munich, Kösel Verlag, 1958 (bonne confrontation avec une philosophie spiritualiste).

La psychanalyse nous fait assister à un renversement révolutionnaire de la perspective aussi bien psychologique que philosophique. L'homme se trouve décentré par rapport à sa conscience qui avait toujours été considérée comme le point d'Archimède de son être. La conviction intrépide de la psychologie académique aussi bien que de la philosophie, de saisir la garantie de la vérité dans l'évidence des contenus conscients vécus, a cessé devant les démystifications psychanalytiques. Aucun psychologue ne nous a appris sur l'homme autant que Freud. La psychanalyse a définitivement brisé l'image de *l'homo psychologicus*, l'homme des sentiments et des comportements qu'on peut connaître dans l'univers clos de sa conscience et de ses comportements phénoménaux. Certes, Freud a été loin dans son scepticisme, et il a trop dénié leur vérité spécifique à la puissance réflexive de la raison, à la finalité ouverte de ses sentiments, et à la liberté créatrice de la volonté. Une anthropologie complète ne peut plus se faire ni sans la théorie de l'inconscient, ni sans une psychologie et une philosophie de la conscience en première personne. Il appartient à notre temps d'élaborer une anthropologie qui s'installe dans le mouvement circulaire, ou dialectique, des rapports entre conscience et inconscient.

Freud juge sévèrement les philosophies religieuses : trop sévèrement même. Pour lui les prétentions idéologiques du moi se rapportent étroitement au contenu inconscient. Freud déprécie la religion des philosophes, parce qu'elle méconnaîtrait radicalement le rapport personnel entre l'homme et son Dieu [54]. La religion n'est pour lui ni un sentiment mystique (dans lequel il ne voit qu'une répétition du lien narcissique primaire avec le tout indistinct), ni une spéculation de vérité (celle-ci ne pourrait jamais concerner l'homme dans son être personnel de désir). Pour Freud, la vraie religion est le culte du Père tout-puissant, législateur et providence protectrice. Dieu, pour lui, est le Père à l'égard duquel l'homme confesse ses liens de dépendance, de culpabilité et d'obéissance. Aucun besoin religieux spontané n'explique ce concept du Père, puisqu'il n'est pas une donnée innée dans le système pulsionnel. Pour le comprendre il faut recourir à la dynamique des pulsions, et voir comment l'idée de Dieu se forme par la structuration de la vie pulsionnelle.

De l'avis de Freud, les sources de la religion sont nombreuses [55]. Freud a cependant poursuivi essentiellement deux lignes de recherche

---

[54] *Die Zukunft einer Illusion, Gesammelte Werke*, XIV, Londres, Imago Publ., 1947, p. 57.

[55] Pour l'analyse des critiques freudiennes de la religion nous renvoyons le lecteur à l'étude plus approfondie que nous avons publiée sur ce sujet, dans : *Psychanalyse, science de l'homme*.

qui aboutissent toutes deux à composer l'idée de la paternité de Dieu. Notre texte présentera successivement ces deux démarches.

Dans *L'avenir d'une illusion* [56] (1927) Freud analyse ce qu'on peut résumer dans l'expression : les « besoins religieux » de l'homme. Ces besoins naissent des frustrations qui mortifient les désirs humains. La société, d'abord, impose des restrictions inévitables aux pulsions humaines. Étant au service de l'individu, elle est néanmoins contrainte de se défendre contre lui, et jamais elle ne peut se le réconcilier pleinement. Freud ne partage ni l'optimisme de Rousseau ni celui de Marx. La société est l'œuvre éthique de l'homme ; elle le définit dans son humanité même. L'homme doit s'imposer la société contre ses pulsions, pour les équilibrer et pour les limiter. Mais ces privations suscitent une souffrance narcissique et un mouvement de révolte. Le patrimoine spirituel, édifié par la civilisation, compense en une large mesure les privations. Aucune civilisation cependant ne réussira jamais entièrement à résorber la douleur du conflit et des privations. Pour cette raison, la civilisation cherche à proposer une compensation plus puissante encore : la religion, qui promet le dédommagement complet dans l'au-delà. En plus, la religion constitue la seule compensation pour la blessure douloureuse qu'inflige à l'homme son impuissance face à la nature et face au destin inévitable de la mort.

La pulsion de conservation et la recherche de jouissance (la libido) poussent ainsi l'homme à surmonter ses souffrances et ses angoisses par le postulat d'une survie. Il peut la tenir pour vraie car son narcissisme, marqué par la toute-puissance de la pensée et des désirs, lui fait croire dans la réalisation effective de ses aspirations de protection, de récompense et d'immortalité. Enfin, la nostalgie primitive du père, dérivant de l'attachement infantile, rend possible la croyance de l'adulte en une figure paternelle toute-puissante et auteur des dons espérés. Ainsi, dans son impuissance réelle à se dédommager de toutes les privations, l'homme s'en remet-il à un Père tout-puissant, maître de la vie et de la mort, seigneur de l'éternité, législateur et gardien de la société.

Freud reconnaît que, pour l'essentiel, sa critique reprend les idées des philosophes athées. Et de fait, *L'avenir d'une Illusion* présente un parallélisme déclaré, jusque dans la forme, avec le *Dialogue Concerning Natural Religion*, de D. HUME (1751). Mais Freud ajoute aux thèses rationalistes un fondement psychologique dans l'économie pulsionnelle.

Trois caractéristiques de la religion, selon Freud, viennent confirmer son interprétation psychanalytique des phénomènes religieux. Le recul

---

[56] *Die Zukunft einer Illusion*. Trad. franç. de M. BONAPARTE, Paris, Denoël, 1932.

de la religion et le rétrécissement de son domaine devant le progrès de la raison et de la science, prouvent, pense-t-il, qu'elle est fondée sur le sentiment et non pas sur la raison. Et le refus, chez le croyant, de mettre en question ses convictions religieuses, ne témoigne-t-il pas aussi d'un attachement exclusivement affectif? Enfin, l'homme veut la religion parce qu'elle lui est socialement nécessaire, en tant que fondement solennel des lois morales, dont l'homme n'ose pas reconnaître la nature seulement humaine.

Étant soutenue par la toute-puissance des désirs, et par l'obéissance compulsionnelle aux lois, la religion doit se comparer à la névrose obsessionnelle. Mais elle n'est pas une névrose individuelle; au contraire, elle épargne à maints individus une névrose personnelle. Elle est donc une névrose de la civilisation. On peut également la comparer au délire : elle est la projection d'un monde illusoire. Mais parce qu'il est collectif, ce délire n'est pas une forme ordinaire de la pathologie mentale. La religion est une illusion.

Freud juge la religion comme un stade nécessaire dans l'évolution de l'humanité : La Raison se fera un jour entendre, et imposera finalement à l'homme l'honnête reconnaissance de l'*Ansanke*, du destin inévitable du monde réel. Freud est proche de Marx quand il voit dans la religion l'illusion dont se berce l'humanité, frustrée dans ses désirs. Pour lui aussi, l'homme passe à la dimension verticale, celle du ciel, parce que ses désirs n'aboutissent pas sur le plan qui constitue leur lieu et leur but propres, le plan horizontal des relations humaines. Mais Freud va plus loin que Marx : selon lui, la frustration n'est ni proprement sociale ni culturelle; elle est constitutive de l'humanité. Aussi, l'humanisme radical que Freud propose ne consiste pas à chercher la satisfaction illusoire d'une réconciliation future, mais à vivre la morale de l'honnête renoncement devant la nécessité reconnue.

Est-il besoin de remarquer que de nombreuses enquêtes et expériences cliniques ont confirmé depuis que les critiques freudiennes contiennent une certaine vérité? Combien de sujets n'ont pas abandonné la foi, ou n'osent pas y accéder, parce qu'ils ont le sentiment que la foi est fondée sur les sentiments analysés par Freud [57]?

Dans *Totem et Tabou* (1913) [58], dans *Malaise dans la civilisation* (1930) [59] et finalement dans *Moïse et le Monothéisme* (1939) [60] Freud

---

[57] Nous avons publié sur ce sujet deux études : *De l'expérience à l'attitude religieuse*, Archiv für Religionspsychologie Göttingen, 1964 (VIII), pp. 99-113; *De l'expérience religieuse* Lumen Vitæ, Bruxelles, 1964 (XIX), 2, pp. 31-44.
[58] *Totem und Tabu*, G. W. IX.
[59] *Das Unbehagen in der Kultur*, G. W. XIV.
[60] *Moses und der Monotheismus*, G. W. XVI.

instaure une critique proprement psychanalytique de la religion, une critique qui tente de reconstruire les moments décisifs de son avènement. Il ne s'attaque plus ici au sens du sacré, ou à la confiance naïve de l'adulte dans une providence créée à la mesure des aspirations humaines. La religion, à l'étude de laquelle il se voue avec la passion de ses découvertes analytiques, c'est la religion saisie dans sa puissance dramatique : le totémisme — tel qu'il l'interprète — et la tradition judéo-chrétienne. La religion n'est plus considérée ici comme un moment illusoire de la civilisation; elle appartient à la genèse même de l'humanité, au titre d'œuvre civilisatrice.

Dans un premier moment Freud se penche sur la mystérieuse constitution du symbole de la Paternité. Nous suivrons sa démarche, sans trop nous arrêter ni à ses informations historiques lacuneuses et controuvées, ni à ses hypothèses exégétiques largement imaginaires. D'après Freud, la culpabilité est au cœur même du devenir de l'homme (de son humanisation). L'insertion dans la trame familiale, la présence des pulsions de tendresse, d'agressivité, de conservation de soi, et la démesure propre au narcissisme : toute la constellation primitive conduit l'enfant à l'agression envers le père, à l'intensification de la tendresse, au renoncement des pulsions, et à l'intériorisation de la loi du père. Culpabilité et identification au père sont la voie vers une structuration psychologique achevée. Ce mouvement fait passer l'homme à la conscience éthique et à la religion. La religion judaïque surtout constitue un moment décisif dans le progrès de spiritualité. Par l'interdiction de toute représentation de Dieu, par l'obligation d'adorer un Dieu invisible, et par la défense d'abuser du nom de Dieu, la religion achève son évolution dans l'instauration du règne du Père. Transformés par la reconnaissance de la fonction paternelle, les hommes en viennent à se vouer au règne de l'esprit : à la culture, au langage, et à l'intelligence, par opposition aux perceptions immédiates et aux satisfactions pulsionnelles.

L'analyse constitutive du symbole paternel, que nous venons de résumer, n'explique pas encore la croyance réaliste en l'existence effective d'un Dieu Père. Freud était conscient du problème. Mais comme il dénie *a priori* à l'homme toute recherche proprement spirituelle, pour expliquer la croyance réelle en Dieu, il ne lui reste que le recours à des processus inconscients qui relèvent non pas de la psychologie individuelle, mais de l'histoire humaine. C'est alors qu'il élabore sa fantastique hypothèse du meurtre historique du père primitif. La reconnaissance dynamique du Père grandiose, qu'est Dieu, ne peut se comprendre pense-t-il, que par le retour de ce qui a été historiquement refoulé : le meurtre du premier père. Et si les juifs en particulier sont devenus les témoins zélés du monothéisme, c'est qu'ils ont renouvelé le crime primitif sur le père du peuple juif, sur Moïse, en l'assassinant à leur tour. La culpabilité s'est emparée d'eux avec une véhémence exceptionnelle : ils ont renié leur acte, mais pour reconnaître, plus que tout autre peuple, le Père éminent. C'est par la répétition historique du meurtre, sur Moïse, sur d'autres prophètes, sur le Christ, que les juifs et les chrétiens auraient intensifié leur culpabilité et par la suite leur spiritualisation, leur agrandissement et leur divinisation de la figure paternelle. Le complexe d'Œdipe n'est pas seulement le nœud structurant de la personne, il est aussi le dynamisme de spiritualisation dans l'histoire humaine.

La religion du Père, moment éminent du progrès spirituel et éthique, porte cependant aussi les stigmates de son traumatisme originaire. Le narcissisme intolérant et agressif, le ritualisme obsessionnel, et le légalisme répressif sont les tares inévitables de la religion du Père. Pour réaliser pleinement l'extraordinaire puissance spirituelle de la religion du Père, l'humanité doit faire un pas de plus : accepter la culpabilité, renoncer aux satisfactions de la religion, et entrer dans le règne de l'éthique de raison et d'honnêteté !

Aux regards de l'expérience psychologique, les misères de la religion que Freud a énoncées, sont certainement des dangers très répandus. Il nous paraît également acquis qu'elles s'expliquent souvent par l'enracinement de la religion dans la structure œdipienne sur laquelle se fonde la religion du Père. Nous entendons sauvegarder toute la vérité de cette analyse qui nous dévoile les conditionnements inconscients de la religion. Mais il nous faut aussi souligner les extraordinaires ambiguïtés qui vicient les analyses de Freud. Elles mettent aussi en évidence l'insuffisance du recours aux seules lois de l'inconscient pour une juste intellection des phénomènes religieux. Considérant les attitudes religieuses envers le Père, Freud les juge parfois hautement spirituelles ; mais en d'autres endroits il les estime gravement morbides et destructrices. Il exalte la force paternelle et l'esprit d'autorité qui marque les prophètes ; mais aussi, il dénonce la dévirilisation qu'entraîne la croyance au Père. Il situe la culpabilité au cœur même du mouvement de spiritualisation ; mais ailleurs il identifie cette même culpabilité à une compulsion avilissante. Il place la répression pulsionnelle à l'origine de la civilisation ; mais en d'autres textes, il la trouve profondément malsaine.

A prétendre, avec Freud, que les seules lois de l'inconscient épuisent l'attitude religieuse dans sa totalité, on est inévitablement amené à de telles contradictions. Mais l'explication de Freud ne tient qu'au prix de graves ignorances en des matières doctrinales et pratiques, que la religion tient pour absolument essentielles. En effet, le ritualisme du geste religieux est très différent de celui que Freud décrit. L'homme religieux assume consciemment la faute, et le sacrifice qu'il offre, en pleine connaissance de cause, est marqué par une culpabilité consciente et par la reconnaissance du Père. En se limitant à l'étude de l'inconscient, Freud a manqué la dimension essentielle de la Paternité : celle de la reconnaissance et de la réconciliation dans la filiation. Son idée du père reste prisonnière de la mythologie propre à l'inconscient. En fait, le moment de la réconciliation est à la fois celui de l'Œdipe consommé, détruit dans son achèvement, et celui de l'instauration d'une attitude religieuse vraie dans la reconnaissance mutuelle entre le Père et les fils.

Nous ne croyons pas non plus que les seules lois de l'Œdipe, même assumé en pleine conscience, puissent suffire à l'établir la croyance en Dieu-Père. Si l'hypothèse fabuleuse d'un meurtre historique, perpétré sur le père primitif, ne tient pas, ne faut-il pas invoquer tout ce que la tradition a compris sous les expressions de sentiments religieux, de désir de Dieu, et de recherche métaphysique de l'absolu? Nous reprendrons ces questions dans la partie doctrinale (IV, c 1).

5. CRITIQUE DE LA RELIGION DANS L'ÉCOLE PSYCHANALYTIQUE

La grande majorité de la première génération de psychanalystes adoptait la conviction freudienne que la psychanalyse remplacerait la religion, et que les psychanalystes assumeraient le rôle que l'ancienne culture, théiste, réservait aux prêtres, celui des pasteurs d'âmes. Dès le début, cependant, certains adeptes ou sympathisants défendaient la thèse d'une conciliation entre une psychanalyse authentiquement freudienne et un christianisme libéral ou une religion théiste. Citons le pasteur O. Pfister, et une célèbre élève et amie de Freud : L. A. Salomé.

Nous rapporterons ici quelques études significatives qui présentent une explication et une critique psychanalytique de la religion.

Elles s'appuient sur deux convictions fondamentales, héritées de Freud. D'abord que l'exigence d'explication scientifique doit pouvoir s'appliquer entièrement à l'homme aussi bien qu'à la nature, et qu'il est donc contraire à l'esprit scientifique de préserver un domaine de mystère. Or, aux yeux de ces psychanalystes comme de Freud lui-même, la religion serait la position *a priori* d'un mystère inaccessible, puisque, par définition, être religieux c'est croire dans le mystère. Le deuxième principe directif qui préside aux critiques psychanalytiques, est le refus d'accorder d'emblée une valeur de vérité à l'expérience consciente; et, de nouveau, la foi religieuse, parce qu'elle est croyance, et non pas position rationnelle, ne pourrait se justifier, dans le chef du croyant, que par une expérience qui contiendrait sa validation ultime à son propre niveau d'expérience consciente. Pour les psychanalystes, une donnée psychologique, telle l'expérience religieuse, doit se résoudre en ses éléments constitutifs et génétiques. Mettant ces principes en œuvre, les psychanalystes opèrent sur la religion une analyse en profondeur qui s'inspire de quatre thèses freudiennes : la parenté entre religion et névrose obsessionnelle; la nature projective des représentations religieuses comme des mythologies; le caractère illusoire d'une religion issue des désirs; enfin l'influence inconsciente des images parentales transférées sur la divinité.

Ces études postfreudiennes se distinguent des écrits freudiens par leur caractère de conviction dogmatique. Alors que Freud, athée convaincu, gardait jusqu'à la fin de sa vie, un esprit de recherche active devant l'énigme humaine de la religion, ses disciples posent d'emblée comme thèse la réductibilité de la religion aux processus inconscients connus. Leurs études font plutôt l'impression d'applications de théories déjà établies. En plus, dans la même attitude d'esprit, ils dénoncent plus volontiers le caractère nocif, morbide, des croyances et pratiques religieuses, alors que Freud accentuait la grandeur de la religion comme facteur essentiel de spiritualisation dans le développement culturel de l'humanité. C'est que Freud envisageait la religion dans le mouvement de l'histoire culturelle et dans le devenir de la personnalité. Ses premiers disciples par contre, la prennent à l'état de fait, et la jugent comme une donnée empirique. Leur intérêt porte sur la correspondance de ses manifestations avec des symptômes morbides et avec des phantasmes inconscients. Leur attitude est celle du diagnosticien qui sait. En cela ils trahissent l'exigence de la psychanalyse authentique, qui demande de ne pas poser de diagnostic en fonction de critères acquis, mais d'étudier la personnalité dans son devenir.

Th. REIK a entrepris de vastes études portant sur diverses pratiques et croyances religieuses, chrétiennes et autres [61]. Ses analyses illustrent essentiellement deux théories de Freud : que le complexe d'Œdipe est la source de la religion, et que les croyances et pratiques religieuses sont des manifestations obsessionnelles. En guise d'exemples d'explication génétique par le complexe d'Œdipe, nous résumons deux textes, l'un

---

[61] *Das Ritual. Probleme der Religionspsychologie*, B. I, Leipzig-Vienne, Intern. Psychoanal. Verlag, 1919. *Der eigene und der fremde Gott. Zur Psychoanalyse der religiösen Entwicklung*, Leipzig-Vienne, Intern. Psychoanal. Verlag, 1925.
Dogma und Zwangsidee, Eine psychoanalytische Studie zur Entwicklung der Religion, Leipzig-Vienne, Intern. Psychoanal. Verlag, 1927.

concernant le mythe de Jésus [62], et l'autre, l'horreur que l'homme éprouve devant les dieux étrangers.

Pour Reik, la christologie est un mythe œdipien, tissé autour de la personne historique de Jésus. Reik reprend l'idée de Freud que les chrétiens ont égalé Jésus au Père, et que cette déification d'un homme est l'expression mythique de leur propre révolte contre Dieu, et de leur autodivinisation inavouée. Les juifs, dit Reik, participaient inconsciemment à ce mouvement; mais ils l'ont dénié, et, par mesure de défense, ils l'ont projeté sur Jésus, qu'ils ont exécuté comme fils déicide. Les chrétiens aussi, puisqu'ils se sont fait solidaires de Jésus, ont accompli le mouvement déicide et parricide; mais pour se défaire de leur culpabilité et de leur aversion, ils ont projeté leur accusation et leur haine sur la figure de Judas, et ils en ont fait l'antagoniste de Jésus. Ce double mythe est issu de la nécessité de dédoubler en deux figures, deux tendances contraires. Le christianisme retrouverait ici un procédé bien connu des mythologies.

Une explication en profondeur s'impose aussi devant l'horreur et l'angoisse qui saisissent l'homme en face des religions étrangères [63], développant en lui une agressivité destructrice rarement égalée en d'autres guerres et persécutions. Seule une origine inconsciente peut en rendre compte, pense Reik. La religion est une émanation du désir de l'inceste et du meurtre du père, ainsi que du refoulement violent de la culpabilité qui s'ensuit. Or, une religion différente, qui accomplit ce refoulement par d'autres symboles, trahit pour l'étranger sa source sinistre et inquiétante. Par des signes transparents à son inconscient, elle lui rappelle son passé refusé et anobli. Le mépris, l'agressivité et la persécution ne sont que des efforts pour détruire ces signes qui évoquent son drame œdipien inconscient.

Le rite et le dogme, dans leurs aspects formels, se trouvent éclairés, selon Reik, par l'ambivalence des pulsions, ce qui est caractéristique des névroses obsessionnelles. Bornons-nous à évoquer l'étude assez poussée qu'il a consacrée au dogme. Il y développe d'abord l'explication génétique que nous venons de présenter. Comme nous l'avons vu, la christologie procède, selon lui, du conflit entre deux tendances contraires : l'une substitue le fils au Père, l'homme à Dieu; l'autre ramène le fils à sa stature humaine réelle, celle d'homme religieux reconnaissant le Père. Ce conflit de révolte et de soumission constitue la trame de toute névrose obsessionnelle. L'on comprend dès lors certaines particularités

---

[62] Cf. *Dogma und Zwangsidee; Der eigene...*, pp. 75-99.
[63] Cf. *Der eigene...*, deuxième partie : pp. 161-256.

étranges et parfois choquantes de la dogmatique. Les discussions byzantines, entre théologiens, portant sur des détails parfois futiles, rappelant le processus obsessionnel du déplacement du conflit sur des données insignifiantes. Pour un témoin averti, les discussions des pharisiens avec Jésus au sujet des applications de la loi, manifestaient de même l'obsessionnalisation de leur religion. La préoccupation d'une formulation dogmatique définie avec une extrême acribie, ainsi qu'un bon nombre de discussions canoniques sur les lois ecclésiastiques ou sur la validité des sacrements, apparaissent à Reik comme les symptômes de cette même maladie congénitale d'une religion issue d'un conflit inconscient. On doit y voir des déplacements d'un conflit inconscient non résolu, et des défenses contre l'incroyance latente. Ils surcompensent intellectuellement ou virtuellement des sentiments ambivalents envers Dieu. D'autres lois psychanalytiques sur l'obsession y trouvent également leur application. Ainsi l'interdit ou le refus de la franche réflexion rappelle le processus de l'isolation, qui dissocie un certain contenu intellectuel parmi d'autres. C'est une façon de le maintenir rigidement et intangiblement, tel un tabou.

Inutile d'insister sur l'outrecuidance des idées théologiques de Th. Reik; elles sont par trop étrangères aux réalités chrétiennes, et leur caractère sommaire et historiquement intenable en ont certainement réduit l'autorité dans une large mesure.

Nous ne croyons d'ailleurs pas que les œuvres de Th. Reik ont connu le même rayonnement que celles de Freud. Elles ne s'en prennent pas d'une façon aussi directe à la croyance en un Dieu proprement dite. Mais celui qui déjà est ébranlé sur ce point fondamental de la foi religieuse, va trouver dans Reik une confirmation de ses doutes. Reik lui permet de situer la dogmatique et les rites chrétiens parmi les autres figures religieuses. Ne montre-t-il pas qu'ils obéissent aux mêmes lois psychologiques qui expliquent les formations mythiques et rituelles en général ? Reik illustre bien la volonté d'explication rationaliste qui reçoit de la psychanalyse des puissants instruments de recherche anthropologiques. Quelle que soit cependant la faiblesse des œuvres de Reik, le théologien peut y trouver maintes analyses excellentes de l'obsessionnalisation, laquelle représente une menace particulière pour la pensée et pour les attitudes religieuses, chrétiennes ou non.

D'autres psychanalystes encore ont prétendu expliquer la religion par ses conditions névrotiques ou psychotiques individuelles. Ils dépassent en cela les idées de Freud. Celui-ci distinguait en effet la religion de la névrose et de la psychose individuelles. En tant que forme culturelle et socialisée, la religion, pour Freud, échappe aux normes de la pathologie proprement dite. Les psychanalystes n'ont pas toujours apporté à leurs études un même souci d'humanisme militant. Leurs écrits nivellent les thèses freudiennes; tenant pour erroné ce qui ne leur paraît pas comme la vérité finale, ils perdent, avec la perspective historique sur l'humanité, la véritable dimension des profondeurs. Examinons encore brièvement à titre d'exemple deux auteurs dont les thèses s'apparentent aux conclusions radicalement négatives de Th. Reik.

C. BERG croit déceler dans l'esprit humain, tel qu'il se développe présentement, une forme nettement psychotique. De cette psychose générale, la religion constitue un symptôme paradigmatique. Au jugement de Berg, elle est « un système névrotique ou psychotique de délire, soutenu de façon autoritaire [64] ». Elle n'a d'autre origine que l'incapacité humaine d'adapter les besoins pulsionnels, engendrés par l'expérience infantile, aux exigences de la réalité. Elle prend naissance à partir de deux composantes psychiques archaïques : des phantasmes inconscients qui mettent en œuvre des désirs irréels de protection et d'immortalité; ensuite la culpabilité inconsciente née du conflit œdipien, et contre laquelle la religion sert de défense, en la transférant sur un Dieu qui rend possible une rédemption et une renaissance dans l'innocence. En citant E. Jones, dont nous parlerons tout de suite, Ch. Berg conclut que cette explication psychanalytique rend intégralement compte de l'avènement de la religion, sans pouvoir toutefois préjuger de sa vérité ou de sa non-vérité, et cela en vertu même du point de vue psychanalytique. Cependant, la prétention que l'auteur a d'interpréter exhaustivement la religion en tant que système délirant, constitue à ses propres yeux, une présomption suffisante de non-vérité. Un cas de psychanalyse publié par lui [65], illustre d'ailleurs fort bien sa critique : un homme en appelle à l'aide divine, justement à un moment dramatique d'impuissance affective et sexuelle; mais une fois analysés les vrais motifs de sa religiosité, il retrouve son indifférence religieuse, pour poursuivre son travail de libération affective.

Signalons encore une étude récemment publiée par R. HELD [66]. On y retrouve les mêmes thèmes, répétés sans originalité. L'essence de la religion, c'est la religion que l'homme a reçue dans son enfance, au temps où ses parents lui apprenaient à distinguer le bien et le mal, le beau et le laid. Tel est, à ses yeux, le sentiment religieux véritable.

[64] *Madkind. The Origin and Development of The Mind*, Londres, Allen and Unwin, 1962, p. 159.

[65] *Deep Analysis. The Clinical Study of an Individual Case*, Londres, Allen and Unwin, 1946.

[66] *Contribution à l'étude psychanalytique du phénomène religieux*, Revue française de psychanalyse, Paris 1962, pp. 211-266.

Il convient de le distinguer de la religion, qui véhicule encore tout ce qui reste du parasitisme infantile, des besoins de sécurité, de la peur infantile du père et de l'angoisse de la mort non acceptée. On voit ici comment les critiques psychanalytiques peuvent se populariser. Nous ne contestons nullement l'influence profonde que tous ces facteurs peuvent exercer. Nous y reviendrons dans le chapitre théorique, mais entre-temps, comment ne pas mesurer la distance qui sépare de tels exposés de la vision dramatique et grandiose du fondateur de la psychanalyse?

D'autres auteurs expliquent d'une même façon, quoique avec quelques variantes, la genèse de la religion dans l'homme, sans prétendre trancher pour autant la question de la vérité. A leurs yeux, la psychanalyse n'est pas à même de porter un jugement sur les réalités métaphysiques; elle a pour domaine les processus psychiques qui sont en œuvre dans la formation, dans l'évolution et dans la disparition de religion. Citons deux auteurs qui témoignent tout à la fois de cette audace dans l'explication et de cette retenue méthodologique. E. JONES a résumé dans une conférence de 1926 ses idées sur la psychologie de la religion [67]. « La vie religieuse, dit-il, présente une dramatisation et une projection cosmique des sentiments, des angoisses et des désirs, qui ont leurs origines dans les rapports de l'enfant aux parents. » Les différentes composantes de la religion s'éclairent à ce principe fondamental. Les relations d'amour, de crainte et de piété, que l'homme établit avec un (des) être(s) puissant(s) surnaturel(s), reproduisent les attitudes de l'enfant envers ses parents. Ayant été en lui-même et pour lui-même, son absolu, l'enfant transfère d'abord cet attachement absolu aux parents, puis, après une nécessaire déception, sur des divinités ou sur Dieu. Ce transfert est chargé de sentiments ambivalents d'amour et aussi de révolte; et de cette ambivalence dérive la tendance typiquement religieuse à rechercher la réconciliation. Le désir angoissé de la survie éternelle exprime et résout, pour sa part, l'angoisse d'une castration primitive. Le lien entre religion et morale s'explique par l'idéal moral qui perpétue l'amour primaire de l'enfant pour lui-même. Enfin la religion sert encore de moyen pour assumer la culpabilité et le sentiment d'incomplétude qu'engendre la culpabilité. De l'avis de Jones lui-même, cette explication de la religion par les processus concrets qui déterminent sa genèse, ne peut empêcher un esprit philosophique d'adhérer à l'existence de Dieu et d'intégrer dans sa métaphysique les thèses psychanalytiques. Un croyant peut

---

[67] *Religionspsychologie*, publié ensuite dans le recueil : *Zur Psychanalyse des Christlichen Religion*, Leipzig-Vienne, Int. Psychoanal. Verlag, 1928, pp. 7-13. Trad. anglaise, *The Psychology of Religion*, dans : *Essays in Applied Psychoanalyses*, vol. II, Londres, Hogarth, 1951, p. 195.

toujours, de son point de vue, considérer les mécanismes psychiques comme les moyens providentiels par lesquels le Créateur suscite la foi religieuse.

J. C. Flugel lui aussi affirme que son explication de la religion comme projection du sur-moi [68] intime, n'autorise pas une position athée. Il reconnaît même que la religion peut exercer une influence éducative sur de nombreux sujets. Mais il prévient le lecteur que la foi religieuse est difficilement compatible avec la connaissance des mécanismes projectifs qui la sous-tendent. D'où, se dit-il, la tendance sceptique de nos contemporains. L'homme qui est initié à la psychanalyse ne gardera de la religion que les émotions religieuses bienfaisantes.

Cette réduction de la religion à son noyau affectif jugé utile ou indispensable pour le bien-être psychique, on la trouve encore chez des auteurs qui ne conservent de la religion que le sentiment archaïque d'union, de fusion, de lien protecteur, mais qui rejettent ou suspectent tous les autres éléments comme névrotiques ou illusoires. Tel A. J. W. Holstein dans un essai sur la psychanalyse de la religiosité [69]. L'auteur souligne les dangers des religions, sans se prononcer sur leurs vérités. Mais il affirme la nécessité pour tout homme de cultiver quelque part « la religiosité »; et par là il entend le sentiment de lien. Ce sentiment de lien appartient à la phase archaïque prélogique de notre devenir. Et il serait dangereux de le méconnaître, puisque comme phase infantile refoulée, il appartient à notre inconscient, et que l'inconscient ne peut jamais disparaître. Peu importe le moyen par lequel l'homme réalise et symbolise dans sa vie cet archaïsme psychologique, que ce soit dans la poésie, dans la solidarité nationale, dans le sentiment de la nature, ou dans la religion, pourvu qu'il accepte de vivre la participation de la mentalité primitive.

Citons encore E. Fromm, qui développe une idée analogue, quand il affirme que dans sa nature même tout homme est religieux, et qu'il importe seulement qu'il adhère à une forme de religiosité humaniste « et non autoritaire [70] ».

Ces dernières théories citées sont évidemment dominées par un psychologisme qui ne prend en considération que les tendances affectives,

---

[68] *Mars, Moral and Society, A Psycho-analytical Study*, Londres, Duckworth, 1945; nous nous référons surtout aux chapitres XIII (la projection du surmoi) et XVII (le problème de la religion).

[69] *Psychoanalyse der religiositeit*, dans : *Hoofdstukken uit de psychoanalyse*, Utrecht, Bijleveld, 1950, pp. 155-167.

[70] *Psychoanalysis and Religion*, New Haven, Yale University Press, 1950, pp. 21-64.

telles qu'elles se forment dans l'évolution de l'individu. Par leur façon même de généraliser les critères psychologiques, elles renoncent à toute recherche de vérité. Remarquons aussi combien cette dernière tendance s'écarte de Freud; celui-ci centrait la religion sur le symbole paternel et sur sa force de spiritualisation; pour cette raison, il oppose à la religion toute tentative de retour à une mentalité primitive marquée par la fusion affective.

Pas plus que Freud, les études psychanalytiques post-freudiennes de la religion n'ont pris au sérieux la recherche de vérité ultime qui anime les penseurs religieux. Elles partagent avec Freud la conviction que l'homme est religieux pour des motifs qui engagent sa personne tout entière, dans son fond le plus intime, là où l'homme se découvre être d'affectivité et de désir. Aux yeux des psychanalystes, les dynamismes qui soutiennent la religion vécue paraissent infiniment plus puissants que les préoccupations spéculatives. Et sans doute n'ont-ils pas tort d'accorder la première importance aux désirs de bonheur, de puissance, d'innocence et de lien avec les sources vitales de l'être. Mais l'immense effort de pensée des vrais chercheurs religieux ne s'inscrit-il pas précisément dans ces vecteurs existentiels? N'est-ce pas la volonté de purifier et de rendre plus vrai le désir de Dieu qui anime les vrais penseurs religieux? La présence de cette quête de vérité à l'intérieur des désirs religieux ne peut pas être négligée, sous peine de manquer l'objet même qu'on veut comprendre, l'homme religieux.

Freud lui-même était bien conscient que ni les avatars individuels du complexe d'Œdipe, ni les angoisses de la mort ou de la solitude, ne rendent compte à eux seuls de l'origine de la religion. C'est la raison pour laquelle il postule un événement historique extraordinaire, ce meurtre du père primitif. Parmi les post-freudiens, certains, tels Th. Reik, reprennent sans plus cette hypothèse. Mais la plupart n'y accordent aucune importance; ce postulat fantastique et fantasmatique les gêne visiblement. Ils recourent tout simplement aux effets individuels du complexe d'Œdipe. N'est-ce pas situer leurs exigences d'explication loin en dessous de celles de Freud? Cette évolution même des critiques psychanalytiques de la religion met en vive lumière leur insuffisance.

Nombre de psychanalystes qui affirment leurs convictions freudiennes, n'y voient pas d'opposition avec leurs convictions religieuses, mêmes chrétiennes dogmatiques.

Ils aperçoivent le résidu que les explications psychanalytiques de la religion laissent derrière elles, et ils estiment que ce résidu contient le fait fondamental de la religion. On ne peut pas dire que les efforts pour penser ce noyau irréductible soient très nombreux ni qu'ils correspondent souvent à la difficulté de la tâche. La plupart du temps, le programme fixé vise à démêler à la lumière d'une psychopathologie sérieusement informée, les formes vraies et fausses de religion. C'est beaucoup, mais c'est insuffisant si l'on veut justifier l'attitude religieuse devant le scepticisme que la psychanalyse a éveillé.

Le résumé des études que nous avons présentées montre de toutes façons que la psychanalyse comme science de l'homme a largement contribué à ébranler la foi religieuse. Avec plus de force encore que le marxisme elle développe des arguments qui peuvent étayer un athéisme radical, ou même encore, un antithéisme éthique déclaré. Une psychanalyse convaincue de l'origine morbide de la religion se doit de la détruire par ses moyens propres, et cela pour l'honneur même de l'humanité qu'elle entend améliorer.

D'autre part, la tendance même de la critique psychanalytique a rendu d'immenses services à la religion. Jamais science n'avait introduit dans la religion un tel ferment de purification. En dénonçant tout ce qui est projection mythologique, narcissisme archaïque, ambivalence affective, et ritualisation ou dogmatisation obsessionnelle, la psychanalyse a profondément marqué la culture et la pensée religieuse contemporaines. Elle a introduit l'esprit de doute et de scepticisme le plus radical qui soit ; elle a aussi obligé le théologien de penser en vérité ses doctrines sur le Dieu-Providence, sur le péché et la confession, sur le désir d'immortalité, sur le culte marial, et sur tout ce qu'on appelle les « vertus chrétiennes ».

Des études psychanalytiques appliquées à des expériences et des comportements précis, que ce soit des cas individuels, plus ou moins pathologiques, ou des hommes historiques, ont parfois beaucoup enrichi notre connaissance de l'homme religieux, et nous ont appris à comprendre comment des histoires très individuelles obéissent à des lois psychologiques établies par la psychanalyse. Citons par exemple, la très belle étude de la vocation de Luther par ERIKSON. De telles recherches nous font connaître, jusqu'à un certain degré, des modes particuliers de vie religieuse. Elles ne tranchent pas la question fondamentale : pourquoi l'homme est-il religieux ? Sans doute cette question ultime dépasse-t-elle la possibilité de la psychanalyse stricte. C'est notre conviction. Mais ces analyses individuelles ont le mérite de déceler les processus psychiques qui jouent chez l'homme religieux, dans la mesure même où la religion est une quête et une attitude personnelles et vécues. Elles nous font comprendre l'enracinement humain de la religion et nous indiquent le caractère situationnel d'une orientation aussi absolue que la quête de vérité ultime et le désir de Dieu.

6. LA PSYCHOLOGIE ANALYTIQUE DEVANT LE PHÉNOMÈNE RELIGIEUX

C. G. JUNG croyait en un Dieu intérieur, mais refusait de se prononcer sur un Dieu extérieur. Son Dieu n'a d'existence que par la matière psychique. Jung achève la psychologie psychologiste. Jamais psychologue n'a développé avec plus d'ampleur l'image de *l'homo psychologicus.* Jamais non plus psychologue n'a été plus religieux dans sa pensée. Mais la religion coïncide, pour lui, avec les dimensions de l'« âme ». C'est dire qu'elle s'y trouve absorbée. C'est pourquoi dans notre aperçu des critiques psychologiques de la religion, nous lui réservons un paragraphe. On ne peut pas le dire athée, mais on ne peut pas non plus le dire théiste. Sa psychologie échappe à ces normes, parce qu'elle se situe en deçà de ces distinctions, non pas par largeur d'accueil, mais par refus d'articulation et de différenciation. Et les croyants qui cherchent ingénument refuge chez Jung, ne se doutent pas que la gnose jungienne est plus dissolvante que l'athéisme franc et constructif.

Nous exposerons brièvement les principes essentiels de la psychologie jungienne sur la libido et l'âme, sur la projection et la prise de conscience, pour éclaircir ensuite ses idées sur Dieu et la religion. Une note critique enfin montrera comment un théisme au vrai sens du mot ne trouve pas de lieu d'implantation dans cette psychologie, justement parce qu'elle renie la vertu du symbole paternel et de la parole qui lui est solidaire. Il va de soi que le but de cet exposé en commande les limites; nous ne pourrons entrer ici dans le détail des nuances et des évolutions des concepts jungiens.

Jung, disciple privilégié de Freud, s'est séparé de son maître en 1913 parce qu'il n'avait que méfiance pour ce qu'il estimait être le pansexualisme de Freud. Contre le dualisme pulsionnel et conflictuel de Freud, Jung affirmait l'existence active d'une libido indifférentiée, ni sexuelle, ni agressive, ni spirituelle, mais force psychique originaire, prothéiforme et énergétique. Cette libido contient encore les antinomies qui composent l'homme et son histoire. Au fond elle est identique à l'âme elle-même. Elle ne tend qu'à un but, c'est de se réaliser entièrement. C'est en quoi elle est finalisée, téléologique. Qu'on ne se méprenne pas sur ce terme, et qu'on n'y mette pas d'intention métaphysique ou spiritualiste. Jung entend par là que l'âme est régie par la loi de l'enantiodromie, par la nécessaire complémentarité des contraires. Amour et haine, amour et puissance, affectivité et raison, introversion et extraversion, constituent autant de polarités qui divisent l'homme et partagent les caractères et les styles de vie. Mais en son for intérieur, dans son âme, l'homme porte en lui toutes les richesses contraires de ces pôles. Selon les vicissitudes de sa vie ou les déterminismes socio-culturels, il refoule l'un ou l'autre des contraires. Mais l'énergie libidinale ainsi refusée au niveau conscient, tend à s'imposer, suscitant névroses et désordres, se manifestant en des symboles oniriques ou artistiques; et la santé mentale exige qu'elle soit reconnue et assumée, fût-ce par le travail technique d'une thérapeutique jungienne. La méconnaissance, en effet, de la plénitude de l'âme, enlève à la vie son sens et provoque la maladie. « La psychonévrose est, en dernière analyse, une souffrance de l'âme qui n'a pas trouvé son sens, et le fond de la souffrance réside dans la stagnation spirituelle et dans la stérilité psychique [71] ».

Parmi les contraires sur lesquels repose la vie humaine, Jung accorde une place privilégiée à l'*anima*, qui s'oppose à la fois à la *persona* et à l'*animus*. La *persona* est notre attitude envers le monde extérieur; l'*anima* est le monde intérieur et privé. Cette intériorité cachée se subdivise elle-même en *anima*, ou psyché féminine, et *animus*, qui est la virilité intérieure et cachée; les deux sont les complémentaires secrets, respectivement de l'homme et de la femme. Dans la civilisation occidentale, c'est l'*anima*, opposée à la *persona*, qui est réellement menacée de refoulement, l'homme occidental étant presque entièrement absorbé par la *persona*, son être social. Il faut qu'il découvre la réalité de l'âme. C'est, nous le verrons, une réalité religieuse par nature.

L'âme, réalité psychique inconsciente, ombre de la *persona*, n'est pas une table rase, mais un ensemble énergétique nourri des représentations collectives, héréditaires : les archétypes. Père, mère, le phallus, le feu, la vierge-mère, le Dieu…, ce sont des réalités mystérieuses et lumineuses, qui exercent sur l'homme une fascination et lui inspirent la terreur. Elles font la plénitude de son être, et l'homme a pour tâche de les intégrer dans son humanité, s'il veut devenir lui-même *(Selbstwerdung)*. Autrement, les archétypes déchaînent en lui l'énergie violente qui le détruira ou qui éclatera dans les cataclysmes historiques des guerres et des tyrannies. Le lien vécu avec les archétypes assimilés dans l'existence, c'est cela que Jung appelle religion.

Ce lien se fait par la médiation des symboles, qui sont des ponts jetés entre le conscient et l'inconscient, des transformateurs qui mettent la libido ou les énergies archétypales à la disposition de l'individu. Le symbole permet donc le processus de l'individuation, de l'assomption de soi-même dans la plénitude psychique. Comme toujours, le concept

---

[71] *Die Beziehungen der Psychotherapie zur Seelsorge*, Zurich, Rascher, 1948, p. 11 : « Die Psychoneurose ist im letzten Verstande ein Leiden der Seele, die ihren Sinn nicht gefunden hat… und der Grund des Leidens ist der geistige Stillstand, die seelische Unfruchtbarkeit. »

du symbole ne se définit qu'à l'intérieur d'un système de pensée. Pour Freud le symbole est le compromis entre la vérité de l'inconscient et le travail du refoulement effectué par la conscience ou le sur-moi. Dans la psychologie jungienne, le symbole fait fonction de transformateur énergétique [72], et permet la prise en possession des archétypes. Le symbole n'est pas un masque démasquant, comme dans son usage psychanalytique ; il n'est pas non plus une obscure perception des ultra-choses, à travers les réalités perceptuelles, ainsi qu'il est compris dans les phénoménologies de la religion ; il est l'émergence de l'inconscient en des signes éloquents. Il présentifie sur le mode non rationnel la réalité de l'âme. Il n'est pas l'archétype lui-même, mais il en est la présence individuellement et culturellement individualisée.

On le voit, la psychologie jungienne n'a plus qu'une vague apparence de parenté avec la psychanalyse. Elle n'est nullement une science de la genèse de l'humain tel qu'il se structure à travers les conflits et les phases successives de l'individu, situé dans le contexte familial. Il y a cependant une forme de devenir psychologique que Jung a fortement accentuée, et dont il nous faut dire un mot, parce qu'elle détermine ses conceptions de la religion. C'est le passage de la mentalité projective à la prise de conscience.

Jung reprend à Freud et aux travaux de Lévy-Brühl l'idée d'une situation originaire où l'homme ne connaît pas encore l'opposition de l'intérieur et de l'extérieur. « Le primitif a son âme à l'extérieur dans les objets. Lui n'est pas stupéfait, mais l'objet est lui-même *mana*... son paysage contient sa mythologie et sa religion, toute sa pensée et son sentiment, dans la mesure où ils lui sont inconscients [73] ». L'homme transfère dans le monde extérieur la réalité de son âme ; il vit avec le monde dans une identité archaïque, en deçà de la distinction entre sujet et objet [74]. La projection est la situation naturelle et originaire de l'homme [75]. Pour la récupérer, il lui faut un effort. Cependant la reconquête des contenus projetés est la tâche de la civilisation ; elle accomplit l'individualisation de l'homme.

La projection est un processus inconscient automatique, par lequel un contenu qui est inconscient pour le sujet se transfère sur un

---

[72] *Ueber die Energetik der Seele und andere psychologische Abhandlungen*, Zurich, Rascher, 1928, p. 81.
[73] *Seelenprobleme der Gegenwart*, Zurich, Rascher, 1946, p. 232. « Der Primitive... hat seine Psyche draussen in den Objekten. Nicht er isterstaunt, sondern das Objekt ist Mana... Sie (seine Landschaft) enthält seine Mythologie und seine Religion, sein gesammtes denken und fühlen, insofern es ihm unbewust ist. »
[74] *Psychologische Typen*, Zurich, Raschen, pp. 596-597.
[75] *Ueber die Energetik...*, pp. 16-35.

objet de sorte que ce contenu apparaît comme appartenant à l'objet. La projection cesse par contre au moment où elle devient consciente, c'est-à-dire lorsque le contenu est vu comme appartenant au sujet [76].

Cette définition rappelle le sens plus général que Freud donnait à ce terme. La distinction entre ces deux conceptions est cependant importante. Dans celle de Jung, ce sont les *contenus* psychiques eux-mêmes qui sont projetés, et pas seulement les *processus* dynamiques entre les pulsions, comme dans l'idée de Freud. Ainsi les dieux, les esprits, les démons, sont les contenus archétypaux même de l'âme que l'homme attribue à des objets. L'homme substantifie dans le dehors ce qui habite son âme. La projection n'est pas essentiellement une mesure de défense; elle précède essentiellement le refoulement. Elle est l'état psychique originaire. Jung voit parfois les symboles eux-mêmes comme les effets des projections par lesquels les autres et les objets reçoivent du sujet ce qui lui appartient dans l'inconscient originaire.

La projection est un état de non-liberté. Car les objets auxquels le sujet attribue ses propres énergies psychiques doivent nécessairement le dominer, et les forces dont ils se trouvent chargés font violence à l'affectivité de l'homme. Dans les rapports humains, dans les relations aux choses, la projection nous empêche l'accès à l'autre tel qu'il est. L'objet exerce sur l'homme les puissances magiques dont celui-ci s'est inconsciemment dépossédé, et autrui n'est plus que le reflet de l'affectivité inconsciente du sujet projetant. Le primitif avait au moins encore l'avantage de disposer de rites symboliques qui lui permettaient de récupérer la force qu'il avait d'abord prêtée au monde.

Projection et inconscient sont donc solidaires. De même, prise de conscience est humanisation. L'homme moderne, par toute sa technique de domination du monde et par sa critique scientifique, a puissamment instauré la dé-projection du monde. Mais il n'a pas pour autant pris possession de l'inconscient. Car il veut se mettre à la place des dieux et pratiquer lui-même les forces qu'il a récupérées sur le monde originaire. Les archétypes sont maintenant en lui-même; mais il est dominé par eux, de l'intérieur, et à son insu. Il est passé de l'état projectif à l'état d'inflation, qui n'est pas moins destructif et pas moins menacé de psychose. C'est pourquoi il faut que la psychologie moderne, celle de Jung, lui

---

[76] *Von der Wurzeln des Bewusstseins*, Zurich, Rascher, 1954, pp. 67-68. « Die Projektion ist... ein unbewusster, automatischer Vorgang, durch welchen sich ein dem Subjekt unbewusster Inhalt auf ein Objekt überträgt, wodurch ersterer erscheint, als ob er dem Objekt zugehöre. Die Projektion hört dagegen in dem Augenblick auf, in welchem sie bewusst wird d.h. wenn der Inhalt als dem Subjekt angehörig gesehen wird. »

permette de prendre conscience des forces psychiques qui le hantent et le dirigent inconsciemment. A cette seule condition, il sera un individu, un *Selbst*, un homme en possession consciente de sa plénitude psychique. La psychologie jungienne est destinée à remplacer les anciennes religions qui toutes, par nature, étaient projectives.

Dieu, en effet, est une réalité psychique inévitable. Mais l'homme peut le reconnaître par projection sur le monde extérieur, ou par prise de conscience psychologique, dans les profondeurs irrationnelles de son *anima*. Les religions, selon la théorie de Jung, ne sont que les formes projectives des richesses intérieures. Toutes les grandes religions « contiennent un savoir secret révélé à l'origine et elles ont exprimé les mystères de l'âme en des images admirables [77]. » « Le concept de Dieu est une fonction psychique de nature irrationnelle et absolument nécessaire et il n'a aucun rapport avec la question de l'existence de Dieu [78]. » Dieu est l'archétype même du soi-même. Dans la mentalité infantile on lui prête une existence objective et métaphysique. Mais en notre temps, après la dé-projection, comme le développement de la conscience désire le retrait de toutes les projections, « une doctrine sur Dieu au sens d'une existence non psychologique ne peut pas être soutenue [79] ».

Dans certains textes, Jung affirme ne pas préjuger d'une affirmation ontologique sur l'existence objective de Dieu ; il prétend se limiter méthodologiquement au point de vue du psychologue. Ailleurs il affirme l'impossibilité de transcender cette optique. Dans d'autres textes encore, comme dans le dernier cité, il est manifeste que l'affirmation métaphysique est nécessairement une projection aliénante. Cet énoncé correspond d'ailleurs à toute la conception jungienne de la projection et de l'intégration par la prise de conscience. D'ailleurs, Dieu fait figure, dans ce système, d'archétype du soi, et l'individualisation s'exprime dans le symbole du *mandala*, où l'homme moderne trouve au centre non pas la divinité, comme dans les *mandalas* orientaux, mais le soi-même, qui se rejoint au centre de son être. Disons, en termes de métaphysique, que Dieu est le plus intime de son être, mais qu'il ne peut plus être en

---

[77] *Von den Wurzeln...*, p. 8 : « Sie (die herrschende Weltreligionen) enthalten ursprünglich geheimes Offenbarungswissen und haben die Geheimnisse der Seele in herrlichen Bildern ausgedrückt. »

[78] *Ueber die Psychologie des Unbewussten*, Zurich, Rascher, 1958, pp. 128-129. « Der Gottesbegriff ist... eine ...notwendige psychologische Funktion irrationaler Natur, *die mit der Frage nach der Existenz Gottes überhaupt nichts zu tun hat.* »

[79] *Psychologie und Religion*, Zurich, Rascher, 1957, p. 1953. « Da nun die Entwicklung des Bewusstseins die Zurückziehung aller Projektionen verlangt, so kan auch keine Götterlehre im Sinne nicht psychologischer Existenz aufrecht erhalten werden. »

même temps transcendant. Nous sommes donc vraiment devant une gnose athée, où le savoir fait coïncider l'humain et le divin.

Au christianisme, Jung ne reconnaît aucun privilège, si ce n'est celui d'avoir commencé la dé-projection par la concentration de toutes les forces divines en un seul Dieu, archétype du soi-même. Le Christ est le symbole le plus différencié [80]. Sa vie est l'image du processus de l'individuation. Les dogmes tels celui de l'incarnation, de la naissance virginale, de la Trinité, sont des expressions symboliques de contenus psychiques éternels, au même titre que toutes les représentations religieuses. Ils remplissent la même fonction hygiénique que les mythes et les rites : ils confrontent l'homme avec les puissances lumineuses qui habitent son inconscient, mais en même temps, ils le protègent du contact trop direct avec elles, car ils les mettent à la distance créée par la projection dans un monde extérieur. Le symbole de la foi est un merveilleux compendium des symboles psychiques.

Les vérités fondamentales de l'Église chrétienne, formulées en dogmes, expriment presque parfaitement la nature de l'expérience intérieure [81].

La doctrine chrétienne est un symbole hautement différencié, qui exprime le psychique transcendant, l'*Imago Dei* et ses qualités. Le Credo est le *Symbolum*. Il englobe presque tout ce qui peut être constaté de fondamental concernant les manifestations du facteur psychique dans le domaine de l'expérience intérieure [82].

Cet exposé en survol de la psychologie jungienne de la religion, suffit pour étayer notre jugement critique. La psychologie de Jung se place radicalement dans l'intériorité, et y fait entrer toutes les dimensions cosmiques et religieuses. Un au-delà de l'âme n'existe pas, en dehors du monde des objets. Les réalités métaphysiques, Dieu, le bien et le mal, ne sont pas contestées par une explication génétique d'ordre physiologique ou pulsionnel. Elles ne sont pas non plus ramenées à quelque expérience religieuse subjective. Jung veut les maintenir, mais non pas en tant que réalités extra-psychiques. La métaphysique n'est pas niée dans son contenu, mais elle est radicalement absorbée dans la psychologie. Dogmes

---

[80] *Psychologie und Alchemie*, Zurich, Rascher, 1954, p. 257.
[81] *Die Psychologie der Uebertragung*, Zurich, Rascher, 1956, p. 48 : «...die dogmatisch formulierten Grundwahrheiten der christlichen Kirche die Natur der inneren Erfahrung in fast vollkommener Weise ausdrücken... »
[82] *Aion. Untersuchungen zur Symbolgeschichte*, Zurich, Rascher, 1951, p. 253 : « Die Christliche Doktrin ist ein hochdifferenziertes Symbol, welches das transzendente Psychische, die imago Dei und deren Eigenschaften ausdrückt. Das Credo ist das « Symbolum ». Praktisch umfasst es ungefähr alles was sich grundsätzlich über die Manifestationen des psychischen Faktors im Gebiete der innern Erfahrung feststellen lässt... »

et représentations religieuses ne sont pas expliqués par des expériences proprement humaines. Mais leur position dans l'être objectif est jugée un stade d'objectivation projective. Aucun système n'est allé aussi loin dans l'intégration psychologiste de toute doctrine religieuse. Dans la perspective de Jung, la question du théisme ou de l'athéisme a même perdu son sens.

C'est que la psychologie jungienne a résolument exclu la dimension de la vérité et de la parole en tant que rencontre avec un autrui vrai. La religion n'est plus un rapport avec un Tout Autre, mais elle est la relation instaurée avec l'unique soi-même. La distinction entre l'imaginaire, le symbolique et le réel est abolie. Jung est aux antipodes des considérations freudiennes sur la religion, en ce qu'il efface de la façon la plus radicale la dimension de la loi, de la parole, et de la paternité. En elles, Freud avait reconnu l'essence même du judéo-christianisme, et l'axe dynamique du progrès de l'esprit humain ; mais, ayant identifié la religion judéo-chrétienne, il la conteste dans sa visée objective, et la ramène à la dramatique humaine. La psychologie de Jung est une statique ; la loi, la parole, la paternité, au lieu de scinder et de rompre notre inhérence à la nature, sont réintégrées dans ce fond naturel sans histoire. La psychologie de Jung supprime la condition même de toute affirmation de Dieu.

Jung a inspiré de nombreux travaux sur la culture et la religion. Il en est qui ont repris le projet jungien de comprendre la religion dans sa signification ultime. C'est le mérite de F. SIERKSMA [83] de tenter de ressaisir le sens total de l'ensemble des manifestations de l'histoire religieuse. Nous le situons dans la ligne de la psychologie analytique, en ce qu'il articule le mouvement intime de cette histoire à l'aide du concept jungien de projection. Cependant, il établit le concept de projection sur des bases anthropologiques reprises à la philosophie phénoménologique et existentielle. Il décrit l'homme comme l'être qui se définit par sa nature excentrique, extatique. L'homme est auprès du monde extérieur, mais à distance. De même, il garde une distance dans sa présence à soi-même. Il est donc fondamentalement divisé, déchiré, banni du paradis de l'équilibre centrique. Vis-à-vis des choses, vis-à-vis de lui-même il est toujours dans la dualité du rapport sujet-objet. Il ne sera jamais possible qu'il ne soit pas un être conflictuel. Sierksma s'accorde avec Gesa Roheim pour déclarer que l'existence même de l'homme est névrotique, parce

---

[83] *Phaenomenologie der religie en complexe psychologie*, Assen, Van Gorcum, 1950. *De religieuze projectie*, Delft, Gaade, 1957. *De mens en zijn goden*, Amsterdam, De Burg, 1959. Cf. aussi *Wending*, 's Gravenhage, 1963 (18), juillet-août : « *Opstellen over religieuze projectie* ».

qu'éternellement à la recherche de l'équilibre impossible entre sa centricité et son excentricité.

La projection est une modalité primitive de cet effort d'équilibre. Ses multiples formes se renouent, d'après Sierksma, dans un seul processus fondamental. Il développe là-dessus deux perspectives que nous croyons devoir distinguer plus nettement qu'il ne le fait. L'une consiste à identifier projection et perception. L'homme ne sait jamais percevoir le monde tel qu'il est en vérité, le monde compris indépendamment d'une perception qui introduit toujours dans le perçu le sujet lui-même, ses intérêts et ses sentiments. L'homme attribue au monde ses propres sentiments. Percevoir le monde, c'est le subjectiviser ; les esprits, les démons et les dieux sont les figures dans lesquelles l'homme projette ses sentiments envers le monde et autrui. L'autre type de projection analysé par Sierksma est celle de nos relations à l'égard de notre propre intériorité, mystérieuse et inconsciente. Cette projection va dans un sens opposé à la première ; elle donne des visages connus à des sentiments inconnus. Ainsi l'homme lit-il sur le visage des autres la réprobation que sa culpabilité inconsciente entretient en lui-même et projette en dehors.

Si l'homme introduit sa subjectivité dans la perception, c'est pour des motifs de nécessité existentielle. L'inconnu est toujours menaçant. C'est pourquoi l'homme lui donne sa propre figure à lui-même. La projection comble de quelque manière la distance et présente à l'homme un monde sur lequel il a prise. Inversement, aux forces inconnues qu'il pressent en lui-même, il confère des visages familiers empruntés au monde extérieur. De cette manière, il parvient à se restituer quelque peu son identité archaïque avec lui-même, qui est le paradis perdu de ses nostalgies.

Il va de soi que la réintégration projective demeure lacuneuse. La souffrance de l'excentricité ne peut se surmonter pleinement que dans la religion bouddhiste qui tient le monde pour pure apparence, et qui dépasse la limitation humaine dans la fusion du moi avec ses forces occultes et avec le monde. Le bouddhisme est une science : celle de la déprojection. Il est aussi une religion, en ce qu'il prend conscience de l'insuffisance humaine et tend à sa résolution radicale.

Par contre, les religions qui posent l'existence d'êtres divins, appartiennent encore à l'excentricité projective. Le Dieu, ou les dieux, sont les significations humaines conférées, par projection, à l'inconnu qui englobe le monde humain. « La religion prend naissance à la frontière du monde humain, là où son insuffisance s'impose à lui [84]. » Les concepts

---

[84] *De religieuze projectie*, p. 146 : « Religie ontstaat aan de rand van 's mensen wereld, waar zijn ontoereikendheid zich zelf aan hem opdringt. »

de Dieu ne sont jamais que les reflets de notre propre aperception de nous-mêmes, et elles ont pour fonction de combler le vide angoissant qui est à l'horizon de notre existence. Il est dès lors normal et significatif que la projection religieuse prenne son essor en des situations limites : en face de la mort ou de la sexualité, par exemple.

Pour Sierksma comme pour Jung, la religion est, en tant que croyance en un Dieu existant, une projection qui substantifie en un être objectif nos propres forces inconscientes. Sierksma lui aussi prescrit à l'homme la tâche de résorber toute projection dans la conscience de son intériorité occulte. Mais il porte l'exigence de la résorption à son extrême limite, au point de vouloir réintégrer tout symbole et tout concept religieux en un soi qui est à la distance zéro de soi-même. La théorie de Sierksma rappelle le solipsisme de l'idéalisme métaphysique. Mais son solipsisme est plus absolu, car il veut abolir même la distance qui sépare le moi et le « Ego absolu » à l'intérieur du moi. La coïncidence parfaite de soi avec soi est l'idéal consciemment poursuivi. Ce que Sierksma entend par vraie religion est en réalité l'humanisme athée le plus radical qui soit.

7. UN MOT SUR LE BEHAVIORISME

Nous devons, pour terminer cet aperçu historique, ajouter un mot sur le *behaviorisme*. A notre connaissance, les psychologues de cette école et ceux qui la prolongent ne se sont pas occupés de psychologie religieuse, et l'on comprend pourquoi. La religion est un ensemble organisé de croyances (opinions), de sentiments, d'attitudes et de comportements. Elle est le domaine par excellence où s'engagent les ressources affectives et intellectuelles de l'homme. Les comportements religieux sont, par nature, symboliques, et se réfèrent à un au-delà du milieu humain. Or le behaviorisme, dans ses différentes formes, a pour principe général d'étudier le comportement comme réaction à des stimulations externes. Autant dire que la religion échappe par définition à sa prise, à moins qu'il ne s'agisse du comportement en tant qu'il est observable dans ses signes et dans les interactions sociales. Mais comme la pratique religieuse est un comportement socialisé et institutionnalisé, elle appartient en propre, depuis les débuts de l'étude scientifique de la religion, au domaine de l'histoire des religions, de la sociologie et de la psychologie sociale. Mais, dans la mesure où la pratique religieuse est un phénomène psychologique, elle est expressive d'un contenu mental et elle échappe au cadre de références et aux concepts opératoires d'une psychologie inspirée du behaviorisme.

BIBLIOGRAPHIE

Comme nous avons cité les principaux ouvrages auxquels se réfère notre étude, nous ne signalons ici que quelques études critiques, auxquelles le lecteur pourra utilement se reporter.

LOEWITH, K., *Von Hegel zu Nietzsche*, Zurich-Vienne, Europa-Verlag, 1941.

GRÉGOIRE, F., *Aux sources de la pensée de Marx ; Hegel, Feuerbach*, Louvain, Nauwelaerts, 1947.

GRUEHN, W., *Forschungsmethoden und Ergebnisse der exacten empirischen Religionspsychologie seit 1921*, en annexe dans : GURGENSOHN, K., *Der seelische Aufbau des religiösen Erlebnis*, Gütersloh, Bertelsmann, 1930, pp. 703-898.

VAN DEN BERG, J. H., *Psychologie en geloof, Een Kroniek en een standpunt*, Nijkerk, Callenbach, 1958. (L'auteur identifie la psychologie religieuse à l'étude de l'intériorité fermée sur elle-même, et la juge définitivement dépassée aussi bien par la nouvelle théologie que par la phénoménologie.)

MARÉCHAL, J., *Études sur la psychologie des mystiques*, 2 vol., Bruxelles, l'éd. universelle, 1938[2].

NUTTIN, J., *Psychoanalyse en spiritualistische opvatting van de mens*, Anvers-Utrecht, Standaard-Spectrum, 1957[3]. Traduction française : *Psychanalyse et conception spiritualiste de l'homme*, Louvain, Nauwelaerts, 1955[2]. En outre, traductions en anglais : Londres-NewYork, Sheed and Ward, 1953 ; allemand : Fribourg (Suisse), Universitätsverlag, 1956 ; italien : Alba, Ediz. Paoline, 1956[2] ; portugais : Rio de Janeiro, Livraria Agire, 1955 ; espagnol : Madrid, Biblioteca Nueva, 1956.

JONES, E., *Sigmund Freud, Life and Work*, 3 vol., Londres, Hogarth Press, 1953-1957.

PHILIP., H. L., *Freud and Religious Belief*, Londres, Rockliff, 1958.

HOSTIE, R., *Analytische psychologie en Godsdienst*, Anvers-Utrecht, Standaard, 1954. Étude historique et critique, particulièrement attentive aux conceptions religieuses de Jung.

HOSTIE, R., *Du mythe à la religion, La psychologie analytique de C. G. Jung*, Bruges-Paris, Desclée de Brouwer, 1955 (traduction de l'ouvrage néerlandais).

BAUDOUIN, C., *L'œuvre de Jung et la psychologie complexe*, Paris, Payot, 1963.

FORTMANN, Han M. M., *Als ziende de Onzienlijke. Een cultuur-psychologische studie over de religieuze waarneming en de zogenaamde religieuze projectie.* Vol. I, *Freud-Marx-Jung referaat ;* vol. II, *Kritiek op de grondbegrippen*, Hilversum-Antwerpen, P. Brand, 1964. (Ouvrage très complet sur les différentes interprétations psychologiques de la projection; moins documenté et compréhensif pour la psychanalyse.)

Von Gebsattel, V. E., *Imago Hominis, Beiträge zu einer personalen Anthropologie (Das Bild des Menschen in der Wissenschaft*, vol. I), Schweinfurt, Neues Forum, 1964. (Les pp. 240-270 donnent une bonne discussion de la psychologie religieuse de Jung.)

DISCUSSION

I

LES DIMENSIONS PSYCHOLOGIQUES DE LA RELIGION ET SA TRANSCENDANCE

La psychologie est toujours menacée de psychologisme, comme la science de scientisme, ou la philosophie de rationalisme. Engagée dans le projet de comprendre les expériences, les attitudes et les œuvres humaines, comme des manières de réaliser l'humanité que l'homme se donne à lui-même, la psychologie est toujours tentée d'aller à l'extrémité d'une vue psychologique sur l'homme, et de le comprendre de part en part en fonction de lui-même. Freud a sans doute été le seul psychologue à briser la vision de l'*homo psychologicus*, comme Marx a été celui qui a détruit l'image de l'*homo œconomicus*.

Leur pensée était trop exigeante pour se contenter de ces limitations, et cependant, ce sont les deux auteurs qui, paradoxalement, ont instauré la critique la plus radicale du théisme.

Le paradoxe se comprend si l'on considère que Freud et Marx veulent élaborer une science intégrale du concret humain en tant qu'humain. Leur optique est celle de l'humanisation de l'homme. Le projet de la philosophie n'est pas le même. Elle entend analyser les structures générales de l'humain et du monde. Elle veut rendre compte de l'humain et du monde en dégageant leurs essences, qui sont les lois immanentes et universelles de leurs possibilités singulières.

Freud et Marx, par contre, s'efforcent d'établir une science de l'avènement de l'humain comme tel, dans la réalité effective de son actualisation autonome. La psychanalyse freudienne accomplit le projet de la science psychologique, en la dépassant. Aussi, elle radicalise l'athéisme qui est à l'horizon du psychologisme comme du scientisme ou du rationalisme. Freud et Marx ont reconnu une éminente signification humaniste à la religion, se refusant à l'iconoclasme rudimentaire de tant de leurs disciples. Mais tous deux, ils ont voulu la ramener à sa vérité humaine, pour la remplacer par un humanisme plus effectif. Selon des voies et d'après des principes très différents, ils ont voulu tous deux, assumer la vérité limitée du théisme, pour se l'approprier dans une vérité et une dignité exclusivement humaine, délestée de la nostalgie qui aspire les forces vives de l'homme dans sa « réalisation fantastique ».

I. NEUTRALITÉ MÉTHODOLOGIQUE ET RISQUES DE SCIENTISME PSYCHOLOGIQUE

Certes, toute psychologie n'est pas athée par nature. D'abord parce que toute psychologie n'a pas nécessairement l'ambition d'élaborer une vision englobante de l'homme. La plupart des travaux psychologiques se limitent au domaine que leur méthode leur délimite rigoureusement. La psychologie est un savoir scientifique, et ne saurait donc être en rivalité avec une ontologie ou une théologie, aussi longtemps qu'elle se tient à la rigueur de sa méthode et au tracé de son champ propre. Un inventaire systématique des structures de la perception, la description des rapports stimulus-réaction, la reconstitution du comportement humain dans le jeu d'un nombre limité de variables, ou une formulation psychopathologique des conduites types, ne sauraient directement mener à un énoncé métaphysique sur l'homme et le monde. Mais c'est un fait que tout homme de science pose en principe la volonté de pousser aussi loin que possible l'étendue de son pouvoir d'explication. Jamais personne ne sait déterminer *a priori* le champ d'application des lois qu'il a dégagées de phénomènes partiels. Ainsi comprend-on que les différentes écoles de psychologie, qui toutes ont leur vérité dans le domaine particulier de leurs phénomènes observés, glissent vers l'empirisme selon lequel le passage à un type supérieur de conduite s'explique par une organisation, certes plus complexe, mais régie par les mêmes lois. Pour ce qui concerne la question de la foi religieuse, notre revue historique a souligné quelques exemples de cette tendance scientiste à élargir aux conduites supérieures ou plus complexes, les lois de conduites plus simples ou plus particulières. Rappelons les explications psychologiques des dogmes chrétiens par les divers sentiments religieux (Wobbermin et Allport) : l'application à tout concept de Dieu du phénomène de la projection étudié d'abord sur la croyance aux esprits et aux démons, ou sur les mythologies (Jung, Sierksma) ; l'identification des formes religieuses pathologiques avec la nature même de la religion (Reik). Il est certain qu'une description plus détaillée des phénomènes à étudier aurait freiné la généralisation illégitime des lois psychologiques gagnées sur des phénomènes particuliers. Après l'analyse par Reik de l'obsessionnalisation de certaines formes de pensée théologique, le dogme chrétien conserve pour tout homme un peu sérieusement informé, un surplus de signification dans lequel le croyant reconnaît sa vérité telle qu'il entend l'admettre. De même le chrétien peut-il voir, avec Wobbermin ou Allport, dans ses sentiments religieux, des préfigurations humaines des dogmes chrétiens. Mais il insistera sur la radicale nouveauté de la vérité religieuse déployée par les dogmes. Il confessera sa difficulté à s'en accommoder, justement parce qu'ils remettent en question ses sentiments religieux spontanés. De même tout homme quelque peu lucide qui croit en Dieu présentera sa foi comme une conviction qui s'impose à lui, au bout de ses recherches plutôt qu'à leur départ. L'appel aux phénomènes comme base pour une explication psychologique de l'homme devrait donc prendre les phénomènes dans leur intégralité, et ne pas privilégier les phénomènes plus accessibles à l'observation et plus simples à articuler. Science positive de l'homme, inapte par principe à trancher les questions ultimes de vérité, la psychologie subit toujours la tentation de transgresser les limites de son savoir méthodique, étant donné que, dès son projet initial, elle poursuit nécessairement l'espoir d'englober dans le domaine de ses applications des secteurs toujours plus larges de phénomènes. On comprend donc que, régulièrement, la psychologie présente une critique réductive de la religion. Ce scientisme psychologique, inévitable dans une science vivante, ne peut être dépassé que par le retour aux phénomènes. L'observation rigoureuse des faits religieux eux-mêmes permet d'y reconnaître un surplus qui reste inentamé par les traitements explicatifs. Une des tâches essentielles de la psychologie religieuse, est de poursuivre avec toute la rigueur méthodique l'observation systématique des croyances et pratiques religieuses et d'en rechercher les corrélations psychologiques (facteurs d'âge, de milieu socio-culturel, de caractère...). Ce traitement quantitatif (les observations à l'aide d'échelles sémantiques) et fonctionnel (la mise en corrélation des divers phénomènes religieux avec les facteurs proprement psychiques) invite les psychologues à rechercher des lois psychologiques qui correspondent à l'organisation interne de ces conduites et à ne plus les prendre pour des combinaisons de processus plus simples ou pour les manifestations variées de formes psychiques particulières indûment généralisées.

La première critique à faire aux tentatives réductrices de la psychologie pour rendre compte du théisme ou du christianisme, est que leurs observations et descriptions n'ont pas pris en considération la totalité des phénomènes religieux. Ici également s'impose la nécessité de revenir aux choses elles-mêmes.

2. L'EXIGENCE DE PURIFICATION

Outre l'intérêt de faire avancer une science en train de se constituer, le caractère systématique de toutes ces théories psychologiques a eu le grand avantage de révéler avec une particulière attention la variété des phénomènes religieux et la multiplicité de leurs formes imparfaites ou défectueuses. Par-là, cette psychologie a contribué à la purification de l'attitude religieuse. Il n'est désormais plus possible d'adhérer avec la même assurance à nombre de formes religieuses dont la psychologie a révélé les sources trop humaines. Sa critique a une vertu libératrice. Mais la foi religieuse qui n'est plus portée par des raisons trop humaines, sera bien plus exigeante. L'athéisme théorique et pratique sera toujours très répandu dans un milieu culturel où le ferment de la critique psychologique a corrodé les formes déficitaires de la religion. Non pas qu'il n'y ait aucune vérité en elles, et que la seule vérité religieuse ne se trouve que dans ses formes plus pures. Mais l'homme informé aura plus de peine à les admettre, et souvent, il ne sera pas encore assez ouvert aux vraies formes religieuses pour pouvoir les vivre. Dans les religions, il ne verra que les fausses apparences dénoncées par les critiques psychologiques. De multiples abandons de foi nous semblent avoir pour cause ce scepticisme qui tient pour entièrement faux ce qui simplement est vérité imparfaite et provisoire.

3. RAPPORTS CIRCULAIRES ENTRE PSYCHOLOGIE ET PHILOSOPHIE

Les réserves méthodologiques que nous avons faites concernant les théories qui outrepassent leurs limites légitimes, ne répondent cependant pas entièrement à la question fondamentale des rapports entre science et philosophie. Si la rivalité est exclue au niveau même de la science, il reste que la philosophie de l'homme ne peut plus se faire sans qu'elle pense les phénomènes que la science analyse et structure. Une philosophie de Dieu ne peut s'élaborer que sur la base de l'expérience humaine totale, telle qu'elle est investie par les sciences de l'homme. C'est là le fond de vérité que recèlent les premières études de psychologie religieuse quand elles tentent de saisir l'essence spécifique de la religion, par l'analyse du phénomène religieux vécu (W. James, Starbuck, Girgensohn). Bergson l'a bien vu lorsque dans *Les deux sources de la morale et de la religion,* il voulait d'abord explorer les phénomènes religieux, avant de les penser jusqu'au bout dans un effort d'objectivation philosophique. Bien sûr, la philosophie ne s'établit pas sur les lois scientifiques qui fixent en concepts systématiques les phénomènes originaux. Mais sans la médiatisation de ces concepts et lois, on ne connaît pas non plus les phénomènes dans leur complexité indéterminée. Le rapport entre psychologie et philosophie religieuse n'est pas linéaire mais circulaire. La philosophie de Dieu ne se fonde pas sur la psychologie scientifique, mais elle a pour tâche de s'interroger sur les phénomènes et les lois que celle-ci présente. Les sciences, par le fait même qu'elles dégagent les faits dans leurs structures, contiennent une ontologie implicite. Leurs extrapolations philosophiques sont, la plupart du temps, l'énoncé un peu naïf de cette ontologie qu'elles exercent.

Appliquons ces considérations méthodologiques aux faits de la psychologie religieuse, et à ses critiques de la foi religieuse. Nous distinguons deux types de recherches : la psychologie de l'affectivité, qui a tendance à réduire l'homme à l'*homo psychologicus*; ensuite, la critique freudienne, qui est un refus radical de l'*homo psychologicus*.

II

LA PSYCHOLOGIE DES SENTIMENTS RELIGIEUX

La première psychologie qui met en question la religion comme telle, est celle qui s'attache à la description de l'expérience religieuse et des sentiments religieux. Les premiers travaux sont considérés aujourd'hui comme peu scientifiques parce que leurs instruments d'observations étaient rudimentaires, et leurs concepts opératoires trop peu systématiques. Leurs projets et leur exécution étaient de nature trop philosophique pour être vraiment psychologiques. La reprise du projet par Allport, dans le cadre d'une psychologie dynamique, prouve cependant la valeur et la permanence de sa visée fondamentale. Cette psychologie a tout de suite déterminé le lieu même d'une psychologie de la religion : le domaine de l'affectivité. Elle a compris que c'est fondalement par l'affectivité que l'homme est un être religieux [1]. Et le terme d'expérience n'est qu'un autre concept pour suggérer cette source affective d'une réalité qui concerne l'homme au cœur même de son existence. L'étude de la variété et des déterminations socio-culturelles et personnelles des « sentiments religieux » nous font dans une certaine mesure comprendre pourquoi et comment l'homme est religieux ou incroyant. C'est ainsi que les études sur les expériences numineuses des civilisations archaïques et sur la désacralisation du monde moderne nous montrent la relativité culturelle d'un sacré cosmique. D'autres observations nous révèlent comment, dans de très nombreux cas, la religion prend son essor dans une expérience de détresse, qu'elle soit morale ou matérielle, et comment l'attitude religieuse tend à disparaître dans les situations où ces expériences limites se font plus rares. Mais ceci nous conduit déjà à l'étude de la motivation, dont il sera question un peu plus loin.

I. LE DIEU DE L'HOMME PSYCHOLOGIQUE

La psychologie de l'affectivité contient une ontologie implicite : celle de l'homme défini par son intériorité (l'*homo psychologicus*). Sa religion est celle d'un Dieu pour nous. Dieu y rejoint la vie humaine; il n'est ni un principe formel du monde, ni une idée au sens Kantien

---

[1] Il va de soi qu'au concept affectivité nous entendons donner la plénitude de son sens, telle qu'aussi bien la psychologie des profondeurs que la philosophie contemporaine (Hegel, Heiddeger, Sartre, De Waelhens) l'ont déployée.

du terme, ni une construction idéelle. Cette psychologie déclare la mort au « Dieu des philosophes ». Mais un Dieu qui n'est plus le terme de la réflexion philosophique, un Dieu qui est seulement pour l'homme, est sujet à toutes les variations de l'affectivité. C'est bien pourquoi cette psychologie de la religion est antidogmatique. Elle n'est pas par elle-même athéiste, mais elle est relativiste, et réductrice par rapport à toute dogmatique.

La psychologie de l'affectivité appelle une double explication d'ordre philosophique et d'ordre proprement psychologique. D'ordre philosophique d'abord : quelle est la vérité propre de l'affectivité dans le cas du sentiment religieux [2] ? A son niveau propre, la psychologie ne pose pas la question. Elle prend pour vérité le contenu même du sentiment. De ce fait elle enferme la conscience dans une présence à soi, dans une intériorité vécue. Elle a même tendance à juger toute affirmation de vérité, d'après les critères de cette intériorité. Une analyse phénoménologique nous apprend que l'affectivité elle-même est intentionnelle, et donc révélatrice de réalité. Mais cette intention de vérité, qui appartient à l'ontologie exercée par cette psychologie, nous force de poursuivre la visée de vérité; ce qui veut dire : de la prolonger par une réflexion philosophique. Pour être fidèle à sa propre ontologie implicite, cette psychologie doit donc s'ouvrir sur une thématisation métaphysique, et se dépasser dans une objectivation philosophique. Elle est appelée à transcender son relativisme premier, et le Dieu de l'expérience religieuse doit trouver son fondement dans une élaboration métaphysique. Seulement ce Dieu en soi de la métaphysique doit intégrer en lui le Dieu pour l'homme de la psychologie religieuse. La psychologie pose le problème d'une théodicée qui intègre la plénitude de la psychologie de l'affectivité et de la religion vécue. Au niveau de la religion, ce prolongement se manifeste dans une restructuration des sentiments religieux par une critique rationnelle et objectivante. L'*expérience* passe ainsi à une *attitude* religieuse. La tentation de relativisme et de scepticisme, inhérente à une psychologie des sentiments religieux, ne devrait être qu'un moment de la pensée et de la vie religieuse. La psychologie doit rester ouverte à une mise en question de son concept opératoire de l'intériorité, sans pour autant abandonner le domaine de ses recherches.

---

[2] Pour une reprise philosophique de la question de l'affectivité, dans une perspective onto-théologique, voir H. MICHEL, *L'essence de la manifestation*, II vol., Paris, P.U.F., 1964.

2. LE PARTI PRIS DE L'INTÉRIORITÉ DANS LA PSYCHOLOGIE ANALYTIQUE

Le psychologisme radical de l'école de *psychologie analytique* appelle une réflexion plus essentielle. Car Jung ne s'enferme pas seulement dans la vérité subjective de l'intériorité vécue. Il s'efforce de la justifier par une théorie psychologique de la projection, et il érige en système l'ontologie exercée par la psychologie de l'affectivité. L'homme n'atteint que les vérités de son âme. Et Jung réinterprète tous les concepts métaphysiques en fonction d'une psychologie résolument immanentiste. Le parti pris de l'intériorité dénote ici une recherche de l'identité avec soi-même, qui est la grande tentation de la pensée. La psychologie de Jung renouvelle la tentative de la philosophie idéaliste visant à faire coïncider le sujet avec lui-même. Nous pourrions appeler son système un idéalisme psychologique. *Dans cette perspective, le sujet est à lui-même son monde et son Dieu.* La vérité de la philosophie existentielle est d'avoir montré que l'homme est le mouvement par lequel il se rend présent au monde et à autrui. *Il se fait échange.* Dans son être intime, il est extatique : il se fait projet, et s'aliène à son intériorité pour chercher dans le monde la plénitude et la stabilité qui lui font défaut. La psychologie de Jung va à l'encontre des phénomènes premiers qui sont la rupture introduite par l'intentionnalité et la temporalisation dans le projet. Au fond, elle est un refus systématique de ce qui définit l'homme : la présence à autrui et au monde, et le désir qui s'élabore dans une œuvre à faire. Elle ne peut se maintenir que par une volonté délibérée d'ignorer autrui et l'histoire. Jung veut rejoindre en lui-même le Dieu qui n'est donné que dans le monde et dans l'histoire. Il cherche dans des origines imaginaires une plénitude d'être qui n'est que promise aux mouvements de transcendance : à la sortie de soi vers le monde, vers l'autre, et vers Dieu qui se rend présent dans le monde et dans l'histoire.

Cette ontologie du paradis perdu d'une intégration originaire, nous l'avons trouvée confessée et achevée dans les écrits de F. Sierksma. Son athéisme est le refus de toute scission intérieure. A cette nostalgie de l'intégration totale, comme au refus Jungien de la sortie de soi, il faut appliquer la critique psychologique du rêve du paradis perdu. Ne témoigne-t-elle pas d'une inhérence au passé qui est non-acceptation d'une séparation d'avec la mère, symbole de la plénitude sans mouvement et sans médiatisation historique? D'autre part, la philosophie ne nous a-t-elle pas montré que la vie de l'esprit est nécessairement mouvement et donc séparation et sortie d'un soi toujours réintégré dans l'unité dialogale et toujours transcendé dans une sortie renouvelée? A l'ontologie de l'affectivité comme intégration et repos, il faut opposer celle de l'affectivité comme désir et comme tendance vers l'objectivation historique et sociale. La psychologie de l'intégration totale relève d'une nostalgie de l'autodivinisation, qui tire son origine du narcissisme primaire.

3. LA PROJECTION RELIGIEUSE

Nous disposons maintenant des principes indispensables pour une discussion du concept de *projection* religieuse au sens large du terme, tel qu'il a cours chez Jung et chez Sierksma, et tel qu'il est largement vulgarisé dans les théories qui contestent la religion et le théisme. A son acception globale, on peut opposer l'intentionnalité de la conscience affective et de la perception. Nous renvoyons d'abord le lecteur à l'épistémologie phénoménologique. Elle a suffisamment dénoncé l'épistémologie idéaliste qui refuse la vérité objective de la perception du monde et d'autrui, arguant de l'impossibilité de rejoindre l'objet tel qu'il est en lui-même, indépendamment de sa présence. La notion même d'intentionnalité comporte le chiasme [3] d'une structuration subjective, qui ouvre le champ où les objets puissent se présenter à la lumière de ma conscience. Percevoir, c'est toujours rencontrer les objets dans la clarté que projette ma présence.

La critique épistémologique de la projection ne suffit cependant pas. Il faut la fonder sur une ontologie du sujet en tant qu'essentiellement extatique. La présentification des objets n'est ni une méconnaissance de la subjectivité propre, ni une défense contre elle. Elle n'appartient pas à une mentalité archaïque (Jung), et elle ne remplit pas un vide angoissant (Sierksma). Elle est la vie même de l'esprit qui est sortie de soi et présence au monde. Le terme généralisé de projection, tel que nous le présentent Jung et Sierksma, repose en fin de compte sur l'ontologie de l'intériorité radicale que nous avons critiquée.

Il reste cependant qu'il existe une mentalité archaïque, et qu'elle est projective. Nos remarques ontologiques n'ont nullement l'intention de nier la vérité de cette thèse anthropologique; mais nous refusons d'identifier tout mouvement de transcendance avec la projection. Il faut renverser les rapports. S'il peut y avoir mentalité projective, c'est que, de soi, la conscience est mouvement de transcendance et d'objectivation. La question de la projection religieuse archaïque revient alors à distinguer les types spécifiques d'affirmation d'un Dieu ou de dieux existants. Si l'homme objective son angoisse dans un Dieu méchant, c'est qu'il fixe une réalité transcendante à travers ses propres expériences

---

[3] Nous reprenons cette expression à M. MERLEAU-PONTY, *Le visible et l'invisible*, Paris, Gallimard, 1964, p. 172.

limitées. Il affirme un fondement absolu à son monde et à son existence, et comme son monde est le théâtre de son angoisse, Dieu lui paraît nécessairement comme la figure ultime du monde d'angoisse. Est-il entièrement faux pour autant? Ne faut-il pas plutôt corriger la visée projective selon sa visée même vers un absolu? Ici encore la critique de la mentalité projective doit s'interdire de nous placer devant l'alternation de la vérité en soi et de la vérité seulement subjective. Dans le mouvement intentionnel, l'être affirmé participe au sujet comme le sujet s'ouvre sur sa vérité.

La critique de la mentalité projective doit s'achever dans une psychologie et une philosophie du symbole et du mythe. Bornons-nous à signaler les excellentes pages de P. Ricœur sur ce sujet [4].

---

[4] Cf. *Philosophie de la volonté*, II/1, *Finitude et culpabilité*, **La symbolique du mal**, Paris, Aubier, 1960.

III

LA PSYCHANALYSE DEVANT LA RELIGION

La critique psychanalytique de la religion relève d'un tout autre type de recherches. La psychanalyse de Freud brise l'image de l'*homo psychologicus*, et du même coup elle rejette radicalement la religion psychologique et met fondamentalement en question tout autre type de religion.

1. LA RELIGION FACTEUR D'HUMANISATION ET D'ALIÉNATION

Freud professe un athéisme radical. On n'en trouve l'équivalent que chez deux autres penseurs : Marx et Sartre. C'est que dans son effort de comprendre la vie affective de l'homme, Freud situe au centre de ses recherches le dynamisme de toute vie affective : le désir. Et ses études de la religion sont des tentations d'expliquer la foi en Dieu et les sentiments religieux par les structures de l'inconscient. Pourquoi l'homme désire-t-il croire en Dieu? Pour Freud, comme pour Feuerbach et Marx, il n'y a qu'une seule réponse : parce qu'il tend à devenir homme. La religion se ramène donc à l'effort humain d'humanisation. Elle y prend son origine, et elle se mesure à ses normes. Sa grandeur, mais aussi ses misères et sa caducité essentielle en dérivent.

En dépit du parallélisme que nous établissons ici entre Freud, Feuerbach et Marx, nous ne méconnaissons nullement leur essentielle différence. Pour Freud, la religion est l'attribut d'une humanité qui est nécessairement blessée dans son effort d'humanisation, et qui puise dans son traumatisme même le ressort de son humanisation. La religion dans son axe spiritualiste intervient dans ce drame historique comme l'instauration du symbole paternel, comme l'intériorisation de la loi structurale, et comme le moyen de restituer l'innocence dans une culpabilité reconnue et réparée. La religion est mythique, parce que la réalité de Dieu n'a d'autre vérité que de se prêter à cette structuration civilisatrice. Comme tout mythe elle diminue l'homme, parce qu'elle court-circuite dans l'imaginaire la pleine prise de conscience. En plus, elle maintient l'homme dans le narcissisme irréel de celui qui croit et espère une plénitude d'existence correspondant à son désir impossible. Pour que l'homme s'en passe il lui faut donc un intense renoncement à son narcissisme. Pour Marx aussi, l'histoire de l'humanisation et celle de la religion qui lui est liée, sont conditionnées par des structures subconscientes, sur lesquelles doit porter un effort délibéré. Mais comme ces conditions sont ici d'un tout autre ordre, la critique du théisme prend une tout autre allure. Il reste que, de part et d'autre, un athéisme radical s'inscrit dans une interprétation en profondeur de la religion et qu'en elle il reconnaît un moment de l'humanisation conditionné par un certain type d'infrastructures.

Nous avons déjà relevé les erreurs et contrevérités historiques de Freud touchant maintes données de l'histoire religieuse et de la dogmatique chrétienne. Nous avons aussi montré où situer en vérité l'explication freudienne de la religion : elle constitue une analyse des structures inconscientes antérieures et sousjacentes aux rapports vécus de la religion. Elle montre comment la religion est conditionnée par un schéma subconscient. Par deçà l'examen de la pathologie religieuse, elle prétend dégager les éléments structuraux et génétiques qui rendent possible l'acte religieux. Freud distinguait explicitement la névrose et la religion, distinction que souvent, nous l'avons vu, les postfreudiens ont par trop émoussée. Pour Freud, la religion est une névrose de l'humanité, non de l'individu. C'est dire qu'elle ne contient que la vérité historique de l'homme en train de se faire.

2. LE SYMBOLE PATERNEL ET LE DIEU CHRÉTIEN

Un jugement sur la psychanalyse du théisme comporte trois moments : qu'en est-il de ce conditionnement inconscient de l'acte religieux? Le sens de l'acte religieux s'épuise-t-il dans sa visée inconsciente? Et finalement, l'athéisme radical est-il une réalisation plus valable du désir d'humanisation qui sous-tend la quête religieuse de l'humanité?

Nous avons esquissé plus haut comment, d'après Freud, l'homme se construit à travers une succession de tensions psychologiques, et nous avons assisté à l'émergence du symbole paternel comme élément structurant de la personnalité humaine. L'humanisation même de l'homme, son orientation éthique et culturelle se fait par l'intégration de la loi et par la reconnaissance du père. Ce mouvement s'exprime avec puissance dans la religion judéo-chrétienne. Nous croyons que Freud a parfaitement raison de voir dans le complexe d'Œdipe la préformation de la religion du Père. Le complexe d'Œdipe donne les schémas affectifs et mentaux dans lesquels ces rapports religieux au Père peuvent prendre naissance. Et les formes pathologiques de la religion ne se comprennent qu'à la seule lumière d'une pathologie de la formation œdipienne.

Ce qu'il faut refuser, dans l'interprétation freudienne, c'est l'identification du Père divin au père symbolique de l'Œdipe. Entre la structure inconsciente et la visée religieuse, conditionnée par la première, il y a toute la vie consciente qui est à l'œuvre. Elle est portée essentiellement par le désir, comme Freud l'a montré ; mais le désir ne s'épuise pas dans ses ressources inconscientes, et la quête de vérité n'y est pas accessoire. La pensée métaphysique est sans doute trop tentée de définir l'homme par sa conscience, et de parler de Dieu comme d'un être en soi et pour soi, et non pour le monde. Les hommes religieux ne s'y sont pas reconnus. Mais si l'existence effective de l'homme religieux est celle de l'homme souffrant et luttant pour devenir humain, il faut lui reconnaître aussi la vertu d'une recherche de vérité sur lui-même. L'homme religieux n'est pas simplement mû par des forces occultes qui se structurent par devers lui ; il s'efforce de fonder son être de sujet sur une relation objective et dernière. Certes, sa quête de bonheur et sa culpabilité structurante le portent presque à son insu vers un Dieu ; mais Freud a le tort de radicaliser la rupture entre les structures élémentaires de l'humain et la vie consciente qui se modèle sur elles, qui le poursuit, et qui déploie les possibilités d'une humanité née à elle-même par le travail inconscient de la protohistoire. Il revient à une philosophie religieuse de montrer qu'à travers les différentes figures religieuses qui relayent et achèvent la protohistoire, l'homme établit son humanité dans une relation religieuse, progressivement, quoique par beaucoup de chemin d'errance. La philosophie traditionnelle du désir naturel de Dieu devrait assumer à la fois l'anthropologie psychanalytique et une lecture critique des phénomènes religieux.

La position centrale et dynamique que l'anthropologie freudienne accorde au symbole paternel, permet aussi d'articuler la théologie chrétienne à l'anthropologie psychologique. Ce travail d'accordement ne doit s'inspirer que du seul souci de vérité. Mais il semble évident que l'accord entre l'anthropologie freudienne et la théologie chrétienne est révélateur aussi bien pour l'existence humaine que pour l'être de Dieu. Cette confrontation aide la théologie à penser en vérité les mystères du péché, de la rédemption, de la parole révélatrice et de l'accomplissement eschatologique de l'histoire humaine. Cette convergence pourrait incliner au scepticisme religieux, car toujours l'homme est divisé entre deux exigences extrêmes : d'une part, le désir d'insérer la religion dans le sujet humain réel et pas seulement épistémologique ; et d'autre part, la peur que la religion ne soit qu'une pure émanation des désirs humains. Une anthropologie chrétienne a pour tâche de dégager dans l'existence humaine les traces et les structures du projet divin, et de mettre en évidence la rupture et la nouveauté de l'événement historique qui a lieu entre l'homme et son Dieu.

La troisième question que nous impose l'athéisme de Freud, est celle de la qualité humaniste de l'attitude religieuse. Elle est solidaire du problème précédent. En effet, l'anti-humanisme que Freud reproche à la religion, réside dans le caractère fonctionnel qu'il croit y déceler. La religion serait toujours un moyen fantastique d'humanisation : la croyance en la providence, le sens du péché, la foi dans l'incarnation du Fils de Dieu, ne seraient qu'autant de concepts bienfaisants et structurants pendant la phase précritique de l'humanité; mais nocifs finalement, parce que pures émanations symboliques des drames humains. Nous pouvons faire bref. S'il est établi que la quête religieuse et philosophique de la vérité fait partie de l'humanisation, et si, d'autre part, la nouveauté de la révélation chrétienne peut être mise en lumière, le jugement critique que l'on porte sur le caractère fonctionnel de la religion, et du christianisme en particulier, perd tout fondement. En fin de compte s'il faut faire éclater l'image étriquée de l'*homo psychologicus*, ne faut-il pas briser également celle de l'homme humaniste? Cette destruction, qui conserve les vérités des sciences de l'homme, n'est-elle pas dans la ligne de la radicalisation opérée par la pensée freudienne ou marxiste? Non pas que le christianisme prolonge nécessairement l'anthropologie dégagée par les sciences de l'homme. Mais celles-ci créent l'ouverture où la foi religieuse peut s'introduire pour accomplir l'homme qui est à la recherche de lui-même.

CONCLUSION : L'ORIGINALITÉ DE L'ATTITUDE RELIGIEUSE

Le rapport des sciences humaines à la religion est donc très ambigu. Souvent les penseurs religieux y cherchent un appui. L'apologétique chrétienne éprouve la tentation de justifier la religion par un appel aux besoins et aux désirs humains (désir de survie, de justice, de libération de la culpabilité). Cette apologétique ne se doute pas que les critiques psychologiques de la religion coupent justement la branche sur laquelle elle prétend s'asseoir. Pour les critiques psychologiques, la convergence signifie une origine psychologique, et donc possibilité de réduction explicative. Les critiques psychologiques athées nous imposent donc un double travail. Il faut user des sciences humaines pour dénoncer l'inhérence trop humaine et trop fonctionnelle de certaines attitudes et comportements religieux. Il faut, d'autre part, par une réflexion rigoureuse, articuler à la fois l'inhérence de la religion dans les structures et mouvements psychiques, et l'émergence de sa nouveauté et de son objectivité ontologique.

Interprétations psychologiques du phénomène religieux 499

Nous pouvons reprendre schématiquement nos recherches, les situer dans l'ensemble d'une psychologie de la personnalité religieuse, et indiquer tout à la fois la vérité et les lacunes des critiques psychologiques de la religion. Nous établirons en même temps un lien entre, d'une part, les théories réductrices et, de l'autre, les processus psychologiques que nous avons reconnus à l'œuvre dans l'athéisme.

La psychologie religieuse, qui est liée avec la découverte de l'irrationnel, s'est d'abord attachée à explorer les *sentiments religieux*, c'est-à-dire l'expérience religieuse intérieure. Elle a montré que le sens de Dieu ne se réduit ni à la raison ni à l'éthique (Kant). La psychanalyse et la phénoménologie ont ensuite mis en doute la vérité de l'expérience affective. Cette méfiance envers l'intériorité a largement pénétré la mentalité contemporaine, nous l'avons vu. Dans les tentatives d'explication psycho-physiologique ou biologique de la religion, nous avons reconnu un effort pour la faire dériver de sources et tendances proprement humaines. La psychanalyse s'inscrit dans la même ligne de recherche. Elle ramène la religion à des tendances psychiques, et s'explique comme un essai de surmonter les différentes frustrations pour satisfaire les tendances fondamentales (sécurité, immortalité, narcissisme...). En plus, la psychanalyse a démontré comment la religion s'enracine dans les structures psychiques qui déterminent l'être humain; par sa théorie structurale, elle dépasse la conception de l'*homo psychologicus*. Mais, en fin de compte, la religion n'est pour Freud qu'un avatar passager du devenir humain : elle n'est plus nécessaire pour l'homme qui s'achemine vers la pleine rationalité, en surmontant l'angoisse de frustration et de culpabilité.

Les mêmes critiques se retrouvent dans les motifs de l'athéisme : la religion est fonctionnelle, et donc manque de lucidité et d'honnêteté dans l'acceptation des limites humaines; elle est hostile à la jouissance et à la raison; par le culte du Père, elle maintient l'homme dans un état servile de dépendance et de culpabilité qui paralyse le déploiement du pouvoir humain.

Certains auteurs psychanalystes critiquent des phénomènes religieux particuliers, de nature plus ou moins pathologique : le caractère obsessionnel des dogmes et des rites, ou encore Dieu projection du sur-moi. Ils essayent d'expliquer de part en part la religion comme un produit de processus psychologiques, sous réserve de lui laisser une vérité ontologique dont on ne voit plus le contenu réel.

L'école de Jung a eu le mérite de démontrer les effets religieux de la mentalité de participation et de la projection. Mais elle a finalement dénié toute valeur à la foi en un Dieu ontologiquement réel, réduisant ainsi la religion à la pure intériorité psychologique.

Toutes ces critiques ont leur vérité. Phénomène profondément humain, la religion habite les sentiments, elle surgit des tendances et désirs qui se confrontent à la frustration, elle s'enracine dans la structure œdipienne de l'homme, elle est souvent pour une large part fonctionnelle et projective. Elle peut glisser vers l'obsession, et risque de maintenir l'homme dans une croyance quasi-magique et servile.

La religion vécue telle que la psychologie la révèle est un phénomène impur, mixte. On y relève tous ces processus psychologiques. Mais ils n'épuisent pas entièrement l'intention religieuse qu'ils sous-tendent, à laquelle ils se mêlent. Si on interroge les croyants, il est manifeste que leur foi dépasse la religion fonctionnelle ou projective. Car toute attitude religieuse entend s'inscrire dans un discours qui désigne comme norme de vraie religion une relation orientée vers Dieu tel qu'il est en lui-même, par delà les demandes et les désirs humains, et indépendamment des besoins et représentations spontanés. Et l'homme se laisse aussi mettre en question par le discours religieux. La religion est donc une réalité dynamique, non seulement en vertu de l'évolution psychologique de l'homme, mais aussi en raison de l'intention même de l'attitude religieuse.

Dans notre étude sur les processus psychologiques à l'œuvre dans l'anti-théisme, nous avons observé que tout conflit vécu défigure la réalité divine. De même, la psychologie nous révèle que le Dieu qui se profile au terme des tendances et des besoins religieux, présente la figure ambiguë d'un Dieu trop humain pour être véritablement le Dieu tout autre. Les conflits et les options anti-théistes naissent même de la confrontation humaine avec une image de Dieu telle qu'elle naît des désirs et des craintes de l'homme. Mais à l'écoute du discours religieux l'homme peut se ressaisir, découvrir l'Autre, restructurer ses tendances psychologiques, et établir une relation religieuse qui, tout en émergeant de ses désirs, les dépasse. Nos réflexions sur le symbole paternel et sur la filiation (I 2 a) ont illustré ce mouvement dynamique qu'est la vraie religion concrète.

TABLE DES MATIÈRES

Avant-propos (par J.-F. Six) 5
Préface (par H. de Lubac) 7
Avertissement 11
Liste des collaborateurs du Ier tome 15
Introduction (par J. Girardi) 17
   I. Le problème de l'athéisme contemporain 19
   II. « Athéisme » : précisions terminologiques 25
   III. Le dialogue entre catholiques et athées 57

PREMIÈRE PARTIE
L'ATHÉISME DANS LA VIE ET LA CULTURE CONTEMPORAINE 103

Première section

La sociologie face au problème de l'athéisme 105

Chapitre I. *Peut-on parler aujourd'hui en France d'incroyants et d'athées* (par J. Potel) 107
   Introduction 108
   I. Repères sociologiques 112
   II. Genèse de l'athéisme et de l'incroyance en France . . 129
   III. Pour une réflexion théorique plus poussée 135
   Ouvertures 149

Chapitre II. *Les interprétations sociologiques du phénomène religieux dans l'athéisme contemporain* (par E. D. Vogt) 157
   Exposé 158
   I. Athéisme et fonctionalisme-sociologisme 158
   II. La sociologie de la religion dans le marxisme classique . . 163
   III. La sociologie de la religion dans le marxisme contemporain . 170
   IV. La religion dans le sociologisme de Durkheim 184
   Discussion 187
   I. Appréciation de la sociologie marxiste de la religion . . 189
   II. Appréciation de la sociologie durkheimienne de la religion . 200
   III. Perspectives de la sociologie de la religion 203

Deuxième section

LA PSYCHOLOGIE FACE AU PROBLÈME DE L'ATHÉISME 211

Chapitre I. *Analyse psychologique du phénomène de l'athéisme* (par A. VERGOTE) 213
    I. Questions préliminaires 214
    II. Processus psychologiques engagés dans l'athéisme 222
    Conclusion 250

Chapitre II. *La psychanalyse et l'athéisme* (par L. BEIRNAERT) . . . 253
    I. Freud et la découverte de l'inconscient 256
    II. Le discours analytique de Freud 258
    III. Les athéismes du psychanalyste 260
    IV. La question de l'athéisme après Freud 264

Chapitre III. *Croissance psychologique et tentation d'athéisme* (par A. GODIN) 269
    I. L'anthropomorphisme 272
    II. L'animisme. 278
    III. La mentalité magique 282
    IV. Le moralisme 285
    V. Le psychologisme 289

Chapitre IV. *L'athéisme des jeunes* (par G. MILANESI) 293
    Introduction 294
    I. Étendue du phénomène 298
    II. Signification psycho-sociologique 333
    Conclusions 368

Chapitre V. *L'athéisme des « croyants »* (par R. O. JOHANN) 371
    I. Description générale 374
    II. Les trois types d'athées 376
    III. Foi véritable et possibilités latentes d'athéisme 384

Chapitre VI. *« Conversions » du christianisme à l'athéisme* (par G. HOURDIN) 389
    I. Condition historique 392
    II. Sondages, enquêtes et témoignages contemporains 395
    III. Biographies d'hommes représentatifs 410
    Conclusions 426

Chapitre VII. *Interprétations psychologiques du phénomène religieux dans l'athéisme contemporain* (par A. VERGOTE) 431
    Exposé 432

Table des matières 503

    I. La psychologie, science de l'homme 434
    II. L'optique propre du psychologue 439
    III. L'interprétation psychologique 448
Discussion 485
    I. Les dimensions psychologiques de la religion 485
    II. Psychologie des sentiments religieux 490
    III. La psychanalyse devant la religion 495
    Conclusion : l'originalité de l'attitude religieuse 498

N° 391 — Imprimé en Belgique par Desclée & Cie, Éditeurs, S. A., Tournai — 10.878
D—1968—0002—4